D0533987

1.850,-

Handboek openbare financiën

Handboek openbare financiën

Gemeentelijke Openbare Bibliotheek
Erpe – Mere
Oudenaardsesteenweg 458
9420   ERPE – MERE

Herman Matthijs
Frank Naert
Jef Vuchelen

INTERSENTIA

Deeltijdse Plaatselijke
Openbare Bibliotheek
ERPE-MERE

2000/34

LZ
346.1
uitleenb.

Handboek openbare financiën
H. Matthijs, F. Naert, J. Vuchelen

© 1999 Intersentia
        Antwerpen – Groningen
http://www.intersentia.be

ISBN 90-5095-087-6
D/1999/7849/23
NUGI 681

Alle rechten voorbehouden. Behoudens uitdrukkelijk bij wet bepaalde uitzonderingen mag niets
uit deze uitgave worden verveelvoudigd, opgeslagen in een geautomatiseerd gegevensbestand of
openbaar gemaakt, op welke wijze ook, zonder de uitdrukkelijke voorafgaande toestemming van
de uitgevers.

Woord vooraf

Er zijn weinig sub-domeinen binnen de economische wetenschap die zo aan landsgrenzen gebonden zijn als het vakgebied van de openbare financiën. De manier waarop een land bestuurskundig georganiseerd is, straalt immers af op de organisatie en de regelgeving inzake openbare financiën. Deze vaststelling heeft belangrijke implicaties voor het onderwijs over de openbare financiën. Daar waar voor domeinen zoals micro- en macro-economie, of internationale economie nogal gemakkelijk een beroep kan worden gedaan op ruimvoorradige Engelstalige handboeken, kan men voor openbare financiën moeilijk de institutionele en reglementaire context uit het oog verliezen van het land waar de cursus gedoceerd wordt.

Daardoor is er dus weldegelijk behoefte aan een 'Belgisch' handboek over openbare financiën. Die leemte proberen wij met dit boek op te vullen.

Het economische startpunt dat we met dit boek innemen, betekent niet dat het een puur economisch werk is geworden. Integendeel, de openbare financiën, en bij uitbreiding de overheid, vereist als studiegebied een multidisciplinaire aanpak met ook de nodige aandacht voor juridische, politieke en managementaspecten. Met die filosofie in het achterhoofd is dit boek geschreven.

Het werk valt uiteen in zeven delen.

Het eerste deel is bedoeld als inleiding tot de materie. Er wordt uiteengezet dat de invalshoek breder is dan van klassieke benaderingen die zich enkel beperken tot de economische aspecten van de belastingheffing en de overheidsschuld. Fenomenen als het economisch beleid, de publieke besluitvorming, de institutionele aspecten van het beleid en de begrotingsprocedures ontsnappen niet aan de aandacht.

Een goed begrip van de openbare financiën is niet mogelijk zonder eerst dieper in te gaan op de vraag wat de overheid juist is. Daaraan is onmiddellijk gekoppeld de vraag naar het waarom en het hoe van de overheidsinterventie. Het antwoord op deze vragen wordt daarenboven geplaatst tegen een geschiedkundige achtergrond.

Het tweede deel van het boek zoomt in op een aantal aspecten die reeds in de inleiding werden aangebracht, te weten de overheidsfuncties in de economie. Hier volgen we de klassieke driedeling van Musgrave: allocatie, verdeling en stabilisatie.

In het allocatiehoofdstuk wordt het concept 'collectieve voorzieningen' aangebracht. Door kenmerken als niet-rivaliteit en niet-uitsluitbaarheid is levering van collectieve voorzieningen door de privé sector dikwijls problematisch. De overheid kan dan een rol spelen om dit euvel te verhelpen. De verschillende aspecten van collectieve voorzieningen en de implicaties voor het optreden van de overheid komen uitgebreid aan bod. Ook op het vlak van de verdeling van inkomens en vermogens kan de markt tot maatschappelijk minder gewenste resultaten leiden. Opnieuw kan de overheid een rol spelen bij het corrigeren van de markt.

Ten derde heeft de overheid d.m.v. de openbare financiën traditioneel een taak toebedeeld gekregen in het stabiliseren van de conjunctuurschommelingen en in het stimuleren van de economische groei.

Dit tweede deel rondt af met een hoofdstuk dat de corrigerende rol van de overheid ten aanzien van het falen van de markt in een juister perspectief plaatst. Ook de overheid kan immers falen. In dit afsluitende hoofdstuk wordt ook dieper ingegaan op de ruimtelijke component in de openbare financiën. Het in aanmerking nemen van verschillende overheidsniveaus leidt immers tot nieuwe problemen, maar ook tot nieuwe inzichten, die beide te vatten zijn onder de noemer van het 'fiscal federalism'.

Na de economische aanloop in het tweede deel, waarbij de openbare financiën geplaatst werden in de ruimere context van het overheidsoptreden in de economie, behandelt deel drie het institutionele kader van de begrotingen op de diverse overheidsniveaus die België rijk is (en waar hier, om logische redenen, ook het Europese niveau wordt aan toegevoegd). Voor die niveaus, te weten het Europese, het federale, het gewestelijke en het lokale, worden telkens de volgende aspecten geanalyseerd: de begrotingsprincipes, de presentatie, de voorbereiding, de uitvoering, de rekening en de controle.

Het valt uiteraard niet te verwonderen dat de invalshoek in dit deel hoofdzakelijk juridisch-bestuurskundig is. Door de doorgedreven analogie tussen de diverse hoofdstukken in dit deel, is het mogelijk een zicht te krijgen op de technische verschillen en gelijkenissen tussen de openbare financiën van de respectieve overheidsniveaus.

Het institutionele kader geschetst zijnde, vat het vierde deel aan met het traditionele zwaartepunt én paradepaard in de economische studie van de openbare financiën, te weten de belastingen. De term 'belastingen' wordt meestal al pars pro toto gebruikt voor de verschillende financieringsbronnen van de overheid. Naast de belastingen zijn er immers ook nog de niet-fiscale inkomsten en de financiering d.m.v. leningen.

Het eerste hoofdstuk van het deel over de belastingen behelst een overzicht van de wijze waarop de verschillende overheden in België zich financieren. Hierbij gaat eveneens aandacht naar een aantal fenomenen die in de laatste jaren op de voorgrond zijn gekomen zoals de tweespalt tussen belastingharmonisatie en –concurrentie op Europees vlak en de vraag naar al dan niet meer fiscale autonomie voor de Belgische regio's.

De echte economische analyse van de belastingen gaat van start in het tweede hoofdstuk. Er wordt ruim plaats gemaakt voor de rechtvaardigheidsaspecten van de belastingheffing en uiteraard voor de gevolgen van de belastingheffingen op het gedrag van economische agenten (afwenteling, belastingontwijking en -ontduiking).

Vermits het in de overheidssector, als men de ontvangsten naast de uitgaven plaatst, dikwijls gaat om negatieve saldi, volstaan de belastingen en de niet-fiscale ontvangsten niet om de uitgaven te financieren. Begrotingstekorten vormen dan ook een studieobject op zichzelf. Vertrekkende vanuit de financieringsbehoeften komt men immers terecht bij netto en bruto te financieren saldo en uiteindelijk bij de verschillende normen die ten aanzien van saldi kunnen worden gehanteerd.

Zoals reeds aangegeven was bij de algemene behandeling van het overheidsoptreden in de economie in deel 2, heeft het voorkomen van diverse overheidsniveaus met verschillende hiërarchische verhoudingen ook gevolgen voor de financiering. De fiscale aspecten daarvan zijn het voorwerp van hoofdstuk 4, de belastingheffing in een federale en internationale context.

Als laatste topic in dit deel komt de overheidsschuld aan bod. Als rechtstreeks gevolg van cumulatieve tekorten ontwikkelt de overheidsschuld een eigen dynamiek met heel wat interessante economische facetten.

Deel 5 houdt zich bezig met de uitgavenzijde in de openbare financiën. De gekozen volgorde, eerst de belastingen en dan de uitgaven, zou misschien doen vermoeden dat het uitgavenniveau voortvloeit uit de beschikbare middelen. In de economische realiteit geldt evenwel eerder het omgekeerde: eerst zijn er de uitgaven, daarna komt de financiering.

In het eerste hoofdstuk van deel 5 gebeurt de statistische analyse van de overheidsuitgaven. Allerlei criteria dienen daarbij als uitgangspunt: het overheidsniveau waarop de uitgaven gebeuren, het soort uitgaven, het tijdsperspectief en het internationaal perspectief. Men zal merken dat het beschikbare statistische materiaal sterk heterogeen is. Bij vergelijkingen moet dus zeer omzichtig te werk worden gegaan.

Waar er wel weinig twijfel over bestaat is dat de overheidsuitgaven vooral sinds de Tweede Wereldoorlog in heel de westerse wereld sterker zijn toegenomen dan het nationaal inkomen. Deze evolutie lijkt de laatste jaren tot een stilstand te zijn gekomen. Niettemin blijft de groei van de overheidsuitgaven de aandacht van economen krijgen. Hoofdstuk 2 van deel 5 geeft een overzicht van de verschillende verklaringen voor het niveau en de structuur van de overheidsuitgaven. Enerzijds zijn er de eerder traditionele theorieën die het vooral zoeken in economische determinanten. Anderzijds zijn er de benaderingen die de nadruk leggen op politieke factoren.

Het laatste hoofdstuk van deel 5 bekijkt een ander aspect van de overheidsuitgaven, nl. de techniek van het begroten van de uitgaven. Op het micro-niveau van individuele uitgavenprogramma's betekent dat vooral aandacht voor de techniek van de sociaal-economische kosten-batenanalyse. Op het iets hogere meso-niveau van de begroting gaat het eerder om allerlei pogingen om het uitgavenpakket beter te plannen en te beheersen door middel van technieken zoals 'planning, programming, budgeting' of 'zero based budgeting'.

De sociale zekerheid neemt een speciale positie in binnen het domein van de openbare financiën. Strikt economisch bekeken kunnen zowel de ontvangsten als de uitgaven binnen de sociale zekerheid zonder problemen samen worden bekeken met de overige overheidsontvangsten en –uitgaven. Door de specifieke institutionele kenmerken van de sociale zekerheid is het evenwel aangewezen dit systeem in een afzonderlijk deel te behandelen. Dit gebeurt in de vier hoofdstukjes van deel 6. Na een korte aanloop met de historische achtergrond van de sociale zekerheid, wordt de organisatie besproken. Vervolgens komen de economische gevolgen van de sociale zekerheid aan bod. Er wordt afgesloten met een blik op de toekomstperspectieven. De sociale zekerheid dreigt immers onder een hoge demografische en financiële druk te bezwijken.

In deel 7 van het boek wordt een poging ondernomen om de overheidsfinanciën te kaderen binnen het ruimere perspectief van het publieke management. De bedoeling hiervan is om aan te tonen dat de openbare financiën onlosmakelijk verbonden zijn met de wijze waarop het management in de overheidssfeer gebeurt. De verschillen en gelijkenissen tussen publiek en bedrijfsmanagement werpen dan weer een speciaal licht op fenomenen zoals verzelfstandiging en privatisering, waarmee we weer midden in de openbare financiën belanden.

Het deel 7 start met een algemene inleiding op managementtheorieën, om daarna een vergelijking te maken tussen management in de private sfeer versus management in de publieke sfeer. Deze oefening brengt ons bij de theorie van het 'public management'. Verder wordt ingegaan op de deelgebieden binnen het management. Een flink stuk aandacht gaat vervolgens naar de verschillende facetten van de verzelfstandiging, c.q. privatisering van overheidsactiviteiten. Het boek sluit af met een uiteenzetting over de evaluatie van het beleid: economie, efficiëntie en effectiviteit zijn daarbij de sleutelbegrippen. Steeds meer wint ook de opinie veld dat men moet proberen de overheidsprestaties te meten en in kengetallen te gieten. Aan deze nieuwe tendens wordt de gepaste aandacht geschonken.

Tot daar deze tocht doorheen de inhoudstafel van dit werk over openbare financiën. Wij menen dat we met deze aanpak een handboek afleveren dat bruikbaar is voor het onderwijs op universitair en hogeschoolniveau. Studenten uit economische richtingen: (toegepaste) economie, handelswetenschappen en handelsingenieur kunnen er hun voordeel uit halen. Mits minder nadruk te leggen op de moeilijke economisch-technische stukken, kan het boek ook met goed gevolg gebruikt worden door studenten in de rechten, in de bestuurskunde en –wetenschappen en in de politieke wetenschappen. Verder beoogt het boek ook diegenen die professioneel met openbare financiën bezig zijn, een referentiekader te bieden waarin het globale kader geschetst en ingevuld wordt.

Zoals elk boek kon ook dit werk niet tot stand komen zonder de gewaardeerde hulp van vele mensen. In het bijzonder willen wij Frans De Braekeleer bedanken. Hij stond mee aan de wieg van dit boek. De opzet en de indeling hebben zeker geprofiteerd van zijn ideeën ter zake. Catherine Blancquaert en Alain Petit maakten constructieve opmerking-en op eerste versies van een aantal hoofdstukken. Ook Ivan D'haese wordt bedankt voor zijn aanwijzingen en suggesties om de per definitie verschillende schrijfstijl van drie auteurs tot een grotere eenheid te smeden. Tenslotte nog een woord van dank aan onze uitgevers Veronique Verellen en Hans Kluwer. Met zachte, doch besliste hand hebben zij ons door het strikte tijdsschema voor dit boek geloodst. Zonder hun aansporingen en steun was dit project waarschijnlijk onderweg gestrand wegens te moeilijk en te tijdrovend.

Herman Matthijs, Frank Naert, Jef Vuchelen
Mei 1999

INHOUDSTAFEL

DEEL 1 : INLEIDING

Een maatschappij zonder overheid is niet meer mogelijk. De overheid interve-nieert niet alleen in het economische gebeuren, maar in ongeveer alle domeinen van het maatschappelijk leven via overheidsuitgaven, subsidies, transfers, reguleringen, verplichtingen enz. Om deze interventie te financieren zijn geldmiddelen nodig. Hierom heft de overheid belastingen en ontleent ze gelden. Deze geldstromen onderschatten evenwel de overheidsinterventie omdat ze enkel de "financiële" interventie meten.

Dat de overheidsinterventie in alle landen gestaag is toegenomen is grotendeels terug te brengen tot veranderende opvattingen t.a.v. de overheid : na de Tweede Wereldoorlog werd de opdracht van de overheid uitgebreid tot domeinen die we samenvatten in de term "welvaartsstaat". Dit financieren bleek, dankzij de groei van de jaren zestig, geen probleem te stellen. De economische crisis maakte evenwel duidelijk dat ook de overheidsbudgetten aan beperkingen onderhevig zijn. Evident werd dan ook gesnoeid in de sociale uitgaven om een ontsporing van de overheidsfinanciën te vermijden.

Vandaag blijft het een open vraag welke de inhoud zal zijn van de overheidsinter-ventie in de 21ste eeuw. Voor wat de sociale interventie betreft, gaat men wellicht naar minder herverdelende ingrepen. De moeilijkheden om de werkloosheid te beperken laten ook vermoeden dat de tewerkstelling nog meer centraal zal worden geplaatst in de doelstelling van de interventie; hieraan is ook scholing en permanente vorming gekoppeld.

Voor de meer economische taken van de overheid ligt het voor de hand dat de kwalitatieve economische groei zal worden gestimuleerd (het belasten van vervuiling is hier een onderdeel van). De overheid zelf zal minder progressief belasten en meer volgens de marktregels functioneren.

Trefwoorden en -zinnen van deel 1

Allocatietaak
Belastingillusie
Budgetbeperking
Deficit spending
Directe interventie
Doeltreffendheid of effectiviteit
Drukkingsgroepen
Efficiëntie of doelmatigheid
Fiscaal dividend
Herverdelingstaak
Indirecte tussenkomsten
Inkomstenbelastingen
Instrumenten
Interventiestaat
Keynesianisme
Maastrichtconvergentiecriteria
Marktfaling
Overheidsfalingen
Overheidsinterventie
Overheidssector of publieke sector
Reguleringen
Stabiliteitspact
Stabilisatietaak
Uitbestedingen
Vrijbuitersgedrag of parasitair gedrag
Welvaart van de gemeenschap
Welvaartsstaat

1. HET STUDIEDOMEIN VAN DE OPENBARE FINANCIËN

Het studiedomein van de openbare financiën is de activiteit van de *overheidssector* of *publieke sector*. Dit is bijzonder ruim. Bepaalde subdomeinen hebben veel verwantschap met gelijkaardige gebieden uit de bedrijfseconomie, zoals personeelsbeheer of het meten van de efficiëntie van de dienstverlening. Andere subdomeinen zijn evenwel zeer specifiek zoals de theorie van de belastingheffing. In een "ouderwetse" benadering werd de studie van openbare of overheidsfinanciën beperkt tot problemen die verband hielden met belastingheffingen en overheidsuitgaven. Dit stelde een aantal problemen omdat het onduidelijk was of bepaalde overheidsingrepen zoals reguleringen wel behoorden tot het domein van de openbare financiën. In dit boek zullen we een bredere interpretatie volgen. Evident zal veel aandacht uitgaan naar de belastingheffing en de overheidsuitgaven, maar we gaan ook dieper in op problemen zoals het economisch beleid, de publieke besluitvorming, de institutionele aspecten van het beleid en de begrotingsprocedures.

Het is ook duidelijk dat een boek over openbare financiën nauw aansluit bij de algemene macro-economie. Hierin gaat veel aandacht uit naar de belastingen en de overheidsuitgaven als onderdeel van het macro-economisch instrumentarium. Op deze macro-economische beleidsinvalshoek zullen we echter niet uitvoerig ingaan.

De benadering die we volgen bij het behandelen van de vermelde problemen is deze van de economische theorie. Dit houdt in dat we gebruik maken van de inzichten die deze theorie heeft opgeleverd betreffende het gedrag van economische agenten.

2. HISTORIEK VAN DE OVERHEIDSINTERVENTIE EN DE HOUDING TEGENOVER DE OVERHEID

Het samenleven van mensen leidt automatisch tot een zekere organisatie die op de een of andere wijze moet worden geleid. Aldus ontstaat op een natuurlijke wijze een "overheid" die toelaat dat de maatschappij functioneert. Zeer schematisch gesteld, kan deze overheid op een directe dan wel op een indirecte wijze tussenkomen. De *directe interventie* vindt plaats via dwingende reguleringen zoals verbods- of gebodsbepalingen, minimumlonen, veiligheidsvoorschriften en overheidsbezit; *indirecte tussenkomsten* lopen via de relatieve prijzen die worden gewijzigd door belastingen of subsidies en langs onrechtstreekse beïnvloedingskanalen zoals overleg en overheidsaandeelhouderschap. Duidelijk is wel dat de wijze waarop de overheid tussenkomt sterk afhankelijk is van de economische structuur. Ook vereist een indirecte tussenkomst een relatief uitgebreide vorm van belastingheffing en een controle hierop.

In de oudheid en de middeleeuwen bleven de taken van de overheid niet beperkt – zoals men zou kunnen verwachten – tot het verzorgen van de externe veiligheid, maar vloeiden er ook taken voort uit noodwendigheden. Zo wordt aanvaard dat het aanleggen van irrigatiekanalen in Egypte, China en Mesopotamië in het bronzen tijdperk en de hiervoor vereiste organisatie het ontstaan van overheidsinstellingen in de hand werkte. De overheidsbeslissingen werden op een gevarieerde wijze genomen : burgers hadden soms een beperkte inspraak, maar veelal heerste er een regelrechte dictatuur. Dit laatste leidde dan ook, en dit duurde tot in de middeleeuwen, tot een versmelting van de overheidsfinanciën en de privé-financiën van de leiders. Belastingen en uitgaven weerspiegelden meestal enkel en alleen hun behoeften. Het welzijn van de bevolking werd gelijkgesteld aan dit van de heersende elite (Adam Smith veranderde deze gedachtegang door het welzijn van de burgers voor te staan). Met belastingen werd dan ook slechts één enkel oogmerk nagestreefd : opbrengst. Iedereen moest bijdragen, ook de onbemiddelden die verplichte arbeid dienden te verrichten.

Pas in de dertiende eeuw kreeg het Engelse parlement inspraak bij de vaststelling van de belastingheffing. Dit was evenwel uitzonderlijk. Meestal bespeelden de beleidsvoerders in de middeleeuwen het volledige gamma van belastingheffing : muntontwaarding door inflatie, kapitaalbelasting tot zelfs het weigeren om aangegane schulden terug te betalen.

De belangrijkste belastingen waren de indirecte belastingen. *Inkomstenbelastingen*, voor het eerst opgelegd in Italië tijdens de Renaissance, werden tijdelijk ingevoerd op het einde van de achttiende eeuw om de oorlogen van en tegen Napoleon te financieren. In 1815 werden ze afgeschaft. Dat ze in het midden van de negentiende eeuw opnieuw werden geheven, dient te worden verklaard door de gewijzigde politieke structuren : er ontstonden rudimentaire democratieën en de overheidsfinanciën werden beter beheerd. Eén van de geldende regels was dat begrotingen in evenwicht dienden te zijn. Bij oplopende uitgaven als gevolg van de bewapening en de opkomende industrialisatie, noopt dit tot het aanboren van nieuwe, goedopbrengende belastingen. De stijgende salarisatiegraad laat bovendien toe dat de inning van de inkomstenbelastingen, via een heffing aan de "bron", gemakkelijk kan verlopen. Wel moet worden opgemerkt dat de hoogste tarieven zelden 10 procent overtroffen (20 procent in Italië) en meestal zelfs beneden 5 procent bleven[1].

De overheid besteedde evenwel weinig aan sociale uitgaven. Geleidelijk werden dergelijke uitgaven toch gefinancierd (zo werd het eerste pensioenstelsel in Duitsland ingevoerd in 1889) omdat werd gedacht dat ze het opkomend socialisme zouden afremmen.

Initieel was de openbare schuld beperkt tot stedelijk of persoonlijk krediet van de bewindvoerders en dit om uitzonderlijke uitgaven, vooral oorlogen, te financieren. Het verschil tussen stedelijk krediet en belastingheffing was soms zeer klein omdat de inwoners regelmatig werden verplicht om krediet te verlenen. De kredietbewijzen werden soms zelfs gebruikt als betaalmiddel zodat men kan spreken van een monetaire financiering van de schuld. Belastingheffing vormde een noodzakelijke voorwaarde voor de uitgifte van overheidsschulden daar beleggers enkel krediet zullen toestaan wanneer ze geloven dat dit ooit zal worden terugbetaald. Een andere rem op de emissie van schulden vormde lange tijd het verbod van de katholieke kerk op het betalen van rente.

De verplichte intekening op leningen kon natuurlijk alleen op de eigen inwoners worden toegepast. Voor de andere kredietverleners dienden zekerheden in ruil te worden gegeven. De meest voor de hand liggende was de opbrengst van bepaalde belastingen ("earmarking"). Aldus kregen kredietverleners zeggenschap in het gevoerde fiscale beleid.

Tot de Tweede Wereldoorlog beperkte de discussie omtrent de overheidsinterventie zich tot de belastingheffing en het betrof dan nog meer de soort dan de omvang van deze heffing. Zo werd in de Verenigde Staten op het einde van de vorige en in het begin

---

[1]   Zie Webber C. en Wildavsky A. (1986), blz. 344, voor een overzicht.

van deze eeuw een harde strijd gevoerd tegen de invoering van de inkomstenbelasting. Over de uitgaven en schulden bestond weinig commotie. Voor wat de schulden betreft valt dit te verklaren doordat hun opstapeling gebonden was aan oorlogssituaties zodat het beëindigen van de vijandelijkheden steeds het herstel van de gezondheid van de openbare financiën inluidde. Echte pleidooien voor toenemende overheidsinterventies en overheidsuitgaven zijn pas ontstaan na de Tweede Wereldoorlog bij de uitbouw van de zogenoemde welvaartsstaat. Pas toen was hiervoor zowel een politieke (algemeen stemrecht) als een theoretische basis (het *Keynesianisme*) beschikbaar. Aldus ontstond de *welvaartsstaat* waarbij de overheid de burgers "verzorgt" van de wieg tot het graf. De "verzorging" dient heel breed te worden beschouwd omdat de doelstelling bestaat in het streven naar sociale integratie en het gelijkschakelen van de ontplooiingskansen van alle inwoners. De uitgaven van de welvaartsstaat omvatten derhalve alle sociale transfers, veelal binnen de sociale zekerheid, en de subsidiëring van openbare diensten zoals onderwijs en gezondheidszorg. Of uitgaven zoals welzijnszorg, sport, cultuur en huisvesting gebonden zijn aan de welvaartsstaat, is vatbaar voor discussie. Voor nog meer discussie vatbaar is de argumentatie dat alle overheidsuitgaven die volledige tewerkstelling beogen ook tot de uitgaven van de welvaartsstaat moeten worden gerekend.

Vergeten we bij de welvaartsstaatinterventie niet de beschermende reguleringen in verband met ontslag, minimumloon, en werkomstandigheden.

De stelling dat vooral het Keynesianisme verantwoordelijk is voor de geleidelijke aftakeling van de overheidsfinanciën na de Tweede Wereldoorlog werd vooral door Buchanan J. en Wagner R. (1977) verdedigd. Zij argumenteren dat tot de opgang van het Keynesianisme het overheidsbudget, zoals het familiebudget, in evenwicht diende te zijn. Ontleningen werden enkel toegelaten om kapitaaluitgaven te financieren. Enkel in zeer uitzonderlijke omstandigheden zoals oorlogen, waren tekorten om lopende uitgaven te dekken toegestaan. De ideale politieke lijn in de pre-Keynesiaanse periode bestond in het streven naar een klein budgettair overschot om mogelijke tegenvallers op te vangen. Deze budgettaire gedragsregel van de klassieke economen steunde op de dubbele bekommernis dat schulden aangaan een uiting is van openbare extravagantie en dat ze een last leggen op het nageslacht doordat de komende generaties verplicht worden om ze terug te betalen.

Het Keynesianisme heeft deze opvatting volledig gewijzigd. De idee dat de schuld een last doorschuift naar het nageslacht werd bestreden (zie deel 4, hoofdstuk 5 voor een samenvatting van de discussie). De stap van deze redenering naar de stelling dat aan tekorten weinig of geen aandacht moet worden besteed, is natuurlijk klein. Aldus verviel een belangrijke rem op de schuldfinanciering van de overheidsinterventie. Hierdoor werd de illusie gecreëerd dat uitgaven mogelijk werden zonder dat elders middelen dienden te worden onttrokken : de ervaren prijs van de overheidsuitgaven daalde waardoor de vraag natuurlijk toenam. Bovendien stelden de voorstanders van schuldfinanciering dat de nefaste gevolgen voorspeld door de klassieke economen in de jaren zestig niet zijn uitgekomen. Integendeel zelfs, want de groei was nooit zo hoog. Dit diende dan het ongelijk van de tegenstanders van *"deficit spending"* te bewijzen.

De echte uitbouw van de *interventiestaat* is derhalve vrij recent. Initieel leverde dit weinig financiële problemen op door de zeer gunstige economische omstandigheden van de jaren zestig (de "gouden jaren zestig"). Door de sterke toename van de belastingopbrengst (het *fiscaal dividend*) werd minder weerstand geboden tegen verhogingen in de overheidsuitgaven. Beleidsmatig werkte de stelling van Parkinson, die voorhoudt dat de uitgaven zullen stijgen tot al de beschikbare middelen zijn opgebruikt. Vooral de ervaring van de jaren zestig steunde de stellingen van de Keynesianen : stabiele inflatie bij omvangrijke groei waarvan iedereen kon genieten. Het is pas sedert de oliecrisis van 1974 dat ernstige twijfels ontstonden betreffende de capaciteit van de overheid om alle economische problemen op te lossen. Door de explosie van de sociale uitgaven gebonden aan de welvaartsstaat en de tegenvallende belastingopbrengsten, werden overheden verplicht om hun uitgaven terug te schroeven. Desalniettemin nam de overheidsschuld sterk toe. De beleidsmoeilijkheden in de loop van de jaren tachtig om opnieuw greep te krijgen op de overheidsfinanciën verklaren het belang van de tekort- en schuldnorm in de *Maastrichtconvergentiecriteria*. Het *stabiliteitspact* dat in de Europese monetaire unie de overheidsfinanciën regelt, moet trouwens verhinderen dat er opnieuw een ontsporing zou kunnen plaatsgrijpen.

3. DE OVERHEID EN HAAR INTERVENTIE

3.1. Inleiding

In de volgende paragrafen behandelen we de verschillende aspecten van de overheidsinterventie, zoals de doelstellingen, de instrumenten en de gevolgen. We starten met een bespreking van de vraag "wat is de overheid ?".

3.2. Wat is de overheid ?

De organische visie ziet de maatschappij als een orgaan[2] waarvan de individuen een onderdeel zijn en de overheid een onmisbaar centraal element. De belangen van de maatschappij overstijgen deze van het individu. De maatschappijdoelstellingen worden vastgelegd door de overheid die tevens zorgt voor de realisatie. Deze paternalistische visie op de staat houdt dus voor dat de overheid over rechten beschikt die "aan niemand" ontleend werden en dat ze "eigen" doelstellingen kan nastreven, zelfs als deze in concurrentie komen met de belangen van de privé-sector. In deze visie worden ook aan de overheid buitengewone gaven toegekend omdat ze verondersteld wordt te weten wat goed is voor de burgers. Deze overheid werkt ook efficiënt.

Tegenover deze organische visie staat de mechanistische visie die voorhoudt dat de overheid "gecreëerd" werd door de burgers om hun individuele doelstellingen beter te kunnen realiseren. De overheid bezit derhalve alleen deze rechten die de burgers uitdrukkelijk hebben afgestaan. De overheid dus als emanatie van de burgers. Een belangrijk gevolg van deze visie is dat de beleidsvoerders en de overheid enkel kunnen doen wat de burgers hen voorhouden. Deze benadering wordt het verst doorgetrokken in liberale en libertarische denkrichtingen : een ongecontroleerde overheid zou immers de vrijheid in het algemeen en dus ook de economische vrijheid aantasten. Hierom wordt voorgesteld om de overheidsingrepen te beperken tot het strikte minimum : het verdedigen van de vrijheid van de burgers tegenover het buitenland (landsverdediging) en tegenover de medeburgers (politionele en rechterlijke taken). Anders geformuleerd,

---

[2]   Rosen H. (1988).

de overheid moet het leven van de inwoners en hun eigendomsrechten waarborgen. Andere taken kan de overheid enkel in overleg met de burgers uitvoeren.

Dat deze twee visies in de praktijk dooreenlopen kunnen we illustreren aan de hand van twee voorbeelden. Zo vinden velen dat ze een moreel recht hebben tegenover de overheid wanneer ze zich in probleemsituaties bevinden. Het gaat dan om het recht op werkloosheidsuitkeringen, op een minimaal inkomen, op een pensioen en op hulp bij rampen. Dit is enkel mogelijk wanneer men er een organische visie op de overheid op nahoudt. Hetzelfde geldt wanneer wordt gepleit voor constitutionele beperkingen op de uitgaven, de belastingheffing of het tekort. Dergelijke beperkingen illustreren dat de overheid eerder als "vijand" dan als "vriend" wordt beschouwd

3.3. Omschrijving van de overheidsinterventie

Volgens de traditionele benadering bevat de *overheidsinterventie* vier belangrijke kenmerken :

- Het gaat om activiteiten van de overheidssector. Dit is een organisatie die duidelijk afgescheiden is van de commerciële sector en verantwoordelijk is tegenover de politieke beleidsverantwoordelijken.
- Er worden overheidsdiensten aangeboden : typisch aan deze diensten is dat ze voor iedereen "toegankelijk" zijn (universaliteitsprincipe). Er vindt dus geen discriminatie via prijzen plaats.
- De financiering van de overheidsinterventie gebeurt via belastinggelden zodat de bereidheid of mogelijkheid tot betalen geen invloed heeft op de beschikbaarheid van overheidsdiensten. Dit spruit niet alleen voort uit de open toegang tot overheidsdiensten, maar ook uit de dikwijls praktische onmogelijkheid om een prijs te innen. Dit is op extreme wijze het geval voor zuivere overheidsdiensten zoals openbare orde en veiligheid. Anderzijds werkt de onrechtstreekse betalingswijze voor overheidsdiensten *"vrijbuiters- of parasitair gedrag"* in de hand. Hierbij wordt maximaal gebruik gemaakt van de overheidsdiensten terwijl de bereidheid tot betalen via belastingen wordt geminimaliseerd.
- De finale doelstelling houdt het maximaliseren van de sociale welvaart in. Dit is de totale welvaart van de gemeenschap. De dienstverlening gebeurt dus vanuit het belang van alle belastingbetalers-consumenten. Dit verschilt van privé-bedrijven waar het aanbod van goederen en diensten het belang van de aandeelhouders nastreeft via het maximaliseren van de winst.

Dit traditionele model vormde lange tijd de basis van de overheidsinterventie. Het werd evenwel in de loop der jaren bijgestuurd, maar de basisingrediënten bleven bestaan. Zo wordt er vandaag wel gediscrimineerd voor wat de toegang tot een aantal overheids-diensten betreft, zoals sociale woningen en wordt frequent een prijs, al of niet in verhouding tot de kostprijs, aangerekend[3]. Belangrijker is wellicht dat de stelling werd verlaten dat overheidsdiensten enkel en alleen door de overheidssector konden worden

---

[3]   Dit kan het gevolg zijn van een technologische evolutie. Zo was het bij de oprichting van de eerse televisiestations niet mogelijk om kijkers te laten betalen in functie van het gebruik; vandaar in België het kijk- en luistergeld. Vandaag bestaat "pay-television". Hetzelfde kan worden gesteld voor het gebruik van wegen.

27

aangeboden. Door het privatiseren van traditionele overheidstaken zoals vervoer en telecommunicatie werd "ontdekt" dat de doelstellingen verbonden van de overheidsinterventie ook konden worden bereikt via het reguleren van privé-activiteiten.

3.4. De doelstellingen van de overheidsinterventie

Hierboven werd reeds opgemerkt dat de finale doelstelling van de overheidsinterventie het maximaliseren van de *welvaart van de gemeenschap* inhoudt. Deze welvaart is gedefinieerd als de som van de individuele nutsbelevingen[4]. Op het eerste zicht houdt deze welvaartsbenadering het afwegen in van voor- en nadelen van overheidsacties. Strikt beschouwd is dit evenwel een onmogelijke opdracht doordat interpersonele nutsvergelijkingen best vermeden worden. Enkel in Pareto-optimale situaties kan duidelijk worden gesteld dat de overheid de welvaart van de maatschappij verhoogt doordat dan het nutspeil van ten minste één persoon verhoogt zonder dat dit van iemand anders daalt. Men zal evenwel moeten toegeven dat er in de werkelijkheid weinig situaties bestaan waar niemand "verliest" en sommigen "winnen".

Een werkbare oplossing bestaat erin te stellen dat het uiteindelijk niet om individuen gaat, maar om groepen (eventueel drukkingsgroepen) zoals bejaarden, werklozen en ouders van jonge kinderen. Verder laat men de vergelijking van deze groepswaarderingen over aan democratisch gekozen beleidsvoerders. Vergissen ze zich, dan kunnen ze electoraal worden afgestraft en kan de beslissing worden herzien. Vanzelfsprekend kan dit zeer controversieel zijn in parlementaire democratieën met uiteenlopende politieke voorkeuren die ook op regeringsvlak doorwerken. De beleidsvoerders zullen moeten beslissen of het algemeen welzijn erop vooruitgaat als bijkomende overheidsuitgaven gefinancierd worden door bijkomende belastingen; de beslissing kan natuurlijk variëren van coalitie tot coalitie.

Deze benadering is niet vrij van kritiek omdat niemand kan waarborgen dat de beleidsvoerders enkel en alleen het nut van de kiezers voor ogen zullen hebben. Hierop wordt verder ingegaan bij het behandelen van de politieke economie (de "Public Choice"-benadering). Deze discipline onderzoekt hoe beslissingen in een democratie tot stand komen. Essentieel worden de economische principes toegepast op niet-marktbeslissingen.

De finale doelstelling van de overheidsinterventie, het maximaliseren van de welvaart, is weinig operationeel en weinig didactisch. Hierom wordt deze doelstelling in de literatuur vervangen door haar drie dimensies of componenten : allocatie, herverdeling en stabilisatie[5]. Dit zijn de drie taken of functies die Musgrave[6] aan de overheid toebedeelde. Men kan stellen dat dit de drie intermediaire doelstellingen voor de overheid zijn die, eens gemaximaliseerd, een maximale welvaart inhouden. Belangrijk is dat de drie intermediaire doelstellingen onderling sterk verweven zijn.

De *allocatietaak* bestaat in de zorg voor een optimale aanwending van de schaarse middelen. Dit doet de overheid door zelf diensten aan te bieden, door het gebruik van

---

[4]   Evident gaat het hier om een subjectieve beleving waarover weinig informatie beschikbaar is.

[5]   Wolfson D. (1987) heeft het over "bestendigheid" i.p.v. stabilisatie. Deze term biedt het voordeel dat de macro-economische bijgedachte van stabilisatie niet aanwezig is. Wolfson verduidelijkt de term als "(...) de continuïteit van de benutting en vernieuwing van het menselijke en fysieke kapitaal, en daarmee van de inkomensvorming en -verdeling" (blz. 22).

[6]   Zie Musgrave A. en Musgrave P. (1989).

productiefactoren in de private sector te beïnvloeden, zoals het afremmen van investeringen in verontreinigende activiteiten en door de consumptie van goederen en diensten te stimuleren of af te remmen (zo wordt de consumptie van goederen of diensten met een positieve externaliteit aangemoedigd terwijl deze met een negatieve externaliteit worden ontmoedigd (pollutie of tabak)).

De *herverdelingstaak* is van sociale aard : de overheid zou, vooral via belastingingrepen en het stelsel van de sociale zekerheid, een "betere" inkomens- en vermogensverdeling moeten nastreven[7]. Deze doelstelling vloeit voort uit de vaststelling dat een aantal risico's bij de geboorte vastliggen zoals bepaalde ziekten en structurele werkloosheid, zodat het bijzonder moeilijk is om zich ertegen te verzekeren[8]. Dit is in tegenstelling tot de risico's die niet bepaald zijn bij de geboorte, zoals een auto-ongeluk en conjuncturele werkloosheid waartegen men zich in principe bij privé-instellingen zou moeten kunnen verzekeren. De overheid vervult hier dus ook de rol van verzekeringsinstelling.

De *stabilisatietaak* tenslotte omvat de beperking of zelfs uitschakeling van conjuncturele schokken.

Op deze taken wordt verder in verschillende hoofdstukken in detail ingegaan. Hier beperken we ons tot een zeer globale bespreking.

Onder competitieve voorwaarden zal de marktwerking de productie en consumptie van goederen en diensten efficiënt organiseren zodat een maximale productie tegen de kleinst mogelijke kost wordt voortgebracht en dat de consumenten een zo hoog mogelijk welzijn bereiken. Deze ideale situatie zal echter niet systematisch gelden. Traditioneel spreekt men dan over *marktfaling*. Dit kan een teken zijn voor de overheid om in te grijpen. Merk wel op dat het hier om een relatief begrip gaat hetgeen de evaluatie bemoeilijkt. Wanneer is de faling dermate groot dat een ingrijpen noodzakelijk is ? Tegenstrijdige visies zijn dan ook best mogelijk. Belangrijk is dat het resultaat van de marktwerking wordt geëvalueerd. Hiervoor zijn niet alleen criteria nodig, maar deze moeten ook worden ingevuld. De visie die men op de maatschappij heeft zal dan ook een invloed hebben. Zo werden in marxistisch geïnspireerde, totalitaire regimes overal marktfalingen gezien om aldus de afwezigheid van een vrije markt te kunnen verantwoorden. Anderen zullen van een marktfaling spreken als de marktprijs "te hoog" zou oplopen. Dit vormt de verantwoording voor subsidies in de sectoren cultuur, onderwijs enz (cfr. de uitbouw van de welvaartsstaat). Men spreekt dan evenwel beter van het niet-aanvaarden van het resultaat van de marktwerking. Wel moet worden nagegaan waarom een hoge prijs zou ontstaan. Is dit omdat de producenten inefficiënt zijn ? Omdat ze een buitensporige winst realiseren ? Of omdat ze hoge onvermijdbare kosten moeten dragen ? In de eerste twee gevallen kan de vraag worden gesteld of de overheid niet beter de concurrentie verhoogt dan zelf te gaan produceren of te subsidiëren. Deze laatste situatie is niet te verhelpen, ook niet door de overheveling van de productie naar overheidsbedrijven.

Een uitbreiding van de overheidsinterventie is een evidente, maar niet de enig denkbare oplossing voor een marktfaling. Het verbeteren van de marktwerking vormt een

---

[7] Zoals opgemerkt in het historisch overzicht van de overheidsinterventie is deze doelstelling nauw verwant aan de welvaartsstaat.

[8] Door de vooruitgang van het genetisch onderzoek moet men vrezen dat dit soort risico's in de toekomst belangrijker zal worden zodat deze taak voor de overheid kan toenemen.

interessante tussenpositie tussen het aanvaarden van de marktfaling en een interventie door de overheid.

Theoretisch kunnen er vrij veel marktfalingen bestaan. Deze worden gebundeld in vier groepen : publieke goederen, externaliteiten, natuurlijke monopoliën en de overheid als organisator van de solidariteit. Hierop wordt uitgebreid ingegaan in deel 2.

Marktfalingen vormen een noodzakelijke voorwaarde voor overheidsinterventie. Of ze evenwel voldoende zijn, hangt niet alleen af van de evaluatie die men van de marktfaling maakt (zoals grootte en sociale gevolgen), maar ook van de visie die men heeft op het falen van de overheid.

3.5. Kan de overheid de vooropgestelde doelstellingen aan ?

Optimisten stellen dat de overheid rationeel en bekwaam is om te zorgen voor de welvaart van de inwoners. Ze geven toe dat de overheid niet perfect werkt, maar dat dit niets fundamenteels afdoet aan de voordelen van deze interventie. De overheid blijft, volgens hen, de enige oplossing voor een aantal problemen. Pessimisten daarentegen zien de overheid als een "Leviathan" die er alleen op uit is om zo veel mogelijk belastinggelden bij de burgers weg te halen en te spenderen aan een steeds groeiende bureaucratie. De overheid vormt hier een bedreiging voor de maatschappij.

De optimisten zijn frequent voorstander van een omvangrijkere overheid; ze behoren ook meestal tot de linkerzijde van het politieke spectrum. De pessimisten daarentegen verkiezen meestal een kleinere overheid en behoren eerder tot de rechterzijde.

De *overheidsfalingen* vloeien meestal voort uit twee problemen : de overheidssector kan te omvangrijk zijn of kan slecht functioneren. Technischer uitgedrukt, de overheid kan inefficiënt en ondoeltreffend werken. Van *efficiëntie of doelmatigheid* wordt gesproken wanneer de productie gebeurt tegen de laagst mogelijke kosten. Het is derhalve een typische productie-technische eigenschap waarvoor de verantwoordelijk- heid in de eerste plaats ligt bij het management dat instaat voor de overheidsdienst. *Doeltreffendheid of effectiviteit* bestaat anderzijds wanneer de vooropgestelde streefdoelen worden bereikt. Hier gaat het eerder om een politiek-beleidsmatige eigenschap zodat de verantwoordelijkheid daaromtrent bij de politieke beleidsvoerders moet worden gelegd. Ter verduidelijking, zal van inefficiëntie worden gesproken wanneer de armoedebestrijding niet wordt gerealiseerd tegen de laagst mogelijke kosten : de administratie kan te omvangrijk zijn en er kan te veel papierwerk zijn. Ondoeltreffendheden daarentegen zijn transfers die terechtkomen bij diegenen voor wie ze niet bedoeld zijn, zoals subsidies aan rendabele bedrijven.

Inefficiëntie en ondoeltreffendheid van het overheidsoptreden worden frequent in de hand gewerkt door acties van *drukkingsgroepen* : zij zullen de voordelen voor hun leden benadrukken en wijzen op de verwaarloosbare kost voor de gemeenschap. Hierdoor neemt de overheidsinterventie toe, verhoogt de kostprijs ervan en wordt ze ondoeltreffender. Drukkingsgroepen worden dan ook dikwijls verantwoordelijk gesteld voor de aftakeling van de openbare financiën.

Bijkomend bij de vermelde overheidsfalingen dient ook rekening te worden gehouden met de inefficiëntie die samengaat met de belastingheffing die de overheidsinterventie financiert en met de faling verbonden aan reguleringen.

3.6. Welke overheidsinterventie ?

In het voorgaande werd enkel in algemene termen gesproken over overheidsinterventie. Concreet stelt zich het probleem welke vorm de interventie kan of moet aannemen : ieder streefdoel valt immers te bereiken door gebruik te maken van verschillende *instrumenten*. De mogelijkheden waarover de overheid beschikt om te interveniëren zijn :
- De productie van goederen en diensten door de overheid zelf, door instellingen die afhangen van de overheid of door overheidsbedrijven.
- Het reguleren in de brede zin van het woord, zoals door wetten, decreten en fiscaliteit.
- Het aankopen van goederen en diensten.
- Het overhevelen van geldmiddelen (= transfers) naar andere sectoren (gezinnen, bedrijven of het buitenland); het verlenen van de staatswaarborg is hier een onderdeel van.
- Het beïnvloeden van de relatieve prijzen door het heffen van belastingen, het verlenen van subsidies enz. Het instrument kan hier een tarief dan wel een financiële stroom zijn.

Daar eenzelfde doelstelling met verschillende instrumenten kan worden bereikt, bestaat er wel enige keuzevrijheid. Ideologie heeft een invloed : "links" verkiest directe tussenkomsten, "rechts" marktconforme tussenkomsten via prijzen.

Theoretisch beschouwd neemt de overheidsinterventie best deze vorm aan die de efficiëntie, doeltreffendheid en flexibiliteit maximaal combineert. De optimale interventievorm is deze die de vooropgestelde doelstellingen bereikt met de minimale kosten en die de maximale flexibiliteit toelaat. Ter verduidelijking : gratis openbaar vervoer is een doeltreffende techniek om de minderbedeelden toe te laten zich te verplaatsen, maar het is een budgettair duur instrument daar iedereen hiervan zal genieten; bovendien wordt de efficiëntie er niet door in de hand gewerkt (men zal overdreven veel gebruik maken van het openbaar vervoer).

Bij de evaluatie van de kosten moet niet alleen rekening worden gehouden met de kosten die op het overheidsbudget worden ingeschreven, maar ook met de niet-budgettaire kosten die de globale economische efficiëntie drukken : hoge belastingen leiden tot demotivatie, subsidies bevoordelen niet de efficiëntste bedrijven en reguleringen houden eerbiedigings- en controlekosten in.

De kost van ieder instrument verhoogt met de mate waarin de voordelen terechtkomen bij diegenen die er geen "recht" op hebben en met de fraude en misbruiken. De administratiekost noodzakelijk voor de uitvoering is ook een niet te verwaarlozen kostenelement. Zo argumenteren sommigen dat de progressieve belastingen zouden moeten vervangen worden door proportionele belastingen daar de opbrengst niet opweegt tegen de economische en budgettaire kost.

Ook *reguleringen* zijn een vorm van overheidsinterventie en ook hieraan zijn kosten verbonden. Cruciaal is hier de vraag of de overheid wel over de noodzakelijke kennis beschikt om goede normen uit te vaardigen ? Deze kennis moet continu op peil worden gehouden anders ontstaat er een concurrentiële achterstand met het buitenland. Hierom wordt in een aantal gevallen de normerings- en /of controlebevoegdheid overgeheveld aan een afzonderlijke instelling zoals de Commissie voor Bank- en Financiewezen en de Beurscommissie. Aan reguleringen zijn ogenschijnlijk de minste budgettaire kosten verbonden, maar een minimale budgettaire kost is onvermijdbaar omdat reguleringen moeten worden bijgestuurd, gecontroleerd en overtredingen bestraft. Reguleringen lijken het voordeel te bezitten dat ze flexibeler zijn. Of dit het geval is, hangt af van de mate waarin reguleringen de weerspiegeling vormen van de activiteiten van drukkingsgroepen. De flexibiliteit van reguleringen moet dan ook kritisch worden benaderd.

Op langere termijn is de flexibiliteit in de instrumenten van het overheidsingrijpen zeer belangrijk omdat anders deze interventie alleen groeit. Ter illustratie enkele voorbeelden :

– Tientallen jaren geleden kon het stimuleren van de sociale woningbouw wellicht niet anders gebeuren dan via de oprichting van een openbare kredietinstelling. Vandaag lijkt de fiscaliteit een meer voor de handliggende weg.

– In de jaren zestig werd de roerende voorheffing ingevoerd. Vanuit een rechtvaardigheidsstandpunt valt het te verdedigen dat ook belasting wordt betaald op inkomsten uit financiële beleggingen. Door de sterke toename van de mobiliteit van kapitalen in de jaren zeventig en tachtig is de efficiëntiekost echter dermate opgelopen dat het vertrekpunt in vraag moet worden gesteld.

– Valt de productie door de overheid in eigen beheer systematisch te verkiezen boven *uitbestedingen* ? Vroeger diende wellicht ja op deze vraag te worden geantwoord. Door de vooruitgang in het opstellen van contracten en de interesse van de privésector is uitbesteden vandaag een volwaardig alternatief.

Bij de keuze van de instrumenten van overheidsinterventie spelen ook globale beleidsvoorkeuren. Zo vindt de interventie in de Verenigde Staten, traditiegetrouw, meer plaats via reguleringen dan door een directe overheidsproductie. Deze preferenties veranderen doorheen de tijd zoals de privatiseringen in Europa aangeven. Natuurlijk zal een deel van de overheidsinterventie altijd via belastingheffing en uitgaven blijven verlopen. Om subsidies te betalen is belastinggeld nodig, om te beslissen en te controleren zijn ambtenaren nodig die moeten worden betaald enz. Dit belet evenwel niet dat er twee belangrijke tendensen worden waargenomen : "meer regulering i.p.v. budgettaire kost" en "meer uitbesteden". De niet-budgettaire activiteiten van de overheid nemen dus toe. Voor deze evolutie kunnen twee verklaringen worden gegeven.

Ten eerste hebben de activiteiten van de overheid zich uitgebreid van de productie van "traditionele" goederen en diensten tot deze verbonden aan de welvaartsstaat. Deze activiteiten houden meer transfers en reguleringen in omdat de streefdoelen vrij specifiek zijn zoals het beïnvloeden van het individueel gedrag, het lenigen van persoonlijke behoeften die sterk in de tijd kunnen variëren en het voorzien van technologisch ingewikkelde producten. Ten tweede is het voor de genieters van de overheidsinterventie gunstiger om niet van het budget afhankelijk te zijn om zo te ontsnappen aan saneringen. Hun voordelen zijn dan wellicht duurzamer.

Verder gaan de beleidsvoerders waarschijnlijk gemakkelijker in op het toekennen van voordelen via reguleringen dan via overheidsuitgaven en belastingen.

Deze neiging om ook de overheidsinterventie te debudgetteren wordt in de hand gewerkt door de problemen met de staatsfinanciën. De niet-budgettaire activiteiten moeten evenwel ook in het saneringsproces betrokken worden. Een sanering van de openbare financiën is een eufemisme want uiteindelijk wordt een bijsturing van de overheidsinterventie in de economie bedoeld.

3.7. Besluitvorming in de openbare sector

De overheid functioneert niet zoals een gewone onderneming. Het is een instelling waar het uiteindelijk streefdoel, het maximaliseren van het welzijn van de burgers, moeilijk definieerbaar, meetbaar en controleerbaar is. Bovendien verschillen de meeste door de overheid geproduceerde goederen en diensten op een cruciaal punt van privé-goederen en diensten doordat ze geheel of gedeeltelijk worden gefinancierd met belastinggelden d.i. met verplichte heffingen en niet door vrijwillige geldoverdrachten. Van een markt voor overheidsdiensten kan dan ook moeilijk worden gesproken, wat inhoudt dat het prijsmechanisme niet of nauwelijks binnen de overheidssector zal functioneren. Dit heeft als gevolg dat de *budgetbeperking*, de mogelijke kosten, van het zachte type is – namelijk gemakkelijk uit te breiden door belastingverhogingen; in de privé-sector is de budgetbeperking integendeel van het "harde type" : enkel uitbreidbaar door het verhogen van de economische activiteiten. Aanbieders van overheidsdiensten zullen niet de consumenten moeten paaien, wel diegenen die de budgetten vastleggen.

Niet alleen de afwezigheid van een terugkoppelingsmechanisme producent-consument bemoeilijkt het beslissingsproces in de openbare sector, maar ook dat deze beslissingen worden genomen door ambtenaren die er weinig of geen voor- of nadeel van ondervinden.

Sancties zijn nagenoeg onbestaande en er wordt nauwelijks gereageerd op de informatie die uitgaat van de burgers.

Ook voor consumenten stelt de productie van goederen en diensten door de overheid problemen. Zoals gesteld kunnen ze hun voorkeur niet uiten, zoals op de gewone markt, door meer of minder van een product te kopen. De intensiteit van de vraag naar overheidsdiensten kunnen consumenten zeer moeilijk kenbaar maken aan de overheid. Meestal bestaat er ook geen alternatief voor de overheidsdiensten wanneer de consumenten ontevreden zijn over de kwaliteit, omdat de overheid zeer dikwijls over een monopoliepositie beschikt. Tot de opmars van de privatiseringen ontsnapten overheidsbedrijven aan de marktsanctie daar de overheid, als aandeelhouder, systematisch de tekorten dekte.

Het grote voordeel van het markt-controlestelsel (van consumenten via hun aankopen, van aandeelhouders via hun transacties op de beurs) is dat het automatisch en geruisloos werkt en toch bijzonder efficiënt is. Dit wordt nog duidelijker bij het onderzoeken van de controlemiddelen die binnen de overheid bestaan om de efficiëntie te maximaliseren. Eerst en vooral, valt het op dat de controle- en informatiestroom, uitgaande van het politieke systeem, bijzonder zwak is. Wetten die bepalen wat er dient te gebeuren (dit valt te vergelijken met de informatiestroom die de consumenten aan privé-bedrijven geven), zijn dikwijls vaag zodat ze vele interpretaties toelaten. De controle door het parlement (te vergelijken met de controle door de aandeelhouders in privé-bedrijven) is beperkt en laattijdig en wordt bemoeilijkt door de politieke repercussies die aan eventuele sancties verbonden zijn. Ook consumenten-kiezers kunnen nauwelijks druk uitoefenen op de ambtenarij.

De realisatie van de wensen van de burgers verloopt via een lange politieke weg : kandidaten moeten de wensen van de burgers verwoorden, moeten verkozen worden, moeten een parlementaire meerderheid verwerven om de gewenste wetten te stemmen die dan door de ambtenaren dienen te worden uitgevoerd. Maar zelfs als dit mechanisme goed zou functioneren, zouden er zich problemen stellen omdat de " intensiteit" van de vraag van de burgers via het politieke beslissingsmechanisme niet tot uiting kan komen.

Het beperkt of niet toerekenen van een prijs voor de overheidsdiensten houdt natuurlijk niet in dat deze gratis zijn of dat het verschil kostprijs-prijs niet moet gedekt worden. Wanneer de overheid diensten aanbiedt, moeten hiervoor niet alleen productiemiddelen aan de economie worden onttrokken, maar bovendien moeten deze worden vergoed. Dit laatste vereist dat, wanneer de prijs die aan de consumenten wordt aangerekend, beneden de kostprijs ligt, de overheid de beschikking heeft over bijkomende geldmiddelen namelijk belastingen. Of de consumenten zich hiervan systematisch bewust zijn, kan worden betwijfeld door de aanwezigheid van *belastingillusie*. We onderlijnen het verschil tussen belastingheffing als "uiteindelijke prijs" voor de openbare diensten en de prijs van een privé-goed. De betaling van de prijs van een privé-goed gebeurt na een vrijwillige aankoop; belastingheffing daarentegen wordt opgelegd door de overheid. Bovendien is de prijs van een privé-goed voor iedereen dezelfde en wie een grotere hoeveelheid koopt, betaalt proportioneel meer. Belastingen worden integendeel geheven op personen of transacties zonder referentie naar de openbare diensten waarvoor de belastingheffing als financiering zal gebruikt worden. Aldus spreidt de belastingheffing de kost van de overheidsuitgaven over alle belastingbetalers.

Een marktconforme oplossing voor de voorgaande problemen is een maximale aanrekening van de kostprijs van openbare diensten aan de gebruikers. Burgers die hierdoor zouden dreigen uitgesloten te worden zouden een subsidie kunnen ontvangen. Van dergelijke consumentensubsidies gaan trouwens veel minder nefaste werkingen uit dan van de producentensubsidies die aan de overheidsbedrijven worden toegekend. Naast meer consumentensubsidies kan ook gedacht worden aan een grotere prijs- en productdifferentiatie van de overheidsdiensten. Het betreft hier de toepassing van gewone bedrijfseconomische marketingtechnieken om een bepaald marktsegment te bereiken.

Prijsdifferentiatie is mogelijk door de prijzen van de diensten te laten afhangen van de intensiteit van de vraag (hogere prijzen op piekmomenten, lagere prijzen wanneer de vraag beperkt is) waarbij kan worden verondersteld dat de lagere inkomensgroepen meer prijsgevoelig reageren. Productdifferentiatie is mogelijk door de "kwaliteit" van de diensten aan te passen zodat een lagere prijs bedrijfseconomisch haalbaar is.

3.8. De gevolgen van de overheidsinterventie

a. Inleiding

In principe levert een overheidsinterventie meer voor- dan nadelen op. Een aantal positieve gevolgen werden reeds toegelicht bij het bespreken van de doelstellingen van de overheidsinterventie. Andere, zoals de grotere toegankelijkheid van het onderwijs, een betere gezondheidszorg, het beperken van de financiële risico's verbonden aan werkloosheid en pensionering en het verzorgen van een socio-vitaal minimum zijn moeilijk te evalueren, maar daarom niet onbestaand. Hier richten we onze aandacht evenwel vooral op de reguleringen en subsidies; op de gevolgen van de sociale zekerheid en fiscaliteit gaan we in verdere hoofdstukken uitgebreid in.

Een aantal van de effecten zullen pas op langere termijn tot uiting komen. Dit bemoeilijkt natuurlijk hun evaluatie en verklaart waarom deze effecten regelmatig worden verwaarloosd of geminimaliseerd.

We beklemtonen hier nogmaals dat telkens een interventie door de overheid een uitgave vereist, dit inhoudt dat belastingen moeten geïnd worden; hieraan zijn ook gevolgen verbonden.

b. De gevolgen van reguleringen

Reguleringen worden doorgevoerd om de consumenten, arbeiders, spaarders enz. te beschermen tegen de acties van bedrijven, werkgevers, beleggingsadviseurs enz. en bieden aan de overheid dit voordeel dat ze weinig uitgaven inhouden tenzij deze verbonden aan de controle, bijsturing en sanctionering. Het eerbiedigen van de reguleringen legt evenwel zware kosten aan de privé-sector op. Hierom zijn reguleringen een alternatief voor belastingheffing; hun kost is evenwel veel minder zichtbaar. Het effect van reguleringen is hetzelfde als van een belasting, maar de opbrengst komt niet bij de overheid terecht, wel bij de "beschermden". Zo genieten diegenen die werken tegen een minimumloon van het feit dat dit loon boven het evenwichtsloon ligt. Globaal lijdt de economie echter wel verlies door deze transfer van middelen doordat de groeimogelijkheden worden aangetast. Belangrijk voor de arbeider-consument zijn de reguleringen die verband houden met de arbeidsmarkt en met de bedrijven. Een aantal hiervan betreffen de sociale zekerheid, andere regelen vooral de toegang tot en de werking van de arbeidsmarkt. Op de reguleringen die verband houden met de sociale zekerheid gaan we verder in.

De reguleringen die de arbeidsmarkt betreffen, kunnen in twee groepen worden ingedeeld naargelang ze betrekking hebben op de loon- en weddetrekkenden of op de vrije beroepen. Dit onderscheid ligt niet zozeer in het feit dat van beide soorten een verschillend effect zou uitgaan dan wel dat verschillende drukkingsgroepen zorgen voor de instandhouding van de reguleringen. Dit gebeurt enerzijds door vakbonden die, in België althans, vrij nauwe bindingen onderhouden met de belangrijkste politieke families, en door drukkingsgroepen waarvan de band met politieke partijen wel minder strak, maar daarom zeker niet onbestaande is.

We gaan nu kort in op de reguleringen die de arbeidsmarkt treffen.

– Voor de loon- en weddetrekkenden :
  – Afdankingsreguleringen bemoeilijken en beperken de aanwerving en leiden tot een starre arbeidsmarkt en dus tot een afremming van de werkgelegenheid.
  – Beperkingen op de werktijdregelingen zoals nachtarbeid voor vrouwen en ploegenarbeid, verminderen de expansiemogelijkheden van bedrijven en verhogen de werkloosheid.
  – Minimumlonen hebben tot gevolg dat de arbeiders die het overeenstemmende productiviteitspeil niet halen, werkloos blijven.
  – Uniforme regelingen i.v.m. aanwerving, afdankingen en arbeidsduur verhinderen dat bedrijven inspelen op typische noden.
  – Een volledige indexering bemoeilijkt de aanpassing van de reële lonen wat de werkloosheid verhoogt.

- Te genereuze werkloosheidsvergoedingen in verhouding tot het loon verhogen de werkloosheid doordat de aansporing om werk te zoeken afneemt (wachten "kost" minder). Dit verstart ook de arbeidsmarkt doordat de regionale mobiliteit wordt beperkt.
- Collectieve arbeidsonderhandelingen voor omvangrijke groepen werknemers leiden tot een vernauwing van de loonwaaier (d.i. de spreiding van de lonen over de verschillende sectoren) wat niet alleen de arbeidsmobiliteit remt (doordat hogere lonen niet worden uitbetaald), maar ook de werkloosheid doet toenemen daar bedrijven in moeilijkheden onvoldoende ruimte hebben om hun lonen te beperken.

- Voor de vrije beroepen en zelfstandigen :
  - De oplegging van verplichte prijzen verhindert prijsconcurrentie. Concurrentie zal dan ook op andere vlakken worden gevoerd zoals met geschenken, tombola's en wedstrijden, maar dit is minder interessant voor de consument.
  - De beperkingen op de publiciteit bemoeilijken de informatiewerving door de consumenten.
  - Beperkingen op het aanbod via een numerus clausus, vestigingswetten, verplichte stages, lange opleidingen, hogere opleidingsvereisten, extra moeilijke opleidingen, onverenigbaarheden tussen beroepen, leeftijd enz. verhinderen een vlotte marktwerking en werken prijsverhogend.
  - De kartelvorming die via het verplicht lidmaatschap van beroepsverenigingen tot uiting komt, tast de dynamiek van de sector aan : er wordt een sfeer van collegialiteit gecreëerd die prijsconcurrentie, als die al niet verboden is, zeer bemoeilijkt.

Het besluit hieruit is dat de beperkingen op de vrije concurrentie vooral een impact zullen hebben op het gemiddelde inkomen van de vrije beroepen.

Ook aan de reguleringen van bedrijven zijn nadelen verbonden. Zo verhinderen maximale prijzen een effectieve concurrentie wat op termijn leidt tot een verstarring van de sector. Bovendien kan dit tot gevolg hebben dat de bedrijven geen aansporing meer hebben om hun kosten te beperken wat innovatie kan afremmen. Reguleringen die de verkoop van producten bepalen, kunnen tot gevolg hebben dat de aansporing om nieuwe producten te ontwikkelen, verdwijnt. De regulering van exploitatienormen zal de kostprijs van de investeringen verhogen en zo de investeringen afremmen. Bovendien geeft dit een bescherming aan de reeds aanwezige bedrijven die hierdoor een "rente" opstrijken.

Productiereguleringen kunnen de groei van bedrijven afremmen en zo de dynamiek van een sector beperken.

Tegenover de nadelen van reguleringen moeten de voordelen worden geplaatst om te komen tot een globale evaluatie.

c. Gevolgen van subsidies

Subsidies zijn transfers van de overheid naar het bedrijfsleven. In België vloeit het grootste deel van de subsidies naar de overheidsbedrijven. Een onderscheid maken naar gelang de subsidies toegekend worden aan een overheids- dan wel een privé-bedrijf is belangrijk. Niet alleen is de functionering van de privé-bedrijven totaal verschillend, maar bovendien hebben transfers naar deze bedrijven niet systematisch een verliesdekkend karakter. Dit is van fundamenteel belang omdat risico's blijven bestaan en een verkeerd beleid tot uiting komt in de resultaten en zo gevolgen heeft op de beurskoers en de vermogenspositie van de aandeelhouders. Deze zullen hierop reageren via een beleidswijziging. De overheid daarentegen zal, als eigenaar van bedrijven, op verliezen reageren door extra belastinggelden te gebruiken.

In de loop van de jaren zeventig en tachtig vloeide het grootste deel van de subsidies naar de overheidsbedrijven. Het ging om overheidsbedrijven zoals de NMBS, Cockerill-Sambre en de Kempense Steenkoolmijnen.

Van de overheidshulp aan privé-bedrijven gaat het grootste deel naar de investeringssteun binnen het kader van de economische expansiewetten. Hierdoor kunnen onrendabele bedrijven langer blijven bestaan en zo de groeimogelijkheden van gezonde bedrijven ontnemen wat de dynamiek van een sector aantast. Ook zal de incentieve verdwijnen om de kosten maximaal te beperken. Dit verklaart waarom de lonen in de bedrijven die subsidies ontvangen dikwijls boven het marktloon liggen. Dit efficiëntieverlies wordt versterkt doordat subsidies bedrijfsleiders ertoe aanzetten om hun winsten te verhogen via het vragen van overheidstegemoetkomingen ("politieke lobbying") eerder dan door het ontwikkelen van bijkomende marktactiviteiten. Ook kunnen subsidies leiden tot concurrentievervalsing als niet alle bedrijven van een sector subsidies ontvangen.

Merken we nog twee macro-economische effecten op. Zo slorpen subsidies belastingmiddelen op waardoor de belastingdruk zal verhogen. Verder kan worden betwijfeld of de beleidsvoerders de noodzakelijk kennis hebben om het keuzeprobleem (Welk bedrijf subsidiëren ? Welke activiteit steunen ? enz.) op te lossen.

4. DE OMVANG VAN DE OVERHEIDSINTERVENTIE

Uit het voorgaande overzicht van de overheidsinterventie blijkt dat de overheid een steeds belangrijkere plaats in onze maatschappij en dus ook in het economisch gebeuren inneemt. Dit komt niet alleen tot uiting in de geldstromen die de statistieken weergeven (zoals belastingopbrengsten, overheidsuitgaven, overheidsschulden, transfers van de sociale zekerheid en subsidies), maar ook in andere tussenkomsten zoals reguleringen, wetteksten en verbodsbepalingen. De ware omvang van de overheidsinterventie is dan ook zeer moeilijk vatbaar.

Verder is het moeilijk om een statistische vertaling te zoeken voor de niet-geldelijke overheidsinterventie zoals reguleringen, en wel omdat niet het aantal, maar hun strengheid overheidsinterventie meet. Hetzelfde geldt voor de administratieve formaliteiten[9]. Merk wel op dat niet alleen het voldoen aan fiscale en administratieve verplichtingen, maar ook het bijhouden van veranderingen in deze verplichtingen kosten inhoudt voor de privé-sector[10]. Dit alles is geen volledig geldelijk verlies voor de economie daar aan de voorgaande verplichtingen inkomensstromen kunnen

---

[9]   Het Verbond van Belgische Ondernemingen heeft becijferd dat de administratieve verplichtingen de bedrijven jaarlijks 200 miljard BEF kosten.

[10]   Veel informatie hieromtrent is niet beschikbaar. Voor informatie betreffende de fiscale wijzigingen over de periode 1982-1985 verwijzen we naar Vuchelen J. (1990), blz. 118.

verbonden zijn. Wel zal er een gelijkaardig effect van uitgaan als van belastingen : voor de economische agenten maakt het immers geen verschil uit of ze meer belastingen betalen dan wel personeel om administratieve verplichtingen te vervullen.

Statistieken over de omvang van de overheidssector in een aantal landen zullen we verder in het boek geven. Een belangrijke algemene opmerking bij statistieken over de overheidsfinanciën is dat verschillende bronnen beschikbaar zijn en deze niet systematisch dezelfde cijfers geven. Hierom is het niet alleen noodzakelijk om aandacht te besteden aan definities maar ook aan de bron.

Voor België[11] volstaat het hier om op te merken dat de totale primaire (= niet-rentelasten) overheidsuitgaven in 1998 43,5 procent van het BBP bedroegen; de rentelasten beliepen 7,5 procent, de totale ontvangsten 49,7 zodat het tekort 1,3 procent bedroeg. De schuld van de gezamenlijke overheid beliep eind 1998 10.607,8 miljard BEF of 117,2 procent van het BBP[12]. In vergelijking met de maximale belastingdruk (51,6 procent van het BBP in 1984 en 1985) betekent dit toch een zekere daling. De daling van de totale uitgaven is evenwel veel meer uitgesproken : het maximum werd bereikt in 1983 met 62,3 procent van het BBP. De rentelasten bereikten een maximum van 11,0 procent van het BBP in 1986. Het tekort daarentegen was maximaal in 1981 met 12,7 procent van het BBP; de hoogste schuldquote werd in België waargenomen in 1988 toen deze 128,9 procent van het BBP bedroeg.

Uit een vergelijking van de Belgische cijfers met deze van andere geïndustrialiseerde landen blijkt dat de huidige belastingdruk, alhoewel hoog, niet uitzonderlijk hoog ligt. Vooral de druk in Zweden (61,3 procent van het BBP) valt op. Ook in de andere Scandinavische landen is de fiscale druk hoog. Belangrijker voor onze fiscale concurrentiepositie is dat van onze buurlanden alleen Frankrijk een hogere fiscale druk heeft. In Duitsland bedraagt de fiscale druk 44,8 procent.

Binnen de Europese Unie is de belastingdruk vooral laag in Griekenland (39,0 procent), Ierland (33,8 procent), Portugal (40,4 procent) en Spanje (40,8 procent). Een mindere uitbouw van de sociale zekerheid verklaart de verschillen. Van alle ontwikkelde landen is de fiscale druk het laagst in de Verenigde Staten (32,0 procent) en Japan (32,1 procent).

De vermelde verschillen in fiscale druk vinden we nagenoeg volledig terug in de uitgavenquote. Zweden spant ook hier de kroon met een cijfer van 61,8 procent van het BBP. Hierna volgen de andere Scandinavische landen. De uitgavenquote in de Verenigde Staten (31,6 procent van het BBP) en Japan (35,6 procent van het BBP) zijn opnieuw relatief laag in vergelijking met de andere geïndustrialiseerde landen.

Het bondig weergeven van de evolutie van het overheidstekort is moeilijker omdat deze veranderlijke sterk schommelt. Algemeen gesteld hebben vele landen op een bepaald ogenblik gekampt met een hoog tekort. Het verschil tussen de landen ligt hem in de snelheid waarmee de beleidsvoerders het tekort opnieuw tot redelijke proporties hebben teruggebracht zodat de overheidsschuld niet al te hoog opliep. Zo bedroeg het overheidstekort in Denemarken in 1982 8,9 procent van het BBP, wat nauwelijks onder het Belgische cijfer lag. De schuldquote bedraagt vandaag in Denemarken "slechts" 58,8 procent omdat het Deens tekort reeds was weggewerkt in 1988, terwijl het

---

[11] Voor statistieken en beschouwingen rond de langetermijnevolutie van de overheidsinterventie in België verwijzen we naar Vuchelen J. (1990), hoofdstuk 5.

[12] We merken bij deze cijfers op dat het gaat om ramingen van de Europese Commissie.

Belgisch tekort nog 6,8 procent bedroeg. Het financiële beleid van een overheid wordt dan ook beter omschreven door gebruik te maken van statistieken over de overheidsschuld. Van de geïndustrialiseerde landen heeft Italië de hoogste overheidsschuld : 118,9 procent van het BBP; België volgt met 117,2 procent op de tweede plaats. Buiten Griekenland heeft geen ander land een schuldquote die 100 procent van het BBP overtreft. Het Europese gemiddelde bedraagt 70 procent. De schuldquote in de Verenigde Staten bedraagt 60,3 procent. Japan is een "speciaal" geval omdat, in tegenstelling tot andere landen, de schuld er sterk stijgt : in 1970 bedroeg de schuldquote er 10,9 procent van het BBP, in 1980 49,6 procent, in 1990 62,6 procent, in 1995 77,8 procent en in 1998 96,5 procent.

5. BESLUIT

In de voorgaande bladzijden werd een zekere rol voor de overheid omschreven. Deze is duidelijk beperkt doch ook uitermate belangrijk. De grenzen van de verdedigbare overheidsinterventie liggen evenwel niet onomstotelijk vast. Dit neemt natuurlijk niet weg dat er tendensen omtrent deze interventie zijn waar te nemen. Zo krijgen de nadelen van de overheidsinterventie vandaag zeker veel meer aandacht dan voorheen. Of dit louter en alleen het resultaat is van de financiële problemen waarmee de overheid kampt dan ook de weerspiegeling vormt van een mentaliteitswijziging bij de bevolking, valt niet zo direct te bepalen hoewel dit laatste zeker niet mag worden uitgesloten. Deze evolutie heeft wellicht ook veel te maken met de vaststelling dat de overheidsinterventie de economische crisis niet heeft kunnen oplossen. Op korte termijn werden de gevolgen wel beperkt, maar of dit ook op een langere termijn het geval is, kan worden betwijfeld. Ook werd men zich meer en meer bewust van de tekortkomingen van de overheidsinterventie. Zo moet worden toegegeven dat de functionering van de overheid dikwijls leidt tot een verspilling van economische middelen. Dat de openbare sector een eigen karakter heeft, kan niet worden ontkend, maar dit is zeker geen reden, integendeel zelfs, om deze sector volledig af te schermen van de marktwerking. Al bij al ontsnapt men zeker niet aan de indruk dat de zuiver economische benadering van de overheidsinterventie tekortschiet. De sterke expansie van de overheidssector na de Tweede Wereldoorlog is zeker niet alleen terug te brengen tot een groter belang dat aan marktfalingen of externaliteiten werd gehecht. Hoe belangrijk deze concepten ook zijn, ze kunnen de uitbreiding van de overheidsinterventie slechts in beperkte mate verklaren.

Literatuurlijst

BUCHANAN J. en WAGNER R. (1977), *Democracy in deficit : the political legacy of Lord Keynes*, New York : Academic Press.

DAVIS E. (1998), *Public spending*, London : Penguin Books.

KREDIETBANK (1997), "De welvaartsstaat", in *Weekberichten* 23 mei en 6 juni.

MOESEN W. en VAN ROMPUY V. (1991), *Handboek openbare financiën*, Leuven : Acco.

MUSGRAVE A. en MUSGRAVE P. (1989), *Public finance in theory and practice*, New York : McGraw-Hill, (vijfde uitgave).

ROSEN H. (1988), *Public Finance*, Irwin :Homewood, (tweede uitgave).

VUCHELEN J. (1990), *Hebben de Belgische overheidsfinanciën nog een toekomst ?*, Antwerpen : Tijd N.V.

WEBBER C. en WILDAVSKY A. (1986), *A history of taxation and expenditure in the western world*, New York : Simon and Schuster.

WOLFSON D. (1987), *Publieke sector en economische orde*, Groningen : Wolters-Noordhoff.

DEEL 2 : DE FUNCTIES VAN DE OVERHEID IN DE ECONOMIE

In dit deel worden de klassieke overheidsfuncties in de economie behandeld. Het betreft uiteraard allocatie, herverdeling en stabilisatie zoals die reeds in het inleidende deel werden aangebracht.

Trefwoorden en -zinnen van hoofdstuk 1

Allocatiesysteem
Coase-theorema
Collectieve voorzieningen
Congestie
Externe effecten
Free-riding
Marktfalingen
Natuurlijke monopolies
Overheidsfalen
Pareto-optimaliteit
Rivaliteit
Uitsluitbaarheid
Verdienstegoederen

Hoofdstuk 1
ALLOCATIE

1. INLEIDING

In dit hoofdstuk wordt eerst uitgelegd wat wordt bedoeld met allocatie. Daarvoor is het noodzakelijk eveneens in te gaan op de marktwerking. Het concept *Pareto-optimaliteit* speelt daarbij een rol.

Hoewel de markt er theoretisch gezien goed in slaagt tot een optimale allocatie te komen, zijn er toch redenen om aan te nemen dat ook *marktfalingen* kunnen voorkomen : afwijkingen van de volkomen concurrentie, een onvoldoende levering van collectieve voorzieningen, externaliteiten, asymmetrische informatie.

Marktfalingen bieden in principe argumenten aan de overheid om te interveniëren in het marktmechanisme en dit op de twee wijzen die haar ter beschikking staan : door regulering en door de openbare financiën. Deze redenering geldt voor alle overheidsniveaus. Er moet dus worden nagegaan welk niveau op welke manier best probeert de marktfalingen te herstellen.

Tenslotte moet aandacht worden besteed aan de vraag of de overheidsinterventie haar doel bereikt. Er zijn immers redenen om aan te nemen dat op het marktfalen niet veel meer dan *overheidsfalen* volgt.

2. ALLOCATIE EN MARKTWERKING

De middelen ter bevrediging van de behoeften zijn schaars : er zijn er niet genoeg om alle mogelijke behoeften te dekken. Er is dus nood aan een systeem om de schaarse middelen zodanig te verdelen over de bevolking dat de behoeftenbevrediging en dus de welvaart gemaximaliseerd wordt. Economisten noemen deze verdeling de allocatie. Een belangrijk *allocatiesysteem* is het marktsysteem.

Als aanknopingspunt voor wat de economische wetenschap over allocatie te zeggen heeft, nemen we de theorie van de welvaartseconomie[1].

Deze benadering vertrekt vanuit de optiek dat het marktsysteem optimaal werkt. Onder markteconomie wordt hier verstaan een economie, bevolkt met concurrerende, winstmaximaliserende bedrijven en nutsmaximaliserende consumenten. Dergelijk systeem leidt volgens de welvaartseconomie tot een welvaartsverdeling waarbij de welvaart van het ene individu slechts kan worden verhoogd ten koste van de welvaart van een ander individu. Men spreekt van een "Pareto-optimum". Er zijn evenwel vele Pareto-optima mogelijk, afhankelijk van de initiële verdeling van het inkomen. Gegeven deze initiële inkomensverdeling kan een Pareto-optimum ook gerealiseerd worden door planning, zoals in een centraal geleide economie. In ieder geval – en dit is de eerste les uit de welvaartseconomie – zorgt de markt voor een Pareto-optimum.

Het Pareto-optimum dat de markt bij een gegeven initiële inkomensverdeling realiseert hoeft niet door de gemeenschap geprefereerd te worden. In de veronderstelling dat men op één of andere manier kan uitmaken welk Pareto-optimum gewenst is (bijv. door een

---

[1] Zie Feldman A.M. (1980), blz. 2-4

stemprocedure), is het volgens de welvaartseconomie mogelijk middels het marktsysteem, gecombineerd met een minimaal systeem van cashtransfers tussen individuen, te komen tot dit geprefereerde Pareto-optimum. Dit is meteen de tweede les van de welvaartseconomie.

3. MARKTFALINGEN

De markt werkt evenwel niet altijd zoals de welvaartseconomie het zou willen. Er komen namelijk, wat men noemt, marktfalingen voor. De belangrijkste van deze marktfalingen zijn :
– onvoldoende collectieve voorzieningen
– externaliteiten
– afwijkingen van de volkomen concurrentie

3.1. Collectieve voorzieningen

In de eerste plaats zorgt de markt blijkbaar onvoldoende voor *collectieve voorzieningen*. De allocatie die door een ongehinderd marktsysteem wordt tot stand gebracht, levert onvoldoende collectieve voorzieningen op.

In de theorie van de openbare financiën differentiëren collectieve voorzieningen – ook gekend als publieke goederen – zich van andere, privaat genoemde voorzieningen op twee vlakken, met name dat van de rivaliteit en dat van de uitsluitbaarheid.

a. Rivaliteit

Rivaliteit betekent de mate waarin consumptie van een goed door één individu andere individuen van consumptie uitsluit. Bij zuiver private goederen is dit absoluut : de pint die student X drinkt, kan niet meer door student Y worden gedronken. Het andere extreem zijn de zuiver collectieve goederen, waar consumptie door individu A de consumptie van individu B, C, enz. absoluut niet hindert : het feit dat A profiteert van het collectieve goed defensie belet niet dat B, C enz. ook meeverdedigd worden. Anders gezegd, de marginale kost van het feit dat ook B en C meegenieten is gelijk aan nul. Nog anders gezegd : de consumptie van het collectieve goed door meerdere personen veroorzaakt geen *congestie*, geen opstopping.

Tussen beide extremen ligt een continuüm dat langzaam overgaat van rivaliteit naar niet-rivaliteit. Dit continuüm kan gevat worden in de volgende formule :

$$q = G/N^\gamma$$

met   q de individueel geconsumeerde hoeveelheid van een goed
        G de totale hoeveelheid geconsumeerd van een goed
        N de populatie
        γ een parameter die de congestie meet, als $\gamma = 0$ dan heeft men te maken met een zuiver niet-rivaal goed, als $\gamma = 1$, dan gaat het om een privaat, rivaal goed.

Voor de tussenliggende gevallen spreekt men van quasi-collectieve goederen.

b. Uitsluitbaarheid

Uitsluitbaarheid slaat op de mate waarin het mogelijk is de consumptie van een goed door iemand te beletten. Bij zuiver private goederen is dit mogelijk doordat ze eerst moeten gekocht worden vooraleer er van consumptie sprake kan zijn. Collectieve voorzieningen, zoals bijvoorbeeld defensie, zijn bijna niet te splitsen in individueel leverbare eenheden. Dat betekent dat als ze ter beschikking worden gesteld voor één individu, men niet kan verhinderen dat ze ook voor andere individuen openstaan.

Deze niet-uitsluitbaarheid leidt derhalve tot het gevaar van *free-riding* (liftersgedrag, vrijbuitersgedrag) : men gaat consumeren zonder te betalen. Zeker in een gemeenschap die uit veel personen bestaat, is het in het belang van een individu om zijn ware voorkeur voor een collectief goed niet te reveleren. Van zodra een ander individu zou beslissen om het goed in kwestie te leveren, kan hijzelf immers door het niet-uitsluitbare karakter van het goed ervan meegenieten.

Aangezien men ervan mag uitgaan dat de meeste individuen op deze manier zullen redeneren, zal het collectieve goed waarschijnlijk niet of in te geringe mate geleverd worden.

Uit de tabel 2.1. blijkt dat er uiteindelijk vier types goederen te onderscheiden vallen. Type 4 betreft pure private goederen, type 1 de pure collectieve goederen, types 2 en 3 zijn mengvormen.

Tabel 2.1. : De typologie van goederen

	rivaliteit	niet-rivaliteit
uitsluitbaarheid	4	2
niet-uitsluitbaarheid	3	1

Men kan zelf eens proberen de volgende goederen en diensten in één van de vier vakjes van de tabel te plaatsen :

vuurtoren
zuivere lucht in de bergen
zuivere lucht in de stad
bioscoopbezoek (met lege plaatsen)
voetbalwedstrijd life
voetbalwedstrijd op TV
defensie
rekeningrijden
strand op 21/7
theatervoorstelling
Alpentransit
strand op 15/3
nationaal park
stadspark

nucleaire wapens
kleuteronderwijs
lager onderwijs
secundair onderwijs
hoger onderwijs
gezondheidszorg
cultuur
belangenbehartiging door de vakbonden
drukker ringweg
zwembad in de daluren
zwembad in de spitsuren
voordelen van vrijhandel
broeikaseffect

c. Marktevenwicht voor private versus collectieve goederen

De karakteristieken van collectieve goederen kunnen tot uiting worden gebracht in de vraag- en aanbodcurve voor een collectief goed, dit in vergelijking met vraag en aanbod voor een privaat goed (zie figuur 2.1).

In het linkerluik van de figuur wordt de situatie weergegeven voor een privaat goed. De individuele vraagcurven voor de consumenten A en B worden er horizontaal opgeteld om te komen tot de collectieve vraagcurve V_{A+B}. Het snijpunt van V_{A+B} met de aanbodscurve geeft het evenwicht weer. In dat evenwicht consumeren A en B resp. Q_A en Q_B (samen Q_{A+B}) en betalen daarvoor dezelfde prijs P_{A+B}. Het evenwicht wordt gekenmerkt door de gelijkheid van het marginaal nut van de geconsumeerde hoeveelheid Q_A, resp. Q_B, en de marginale kost voor de productie ervan. Bij een kleinere afgenomen hoeveelheid is er een positief verschil tussen marginaal nut en marginale kost, waardoor er een stimulans is om meer te consumeren en te produceren en dit totdat Q_{A+B} is bereikt. Bij een negatief verschil worden consumptie en productie afgeremd.

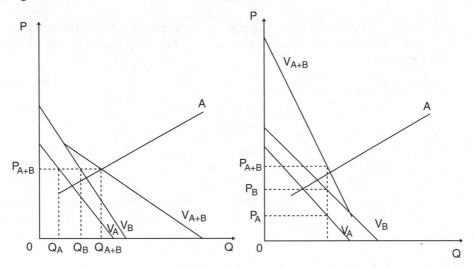

Figuur 2.1 : Private versus collectieve goederen

Het rechterluik van de figuur probeert een analoge redenering op te zetten voor een collectief goed. Een probleem is het gegeven dat er voor een collectief goed niet direct een vraagcurve kan geconstrueerd worden. De consumenten zullen immers niet geneigd zijn de prijs bekend te maken die zij voor een bepaalde hoeveelheid van een collectief goed wensen te betalen (het free-riderfenomeen). De niet-uitsluitbaarheid en de niet-rivaliteit zorgen er immers voor dat, van zodra het goed wordt aangeboden, elke burger ervan kan genieten.

We werken hier dan ook verder met een soort impliciete, niet-gereveleerde vraagcurve voor een collectief goed. Kenmerkend voor deze situatie is dat de individuele vraagcurven niet, zoals bij een privaat goed, horizontaal moeten worden opgeteld, maar wel verticaal. Per definitie moeten de beide consumenten dezelfde hoeveelheid van het collectief goed voor lief nemen (tenminste indien het een niet-optioneel soort collectief goed is). De som van de niet-gereveleerde waardering die zij elk voor die hoeveelheid veil hebben, moet dienen om de productie ervan te verzorgen. In het snijpunt van de verticaal opgetelde vraagcurven V_{A+B} met de aanbodscurve A is die gesommeerde waardering even groot als de kostprijs van de bekomen hoeveelheid Q_{A+B}. Voor de individuele consumenten geldt dat zij een prijs zouden betalen die overeenstemt met het marginaal nut. Deze – impliciete prijs – is dus, voor alle duidelijkheid, verschillend voor de beide consumenten.

Door het feit dat de gebruiker een stimulans heeft om de waarde die hij aan het collectieve goed hecht niet naar buiten te brengen, is het ook moeilijk een prijs voor deze goederen te bepalen en de gebruiker a rato van zijn gebruik te laten betalen.

d. Niet-uitsluitbaarheid als determinerend kenmerk

In de visie van de grondleggers van de leer van de openbare financiën, Musgrave en Musgrave, is van de twee kenmerken voor collectieve goederen, non-rivaliteit en niet-uitsluitbaarheid, vooral het eerste determinerend om te kunnen spreken van een zuiver collectief goed[2]. Zij zijn op dit punt niet zo overtuigend als zij stellen dat het niet-rivale karakter van de consumptie van een bepaald goed uitsluiting onwenselijk – want inefficiënt – maakt, zelfs als uitsluiting technisch mogelijk is. Zij geven het voorbeeld van een niet al te drukke brug : gebruik door individu x is absoluut niet hinderlijk voor individu y. Tolheffing is inefficiënt, want dit zou het gebruik van de brug beperken, hoewel de marginale kost van dit gebruik nihil is.

Om in dit geval van marktfaling wegens niet-rivale comsumptie spreken, gaat toch wel erg ver. Het voorbeeld zelf wordt al onderuit gehaald door de praktijk waarin ettelijke voorbeelden van tolheffing op bruggen en wegen te vinden zijn die blijkbaar wel efficiënt zijn.

Daarbovenop zijn nog andere gevallen op te noemen van non-rivale consumptie (binnen bepaalde grenzen, als de vraag naar het goed in kwestie een bepaalde capaciteit niet te boven gaat – zoals bij de brug), gecombineerd met een mogelijkheid van uitsluiting, waarbij men eigenlijk niet kan spreken van marktfalen en men dus ook geen overheidstussenkomst zal inroepen : bioscopen, sportmanifestaties, popconcerten, enz. zijn hiervan goede voorbeelden.

De niet-uitsluitbaarheid is dus hét determinerende kenmerk van echte collectieve goederen is, een kenmerk dat dan overheidstussenkomst via de openbare financiën noodzaakt.

Het impliciet zijn van de prijs wegens het niet-reveleren van de voorkeuren voor sociale goederen, maakt immers dat er op een andere wijze dan via het marktsysteem van vraag en aanbod moet gewerkt worden. Dit alternatief is het politieke systeem. Het politieke systeem moet via stembeslissingen financieringsbronnen en uitgaven voor collectieve goederen tot stand brengen die liefst zo dicht mogelijk bij de geschikte pseudo-hypothetische marktuitkomst ligt.

---

[2]   Musgrave A. en Musgrave P. (1989), blz. 50.

e. Technische aspecten van collectieve goederen

Bemerk dat de collectieve aard van goederen belangrijke technische aspecten vertoont. Aangezien de technologie nog steeds vooruitgang maakt, hoeft het niet te verwonderen dat bepaalde voorzieningen hun collectieve karakter verliezen (bijv. de vervanging van antennes door kabelvoorziening voor het opvangen van TV-signalen of het rekeningrijden).

Men moet tevens een onderscheid maken tussen "optionele" en "niet-optionele" collectieve voorzieningen. In het eerste geval heeft de consument de keuze om al dan niet van het aangeboden collectieve goed gebruik te maken (bijv. radio-uitzendingen via antenne), in het tweede geval is die keuze er niet (bijv. defensie)[3].

f. Speciale collectieve goederen

Er is een categorie collectieve "goederen" die niet zozeer het optreden van de overheid vereist, namelijk de belangenbehartiging door allerlei drukkingsgroepen. Groeperingen die een belang behartigen, bijvoorbeeld bij de overheid (het lobbyen dus), zien zich ook voor de problemen van een non-rivaliteit en niet-uitsluitbaarheid van de vruchten van hun activiteit geplaatst. Neem als voorbeeld een verbetering van de arbeidsvoorwaarden in een bepaalde sector die het gevolg is van vakbondsdruk op de werkgevers. Die verbetering heeft de kenmerken van een collectief goed : niemand kan in principe uitgesloten worden, ook niet de niet-vakbondsleden, terwijl het genot van de verbetering door één werknemer het genot door een andere werknemer niet verhindert. Deze collectieve voorziening is dan beperkt tot een groep binnen de samenleving. De reikwijdte van de voorziening wordt hier dus niet volgens een geografisch criterium bepaald, maar volgens persoonsgebonden kenmerken (i.c. het werknemer zijn in een bepaalde sector). De "marktfaling" moet dan niet worden opgevangen door een overheid, maar door een andere entiteit (zoals hier de belangengroep, de vakbond). Deze heeft daarvoor een ganse reeks middelen ter beschikking, zoals het voorzien van individuele, private goederen om lidmaatschap aantrekkelijk te maken, sociale druk, enz[4].

3.2. Externe effecten

a. Inleiding

Een speciaal geval van marktfaling vormen de zogenaamde "externe effecten". Externe effecten komen voor wanneer voor bepaalde kosten of baten die meegebracht worden door de productie of de consumptie van een goed niet moet worden betaald door die producent of consument of wanneer de baten niet naar hem terugvloeien. De prijs weerspiegelt niet, zoals zou moeten, alle kosten of baten. Er zijn zowel *positieve als negatieve externe effecten*. Externe effecten kunnen zich zowel voordoen bij de productie als bij de consumptie. Het klassieke voorbeeld van negatieve externe effecten

---

3   Gravelle H. en Rees R. (1981), blz. 515.

4   Zie hiervoor Olson M. (1974) en Naert F. (1992).

zijn de milieukosten. In een maatschappij waarin de overheid zich niets van het milieu aantrekt, vervuilen de producenten en consumenten de bodem, het water en de lucht zonder daarvoor één stuiver te moeten betalen. Zij houden dan ook totaal geen rekening met de nadelige neerslag van hun activiteiten op het milieu en met de hinder die andere mensen daardoor ondervinden (zie tabel 2.2 : vakjes 3 en 4). Een ander voorbeeld is de overlast voor omwonenden bij sportwedstrijden en andere grote manifestaties.

Er bestaan ook positieve externe effecten. Bijvoorbeeld het genot dat mensen hebben van een mooi onderhouden voortuin van een ander (zie tabel 2.2. : vakje 1), de bescherming die mensen genieten als andere mensen tegen besmettelijke ziekten zijn ingeënt (zie tabel 2.2. : vakje 2), het nut dat de appelboomkweker heeft van de nabij gevestigde bijenkweker (en omgekeerd). Men spreekt dan van een wederkerig extern effect.

Tabel 2.2. : externe effecten

	productie	consumptie
positief	1	2
negatief	3	4

De analyse die voor de collectieve goederen werd gedaan, sloeg eigenlijk volledig op het in de realiteit extreme geval van de niet-rivale (en niet-uitsluitbare) goederen. Meer specifiek bekeken betekent niet-rivaliteit dat het voordeel dat uit de productie, c.q. consumptie van een dergelijk goed wordt gehaald volledig als een positief extern effect bij consumptie kan worden beschouwd (met het gekende gevolg dat het niet door de markt geleverd wordt).

Het boven reeds aangehaalde continuüm tussen een puur privaat en een puur collectief goed, gaat van een situatie zonder externe effecten naar een situatie met alleen maar externe effecten. Dit wordt reeds weergegeven in de formule $q=G/N^\gamma$.

Het karakter van externe effecten en de gevolgen ervan voor productie en consumptie kunnen grafisch worden weergegeven.

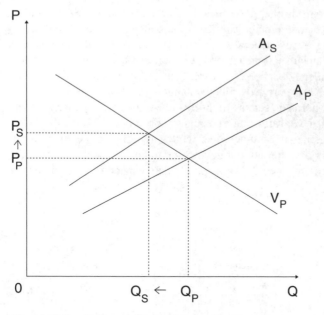

Figuur 2.2. : Externe effecten bij productie

In figuur 2.2 geeft V_p de vraag naar een bepaald product weer. A_p geeft het aanbod weer, enkel rekening houdend met de interne, private kosten voor de producent. De externe kosten, bijv. milieuvervuiling bij de productie, worden niet opgenomen. Het evenwicht op deze markt wordt weergegeven door de prijs P_p en de geproduceerde en geconsumeerde hoeveelheid Q_p. Het wel in acht nemen van de externe kosten zou de aanbodcurve verschuiven van A_p naar A_s met een stijging van de prijs en een daling van de hoeveelheid tot gevolg. Omdat de producenten uit zichzelf niet de intentie hebben om ook met de sociale kosten rekening te houden, is optreden van de overheid vereist (cfr. infra). Zonder overheidstussenkomst is de combinatie van P_s en Q_s dus niet bereikbaar. Door de indices s en p bij A, P en Q om te draaien, verkrijgt men de situatie voor positieve externe effecten van de productie.

Negatieve externe effecten bij de consumptie daarentegen hebben hun weerslag op de vraagcurve.

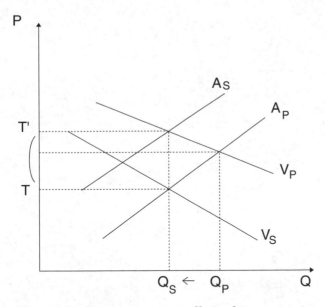

Figuur 2.3. : Negatieve externe effecten bij consumptie

In figuur 2.3 duidt V_p de vraag aan naar een goed, zonder rekening te houden met de externe kosten van de consumptie voor anderen.

In de hypothetische vraagcurve V_s werden de externe kosten van de consumptie afgetrokken van de werkelijke vraagcurve V_p. De verticale afstand tussen V_p en V_s geeft dus de externe kosten weer voor elk niveau van consumptie. We zien dat daardoor de werkelijke consumptie zou zakken van Q_p naar Q_s. De prijs zou dan OT' bedragen, waarbij TT' een (overheids)belasting op de consumenten betekent die moet dienen om de externe kosten te dekken. Bemerk dat hetzelfde resultaat kan worden bereikt door de producenten te belasten zodanig dat hun aanbodcurve verschuift van A_p naar A_s.

Resten nog de positieve externe effecten van de consumptie. Uit figuur 2.4. blijkt dat de markt leidt tot de consumptie en de productie van de hoeveelheid Q_p. Daarbij wordt evenwel geen rekening gehouden met de positieve effecten van deze consumptie voor derden. Deze voordelen worden weergegeven door het verticale verschil tussen V_s en V_p. V_s is opnieuw een hypothetische vraagcurve, omdat omwille van het collectieve karakter van de voordelen, de derden hun ware voorkeur via het marktsysteem niet zullen laten blijken. In deze imaginaire omgeving zien we dat de gevraagde hoeveelheid stijgt van Q_p naar Q_s. Deze Q_s kan gerealiseerd worden door een overheidssubsidie aan de vraag ten belope van SS'. Een alternatief is een subsidie aan de producenten die hun aanbodcurve doet zakken van A_p naar A_s.

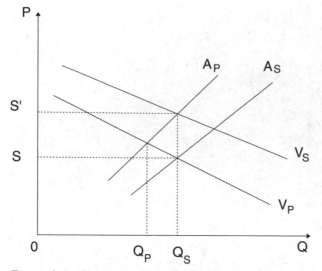

Figuur 2.4. : Negatieve externe effecten bij consumptie

b. Verdienstegoederen

Hoewel het niet gebruikelijk is kan men de theorie van de externe effecten ook gebruiken om de *verdienstegoederen* (merit goods) te rationaliseren. Het gaat met name om onderwijs, cultuur, huisvesting en gezondheidszorg. Dit zijn voorzieningen die in principe privaat leverbaar zijn : ze zijn rivaal van aard en uitsluitbaar. In de theorie van de openbare financiën is het gangbaar om te stellen dat de overheid, vanuit een zeker paternalisme, vindt dat het de consumptie van dit soort voorzieningen moet stimuleren (door te subsidiëren of ze zelf te produceren), ondanks het in technische termen niet-publieke karakter ervan[5].

Veeleer dan een beroep te doen op de idee van het paternalisme, kan men beter terugvallen op de theorie van de externe effecten. De consumptie van de goederen in kwestie heeft gevolgen die de calculus van de individuele consument te buiten gaan. Een gezonde, goedgeschoolde bevolking met een hoog cultureel peil en die bovendien goed gehuisvest is, levert een positief extern effect op, in die zin dat dit niet alleen doelstellingen zijn die op zichzelf voor de individuen nuttig zijn, maar die ook voor de toekomst de kansen op welvaartstoename voor de gemeenschap gaaf houden.

Dezelfde redenering kan gevolgd worden voor het spiegelbeeld van de verdienstegoederen : de schadelijke goederen zoals rookwaren en drank.

De tussenkomst van de overheid kan de nadelige gevolgen van negatieve externe effecten verhelpen of de positieve gevolgen van positieve externe effecten stimuleren. Zij zal bijvoorbeeld de vervuiler verplichten tot emissiebeperking of zij zal vervuilende producten speciaal belasten.

---

[5]   Moesen W. en Van Puyenbroeck T. (1996), blz. 43.

3.3. Concurrentieverstoringen

Een ander soort marktfaling komt voor als de concurrentie in een sector verstoord wordt. Totale vrijheid op markten leidt uiteindelijk tot afspraken, kartels, oligopolies en monopolies : participanten op een volledig vrije markt proberen mekaar van de markt te verdringen of werken samen om uiteindelijk van de "hinderlijke" concurrentie verlost te geraken.

Vandaar de noodzaak van toezicht op vrije markten : de overheid moet ervoor zorgen dat er voldoende marktpartijen overblijven om een werkzame concurrentie in stand te houden. Deze bekommernis valt strikt genomen buiten het domein van de openbare financiën en wordt hier dan ook niet verder behandeld (cfr. inleiding).

Specifieke gevallen vormen die sectoren waarvan de optimale omvang slechts ruimte laat voor één bedrijf binnen een bepaalde markt, zodat dit bedrijf een *natuurlijk monopolie* vormt. Als voorbeelden worden hier dikwijls de spoorwegen, telefoonmaatschappijen en andere nutsbedrijven (post, water, electriciteit, gas, enz.) genoemd.

Bemerk dat door het vergroten van de markt en/of door liberalisering (denk bijv. aan de Europese eenheidsmarkt of aan het optreden van de World Trade Organisation) natuurlijke monopolies kunnen verdwijnen.

4. OVERHEIDSINTERVENTIE TER CORRECTIE VAN MARKTFALEN

In het inleidend deel werd al uiteengezet dat de overheid grosso modo twee soorten middelen ter beschikking heeft om haar doeleinden, in dit geval op het vlak van de allocatie, te bereiken : de openbare financiën en de regelgeving. Voor de drie typen marktfalen die geïdentificeerd werden zullen we nagaan hoe dit kan gebeuren.

Vooraleer daarmee te beginnen moet er evenwel op gewezen worden dat op marktfalen niet noodzakelijk overheidsinterventie moet volgen. Het "Coase theorema" kan op deze kwestie een licht laten schijnen.

4.1. Het "Coase-theorema"

De stelling die Coase in zijn theorema naar voren brengt[6] is dat er in principe niet altijd overheidstussenkomst vereist is om de problemen gesteld door collectieve voorzieningen en externaliteiten op te lossen. Zolang en voor zover er goedgedefinieerde eigendomsrechten bestaan kan men er volgens hem vanuit gaan dat marktkrachten in vele gevallen voor een oplossing zullen zorgen.

Een voorbeeld, door Coase zelf aangebracht, verduidelijkt deze stelling. Het betreft een probleem van externe effecten uit de Amerikaanse pionierstijd :

de treinlocomotieven, met hout gestookt, zetten met hun vonken de velden van de boeren in brand.

Een mogelijkheid is dat de boeren op wettelijke wijze een recht hebben gekregen om aan de treinmaatschappijen te vragen dat deze hun velden niet in brand zetten. In dat

---

[6] Coase R. (1960).

geval moeten de treinmaatschappijen ervoor zorgen dat er zo weinig mogelijk vonken overspringen en/of dat eventuele schade vergoed wordt. Een andere mogelijkheid is dat de treinmaatschappijen het recht hebben gekregen om vonken rond te strooien. Veelvuldige weidebranden zullen daarvan het gevolg zijn.

Coase stopt hier evenwel niet en redeneert verder. Het recht op vonkenvrije treinen kan immers verhandeld worden. Volgens Coase is de oorspronkelijke verdeling van de rechten trouwens niet relevant voor de uitkomst van de onderhandeling.

Als de treinmaatschappijen het recht op het vrij-vonken-mogen-rondstrooien hoger inschatten dan de boeren het stoppen van de vonken inschatten, dan kopen de maatschappijen het recht op vrij-vonken-rondstrooien, als ze het nog niet hadden, en behouden het recht (verkopen het dus niet) als ze het wel hadden. In beide gevallen wordt er dus verdere schade toegebracht. Schatten de boeren daarentegen vonkenvrije treinen hoger in dan de maatschappijen het recht om vonken te mogen rondstrooien, dan kopen ze dat recht of houden ze het. Hier wordt dus in beide gevallen de schade beperkt.

Dit is het *Coase-theorema.*

De initiële verdeling van de eigendomsrechten heeft natuurlijk wel een impact op de inkomensverdeling, in die zin dat de eigenaars van rechten altijd beter af zijn dan diegenen die geen rechten bezitten.

Een logische gevolgtrekking uit het voorgaande is dat de overheid niet noodzakelijker-wijs moet ingrijpen om de treinmaatschappijen te belasten voor de externe kosten die zij veroorzaken of de boeren te subsidiëren om de schade te compenseren die de branden veroorzaken.

De benadering van Coase gaat niet alleen op voor externe effecten. Ook voor bepaalde collectieve goederen kan ze diensten bewijzen. Het probleem van de vuurtoren heeft daarbij enige bekendheid verworven. Hoewel vuurtorens doorgaans als typevoorbeel-den van collectieve voorzieningen worden gezien, omdat de consumptie ervan niet-rivaal en niet-uitsluitbaar zou zijn, geeft de geschiedenis wel voorbeelden te zien van vuurtorens die volledig zonder overheidstussenkomst functioneerden[7].

Betekent het Coase-theorema nu dat collectieve voorzieningen en externaliteiten altijd door de markt zullen geleverd worden en dat de overheid derhalve geen reden voor tussenkomst heeft ? Dit zou overdreven zijn : het verhandelen van eigendomsrechten kan dermate hoge transactiekosten vergen dat transacties niet doorgaan en het probleem van de collectieve voorzieningen en externaliteiten niet opgelost geraakt. Ook wanneer de markttransacties moeten gebeuren tussen een gering aantal deelnemers, is het marktproces onvoorspelbaar. Men komt dan immers terecht in speltheoretische situaties.

4.2. Collectieve voorzieningen

De overheid kan er op verschillende manieren voor zorgen dat collectieve voorzienin-gen toch in voldoende mate worden geproduceerd.

Een eerste mogelijkheid is dat deze voorzieningen rechtstreeks of onrechtstreeks uit de ontvangstenzijde van de begroting gefinancierd worden : het juridisch apparaat,

---

[7]   Peacock A. (1979), blz. 127 e.v.

defensie, het onderwijs, openbare radio en televisie. Het is dus de overheid zelf (eventueel via overheidsbedrijven) die de bewuste voorzieningen levert of "produceert".

Welke goederen de overheid al dan niet moet leveren, dus de vraag naar het beste allocatiemechanisme, is een punt waar fel over kan gediscussieerd worden. Dit is de inhoud van het debat over nationalisaties en privatiseringen.

Een andere mogelijkheid waarover de overheid beschikt is door het geven van subsidies particuliere bedrijven aan te zetten tot het leveren van collectieve voorzieningen.

Nuttige inzichten worden verschaft door een opdeling van het ondernemingsgebeuren in vier functies : bestuur (of management), productie, financiering en controle[8].

De managementfunctie behelst in het algemeen de verantwoordelijkheid over de beslissingen die ten aanzien van het leveren van goederen en diensten worden genomen. Deze verantwoordelijkheid wordt in bedrijven gedeeld door de raad van bestuur en door het dagelijks management. Deze managementfunctie kan ook door de overheid worden waargenomen. Dit kan rechtstreeks gebeuren, (bijv. door een minister die zijn of haar ministerie bestuurt); maar ook onrechtstreeks, bijvoorbeeld door het afvaardigen van politiek verantwoordelijken in raden van bestuur van overheids- of andere bedrijven.

Los van de managementfunctie staat de productiefunctie. Daarmee wordt de wijze bedoeld waarop de collectieve voorzieningen technisch worden geproduceerd, tot stand worden gebracht. Dit kan door de overheid zelf gebeuren : de "productie van buitenlandse veiligheid" gebeurt door de overheid, in casu het leger. In andere gevallen laat de overheid de productie over aan privé-bedrijven : de overheid geeft opdracht aan een wegenbouwer om een bepaalde weg aan te leggen.

Verder is er nog de financiële functie. Deze valt uiteen in een aantal aspecten. Zo heeft ze betrekking op de manier waarop de activiteiten gefinancierd worden : door de eigen middelen (bijv. in het geval van justitie de eigen belasting- en andere inkomsten van de overheid) of door het ontlenen van vreemde middelen op de kapitaalmarkt of bij financiële instellingen. De financiële functie slaat ook op de prijszetting voor de collectieve voorzieningen (bijv. de tarieven in het openbaar vervoer, de inschrijvingsgelden van universiteiten en hogescholen) en de wijze waarop eventuele tekorten worden aangevuld (bijv. overheidssubsidies in het openbaar vervoer, onderzoeksgelden uit de privé-sector in het hoger onderwijs).

Tenslotte is er de controlefunctie. Deze functie moet nagaan hoe de drie overige functies bij de totstandkoming van de collectieve voorzieningen hebben gewerkt. Een bij overheidsinstellingen veelvuldig voorkomende methode is de aanstelling van een regeringscommissaris. Ook het Rekenhof (en bij uitbreiding het parlement) en de Inspectie van Financiën oefenen een dergelijke controlefunctie uit.

Ten aanzien van deze functies moet de overheid de keuze maken of ze er zelf voor wil instaan of niet. De twee extremen hierbij zijn aan de ene kant het bij de overheid plaatsen van de vier genoemde functies (d.w.z. een volledige nationalisatie) en aan de andere kant het volledig overlaten van deze functies aan de marktsector (d.w.z. dus een volledige privatisering). Tussenvormen zijn het privatiseren van enkel de bestuursfunctie (bijv. crisismanagers bij RMT, Cockerill-Sambre, enz.), het privatiseren van de

---

8   Vuchelen J. en Van Impe W. (1987), blz. 53 e.v.

productiefunctie (de uitbesteding), het voorbehouden van de betalingsfunctie aan de overheid (bijv. sommige aspecten van het onderwijs).

De rol van de openbare financiën situeert zich bij dit alles vooral in de nabijheid van de financiële functie : het financieren, subsidiëren, tariferen, enz.

4.3. Externe effecten

Er bestaan opnieuw verschillende mogelijkheden om externe effecten aan te pakken. Negatieve externe effecten, zoals milieukosten, kunnen wat men noemt geïnternaliseerd worden door overheidsheffingen. De externe kosten worden op die manier via de heffing toch door de vervuiler betaald. De overheid kan ook door directe normering de milieukosten beperken.

Positieve externe effecten kunnen dan weer door subsidiëring gestimuleerd worden of gerealiseerd worden doordat de overheid zelf instaat voor de levering van de voorzieningen die de positieve externe effecten opleveren. Voor dit soort voorzieningen gebruikt men ook dikwijls de term "verdienstegoederen" (merit goods); onderwijs is er het typevoorbeeld van.

4.4. Afwijkingen van volkomen concurrentie

Er is hier een belangrijke rol weggelegd voor de overheid, hoewel minder voor de openbare financiën. In principe kan de overheid door zelf op een markt te participeren ervoor zorgen dat er voldoende aanbieders zijn, om op die manier de volkomen concurrentie te vrijwaren. In de praktijk ligt het zwaartepunt van de overheidsverantwoordelijkheid hier bij de concurrentiepolitiek.

Bij natuurlijke monopoliën wordt van de overheid ook tussenkomst verwacht, hetzij dat ze zelf produceert, hetzij dat ze een particulier bedrijf reguleert. Natuurlijke monopoliën ontstaan bij activiteiten die sterk onderhevig zijn aan positieve schaaleffecten. De gemiddelde productiekosten dalen dan bij een toenemende productieschaal. Volledig overgelaten aan de marktkrachten zou dit na verloop van tijd resulteren in een monopolie, aangezien de grotere bedrijven de kleinere uit de markt zouden verdrijven totdat er uiteindelijk maar één onderneming zou overblijven. Het gevaar van misbruik van deze monopoliemacht noopt dan tot één of andere vorm van overheidsinterventie. Zoals gezegd kan die overheidsinterventie erin bestaan dat de overheid zelf alle of enkele van de boven vernoemde functies (management, productie, financiën, controle) in handen neemt.

5. Besluit

De overheid beïnvloedt dus de allocatie door zelf collectieve goederen te produceren. Ze doet dat ook langs andere budgettaire wegen : ze heft belastingen, geeft subsidies, werft arbeidskrachten aan en leent geld. De relatieve prijzen van productiefactoren, goederen en diensten zijn anders dan ze zouden zijn zonder deze overheidstussenkomst. Daardoor verandert de allocatie zoals die door de markt zou tot stand gebracht zijn.

Niet alleen door het budget, maar ook door het opleggen van regels verandert de overheid de allocatie. Ze verbiedt of beperkt bepaalde activiteiten (bijvoorbeeld met betrekking tot het lozen van sommige schadelijke stoffen, de veeteelt of het bouwen in landbouwzones). Ze regelt de wijze waarop bepaalde beroepen kunnen worden uitgeoefend (bijvoorbeeld door vestigingswetten voor notarissen of apothekers). Ze geeft vergunningen om op een markt actief te zijn (zoals voor TV of telefonie). Door al deze tussenkomsten wordt geprobeerd de marktfalingen te verhelpen.

Literatuurlijst

COASE R. (1960), "The problem of social cost", *Journal of Law and Economics 2*, October 1960.

CULLIS J. en JONES P. (1998), *Public finance and public choice. Oxford:* Oxford University Press (tweede uitgave).

FELDMAN A.M. (1980), *Welfare economics and social choice theory*, Boston/The Hague/London : Martinus Nijhoff Publishing.

GRAVELLE H. en REES R. (1981), *Micro-economics*, London and New York : Longman.

MOESEN W. en VAN PUYENBROECK T. (1996), "De allocatieve taakstelling van de overheid", Vanneste J. & Van Reeth D., (red.), *Openbare financiën 1*, Brussel : STOHO.

MUSGRAVE A. en MUSGRAVE P. (1989). *Public finance in theory and practice*, New York : McGraw-Hill (vijfde uitgave).

NAERT F. (1992), *De uitgeperste democratie*, Leuven : Davidsfonds.

OLSON M. (1974), *The logic of collective action. Public goods and the theory of groups*, Cambridge (Massachussets) : Harvard University Press.

PEACOCK A. (1979), *The economic analysis of government*, Oxford : Martin Robertson.

VUCHELEN J. en VAN IMPE W. (1987), *Privatisering. Van macht naar markt*, Antwerpen : Standaard.

Trefwoorden en -zinnen van hoofdstuk 2

Efficiency en equality
Functionele inkomensverdeling
Groeipoolbenadering
Human capital
Individuelewelvaartsfunctie
Interpersoonlijke nutvergelijking
Loonaandeel
Lump-sumstelsel
Marginale productiviteiten
Maximinprincipe van Rawls
Personele inkomensverdeling
Primaire, secundaire en tertiaire inkomensverdeling
Regionale inkomensverdeling
Schaarstetheorie van Tinbergen
Socialewelvaartsfunctie
Utilitarisme

Hoofdstuk 2
VERDELING

1. DE VERDELING ZOALS DIE DOOR DE MARKT WORDT TOT STAND GEBRACHT

Het begrip verdeling slaat in de eerste plaats op de verdeling van het inkomen. Verder wordt er ook aandacht besteed aan de vermogensverdeling.

De inkomensverdeling is geen eenduidig begrip. Verschillende typen kunnen worden onderscheiden. Het meest aangewezen is te vertrekken van de "primaire inkomensverdeling". De diverse productiefactoren verdienen een primair inkomen door hun deelname aan het productieproces : arbeid, kapitaal, ondernemer, enz. Het totaal van deze primaire inkomens vormt het (bruto binnenlands) product of inkomen. De verdeling ervan over de productiefactoren is dan de *functionele inkomensverdeling*. Meestal wordt voor theoretische en empirische doeleinden gewerkt met de twee productiefactoren, arbeid en kapitaal. De functionele verdeling betreft dus de opsplitsing van het product in een loonaandeel en een kapitaalaandeel.

Individuen (gezinnen) kunnen natuurlijk primaire inkomens ontvangen vanuit verschillende factorbronnen : als werknemer, als bezitter van een spaarrekening, als verhuurder van een woning, enz. De verdeling van het totale inkomen noemt men de (primaire) *personele inkomensverdeling*.

Men kan aan de inkomensverdeling ook een ruimtelijk aspect meegeven. Men spreekt dan van de *regionale inkomensverdeling* en men bedoelt ermee de verdeling van de inkomens over de diverse regio's van een land. Men stelt bijvoorbeeld vast dat het gemiddeld inkomen in Vlaams-Brabant hoger ligt dan in Limburg. Wat juist een regio is, is daarbij erg rekbaar. Het kan gaan om een arrondissement, een provincie of een gewest. Men kan zelfs vertrekken van landen of groepen van landen, waardoor men terecht komt in de internationale inkomensverdeling (cfr. de Noord-Zuidtegenstelling). Interregionale welvaartsverschillen blijken in het Westen minder belangrijk te zijn dan interpersonele verschillen. De inkomensniveaus die voor de regio's gebruikt worden, betreffen immers ook gemiddelden van personele inkomens, waardoor intraregionale verschillen tussen personele inkomens uitgevlakt worden.

Voor de drie typen verdeling die we onderscheiden hebben, zullen we nu nagaan hoe ze door het marktsysteem gerealiseerd worden.

1.1. De personele verdeling

Het is duidelijk dat bij de totstandkoming van de personele inkomensverdeling een aantal elementen zoals geluk, aanleg, bekwaamheid, sociale afkomst, enz. een rol speelt. Op deze factoren kan de overheid, noch het individu, om evidente redenen weinig invloed uitoefenen. Er zijn evenwel ook determinanten aan te duiden waarop het individu, c.q. de overheid, wel vat kan hebben.

De *"human capital"*-benadering wijst bijvoorbeeld op de betekenis van de individuele houding ten opzichte van het investeren van schaarse middelen in de ontwikkeling van human capital. Onder human capital wordt verstaan "het geheel van potentieel inkomensgenererende attributen".

Daarmee worden voornamelijk beslissingen bedoeld aangaande opleiding, zowel schools als naschools. Bij uitbreiding kunnen ook factoren zoals ervaring, kosten voor gezondheidszorg, migratiekosten en dergelijke meer bij de analyse worden betrokken. De human-capitaltheorie bevindt zich aan de aanbodzijde van de inkomensvorming. Belangrijk in deze benadering is de nadruk op zaken zoals opleiding en onderwijs.

Een vollediger benadering van de personele inkomensverdeling integreert naast de aanbodzijde ook de vraagkant. Tinbergen heeft met zijn *"schaarstetheorie"* een dergelijke integratie beoogd. Hij beschouwt verschillende deelmarkten van de arbeidsmarkt. Elke deelmarkt staat voor een bepaalde productieve dienst, uitgedrukt in aantal jaren scholing. De beloning en de verdeling van de arbeidsinkomens is dan het resultaat van de confrontatie van de voor de productie benodigde eigenschappen (de vraagzijde) en de aanwezige productieve eigenschappen (de aanbodzijde).

De aanbodzijde is het resultaat van een maximalisatieproces dat door de individuen wordt gemaakt. Zij maximaliseren hun individuele nuttigheid in het spanningsveld tussen hun bekwaamheden en de vereisten van een bepaalde taak, waarbij het inkomen regulerend werkt.

De in het productieproces gevraagde vaardigheden zijn af te leiden uit de productiestructuur.

Deze sterk marktgerichte invalshoek moet naar de realiteit toe genuanceerd worden door aandacht op te brengen voor institutionele elementen. Op de productiefactormarkten, waar de primaire inkomens gevormd worden, kan sprake zijn van concurrentieverstorende factoren, zoals bijvoorbeeld het systeem van collectieve loononderhandelingen, minimumlonen of beperkingen op de markttoegang (vrije beroepen !).

1.2. De functionele verdeling

Bij de functionele inkomensverdeling betreft het dus de verdeling van het product over de twee daarvoor meestal weerhouden factoren, namelijk arbeid en kapitaal.

Uitgangspunt voor een onderzoek naar de determinanten van de functionele verdeling is traditioneel de neo-klassieke benadering. In deze benadering gaat men ervan uit dat de productiecapaciteit volledig benut is. De factorprijzen zijn in dit model gelijk aan de *marginale productiviteiten van deze factoren.*

Het product Y wordt dan enkel bepaald door de aanbodzijde, met name door de beschikbare hoeveelheden arbeid L en kapitaal K en door hun respectieve beloningsvoeten w en r. De aanwezige technologische kennis is verder ook nog een belangrijke factor. Deze kennis wordt niet geëxpliciteerd. Men gaat ervan uit dat ze gegeven wordt door het niet door L en K verklaarde deel van het product. De technologische kennis wordt dus als een restfactor beschouwd.

Aldus krijgen we

$$Y = wL + rK$$

Het *loonaandeel* l is in deze opstelling gelijk aan

$$l = wL/(wL + rK)$$

Dit loonaandeel zal dus variëren in functie van veranderingen in de loon-winstvoetver-houding w/r en in de kapitaal-arbeidverhouding K/L.

Een toename van de K/L-verhouding, bijvoorbeeld door vervanging van L door K (capital deepening) zou normaliter het loonaandeel moeten doen dalen. Wordt de daarbij vrijkomende arbeid ingezet bij activiteiten die door de technische vooruitgang worden gecreëerd, dan kan dergelijke daling gedeeltelijk, volledig of overgecompen-seerd worden.

Ook het substitutie-effect, of de mate waarin een relatieve verandering in de ingezette hoeveelheid K samengaat met een relatieve verandering in de ingezette hoeveelheid L speelt uiteraard een rol.

Afstappend van de strenge uitgangshypothesen van de neo-klassiekers kunnen nog andere relevante determinanten worden aangeduid. Als bijvoorbeeld de reële lonen sneller stijgen dan de arbeidsproductiviteit, bijvoorbeeld door vakbondsmacht, dan zal het loonaandeel stijgen. Dit is eveneens het geval wanneer de salarisatiegraad (dit is de verhouding van het aantal loon- en weddetrekkenden op de actieve bevolking) toeneemt. Deze salarisatiegraad nam in de laatste decennia gestaag toe, onder meer door het verdwijnen van landbouwers en kleine middenstanders.

Andere determinanten zijn de monopoliegraad op de markten en de wijzigingen in het belang van de diverse sectoren. Een hoge monopoliegraad leidt tot prijzen waarin een flinke "mark up" ten opzichte van de loonsom zit. Dit doet het loonaandeel afnemen. Ook verschuivingen van de activiteiten tussen sectoren spelen een rol : een verschui-ving van kapitaalintensieve (bijvoorbeeld staal) naar arbeidsintensieve activiteiten (administratie) doet het loonaandeel toenemen.

Schommelingen in de winsten van de bedrijven onder invloed van de conjunctuur leiden eveneens tot variaties in het winstaandeel, en dus ook in het loonaandeel.

1.3. De regionale verdeling

De regionale inkomensverdeling is lange tijd verwaarloosd geweest. De oorzaak hiervan is de dominantie van het neo-klassieke denken op de economische wetenschap. In dat denkkader zijn regionale inkomensverschillen maar tijdelijke fenomenen die door de gelijkschakelende kracht van de markt weggewerkt worden. Uitgaande van identieke productiewijzen zouden lagere lonen in minder welvarende gebieden ertoe leiden dat enerzijds mensen zouden wegtrekken naar meer welvarende gebieden, terwijl anderzijds bedrijven zouden aangetrokken worden. Beide bewegingen zouden voor verhoogde welvaart voor de blijvers moeten zorgen. In de rijkere regio's zou een tegenovergestelde beweging voor een daling van het welvaartsniveau moeten zorgen. In deze visie worden regionale welvaartsverschillen, na verloop van tijd, uitgevlakt. Ze gaat uit van een volledige mobiliteit van de productiefactoren tussen de regio's. Zelfs indien deze mobiliteit niet aanwezig is, kan de gelijkschakeling nog doorgang vinden, maar dan moeten de interregionale handelsstromen wel volledig vrij zijn. In dat geval zullen in de neo-klassieke visie, de armere regio's zich in arbeidsintensieve producten specialiseren en die uitvoeren naar de rijkere regio's, die zich op hun beurt in kapitaalintensieve producten specialiseren. De gevolgen zijn dat er in armere regio's een relatief groter beroep op arbeid moet gedaan worden, waardoor de lonen en de inkomens er zullen stijgen. In de rijkere regio's gebeurt dan het omgekeerde. Het resultaat is identiek als bij de volmaakte factormobiliteit.

61

Het verlaten van de neo-klassieke veronderstellingen leidt tot inzichten die de neo-klassieke visie kunnen corrigeren.

Zo zijn ruimtelijke verschillen in productiefuncties eerder de regel dan de uitzondering. Een uiteenlopende graad van technologische ontwikkeling en interregionale verschillen in de omvang van interne en externe schaalopbrengsten komen daarbij op de voorgrond.

De technologische vooruitgang is niet evenredig gespreid over het territorium. Ze vindt vooral plaats in het stedelijk milieu of in andere centra waar vele bedrijven geconcentreerd zijn (cfr. Siliconvalley).

Ook externe schaalvoordelen blijken zich vooral voor te doen op plaatsen waar een zekere hoeveelheid fysieke en sociaal-culturele infrastructuur aanwezig is, namelijk in grootstedelijke milieus.

Deze specifiek geografische invalshoek neemt in de zogenaamde structurele theorieën een centrale plaats in.

Zo wordt het belang van externe schaalvoordelen in de kijker gezet in de *groeipoolbenadering* van Perroux. De aanwezigheid in eenzelfde regio van bedrijven die in dezelfde branche actief zijn, geeft deze regio een voordeel dat cumulatief doorwerkt en dat de verschillen met regio's waar de voordelen van dergelijke concentratie niet aanwezig zijn, stelselmatig versterkt.

Dergelijke evolutie kan eventueel leiden tot een polarisatie van de economische activiteit in wat men dan noemt het "centrum". Tegenover het centrum krijg je dan een achterblijvende "periferie".

In Vlaanderen heb je bijvoorbeeld de sterk ontwikkelde as Antwerpen-Brussel in het centrum en de achterblijvende gebieden zoals de Westhoek en Limburg in de periferie. Op Europees vlak kan men spreken van de "banaan" die zich uitstrekt van Zuid-Oost-Engeland over de Benelux en Zuid-Duitsland naar Noord-Italië. Dit rijke gebied contrasteert dan met periferische gebieden zoals Zuid-Spanje, Portugal, Griekenland, Ierland. Op mondiaal vlak is er de tegenstelling tussen het rijke Noorden en het arme Zuiden.

1.4. De vermogensverdeling

Ook ten aanzien van de vermogensverdeling kan de overheid een rol te vervullen hebben. Het vermogen bestaat enerzijds uit het particulier vermogen of gezinsvermogen, en anderzijds uit het overheidsvermogen. Voor de verdeling is uiteraard enkel het gezinsvermogen relevant. Dit bevat het geheel van de bezittingen in handen van privé-personen, zoals het financieel vermogen, gronden en woningen, het bedrijfsvermogen van zelfstandigen en landbouwers en de aandelen die het vermogen van een vennootschap vertegenwoordigen.

2. MARKTFALINGEN TEN AANZIEN VAN DE VERDELING

Ook ten aanzien van de verdeling kan het marktsysteem dus blijkbaar falen. De verdeling van de inkomens over individuen, categorieën en regio's beantwoordt in dit geval niet aan wat de gemeenschap verwacht. De uitkomst die de markt biedt wordt niet als rechtvaardig ervaren, en dit op een aantal punten[9] : het levensminimum is niet voor iedereen gegarandeerd, niet iedereen krijgt dezelfde kansen, de inkomensongelijkheid is te groot. In tegenstelling tot het falen bij de allocatie gaat het, uitgezonderd misschien bij het niet-garanderen van een bestaansminimum, niet zozeer om een technisch falen, maar om een falen op het gebied van "rechtvaardigheid".

Als het marktsysteem er niet in slaagt elk lid van de gemeenschap een inkomen te verschaffen dat hem toelaat een menswaardig bestaan te leiden, kan men argumenteren dat dit een technische faling is, in die zin dat de markt er niet in slaagt de basisbehoeften van deze individuen te bevredigen.

Deze relatief veilige grond moeten we verlaten als we het over het falen hebben ten aanzien van gelijke kansen of minder ongelijke inkomensverdeling. Dan moet er onherroepelijk een beroep worden gedaan op waardeoordelen, die op hun beurt zullen gebaseerd zijn op percepties inzake rechtvaardigheid.

3. OVERHEIDSINTERVENTIE TER CORRECTIE VAN MARKTFALEN M.B.T. VERDELING

Aan deze overheidsinterventie zijn twee aspecten verbonden. In de eerste plaats is er de problematiek van de criteria die de overheid moet/kan gebruiken bij de herverdeling van inkomen. In de tweede plaats zijn er de technieken waarvan de overheid gebruik kan maken om aan herverdeling te doen.

3.1. Criteria voor herverdeling

We hebben gezien dat er, vanuit allocatieoogpunt veel efficiënte uitkomsten zijn van het marktproces. De initiële verdeling van vermogen, talenten, enz. speelt daarbij een rol en bepaalt waar een economie uitkomt en welke van die vele efficiënte resultaten uiteindelijk wordt bereikt.

De daaruitvoortvloeiende spontane verdeling van het inkomen wordt door de maatschappij dus meestal niet als optimaal beschouwd. Men zou bijvoorbeeld kunnen stellen dat de tot stand gekomen verdeling te ongelijk is.

Een kernpunt van de economie is dat, als de voorkeur voor één of andere Pareto-optimale welvaartsverdeling langs de politieke besluitvorming is vastgelegd, men deze verdeling, vertrekkende van de bestaande, kan bereiken door minimale aanpassingen aan het marktmechanisme door te voeren. Deze aanpassingen betreffen simpele geldtransfers tussen individuen. Met dit laatste vinden we dus de aansluiting met de herverdelingsproblematiek.

Het probleem dat zich hier stelt is dat van hoe je het ene Pareto-optimum afweegt tegen het andere. Kies je voor een hoge welvaart die zeer ongelijk verdeeld is of voor een iets lagere welvaart die minder ongelijk verdeeld is ?

Individuen hebben ten aanzien van deze keuzemogelijkheden bepaalde voorkeuren die gebaseerd zijn op waardepatronen. Deze waarden zijn van ethische aard en houden nauw verband met hoe individuen rechtvaardigheid benaderen. In economisch jargon worden deze individuele preferenties de individuele welvaartsfunctie genoemd.

---

[9]   Zie Moesen W. en Van Puyenbroeck T. (1996), blz. 53.

De vraag is evenwel welk criterium een individu kan gebruiken om tot zijn individuele welvaartsfunctie te komen. Er zijn een aantal houdingen mogelijk.

Een gekende, maar niet onbetwiste leidraad hierbij, biedt het *utilitarisme*. Hierbij wordt uitgegaan van – door velen onmogelijk gewaande – *interpersonele nutsvergelijking*. De gedachtengang is dan bijvoorbeeld dat een biljet van 1.000 BEF veel meer nut oplevert voor een arme dan voor een rijke. De transfer van 1.000 BEF van rijk naar arm verhoogt derhalve de maatschappelijke welvaart. Deze maatschappelijke welvaart is dan immers de optelsom van de individuele nutsfuncties.

Tegenover het utilitarisme wordt dikwijls het *maximin-principe* van John Rawls geplaatst. Volgens dit principe is de welvaart er meest mee gebaat dat de overheid het nut van de minst bedeelden in de samenleving probeert te maximaliseren. Rawls maakt daarbij de – ietwat onrealistische – veronderstelling dat individuen één en ander beoordelen vanachter een "sluier van onwetendheid". Dat betekent dat hij ervan uitgaat dat mensen onwetend zijn over hun startpositie in de economische wedren. Die positie zou immers hun houding ten opzichte van verdelingsproblemen kunnen vertekenen. Onwetendheid zou hen dan naar het maximin-principe drijven.

Er is nog een derde categorie opinies over deze materies, die vooral het behoud predikt van wat men in de markt verdiend heeft. Er is hier eigenlijk weinig sprake van herverdeling. Deze opvattingen zijn dus duidelijk te plaatsen in de hoek van het vrijemarktdenken, het laisser-faire, laisser-passerdenken. Enkele varianten zijn te onderscheiden, zoals het behouden van enkel het inkomen uit arbeid, waarbij men dus geen bezwaar heeft tegen het – gedeeltelijk – wegbelasten en herverdelen van de kapitaalinkomsten. Een andere variant is het behouden van wat men verdient in de markt, nadat de startposities zijn gelijkgeschakeld.

Er moet bij al deze criteria duidelijk voor ogen worden gehouden dat er puur economisch weinig over kan gezegd worden. Ze stoelen op overwegingen inzake rechtvaardigheid en gelijkheid die ethisch van inslag zijn en dus waarde-oordelen vergen.

Op de vaststelling van de *individuelewelvaartsfuncties* volgt nog een stap. Deze individuele welvaartsfuncties moeten immers nog geaggregeerd worden tot een *socialewelvaartsfunctie*. Deze aggregatie gebeurt op de politieke markt en is de taak van het democratische besluitvormingsproces. De traditionele economische wetenschap heeft hierover weinig te vertellen. Sinds een aantal decennia is er evenwel een school ontstaan die zich specifiek bezighoudt met de economische studie van de politieke besluitvorming. De kern van deze opvattingen wordt verder uiteengezet (zie deel 2, hoofdstuk 4).

3.2. De technieken van herverdeling

Zoals reeds vermeld kan men volgens de welvaartseconomen van het ene Pareto-optimum naar het andere komen door een systeem van zogenaamd *"lump sum"*-stelsel van transfers. Dit zijn vaste bedragen aan belastingen en overdrachten per hoofd. Dit type van belastingen en overdrachten draagt hun goedkeuring weg omdat het erg weinig interfereert met het marktsysteem. Het tast de relatieve prijzenstructuur niet aan. De politieke haalbaarheid van een lump-sumsysteem is evenwel erg gering, waarschijnlijk door de bij vele mensen diep ingewortelde overtuiging dat een belasting ergens verband moet houden met de draagkracht van de belastingplichtige.

Zo heeft Margareth Thatcher op het einde van de jaren tachtig geprobeerd in het Verenigd Koninkrijk een lump-sumbelasting in te voeren, de zogenaamde "poll tax". Het is haar niet gelukt.

In werkelijkheid krijg je eerder een structuur van verschillende soorten belastingen door verschillende niveaus van overheden op verschillende manieren geïnd. Hetzelfde kan gezegd worden van de uitkeringen. Deze structuren leiden tot scheeftrekkingen (distorties) in het marktsysteem, waardoor niet langer een Pareto-optimum wordt bereikt.

De efficiëntie van de economie wordt hier dus doorkruist door gelijkheidsoverwegingen : het fameuze dilemma tussen *"efficiency"* en *"equality"*. Met andere woorden, een welvaartsverdeling die als eerlijk en rechtvaardig wordt beoordeeld, kan een prijskaartje vereisen in termen van economische efficiëntie.

Naast het doelbewuste ingrijpen vanuit bepaalde overwegingen, zoals in het voorgaande werd geschetst, moet ook vermeld worden dat iedere activiteit van de overheid eigenlijk tot een ingrijpen op de verdeling leidt. De meeste activiteiten nopen de overheid immers tot het heffen van belastingen. Deze hebben onvermijdelijk een invloed op de verdeling van inkomens en vermogens.

Het is dus belangrijk te beseffen dat niet enkel het marktmechanisme de *primaire inkomensverdeling* (zij het functioneel of personeel) bepaalt. De overheid oefent er via diverse wegen invloed op uit, bijvoorbeeld door het uitvaardigen van vestigingswetten, het opleggen van minimumprijzen of maximumprijzen, het uitbetalen van lonen, enz. Op de primaire personele inkomensverdeling volgt de *secundaire verdeling*. Ze wordt bijna volledig teweeggebracht door overheidsingrijpen. De overheidstussenkomst die hier bedoeld wordt is het belastingsysteem, de sociale zekerheid en de andere buiten de sociale zekerheid vallende sociale uitgaven (zie delen 4 en 6 voor de effecten van belastingen en sociale zekerheid).

Van het primaire inkomen dat huishoudens verdienen, gaan directe belastingen af. Werknemers en werkgevers, maar ook zelfstandigen betalen verder bijdragen aan de sociale zekerheid. Door deze afdragingen vermindert het beschikbare inkomen van de diverse huishoudens. Het beschikbare inkomen neemt echter weer toe doordat er ook sociale uitkeringen gebeuren : terugbetaling van ziektekosten, kinderbijslag, werklozensteun, pensioenen, enz.

Het resultaat van deze aftrek- en optelsom levert de secundaire inkomensverdeling op. Een volgende stap leidt naar de *tertiaire inkomensverdeling*. Dit is vooral een theoretisch begrip omdat de verdeling moeilijk te becijferen valt. Aan de oorzaak ervan liggen de collectieve voorzieningen die de overheid ter beschikking stelt beneden de kostprijs of zelfs gratis. In de mate dat men daarvan profiteert, verhoogt het beschikbaar inkomen. Dan nog is er evenwel een correctie nodig voor het verschil tussen kostprijsverhogende belastingen (dit zijn in essentie de indirecte belastingen) en kostprijsverlagende subsidies.

De opbouw van de inkomensverdeling kan als volgt worden geschetst[10]. Een plusteken betekent dat het inkomen in de betrokken fase verhoogt, een minteken dat het vermindert :

---

[10]   Deleeck H., Huybrechs J. en Cantillon B. (1983), blz. 9.

+ Bedrijfsinkomsten :

    + brutoloon van werknemers (voor aftrek van belastingen en werknemersbijdragen)

    + werkgeversbijdrage sociale zekerheid

    + toegerekend arbeidsinkomen zelfstandigen (bruto)

+ Inkomen uit vermogen (winst, dividend, rente, pacht, huur, enz.) :

    + onroerend

    + roerend

(+ Kostprijsverhogende belastingen)

SALDO I PRIMAIR INKOMEN (het gevormde inkomen)

– Directe belastingen

– Socialezekerheidsbijdragen

+ Belastingvermindering

+ Uitkeringen sociale zekerheid en sociale bijstand van de overheid en de ondernemingen

+ Andere transfers (tussen particulieren)

SALDO II SECUNDAIR INKOMEN (het vrij beschikbaar inkomen)

– Kostprijsverhogende belastingen (BTW, accijnzen, enz.)

+ Objectgebonden, prijsverlagende subsidies (bijvoorbeeld bouw- en aankooppremies)

+ Gebruik van collectieve goederen en diensten :

    + in grote mate individueel toerekenbaar (bijvoorbeeld onderwijs)

    + niet of bezwaarlijk toerekenbaar (bijvoorbeeld landsverdediging, justitie, veiligheid op de weg, enz.)

SALDO III TERTIAIR INKOMEN (het herverdeelde inkomen)

Een indruk van hoe de inkomensverdeling in België eruit ziet, geven ons de fiscale statistieken van het Nationaal Instituut voor de Statistiek (zie ook tabel 2.3.). Het betreft hier het totaal belastbaar netto-inkomen. Dat betekent dat van het fiscale bruto-inkomen reeds de bijdragen in de sociale zekerheid zijn afgetrokken, maar nog niet de directe belastingen. Het op deze manier berekende gemiddelde inkomen bedroeg in 1993 349.900 BEF per inwoner en 861.200 BEF per aangifte. Het mediaaninkomen bedroeg 691.000 BEF.

Tabel 2.3. : De inkomensverdeling in België (1996)

Inkomensgrootte	Percentage van het aantal aangiften
< 100.000 BEF	2,8 %
100.000 < 250.000 BEF	5,2 %
250.000 < 500.000 BEF	20,5 %
500.000 < 700.000 BEF	20,7 %
700.000 < 1.000.000 BEF	20,7 %
1.000.000 BEF en meer	30,1 %

Bron : NIS

Tabel 2.4. geeft een idee van de vermogensverdeling in België. Een Belgisch gezin bezat in 1994 gemiddeld een vermogen van 8,31 miljoen BEF. Bij het hoogste deciel liep dit gemiddelde vermogen op tot 41,22 miljoen BEF.

Tabel 2.4. : Verdeling van het Belgisch gezinsvermogen in 1984 en 1994. Gemiddelden per gezin, in miljoen BEF.

Decielen	Onroerend		Roerend		Fiancieel		Buitenland		Schulden		Totaal	
	1984	1994	1984	1994	1984	1994	1984	1994	1984	1994	1984	1994
1	0,21	0,40	0,11	0,20	0,10	0,30	0,01	0,02	0,04	0,10	0,39	0,81
2	0,36	0,66	0,18	0,32	0,22	0,69	0,02	0,05	0,06	0,16	0,71	1,55
3	0,47	0,88	0,24	0,43	0,36	1,06	0,02	0,07	0,08	0,23	1,02	2,21
4	0,60	1,13	0,31	0,54	0,49	1,42	0,03	0,09	0,10	0,28	1,33	2,89
5	0,75	1,44	0,38	0,67	0,62	1,81	0,04	0,11	0,13	0,36	1,66	3,67
6	0,94	1,82	0,47	0,83	0,77	2,32	0,05	0,14	0,18	0,47	2,16	4,65
7	1,22	2,39	0,58	1,05	0,97	2,98	0,07	0,19	0,25	0,61	2,57	5,99
8	1,64	3,31	0,72	1,33	1,25	3,98	0,09	0,28	0,35	0,94	3,34	8,03
9	2,54	5,19	0,96	1,79	1,77	6,04	0,15	0,48	0,55	1,32	4,85	12,09
10	6,95	15,13	1,78	3,20	6,97	18,01	1,74	7,81	1,54	3,17	15,86	41,22
Totaal	1,57	3,24	0,57	1,04	1,35	3,86	0,22	0,92	0,33	0,75	3,38	8,31

Bron : Rademakers en Vuchelen (1998)

4. BESLUIT

De overheid heeft als taak de verdeling van inkomen en vermogen te sturen naar een door de gemeenschap gewenst punt. Om dat op een adequate manier te kunnen doen is inzicht nodig in de determinanten dan de verdeling, moeten er criteria zijn door een eventuele herverdeling en is er behoefte aan herverdelingstechnieken. Deze drie aspecten van de verdelingsproblematiek werden in dit hoofdstuk besproken.

Literatuurlijst

CULLIS J. en JONES P. (1998), *Public finance and public choice*, Oxford : Oxford University Press (tweede uitgave).

DELEECK H., HUYBRECHS J. en CANTILLON B. (1983), *Het Matteüseffect. De ongelijke verdeling van de sociale overheidsuitgaven in België*, Antwerpen : Kluwer.

MOESEN W. en VAN PUYENBROECK T. (1996), "De herverdelingstaken van de overheid", in Vanneste J. en Van Reeth D. (red.), *Openbare financiën 1*, Brussel : STOHO.

MUSGRAVE A. en MUSGRAVE P. (1989). *Public finance in theory and practice*, New York : McGraw-Hill (vijfde uitgave).

RADEMAKERS K. en VUCHELEN J. (1998), *De verdeling van het Belgisch gezinsvermogen*, Brussel : CEMS-VUB.

VERENIGING VOOR ECONOMIE (1979), Inkomens- en vermogensverdeling. *Referaten Veertiende Vlaams Wetenschappelijk Economisch Congres*, Brussel : CEMS-VUB.

Trefwoorden en -zinnen van hoofdstuk 3

Budgettaire politiek
Budgettaire stabilisatoren
Conjunctuurcyclus
Evenwichtsvergelijkingen
Fine-tuning
Functional finance
Gedragsvergelijkingen
Groeiverklarende factoren
Inkomenspolitiek
Keynesiaanse begrotingspolitiek
Macro-economische politiek
Monetaire politiek
Optimalisatie van de economische groei
Stabilisatie van de economische groei
Statische versus dynamische efficiëntie
Sustainable growth

Hoofdstuk 3
STABILISATIE

1. STABILISATIE, MARKTWERKING EN MARKTFALINGEN OP HET VLAK VAN DE STABILISATIE

Met het vraagstuk van de stabilisatie wordt het tijdsaspect in de analyse gebracht. De markt is in theorie het beste allocatiemechanisme, mits correctie voor de collectieve voorzieningen en de te ongelijke inkomensverdeling. Nochtans kunnen zich, in dynamisch perspectief bekeken, problemen voordoen die niets te maken hebben met een gebrek aan collectieve voorzieningen en met inkomensongelijkheid :

– Er is in de welvaartseconomie weinig aandacht voor de wens van een continue welvaartstoename. De welvaartseconomie houdt zich immers bezig met *statische efficiëntie*, niet met *dynamische efficiëntie*. De problematiek van de economische groei komt hier dus aan de orde. Meer bepaald stellen wij ons in deze context de vraag hoe de markt tot economische groei bijdraagt. In het antwoord op deze vraag zal ook het antwoord besloten liggen op de vraag of er hierbij sprake is van marktfaling.

– De strikte voorwaarden waaronder de theoretische suprematie van het marktmechanisme kan worden bewezen (zoals snelklarende markten), doen zich in de realiteit niet voor. In de realiteit wordt men geconfronteerd met *conjunctuurschommelingen*.

1.1. Markten en continue groei

In de traditionele groeitheorie wordt vertrokken van de hypothese van volkomen concurrentie, waarna de aandacht volledig verschuift naar de *factoren die de groei zouden moeten verklaren* : de kapitaalgoederenvoorraad, de arbeidsbevolking, human capital, natuur.

De gebrekkige aandacht voor de rol van vrije markten in het bevorderen van de groei, heeft er ook voor gezorgd dat er geen aandacht was voor het eventuele falen van die markten en dus evenmin voor een eventuele overheidsinterventie ter correctie ervan. Het falen van de theorieën wordt enigszins opgevangen door empirisch werk. Daaruit blijkt dat het overheidsbeleid ten aanzien van vrije markten de groeivoeten kan beïnvloeden :

– handelsliberalisering en vrijwaring van eigendomsrechten doen de groeivoeten toenemen (Sachs & Warner 1995).

– hoge overheidsuitgaven doen de groei vertragen (Barro & Sala-Imartin 1995).

Bovendien lopen er onrechtstreekse invloeden via de klassieke factoren die de groei moeten verklaren. Overheidsingrijpen dat investeringen, R&D of human capital stimuleert zou onrechtstreeks de groei moeten bevorderen.

Het is niet zo evident om uit het voorgaande af te leiden dat markten falen. Het lijkt erop dat vrije markten het uitgangspunt zijn en dat het er daarna op aan komt om de kwantitatief en kwalitatief juiste dosering overheid toe te dienen om een optimale groei te verkrijgen.

71

Een belangrijke vraag daarbij is : wat is het referentiepunt om te meten of vrije concurrentie faalt op het vlak van de groei :
– Is een maximale groei optimaal ?
– Wat is de maximale groei ?
– Wat is de optimale groei als de maximale groei niet optimaal is ?

Hoewel stabiele groei algemeen als één van de doelstellingen van de macro-economische stabilisatiepolitiek wordt aanzien, zijn er aan de groei ook belangrijke allocatie-aspecten verbonden.

Tot de eerder bij stabilisatie horende aspecten behoren het afremmen van een oververhitte, te sterk groeiende economie, c.q. stimuleren van een slappe groei.

Tot de allocatie-aspecten behoren de vraag in hoeverre de groei moet rekening houden met milieu-aspecten (de *"sustainable growth"*), de mate waarin de overheid door collectieve voorzieningen de groei kan begeleiden en stimuleren.

1.2. Markten en conjunctuurschommelingen

Overgelaten aan zichzelf zorgt de markt niet voor een stabiele economische situatie. Omdat de basishypothese van snelklarende markten niet opgaat, ontstaan er opeenvolgingen van recessie, crisis, heropleving en hoogconjunctuur, met daarbij ongewenste fenomenen zoals werkloosheid, inflatie en betalingsbalansonevenwichten.

Voor zover werkloosheid, inflatie en betalingsbalansonevenwichten niet door het overheidsoptreden worden veroorzaakt heeft men hier te maken met marktfalingen.

De opdracht is hier dus te weten te komen wat de oorzaken zijn van conjunctuurschommelingen : liggen die in de marktsfeer of in de overheidssfeer ?

Daarover is men het onder economen niet eens. Een hele resem theorieën over conjunctuurschommelingen liggen voor[11].

Een aantal legt inderdaad de oorzaak voor conjunctuurschommelingen bij de markt. De traditionele keynesiaanse conjunctuurtheorie wijst naar vraagschokken die het gevolg zijn van gewijzigde vooruitzichten inzake de vraag en de winst bij de ondernemers. De *reëleconjunctuurcyclus-theorie* (Kydland & Prescott 1982) duidt als oorzaak van cycli veranderingen in de technologie aan. Ook de neo-keynesianen kijken naar de markt : de werking ervan wordt belemmerd door de starheid in de prijzen van goederen en factordiensten, door het voorkomen van asymmetrische informatie en door concurrentiebelemmeringen. Deze starheden veroorzaken dan weer – via allerlei mechanismen – conjunctuurcycli.

Daarnaast zijn er theorieën die de verantwoordelijkheid voor cycli bij de overheid leggen : de monetaristen die wijzen op het belang van de beslissingen over de geldhoeveelheid door monetaire autoriteiten, de public-choice economen die politieke invloeden tot politieke conjunctuurcycli zien aanleiding geven.

---

[11]   Zie KB-weekberichten (1987)

2. OVERHEIDSINTERVENTIE TER CORRECTIE VAN MARKTFALEN IN DE STABILISATIE

Uit het voorgaande blijkt dat inzake stabilisatie het schema niet zo duidelijk is. Er kan moeilijk gesproken worden van een falende markt die daarna door de overheid moet worden bijgesprongen. Er is meer sprake van een verstrengeling van markt en overheid die beurtelings oorzaak zijn van onvolkomenheden, maar ook beurtelings voor de correctie van die onvolkomenheden moeten zorgen.

Als we daarin proberen te focussen op de rol van de overheid, dan komen we al snel terecht bij de volgende doelstellingen :
– Economische groei optimaliseren en stabiliseren
– Bestrijding van de werkloosheid
– Bestrijding van inflatie
– Nastreven van het extern evenwicht
Het zal duidelijk zijn dat we daarmee beland zijn op het domein van de *macro-economische politiek.*

2.1. Optimalisatie van de economische groei

De optimalisatie van de economische groei lijkt vooral een allocatieve aangelegenheid te zijn, waarbij de overheid ervoor moet zorgen dat er een gepast aanbod is van collectieve voorzieningen, quasi-collectieve voorzieningen en verdienstegoederen om de economie in staat te stellen optimaal te groeien : een systeem van door een goedwerkend rechtsapparaat gegarandeerde eigendomsrechten, infrastructuur, onderwijs, cultuur, enz.

2.2. Stabilisatie van de economische groei

Het stabilisatieluik (groei, werkloosheid, inflatie, extern evenwicht) is een moeilijkere aangelegenheid. Het bestaan van verschillende verklaringen voor conjunctuurcycli die bovendien elk op verschillende momenten hun populariteit kenden in het politieke milieu, heeft er aanleiding toe gegeven dat er, sinds de jaren dertig – toen er voor het eerst over *stabilisatie van de economie* werd nagedacht – een opeenvolging is geweest van houdingen die de overheden in de westerse wereld aangenomen hebben tegenover de stabilisatie van de economie.
Tot de *instrumenten van de macro-economische stabilisatiepolitiek* worden in het algemeen de *monetaire politiek*, de *budgettaire politiek* en de *inkomenspolitiek* gerekend.

De monetaire politiek en de inkomenspolitiek behoren niet tot het onderwerp van dit boek. Er moet dus vooral worden nagegaan in hoeverre de begrotingspolitiek een inbreng kan hebben in de stabilisatie van de economie.
Een goed startpunt voor deze discussie is wat de keynesianen te zeggen hebben over een actieve begrotingspolitiek, of de *"functional finance"*.
In de ondertussen gemeengoed geworden *keynesiaanse modellering* van de macro-economische omgeving geldt het volgende :

73

$$Y = \quad C + I + G + X - M \tag{1}$$
$$C = C_0 + c_\mu Y_d \tag{2}$$
$$I = I_0 \tag{3}$$
$$G = G_0 \tag{4}$$
$$X = X_0 \tag{5}$$
$$M = M_0 + m_\mu Y \tag{6}$$
$$Y_d = Y + R - T \tag{7}$$
$$T = T_0 + tY \tag{8}$$
$$R = R_0 \tag{9}$$

daarbij staan de symbolen voor

Y = bruto nationaal product
C = consumptie
I = investeringen
G = overheidsbestedingen
X = uitvoer
M = invoer
R = overdrachten van / naar de gezinnen en bedrijven
Y_d = beschikbaar inkomen van gezinnen en bedrijven
T = belastingen
c_μ = marginale consumptiequote
m_μ = marginale invoerquote
t = belastingvoet

$C_0, I_0, \ldots$ is de autonome, exogeen bepaalde C, I, ...

Vergelijking (1) is de zogenaamde *evenwichtsvergelijking*, de overige vergelijkingen zijn gedragsvergelijkingen. Deze laatste vergelijkingen kunnen vereenvoudigd worden, maar ook ingewikkelder gemaakt.
Vereenvoudigen maakt het model beheersbaarder en gemakkelijker om te rekenen. Het ingewikkelder maken van de vergelijkingen maakt het model realistischer, maar moeilijker hanteerbaar.
De hier gemodelleerde vorm kan doorgerekend worden door in de evenwichtsvergelijking de *gedragsvergelijkingen* in te voeren :

$$
\begin{aligned}
Y \;=\;& C_0 + c_\mu Y_d + I_0 + G_0 + X_0 - M_0 - m_\mu Y \\
=\;& C_0 + c_\mu (Y + R_0 - T_0 - tY) + I_0 + G_0 + X_0 - M_0 - m_\mu Y \\
& (1 - c_\mu + c_\mu t + m_\mu)Y = C_0 + c_\mu R_0 - c_\mu T_0 + I_0 + G_0 + X_0 - M_0 \\
Y \;=\;& \frac{1}{1 - c_\mu(1-t) + m_\mu} \; (C_0 + c_\mu R_0 - c_\mu T_0 + I_0 + G_0 + X_0 - M_0)
\end{aligned}
$$

We vervangen $C_0 + c_\mu R_0 - c_\mu T_0 + I_0 + G_0 + X_0 - M_0$ door de term A_0 . A_0 bevat alle exogene factoren.

$$Y = \frac{1}{1 - c_\mu(1-t) + m_\mu} A_o \qquad (9)$$

Vergelijking (9) laat toe na te gaan hoe sterk Y verandert ten gevolge van een verandering in de exogene factoren A_0.
Dit wordt gegeven door

$$\frac{1}{1 - c_\mu(1-t) + m_\mu}$$

Dit is de uit de macro-economie gekende multiplicator.

Toegespitst op de openbare financiën betekent dit dat kan nagegaan worden wat het effect is op Y van discretionaire veranderingen in T_0, G_0 en t.
Een stijging van de autonome belastingen T_0 en van de belastingvoet doen Y dalen, een stijging van de autonome overheidsbestedingen doet Y stijgen.
In deze opstelling kan men langs de begrotingspolitiek een invloed uitoefenen op de hoogte van het BNP. Dit opent perspectieven naar een eventuele stabilisatie van de economie. In een recessieperiode zou men via een stimulerend begrotingsbeleid (stijging van de overheidsbestedingen en/of daling van de belastingen) het BNP kunnen optrekken, en daarmee terzelfdertijd de werkgelegenheid opkrikken. In tijden van hoogconjunctuur kan men het tegenovergestelde doen om zo het inflatiegevaar te keren. Men spreekt van *"fine-tuning"* van de economie. Men kan zelfs aantonen dat een stimuleringsbeleid via de openbare financiën niet moet leiden tot een verslechtering van het saldo van het budget. Haavelmo stelde dat een gelijktijdige en evengrote verhoging van de belastingen en de overheidsbestedingen toch nog een stimulerend effect op Y heeft :

– de stijging van T_0 leidt tot een daling van Y met de factor

$$\frac{-c_\mu}{1 - c_\mu(1-t) + m_\mu}$$

– de stijging van G_0 daarentegen doet Y stijgen met de factor

$$\frac{1}{1 - c_\mu(1-t) + m_\mu}$$

Het effect van de belastingverandering is kleiner dan dat van de bestedingverandering omdat er daar een lek is naar de besparingen. Het inkomen verandert in eerste instantie slechts met de fractie van de marginale consumptiequote. Een verandering in de besteding leidt in eerste instantie tot een even grote verandering in het inkomen.
Per saldo geeft dit

$$\frac{1 - c_\mu}{1 - c_\mu(1-t) + m_\mu}$$

Dit is een positief getal zodanig dat Y kan toenemen.

Deze inzichten hebben de inspiratie geleverd voor de doctrine van de keynesiaanse begrotingspolitiek. Ze houdt in dat de overheid de begrotingspolitiek kan gebruiken als instrument voor het stabiliseren van de conjunctuur. In tijden van recessie, gekenmerkt door lage of zelfs negatieve groei en werkloosheid, moet er dan een expansief begrotingsbeleid worden gevoerd. Dit betekent uitgavenverhoging en/of ontvangsten-verlaging. Het omgekeerde geldt bij een hoogconjunctuur.

De doctrine van de keynesiaanse begrotingspolitiek (deficit spending, functional finance, fine tuning) heeft de praktijk van de macro-economische politiek beheerst vanaf de Tweede Wereldoorlog tot het einde van de jaren zeventig.
Concurrerende scholen zoals gepersonaliseerd in Hayek en Buchanan kregen bij de beleidsmakers gedurende die periode geen kansen.
Het *monetarisme* van Friedman had iets meer succes, maar dan niet zozeer op het vlak van zijn recepten voor het begrotingsbeleid, als wel op het vlak van de monetaire politiek.
Een grondige analyse van deze benaderingen is materie voor een cursus macro-economie. Wel kan vastgesteld worden dat noch Hayek, noch Buchanan, noch Friedman (toevallig of niet drie winnaars van de Nobelprijs voor economie) geloof hechtten aan de mogelijkheid van een kortetermijnstabilisatiepolitiek en daarin dus ook geen rol zagen weggelegd voor de openbare financiën.
Hun visies op dat vlak zijn sinds de jaren 80 de heersende opvattingen gaan uitmaken. Redenen voor het wegdeemsteren van het keynesiaanse gedachtengoed inzake stabilisatiepolitiek zijn o.a. de problemen om ze in de praktijk toe te passen (metings-, dosering-, vertragingsproblemen) en het misbruik ervan omwille van politieke redenen (politieke conjunctuurcyclus).

De toepassingsproblemen hebben met een aantal factoren te maken. Zo is er onzekerheid over de grootheid van de in de modellen gebruikte coëfficiënten en aggregaten zoals de marginale consumptiequote. Er is het tijdsaspect; er verloopt tijd tussen de vaststelling van de noodzaak tot ingrijpen, de implementatie van een maatregel en het moment waarop men resultaten ziet. Het effect van maatregelen op resultaten wordt doorkruist door andere autonome economische ontwikkelingen en door niet-bedoelde effecten van andere politieken. Vooral in kleine, open economieën is het moeilijk om met een actief begrotingsbeleid resultaten te boeken, onder andere omwille van het grote importlek.
De toepassing van een actief begrotingsbeleid kampt niet alleen met praktische problemen, maar ook met het gegeven dat dit beleid dikwijls om politieke redenen misbruikt is. Deze problematiek wordt behandeld in hoofdstuk 4 van dit deel omdat het hier in wezen om een falen van de overheid gaat.

2.3. De budgettaire stabilisatoren

Een beetje afgezonderd van de grote debatten tussen macro-economische scholen staat het fenomeen van de *automatische begrotingsstabilisatoren.*

Ze hebben te maken met inherente kenmerken van de componenten in de begroting en staan onafhankelijk van discretionaire ingrepen door de overheid. Essentieel is dat het om begrotingscomponenten gaat die automatisch een stuk van de gevolgen van de conjunctuurschommelingen gaan compenseren.

De stabilisatoren zijn zowel te vinden aan de ontvangstenzijde als aan de uitgavenzijde van de begroting.

Bij de ontvangsten zijn er bijvoorbeeld de progressieve inkomstenbelastingen. In een recessie, gekenmerkt door dalende inkomens, gaan de belastingopbrengsten relatief meer dalen dan de inkomens dalen. Het beschikbaar inkomen gaat er dan op vooruit. Deze begrotingscomponent heeft dan, zonder een discretionaire ingreep van de overheid, een expansief effect.

Aan de kant van de uitgaven zijn er de werkloosheidsuitkeringen die in een recessie stijgen door het groter aantal werklozen. De begroting werkt opnieuw, zonder discretionair optreden van de overheid, expansief.

Vanzelfsprekend spelen de bedoelde effecten in de andere richting als het een periode van hoogconjunctuur betreft.

Er gaat derhalve van de begroting een automatisch stabiliserend effect uit op de conjuctuur.

3. BESLUIT

De stabilisatie van de economie is de derde grote opdracht van de overheid. Er wordt immers vanuit gegaan dat het marktmechanisme ongewenste conjunctuurschommeling-en genereert en evenmin voor een optimale groei van de welvaart op lange termijn zorgt. In de praktijk blijkt het evenwel moeilijk om de rol van de markt, resp. de overheid in het stabilisatieproces in te schatten. Het betreft namelijk een terrein waaop verschillende, soms tegenstrijdige economische leerscholen hun licht laten schijnen.

Literatuurlijst

BARRO R.en SALA-I-MARTIN X. (1995), *Economic growth*, New York : McGraw-Hill.

KB-Weekberichten (1997), *Nieuwe en oude visies op conjunctuurbewegingen*, 19 december.

KYDLAND F. en PRESCOTT E. (1982), "Time to build and aggregate fluctuations", *Econometrica*, 50, blz. 1345-1370.

SACHS J. en WARNER A. (1995), "Economic reform and the process of global integration", *Brookings Paper on Economic Activity 1*, blz. 1-95.

Trefwoorden en -zinnen van hoofdstuk 4

Belastingconcurrentie
Belastinguitvoer
Centraal houden van de herverdelings- en stabilisatiefunctie
Closed-ended en open-ended dotaties
Conflicterende doelstellingen van economisch beleid
Decentralisatietheorema van Oates
Fiscal federalism
Flypaper-effect
Geografische reikwijdte
Matching en non-matching dotaties
Matteüseffect
Optimale omvang van het overheidsniveau voor een gegeven collectieve
voorziening
Overheid als Leviathan
Overheidsfalen
Oversijpelingseffecten
Politieke besluitvorming als endogene factor
Politieke conjunctuurcyclus
Public choice
Ruimtelijke component in de openbare financiën
Schaalvoordelen in de belastinginning
Subsidiariteit
Tiebout-hypothese : voting with the feet
Voorwaardelijke en onvoorwaardelijke dotaties

Hoofdstuk 4
PROBLEMEN MET HET OVERHEIDSOPTREDEN IN DE ECONOMIE

In dit hoofdstuk wordt verder gebouwd op de inzichten van de vorige drie hoofdstukken. Meer bepaald komen drie aspecten aan bod :
– De eventuele conflicten die er kunnen optreden tussen de drie overheidsfuncties
– De ruimtelijk component in deze functies
– Het eventuele overheidsfalen t.a.v. deze functies

1. CONFLICTEN TUSSEN DOELSTELLINGEN

De keurige opdeling van de economische overheidsopdrachten in allocatie, distributie en stabilisatie mag niet uit het oog doen verliezen dat op bepaalde punten de doelstellingen vervat in de drie functies met elkaar in strijd kunnen zijn.
Voorbeelden van mogelijke tegenstellingen :
– Allocatie en stabilisatie. Veranderingen in de overheidsuitgaven die het conjunctuurverloop regelen zijn niet altijd in overeenstemming met de vereisten van een optimale allocatie van de productiefactoren en -bestedingen : een slechte conjunctuur kan een verhoging van de overheidsinvesteringen rechtvaardigen, hoewel dit een minder gewenste scheeftrekking tussen overheids- en privé-investeringen kan veroorzaken.
– Stabilisatie en verdeling. In een gespannen hoogconjunctuur kan het aangewezen zijn de belastingen op de modale inkomens te verhogen.
– Groei en verdeling. Herverdeling ten behoeve van lage-inkomenstrekkers en dus progressieve belastingen op hogere inkomens kan ingaan tegen het persoonlijk initiatief en de werkijver (Moesen en Van Rompuy 1989).
– Inflatie en werkloosheid. Hoewel dit niet algemeen aanvaard is, menen sommigen dat er een zekere incompatibiliteit is tussen beide, alleszins op de korte termijn. De inflatie kan maar worden bedwongen mits een zekere mate van werkloosheid te gedogen, terwijl de werkloosheid slechts kan weggewerkt worden als men een zekere graad van inflatie aanvaardt.

2. DE RUIMTELIJKE COMPONENT OF "FISCAL FEDERALISM"

Tot nu toe werd er gesproken over "de" overheid. We weten evenwel dat er verschillende overheidsniveaus bestaan. De vraag rijst derhalve wat er ten aanzien van de overheidsfuncties en deze niveaus kan gezegd worden.
Uitgangspunt hierbij is het *ruimtelijk aspect*. Zowel bij de markt als marktfaling als overheidscorrectie ten aanzien hiervan, is het ruimtelijk aspect tot nu toe niet ter sprake gekomen. Introductie ervan doet ons beseffen dat de grenzen van markten en dus van marktfalingen in se weinig verwantschap vertonen met politiek-bestuurlijke grenzen (tenminste zolang de overheid via protectie de markten niet kunstmatig binnen de politieke grenzen houdt).

De reikwijdte van markten wordt bepaald door consumentensmaak, afstanden, transportkosten, aard van de producten, enz. De reikwijdte van de markt kan in principe anders liggen voor elk individueel goed of elke individuele dienst. Het gevolg is ook dat het ruimtelijk aspect van de marktfalingen erg gediversifieerd kan zijn. In principe zou dan het niveau van de correctie moeten overeenkomen met het ruimtelijk kader van de markt en de marktfaling in kwestie. Dit zou evenwel leiden tot een voor de burger onhandelbaar aantal overheden.

In de praktijk is het aantal overheden dus beperkt, wat betekent dat er geen exacte overeenstemming is tussen de economisch relevante ruimte en de politieke ruimte waarin het marktfalen wordt aangepakt.

In de economische wetenschap heeft zich een gans onderzoekingsgebied rond deze problematiek ontwikkeld. Dit domein wordt aangeduid met de term *"fiscal federalism"*. De rest van deze paragraaf behandelt de voornaamste inzichten van het "fiscal federalism" (zie ook deel 4, hoofdstuk 4 voor de belastingaspecten van het "fiscal federalism"). We starten met de vraag op welk overheidsniveau de onderscheiden overheidsfuncties best uitgevoerd worden. Daartoe is het nuttig te focussen op de gevolgen van het ruimtelijk beperkt zijn van collectieve goederen. Dit is immers het startpunt van de "bulk" van het fiscal federalism. De voor- en nadelen van decentralisatie worden daarin bekeken, evenals de optimale omvang van een jurisdictie en het fenomeen van "voting with the feet".

Vervolgens wordt er aandacht besteed aan de vraag op welk niveau de verschillende soorten belastingen best worden gegeven, aan de problematiek van de intergouvernementele dotaties en aan het "flypaper-effect" van dotaties.

Musgrave is de pionier op dit vlak en aan zijn inzichten die hij in de jaren vijftig daaromtrent heeft ontwikkeld zijn sindsdien geen fundamentele wijzigingen aangebracht.

Die inzichten bestaan er, kort uitgelegd, in dat de herverdelings- en stabilisatiefunctie best gecentraliseerd blijven op het centrale niveau, terwijl de allocatie beter kan gespreid worden over de verschillende overheidsniveaus naargelang de voorkeuren van de burgers.

We gaan voor de drie overheidsfuncties dieper op de materie in.

Het is belangrijk te beseffen dat het geheel van overheidsniveaus geen vaststaand gegeven is. Er komen niveaus bij (er verdwijnen er zelden) en bevoegdheden kunnen tussen niveaus verschuiven.

2.1. De allocatie

De vraagstelling op welk overheidsniveau de allocatiefunctie het best wordt verzorgd, heeft heel wat aspecten. We gaan eerst in op de ruimtelijke beperkingen van collectieve goederen. Vervolgens is er het gegeven dat preferenties van burgers t.a.v. collectieve voorzieningen kunnen verschillen van jurisdictie tot jurisdictie. Ook de problematiek van de informatiedoorstroming van burgers naar bestuurders kan als een argument gebruikt worden voor decentralisering. Verder is er nog het theorema van "voting with the feet".

Naast deze facetten die eerder als argumenten voor decentralisering gelden, zijn er ook tegenargumenten aan te halen : de gevaren van belastinguitvoer en -concurrentie, spillover effecten, schaaleffecten in de productie en in de belastinginning.

a. Geografische reikwijdte

In de allocatiesfeer is de ruimtelijke beperking van markten, marktfalingen en collectieve voorzieningen ter remediëring daarvan, een uiterst belangrijk uitgangspunt. Straatverlichting, huisvuilophaling, enz. zijn collectieve voorzieningen met een beperkte *geografische reikwijdte* en horen dus eerder op het lokale niveau thuis. Aan het andere uiteinde staat bijvoorbeeld defensie dat een veel grotere reikwijdte heeft en dus best op een hoger niveau ter harte genomen wordt.

Neem bijvoorbeeld onderwijs. Waar kleuter- en lager onderwijs heel lokaal thuishoren, is de reikwijdte van het secundair onderwijs al ruimer; er zijn minder scholen op dit niveau en ze trekken leerlingen aan uit een ruimer gebied. Een individuele instelling voor hoger onderwijs bestrijkt opnieuw een veel grotere "markt". Deze gegevens hebben in principe gevolgen voor de keuze van het politiek-bestuurlijke niveau waarop de voorziening best wordt geregeld.

Men kan deze problematiek theoretisch benaderen door op zoek te gaan naar de *optimale omvang van het overheidsniveau* voor een gegeven collectieve voorziening. Deze benadering haalt zijn inspiratie bij de "Theory of clubs" van Buchanan en werd grafisch uitgewerkt door Sandler & Tschirhart (1980). Deze grafische voorstellingswijze maakt gebruik van vier kwadranten (zie figuur 4.1.). We beginnen rechtsboven. Daarin wordt een verband gelegd tussen het aantal personen N dat in een jurisdictie resideert en er gebruik maakt van het collectief goed in kwestie enerzijds en de kostprijs per hoofd voor het produceren en leveren van het collectief goed anderzijds. Hoe meer mensen er in de jurisdictie wonen hoe lager de kostprijs per hoofd voor een gegeven kwantiteit van het collectief goed. Vandaar het dalende verloop van K_1. Levering van meer van hetzelfde collectief goed doet de curve naar boven verschuiven. Als TK de totale kost is dan wordt K_1 gegeven door TK/N.

De curve K_μ geeft de marginale kostenbesparing per capita weer naarmate de omvang van N toeneemt. Ze toont dus de daling van de gemiddelde kost als er één individu in de jurisdictie bijkomt.

Er is niet alleen een positief effect van een toenemende bevolking. Er is ook de toenemende congestie. Deze kosten worden weergegeven per hoofd van de bevolking door de C_1-curve (totale congestiekosten TC per hoofd of TC/N). Naar analogie met K_μ is er ook een C_μ : de curve van de marginale congestiekost per capita. Ze toont de bijkomende congestiekost per hoofd als er één individu bijkomt. Waar K_μ een soort marginaal voordeel aangeeft, geeft C_μ dus een soort marginale kost. Het snijpunt van beide curves toont de optimale omvang van de jurisdictie N_1. Een toename van de totale kost, gepaard gaande met een hoger leveringsniveau van het collectief goed, doet K_μ naar rechtsboven verschuiven en leidt dus tot een hogere optimale bevolkingsomvang. Tot nu toe gingen we uit van een gegeven hoeveelheid van het collectief goed. We moeten nu nagaan wat het optimale leveringsniveau is. Daartoe gebruiken we het kwadrant bovenlinks. Voor de eenvoud van de redenering wordt aangenomen dat de voorkeuren van de burgers t.a.v. het collectief goed identiek zijn, zodanig dat er kan gewerkt worden met de vraagcurve V van het "representatief individu". In dat kwadrant staat M_1 voor de kost van de productie van het collectief goed per hoofd van de bevolking. Hoe meer er van het goed geleverd wordt, hoe hoger de kostprijs per hoofd. We weten evenwel dat de gemiddelde kostprijs van het goed niet onafhankelijk is van de omvang van de bevolking. Een grotere bevolking betekent een lager gelegen kostencurve M_2). We krijgen dus telkens een andere, optimale hoeveelheid (Q_1 resp. Q_2).

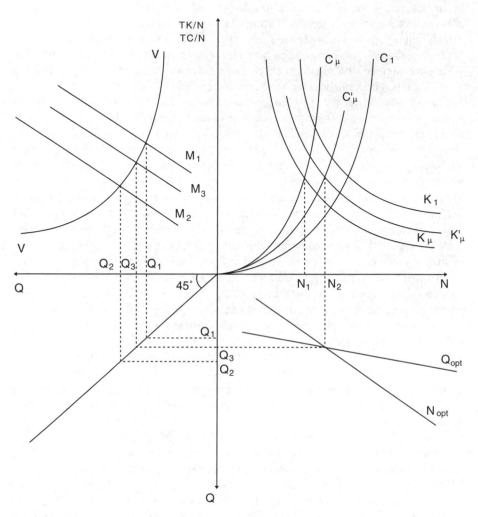

Figuur 4.1. : Optimale omvang van het overheidsniveau

Bron : Cullis J. en Jones P. (1998), blz. 295

We zitten dan voorlopig in een impasse : we kunnen het optimale leveringsniveau niet bepalen zolang we de optimale bevolkingsomvang niet hebben en deze kunnen we niet vastleggen omdat we het optimale leveringsniveau niet kennen.
De uitweg wordt geboden in de onderste twee kwadranten van de figuur. Links onder worden de hoeveelheden gewoonweg via een bissectrice getransponeerd naar de y-as van het kwadrant rechtsonder. Daar wordt de confrontatie tussen leveringsniveau en bevolkingsomvang weergegeven.

De curve N_{opt} geeft het verband weer tussen de evolutie in de optimale bevolkingsomvang en het leveringsniveau voor het collectief goed. Uit het kwadrant rechtsboven is gebleken dat daar een positief verband geldt : hoe hoger het leveringsniveau, hoe hoger de optimale bevolkingsomvang.

Q_{opt} geeft het optimale leveringsniveau weer bij elke bevolkingsomvang. Uit het linker bovenkwadrant weten we dat dit optimale leveringsniveau toeneemt naarmate de bevolkingsomvang groter is.

Het ideaal is dan het snijpunt van Q_{opt} en N_{opt}. Het punt toont de optimale bevolkingsomvang N_2 en het optimale leveringsniveau Q_3.

b. Het decentralisatietheorema

De reikwijdte van collectieve voorzieningen is niet het enige belangrijke facet binnen de "fiscal federalism". Minstens zo belangrijk is het gegeven van verschillen in preferenties tussen burgers. Als burgers in een bepaald landsgedeelte gemiddeld genomen een andere soort gezondheidszorg wensen dan in een ander landsgedeelte, dan lijkt het aannemelijk dat de gezondheidszorg best per landsgedeelte wordt georganiseerd. Dat is in essentie wat het *decentralisatietheorema van Oates* stelt.

Dit theorema kan best grafisch worden geanalyseerd (zie figuur 4.2.). Er zijn daarbij twee landsgedeelten binnen een nationale staat. Er wordt uitgegaan van homogene preferenties binnen de delen en een preferentieverschil tussen de delen. De homogene preferenties-voorwaarde laat toe te werken met het "representatief individu" dat ook in de vorige paragraaf werd gebruikt. V_A is dan de vraagcurve van dit representatief individu voor een bepaald collectief goed in landsgedeelte A; V_B de analoge vraagcurve voor B.

De P-lijn is de prijs die per individu voor de collectieve voorziening moet worden betaald om de kosten voor de levering ervan te dekken.

In de veronderstelling dat A en B over fiscale autonomie beschikken, zal resp. Q_A en Q_B worden geleverd. Is er daarentegen een levering op centraal niveau dan kan men veronderstellen dat deze centrale overheid ergens een gemiddelde moet maken van de preferenties in A en B en bijvoorbeeld uitkomt in Q_{A+B}. De vergelijking tussen de centrale en de decentrale oplossing maakt duidelijk dat de eerste een welvaartsverlies veroorzaakt. Dit welvaartsverlies wordt gegeven door de som van de driehoeken a en b. De driehoek a staat voor het verlies dat in A wordt geleden. De te grote hoeveelheid $Q_{A+B} - Q_A$ wordt duurder betaald dan het marginaal nut/voordeel ervan groot is. De vraag van de respresentatieve burger in B wordt niet volledig voldaan : $Q_B - Q_{A+B}$ is het tekort. Voor deze hoeveelheid heeft de betrokken burger b+c+d over, terwijl de kost ervan slechts c+d is. Doordat $Q_B - Q_{A+B}$ niet geleverd is er een welvaartsverlies van b.

c. Subsidiariteit

Sedert het Verdrag van Maastricht is de term *"subsidiariteit"* gemeengoed geworden in discussies over de verdeling van bevoegdheden tussen de verschillende niveaus van de overheid. Subsidiariteit betekent vooral sympathie voor de lagere overheden. Het stelt namelijk dat overheidstaken slechts door een hogere overheid mogen worden aangenomen als een lagere overheid ze niet kan uitvoeren. Een echt economisch rigoureuze analyse van het subsidiariteitsbeginsel is niet te vinden.

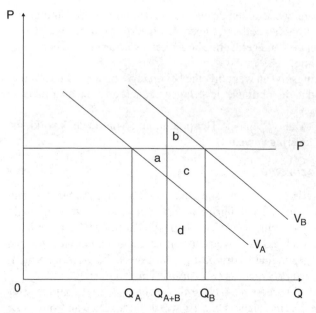

Figuur 4.2. : Decentralisatietheorama

Het principe wordt meestal in één adem genoemd met een vermoede betere democratische werking op lager niveau. Dit heeft te maken met de betere informatiedoorstroming op lokaal niveau. De omvang van de kiezersgroep is kleiner, de informatiekanalen zijn korter waardoor de preferenties van de burgers juister en scherper in beeld komen bij de lokale overheden. Deze overheden kunnen ook gemakkelijker in communicatie treden met hun bevolking. Verder is de democratische controle op lokaal niveau groter, juist ook doordat de lokale mandatarissen dichter bij de bevolking staan.

d. De Tiebout-hypothese

Een interessante invalshoek op de problematiek van de lokale overheden werd in de jaren vijftig geboden door de econoom Charles Tiebout. Zijn "Tiebout-hypothese" is misschien nog beter bekend als het leerstuk van *"het stemmen met de voeten"* ("voting with the feet").

Tiebout argumenteert dat individuen in principe in staat zijn om een keuze te maken tot welke lokale gemeenschap zij wensen te behoren. Die keuze zou dan bepaald zijn door de voorkeur inzake de beschikbaarheid van lokale publieke voorzieningen en het belastingprijskaartje dat eraan vasthangt. Op die manier zou de burger dus eigenlijk met zijn voeten stemmen voor de geprefereerde mix tussen collectieve voorzieningen en belastingen.

Daarmee wordt de eerder gemaakte veronderstelling dat burgers inzake collectieve goederen hun preferenties niet zullen reveleren (cfr. supra) afgezwakt : voor zover de mobiliteit tegen lage kost kan gebeuren, is verhuizen naar een meer geprefereerde lokale gemeenschap een manier om de voorkeuren inzake publieke goederen te uiten.

In zoverre dat dit inderdaad ook gebeurt, ontstaan er ook homogenere jurisdicties. De burgers met afwijkende voorkeuren verlaten de gemeenschap, de burgers die inwijken doen dat omdat hun voorkeuren stroken met wat de lokale overheid aanbiedt. Op deze wijze worden de voordelen die uit het decentralisatieprincipe blijken nog aangedikt. Het spreekt vanzelf dat de onderliggende veronderstellingen van de Tiebout-hypothese nogal strikt zijn en niet noodzakelijk realistisch. Zo wordt er vanuitgegaan dat de burgers volledig zijn geïnformeerd over de voorzieningsniveaus in de verschillende lokaliteiten, dat mobiliteit kostloos is of dat er geen problemen van congestie optreden als sommige lokaliteiten erg populair blijken te zijn.

e. Belastinguitvoer, spill-over effecten en belastingconcurrentie

Er zijn uiteraard niet alleen voordelen aan allocatieve decentralisatie. Een belangrijk nadeel is dat er *belastinguitvoer* kan plaats grijpen. Daarmee wordt bedoeld dat een stuk van de kosten van de collectieve voorzieningen in een lokale gemeenschap wordt afgewenteld op niet-residenten. Een mooi voorbeeld is de belasting op tweede verblijven die in een aantal Vlaamse kustgemeenten wordt geheven, of toeristenbelastingen in het algemeen. Belastinguitvoer kan ertoe leiden dat er teveel collectieve voorzieningen zijn. De belastingprijs voor de lokale residenten wordt er immers door verlaagd, waardoor de vraag ernaar groter wordt dan optimaal is. Niet onbelangrijk in deze is ook het soort belasting dat door de lokale overheden wordt geheven. De lokale overheid zou er belang bij kunnen hebben naar belastingen te zoeken die kunnen uitgevoerd worden. De grondslag van dit soort belastingen (goederen, diensten, activiteiten) wordt daardoor te hoog belast in vergelijking met niet-exporteerbare belastingen.

Nauw verwant met de negatieve externe effecten van belastinguitvoer zijn de positieve effecten van collectieve voorzieningen die ook door residenten van buiten de lokaliteit kunnen geconsumeerd worden. Voorbeelden hiervan zijn het genot dat niet-residerende bezoekers hebben van de culturele, groen-, openbare vervoers- en andere lokale infrastructuur. Men noemt dit *oversijpelingseffecten* (benefit overlap, spill-over). Oversijpelingseffecten kunnen voor gevolg hebben dat te weinig van de bewuste collectieve voorzieningen worden geleverd. Belastinguitvoer en oversijpelingseffecten worden best samen bekeken. Ze zijn beide het gevolg van de eerder gesignaleerde mismatch tussen de reikwijdte van markten en publieke voorzieningen enerzijds en de geografische reikwijdte van lokale jurisdicties anderzijds. Ze kunnen bovendien elkaar neutraliseren/compenseren. Overblijvende "saldi" zou de hogere overheid door dotaties (–) of belastingen (+) in principe kunnen afromen, waardoor deze nadelen van fiscale decentralisatie kunnen vermeden worden.

Raakvlakken met deze fenomenen vertoont het fenomeen van de *belastingconcurrentie*. Indien men de lokale belastingen op zichzelf bekijkt dan kunnen deze uitgroeien tot een concurrentie-instrument in de strijd om nieuwe activiteiten met andere lokale overheden, bedrijven enz. Vooral belastingen op eerder mobiele grondslagen, zoals bedrijven, komen in aanmerking voor verminderingen met het oog op het aantrekken van activiteiten, werkgelegenheid (en een op die manier groeiende belastingbasis met dito groeiende belastingopbrengsten). De bedoeling kan ook zijn te verhinderen dat mobiele belastingbasissen zouden delokaliseren.

Dergelijke belastingconcurrentie leidt normaliter tot een te laag voorzieningsniveau aan collectieve goederen. De belastingopbrengst wordt immers te laag voor een adequaat aanbod. Men moet er evenwel ook rekening mee houden dat een lagere lokale overheid die door belastingverlagingen voldoende belastingbetalende activiteiten, bedrijven enz. aantrekt, haar belastingbasis en eventueel haar belastingopbrengsten kan zien toenemen.

Deze mogelijkheid wordt wel gehypothekeerd als andere lagere lokale overheden reageren met nog grotere belastingvoordelen.

Het probleem van de belastingconcurrentie wordt dikwijls opgehangen aan de kapstok van de economische en monetaire unie. Teveel belastingconcurrentie zou immers een gevaar kunnen betekenen voor dergelijke unie (zie deel 4 hoofdstuk 4 voor de problematiek van de belastingconcurrentie).

f. Schaalvoordelen in de belastinginning en in de productie van publieke goederen

Tenslotte moet er rekening worden gehouden met schaaleffecten. Deze kunnen zich op twee vlakken voordoen en betekenen dus een argument voor een meer gecentraliseerde voorziening van collectieve goederen.

Er kunnen zich in de eerste plaats *schaalvoordelen voordoen bij de inning van belastingen*. De gemiddelde kosten voor het innen van belastingen in termen van belastingadministratie (inkohiering, controle, enz.) zouden wel eens kunnen dalen naarmate deze inning centraler gebeurt. Decentralisering van de collectieve voorzieningen is dan minder gewenst, tenzij men een systeem van "revenu sharing" toepast. Dit systeem houdt in dat de inning van de belastingen centraal gebeurt, waarna (een gedeelte van) de opbrengst wordt doorgesluisd naar de lokale overheden[12].

Ook in de productie van collectieve goederen kunnen zich *schaalvoordelen* voordoen. Om daarvan te profiteren moet het lokale niveau verlaten worden. Het werken met intercommunales voor sommige collectieve voorzieningen (huisvuilophaling en -verbranding, watervoorziening, energiedistributie, enz.) is dan een alternatief.

2.2. De overige overheidsfuncties en overheidsniveaus

Over de herverdeling en de stabilisatie en de overheidsniveaus waarop beide best worden geplaatst is er onder economen niet zoveel discussie als over de allocatie.

Wat betreft de herverdeling is de "conventional wisdom" dat dit best gebeurt op het federale niveau[13]. Lagere overheden die zich wagen aan herverdeling van rijk naar arm, riskeren geconfronteerd te worden met instromen van relatief arme en uitstromen van relatief rijke inwoners, waardoor enerzijds de uitgaven opwaarts onder druk komen en anderzijds de belastingbasis neerwaarts onder druk komt. Naarmate de afstanden groter worden, mag men aannemen dat dit soort ongewenste mobiliteit afneemt. Hoe hoger

---

[12]   De Borger B. (1996), blz. 117.
[13]   Oates W. (1990), blz. 4.

86

het niveau waarop de herverdeling plaatsgrijpt, hoe groter die afstanden en dus hoe kleiner de bedoelde mobiliteit.

Er pleit evenwel ook een argument voor het aanhouden van een zekere herverdelingsactiviteit op lagere niveaus. Dit argument is dat er op het lagere niveau meer vertrouwdheid is met de toestand van de plaatselijke armen en dat dit leidt tot een grotere bereidheid tot herverdeling en een meer efficiënte hulpverlening.

Vandaar het beleidsrecept om de normen te standaardiseren en algemene middelen te voorzien, en het opsporen en remediëren van de armoede over te laten aan de lokale overheid. Dit komt dus neer op het delen van de distributiefunctie.

Een ander argument voor het centraal houden van de herverdelingsfunctie dringt zich op als de personele herverdeling een te groot geachte ongelijkheid tussen jurisdicties niet kan verhinderen. In dat geval kan er namelijk behoefte zijn aan een centraal herverdelingsbeleid t.o.v. de lokale jurisdicties. Een oorzaak van een dergelijke ongelijkheid kan gelegen zijn in te sterk verschillende belastingbases die te maken hebben met verschillen in ontwikkelingspeil. Vooral wanneer een en ander zich afspeelt binnen een economische en monetaire unie en het wisselkoersinstrument niet meer kan gebruikt worden om de verschillen recht te trekken, kan een herverdeling tussen jurisdicties aantrekkelijk zijn. Het is in deze context dat de Europese Structuurfondsen moeten worden bekeken, evenals het expliciete systeem van de Finanzausgleich in Duitsland en de impliciete transfers tussen Vlaanderen en Wallonië.

De macro-economische stabilisatie is een opdracht die de economen over het algemeen liever voorbehouden voor de hogere overheidsniveaus (meestal het federale, nationale niveau). De verklaring hiervoor is dat een stabilisatiebeleid snel aan effectiviteit verliest naarmate de economie van de jurisdictie waarop dat beleid slaat opener wordt. Hoe belangrijker immers de handels- en financiële stromen worden ten opzichte van de rest van de economie, hoe groter de lekken die een stabilisatiebeleid via de openbare financiën zou teweegbrengen. Nog meer dan voor de begrotingspolitiek geldt dit voor de monetaire politiek. Het gebruik ervan op subcentraal niveau, de stabilisatie terwille, is immers quasi onmogelijk, aangezien het belangrijkste instrument ervan, de beheersing van de geldvoorraad, bij het centrale niveau berust.

2.3. De middelenverwerving bij meerdere overheidsniveaus

De aanwezigheid van verschillende hiërarchisch gestructureerde overheidsniveaus heeft belangrijke consequenties voor de middelenwerving van de besturen. Meer specifiek voor de lokale besturen geldt dat de fiscaliteit – in tegenstelling tot de centrale overheid – niet langer de belangrijkste financieringsbron voor collectieve voorzieningen is. Systemen van dotaties door hogere aan lagere overheden zijn aanwezig en zorgen voor specifieke problematieken. Dit geldt trouwens evenzeer voor de fiscaliteit van lagere overheden. Deze fiscaliteit en de gevolgen ervan voor de uitgaven worden behandeld in deel 4. De problematiek van de dotaties en de gevolgen ervan voor de uitgaven worden hier behandeld.

a. De dotaties van hogere aan lagere overheden

Een centrale overheid heeft de beschikking over verschillende typen uitkeringen die het haar lokale overheden kan geven. Elk type heeft verschillende effecten op o.a. het bestedingspatroon van de lokale overheden.

Cullis J. en Jones P. (1998) gebruiken drie criteria ter onderscheiding van dotaties :
- *Voorwaardelijke versus onvoorwaardelijke dotaties*, waarbij de voorwaarde er meestal in bestaat dat de dotatie bestemd is voor een specifiek programma (vandaar dat hier ook soms de tweedeling specifiek versus algemeen wordt gebruikt);
- *"Matching" versus "non-matching" dotaties*; bij de matching dotaties betaalt de centrale overheid meestal een percentage van de totale kost, bij de non-matching dotaties is die band er niet;
- *"Closed ended" versus "open-ended" dotaties*, in het eerste geval is er een limiet aan de dotatie, in het tweede geval niet.

Aangezien men van de/een centrale overheid niet mag verwachten dat ze een blanco cheque schrijft, zijn de combinaties van non-matching en open-ended dotaties niet relevant. Ook een algemene matching dotatie is niet relevant, omdat de centrale overheid slechts kan "matchen" bij specifieke dotaties. Er zijn dus vier types die in de praktijk van belang kunnen zijn :
- De algemene non-matching, closed-ended dotatie
- De specifieke non-matching, closed-ended dotatie
- De (specifieke) matching, open-ended dotatie
- De (specifieke) matching, closed-ended dotatie

De incidenties van deze types kunnen, mits wat restrictieve uitgangspunten, op een grafische manier worden geanalyseerd. De uitgangspunten (zie figuur 4.3) zijn dat de voorkeuren van de lokale gemeenschap gevat worden in een soort collectieve indifferentiecurven ($I_0, I_1, \ldots$) die de combinaties weergeven van de hoeveelheden van een privé-goed Y en van een publiek goed X die hetzelfde nut opleveren. De financiële restrictie wordt weergegeven door de budgetrechte BB'. De lokale overheid probeert in deze context het nut voor de gemeenschap te maximaliseren. Dit gebeurt in het raakpunt van I_0 en BB', nl. in E_0. Een hoeveelheid X_0 van het publieke goed en Y_0 van het privé goed worden dan geleverd. Y_0B' is de belasting, Y_0B'/OB' is de belasting-voet.

Hoe beïnvloeden de resp. dotaties dit evenwicht ?
Een algemene non-matching, closed-ended dotatie van B'C' doet de budgetrechte verschuiven naar CC'. Een nieuw evenwicht wordt bereikt in E_1 op een hoger gelegen indifferentiecurve I_1. De dotatie leidt niet alleen tot een toename van de consumptie van het collectieve goed, ook de consumptie van het privégoed wordt gestimuleerd.

Als de dotatie B'C' enkel mag gebruikt worden voor het publieke goed (waardoor het een "specifieke non-matching, closed-ended grant" wordt), dan wordt de budgetrechte Y_0E_2C. Het evenwicht wordt dan E_2 dat op I_2 ligt, een lagere indifferentiecurve dan I_1.

Terwijl de non-matching dotaties de budgetrechte evenwijdig doen verschuiven, zorgen de matching grants voor het wentelen ervan rond het punt B'. De matching dotaties doen immers enkel de prijs van het publieke goed dalen. Dit wordt weergegeven in figuur 4.4. Door de open-ended dotatie zwenkt de budgetrechte van B'B naar B'C. Het nieuwe evenwicht is E_3 op de hoger gelegen indifferentiecurve I_3. Zowel de consumptie van X als van Y is toegenomen. E_3D vertegenwoordigt de dotatie, waarvan het gedeelte Y_3Y_0 als een belastingvermindering wordt doorgespeeld naar de burgers (met als gevolg de reeds vermelde stijging van de consumptie van het private goed). De dotatie doet de consumptie van X toenemen tot OX_3. De verhouding OX_3/OX_0 wordt de "matching" ratio genoemd.

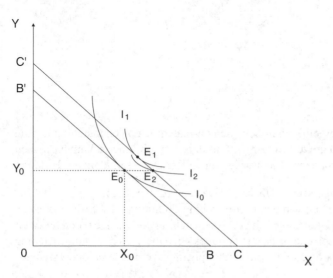

Figuur 4.3. : Non-matching dotaties

Bij een matching, closed-ended dotatie wordt het bedrag van de dotatie beperkt.
Dit kan gebeuren onder de vorm van een beperking van de additionele hoeveelheid van het collectief goed : i.p.v. X_0X_3 extra, mag het slechts X_0X_4 extra zijn. Daardoor ontstaat de budgetrechte B'B''C' (de afstand BC' is gelijk aan X_0X_4).

De evenwichtssituatie in dit geval is E_4.

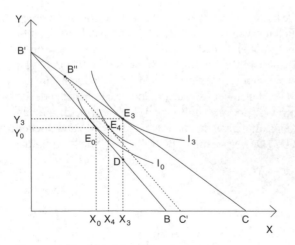

Figuur 4.4. : Matching dotaties

Interessant is verder de vergelijking tussen een non-matching en een matching dotatie (zie Musgrave R. en Musgrave P. (1989)). Om deze vergelijking te kunnen maken moeten de resp. dotaties tot eenzelfde niveau van collectieve voorzieningen leiden.

In de figuur 4.5 is dit gelijke niveau OX_1. Dit niveau wordt bereikt door een matching dotatie ten belope van E_2D en van een non-matching dotatie van E_1D. Er is dus een non-matching dotatie vereist die hoger ligt dan de matching dotatie. De reden hiervoor is dat de matching dotatie selectief is naar het publiek goed toe, terwijl de non-matching dotatie algemeen is en ook de additionele aankoop van privé-goederen ondersteunt.

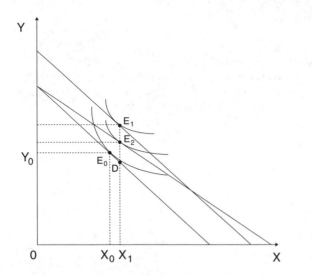

Figuur 4.5. : Vergelijking matching en non-matching dotaties

b. Het "flypaper" effect

Uit de boven uitgevoerde analyse van een algemene non-matching dotatie bleek dat de budgetrechte erdoor naar rechtsboven verschoof (zie figuur 4.3). In principe betekent dit dat hetzelfde effect kan bereikt worden door een belastingvermindering die de centrale overheid zou toestaan aan de burgers van de lokale gemeenschap. In beide gevallen zou zowel de consumptie van het private als van het collectieve goed in dezelfde mate gestimuleerd worden.

De empirie blijkt er evenwel op te wijzen dat deze equivalentie tussen dotatie en belastingverlaging niet opgaat. Dotaties blijken de uitgaven van de lokale overheden veel sterker te stimuleren dan een identieke belastingverlaging. Dit fenomeen werd door de ontdekkers ervan (Gramlich E. en Galper H. (1973)) het *"flypaper effect"* of het vliegenpapiereffect genoemd : het geld blijft plakken waar het terecht komt, in het geval van dotaties is dit de lokale overheid die ze gebruikt door lokale voorzieningen, in het geval van belastingverlagingen bij de burgers, die dan vooral hun privé-bestedingen verhogen.

3. OVERHEIDSFALEN

In de traditionele economische benadering is de kous af na de interventie van de overheid ter correctie van het marktfalen. Er worden geen vragen meer gesteld over deze interventie. Nochtans leert de praktijk dat ook het gedrag en het beleid van de overheid niet altijd optimaal is. Men spreekt van *overheidsfalen*. Er is een stroming binnen de economie die zich sinds een aantal decennia bezig houdt met de studie van dit overheidsfalen, dit is de *public choice*.

In deze paragraaf gaan we na wat de inzichten zijn van de public choice t.a.v. overheidsfalen in de openbare financiën. Daartoe moet eerst ingegaan worden op de oorzaken die de public choice aangeeft voor het falen. Deze oorzaken liggen bij de afwijkingen tussen de individuele preferenties van de actoren die betrokken zijn bij de collectieve besluitvorming en het algemeen belang, en ook bij de kenmerken van kiesprocedures. Vervolgens wordt aandacht besteed aan enkele toepassingen van deze inzichten op overheidsfalen in de openbare financiën : de groei van de overheidssector (allocatie), het Matteüseffect (herverdeling) en de politieke conjunctuurcyclus (stabilisatie).

3.1. De oorzaken van overheidsfalen volgens de public choice

Waar de traditionele economie de politieke besluitvorming als exogeen beschouwde, bekijkt de public choice ze als een endogene factor. In de eerste visie moet de economie de voorkeuren van de maatschappij als gegeven beschouwen. Ze vloeien voort uit de werking van een systeem van representatieve democratie dat verder niet moet bestudeerd worden. De resultaten ervan presenteren zich aan de economische beleidsvoerders die enkel het arsenaal van de economische politiek moeten inzetten om de intenties die in de besluitvorming zijn geformuleerd, om te zetten in realiteit .

De public choice laat het daar echter niet bij. De vermeende oplossing, de overheidsinterventie, kan immers ook voor problemen zorgen. De public-choicebenadering legt dit bloot door het economische instrumentarium toe te passen op de politieke besluitvorming. Dit instrumentarium bestaat in hoofdzaak uit de fameuze hypothese van de homo economicus : economische agenten laten zich leiden door een rationele economische calculus waarbij in hoofdzaak het eigen welbevinden in rekening wordt gebracht. De consument, de werknemer, de producent, de investeerder, de spaarder, enz. wordt geacht zijn gedragspatroon te laten bepalen door dergelijke rationele calculus. Deze benadering wordt nu door de public choice ook toegepast op de actoren uit de politiek : kiezers, politici, ambtenaren, leden van belangengroepen en politieke partijen, enz.

De public choice vraagt zich immers af waarom een individu in het economisch leven bijvoorbeeld als consument een andere rationaliteit zou volgen dan in het politieke leven, als kiezer.

De consequentie van deze benadering is dat er een tegenstelling ontstaat tussen het "algemeen belang" dat zou moeten gediend worden door het systeem van de representatieve democratie en de eigen preferenties van de individuen die dit systeem bevolken. Het is in dit spanningsveld dat het gevaar voor overheidsfalen opduikt.

Zonder te veel in detail te treden, evenwel met het gevaar zo in karikaturen te vervallen, ziet het politiek systeem er volgens de public choice als volgt uit.

De politici hebben een tijdshorizon die niet verder reikt dan de volgende verkiezingen. Hun politieke carrière hangt af van hun herverkiezing. De kiezers kijken in het stemhokje vooral naar de eigen situatie, en dan nog voornamelijk naar de economische situatie. Zij beoordelen het beleid daarop, voor zover zij het al de moeite vinden om te stemmen, want zij beseffen dat hun individuele stem weinig impact heeft op de stembusuitslag.

De ambtenaren die het door kiezers en politici uitgestippelde beleid behoren uit te voeren, hebben daarbij ruim de gelegenheid om hun eigen doelstellingen en preferenties binnen te smokkelen. Criteria als de omvang van het eigen budget, de omvang van de groep ondergeschikten en de raming van de eigen positie in de hiërarchie zouden daarbij niet van de lucht zijn.

Rond politici, kiezers en bureaucraten cirkelen bovendien nog constitutioneel niet-voorziene "lichamen" zoals politieke partijen en belangengroeperingen.

De politieke partijen, die mensen groeperen rond een bepaalde ideologie, proberen deze denkbeelden te realiseren door zich aan de kiezers te presenteren.

Zij stellen een correlatie vast tussen het succes bij verkiezingen en de invloed van hun ideeën in de concrete beleidsvoering. Hun handelen wordt dan in grote mate ingegeven door het verlangen verkiezingssuccessen te boeken.

Belangengroeperingen pogen eveneens hun denkbeelden, geconcretiseerd in het groepsbelang, te realiseren, maar richten zich daartoe niet tot de kiezers op het moment van de verkiezingen. Zij proberen op een eerder indirecte manier de besluitvorming te beïnvloeden.

3.2. Overheidsfalen : praktische toepassingen

Het voorgaande mag dan een karikatuur zijn, er zijn door de toepassing ervan nieuwe inzichten ontstaan die ook het overheidsoptreden op het economische terrein in een ander daglicht hebben geplaatst.

In de rest van dit hoofdstuk zullen we voor de drie overheidsfuncties een voorbeeld geven van overheidsfalen, blootgelegd d.m.v. public-choiceanalyse.

a. Overheidsfalen en allocatie

Er was in de jaren tachtig en in het begin van de jaren negentig een algemeen verspreid aanvoelen in westerse landen dat de overheidsinterventie te groot was geworden. De overheid was een monster geworden, een *"Leviathan"*, die teveel hooi op zijn vork nam. De dynamiek van de privé-sector leed eronder : te veel regels, te veel belastingen, met als gevolg lage groei, weinig werkgelegenheidscreatie, enz. Het aanvoelen was derhalve dat de staat zich beter terugplooide op een aantal kernactiviteiten, vooral in de sfeer van openbare orde en veiligheid.

Economisch-technisch bekeken, dus los van de eventuele interdependenties tussen markt en overheid, maakt het weinig uit waar de productie van goederen en diensten gebeurt. Dat kan zonder probleem zowel in de markt- als in de overheidssector, zolang die productie maar technisch efficiënt gebeurt en zolang er geen over- of onderaanbod is in de markt, c.q. overheidssector. Is dit laatste het geval dan is er sprake van allocatieve inefficiëntie. Meer specifiek zou het dus in de laatste decennia gegaan hebben om een overaanbod in de overheidssector.

Dit overaanbod uit zich in een te sterke groei van de overheidsuitgaven en van de overheidsinterventie in het algemeen. De public choice kan voor die vertekening van de allocatie een stuk van de verklaring bieden. Door te focussen op de manier waarop de verschillende politieke actoren "aangedreven" worden, kan duidelijk worden gemaakt dat de te grote overheidsomvang te maken heeft met de manier waarop de politieke besluitvorming werkt.

Deze analyse is een onderdeel van de verklaring in de groei van de overheidsuitgaven. Aan deze overheidsuitgaven is een afzonderlijk deel gewijd. De verklarende theorieën, met inbegrip van de public choice, zijn te vinden in hoofdstuk 2 van deel 5.

b. Overheidsfalen en herverdeling

Ook in de inkomensherverdeling zoals die door de overheid gebeurt en die resulteert in een bepaalde secundaire en tertiaire verdeling, kan men spreken van overheidsfalen. De overheid slaagt er immers niet in die herverdeling te bekomen zoals die op basis van al dan niet expliciete herverdelingscriteria (zoals het utilitarisme, maximin, enz.) gewenst zou zijn.

Dit overheidsfalen bestaat in de meeste welvaartsstaten. In België is het gekend onder de benaming van het *"Matteüseffect"* en wordt geformuleerd rond de bestemming van de overheidsuitgaven in de sociale sfeer. Deze uitgaven blijken dan niet zozeer terecht te komen waar men het zou verwachten, namelijk bij de lagere-inkomensklassen, maar buitenproportioneel bij de middeninkomensklassen. Aan de oorzaak hiervan ligt de grote electorale kracht van de middenklassen. Politici, die af te rekenen krijgen met een electorale restrictie, hebben die stemmen nodig en moeten in hun beleid dus rekening houden met de wensen van de middenklassen (zie ook deel 6, hoofdstuk 4 over het Matteüseffect).

c. Overheidsfalen en stabilisatie

De inzichten van de public choice omtrent het overheidsfalen in de stabilisatie kunnen goed worden geïllustreerd aan de hand van het leerstuk over de *politieke conjunctuur-*

cyclus. Dit leerstuk is op zijn beurt gebaseerd op het verhaal van de Philipscurve met daaraan toegevoegd enkele public-choice-ingrediënten.

Aan de oorzaak van de politieke conjunctuurcyclus ligt het vermoeden dat de opeenvolging van perioden met hoge werkloosheid en lage inflatie en periodes met lage werkloosheid en hoge inflatie niet los staat van de electorale cyclus.

Er wordt daarbij gebruik gemaakt van de combinatie van kortetermijn-Phillipscurves en een verticale langetermijn-Phillipscurve overeenstemmend met de NAIRU (de "non-accelerating inflation rate unemployment"). Het gebruik van deze verticale rechte van puur monetaristische huize neemt niet weg dat het verhaal ook opgaat voor een niet volledig verticale langetermijn Phillipscurve. Het is voldoende dat er een langetermijn-curve is die steiler is dan de kortetermijncurve.

Daaraan moet een reeks van curven gekoppeld worden die convex zijn naar de oorsprong. Deze curven (P_1 en P_2) verbinden de combinaties van werkloosheidspeil en inflatieniveau die de kiezers hetzelfde bevredigingsniveau geven. Een bepaalde combinatie van lage werkloosheid en hoge inflatie kan voor de kiezers hetzelfde bevredigingsniveau opleveren als een combinatie van hoge werkloosheid en lage inflatie. Hoe dichter de curve bij de oorsprong ligt hoe beter voor de kiezers uiteraard.

De public-choicecomponent in het verhaal is dat de regering (de regeringspartij, de president, de eerste minister, enz.) verondersteld wordt haar populariteit bij de kiezers op het moment van de verkiezingen te maximaliseren.

De regering heeft daartoe de mogelijkheid door op de kortetermijn-Phillipscurve waarop de economie zich bevindt, te gaan "schuiven".

Stel dat de economie zich bevindt in A in figuur 4.6. We zitten ongeveer halverwege de legislatuur en de regering kijkt al reeds bezorgd uit naar de volgende verkiezingen. De regering weet van haar lessen macro-economie dat de werkloosheid nooit duurzaam op een lager niveau kan gebracht worden. A bevindt zich immers op de langetermijn-Phillipscurve. Wat de regering wel kan doen is, door een gepaste, expansieve begrotingspolitiek, de werkloosheid tijdelijk terugdringen langs de kortetermijn-Phillipscurve KT_1 waarop de economie zich bevindt. De economie belandt daardoor in punt B op KT_1. Interessant voor de regering is dat B op een lagere "kiezerscurve" ligt dan A. Normaliter zou B een beter electoraal resultaat moeten opleveren dan A. Het zou dus prachtig zijn voor de regering als B bereikt wordt op een moment dat er verkiezingen in het onmiddellijke verschiet liggen.

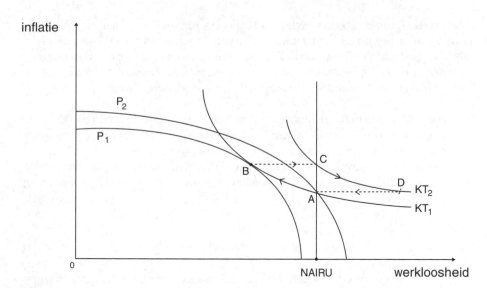

Figuur 4.6. : Politieke conjunctuurcyclus

Slaagt dit voornemen, dan zit de regering opnieuw in het zadel, maar wordt ze wel geconfronteerd met een negatief gevolg van haar beleid : de inflatie is de hoogte ingeschoten. Dit heeft, volgens het mechanisme van de langetermijn-Phillipscurve, een pervers effect : de inflatieverwachtingen worden naar boven toe bijgesteld en de economie evolueert terug naar het lange-termijnwerkloosheidspeil, maar nu gecombineerd met een hogere inflatie (het punt C). Geconfronteerd met deze hogere inflatie en in de wetenschap dat de volgende verkiezingen nog in de verre toekomst liggen, ligt een ingrijpen voor de hand. Een restrictief beleid op budgettair en/of monetair vlak doet de economie afglijden van de kortetermijn-Phillipscurve KT_2 tot in het punt D. De hiermee gepaard gaande lagere inflatie doet de inflatieverwachtingen afnemen waardoor de economie op langere termijn terug naar A tendeert. Mits een goede timing kan de regering opnieuw, in het zicht van verkiezingen, een expansief beleid gaan voeren.

Het gevolg van dit soort beleid is dat inflatie en werkloosheid zich volgens de electorale cyclus gaan gedragen : een inflatoire piek in de eerste periode na de verkiezingen die daarna geleidelijk vermindert, een minimale werkloosheid juist voor de verkiezingen die daarna stelselmatig toeneemt en terug daalt met het zicht op de verkiezingen.

Zo zuiver als ze hier geschetst is, komt de politieke conjunctuurcyclus in de realiteit niet voor. Tal van interfererende factoren spelen een rol :

– De "echte" conjunctuurcyclus zorgt voor variaties in inflatie en werkloosheid.
– De perfecte sturing van de inflatie en werkloosheid heeft te lijden onder informatie-kosten en timingproblemen.
– Internationale invloeden doen hun effecten gelden op de conjunctuur.
– Verkiezingen zijn niet exact te timen.
– Naast puur electorale overwegingen kunnen bij politici ook andere, bijvoorbeeld ideologische, overwegingen spelen.
– De kiezers doorzien het opzet.
– De kiezers laten ook niet-economische motieven meespelen in hun stemgedrag.

Meer in het algemeen wordt er in de pure keynesiaanse functional finance, zoals reeds gesteld, van uitgegaan dat de overheid een perfecte beheersing heeft over de relatie tussen de budgettaire (en monetaire) beleidsinstrumenten en de macro-economische resultaten. Een andere reden waarom de "functional finance" in de praktijk niet opgaat heeft te maken met de public-choicekenmerken in de begrotingsvorming.

Een mooie illustratie hiervan vinden we waar het gaat over het begrotingssaldo. Met behulp van de public-choice-inzichten kan aangetoond worden dat een keynesiaanse begrotingspolitiek eerder asymmetrisch zal toegepast worden[14].
Uitgangspunt is opnieuw de vermoede electorale bijziendheid van de aan het bewind zijnde politici. Volgens de recepten van de keynesiaanse begrotingspolitiek zouden zij in tijden van recessie een expansief beleid moeten voeren met een negatief begrotings-saldo tot gevolg. In de hoogconjunctuur is een restrictief beleid vereist met overschot-ten op het budget.
Het eerste luik spoort samen met het electoraal belang van de politici, het tweede luik druist er tegen in.
Het perspectief van meer te mogen uitgeven dan te moeten belasten in een recessie is politici immers welgevallig. Zij kunnen zo immers tegemoet komen aan de veelvuldige budgettaire verzuchtingen van belangengroepen en kiezers zonder deze groepen en kiezers een prijs te moeten laten betalen onder de vorm van hogere belastingen, dit alles in de hoop er electoraal wel bij te varen.
Het omgekeerde gebeurt niet bij een oververhitte economie : er wordt geen overschot aangelegd, zoals de functional finance voorschrijft. Hogere belastingen en lagere uitgaven zijn electoraal weinig lonend en worden dus niet of niet in voldoende mate doorgevoerd.

4. BESLUIT

In dit hoofdstuk werd ingegaan op een aantal problemen die zich stellen t.a.v. het overheidsoptreden in de economie. Zo werd er gewezen op mogelijke conflicten tussen de doelstelliongen van economische politiek. De vermeende tegenstelling tussen de doelstelling van volledige werkgelegenheid en de doelstelling van lage inflatie is daarbij niet de minst belangrijke.
Een tweede probleem betreft de ruimtelijke dimensie in het overheidsoptreden. Rekening houdend met diverse overheidsniveaus hebben we fenomenen beschouwd als "fiscal federalism", belastingconcurrentie versus belastingharmonisatie en de midde-lenwerving van lagere overheden.
Een laatste behandeld probleem is de vaststelling dat de overheid, bij het corrigeren van marktfalen, ook zelf in de fout kan gaan. Voorbeelden van de gevolgen hiervan zijn de als te groot ervaren overheidsomvang, de ongewenste inkomensverdeling en de electorale interferenties op de openbare financiën.

---

[14]   Zie Buchanan J., Rowley C. en Tollison R. (1987).

Literatuurlijst

BUCHANAN J. (1965), *An economic theory of clubs*, Economica, 32, blz. 1-14.

BUCHANAN J., ROWLEY C. en TOLLISON, R. (ed.) (1987), *Deficits*, Oxford : Blackwell.

CULLIS J. en JONES P. (1998), *Public finance and public choice*, Oxford : Oxford University Press (tweede uitgave).

DE BORGER B. (1996), "Beginselen van fiscaal federalisme", in Vanneste J. & Van Reeth D. (red.), *Openbare financiën 2*, Brussel : STOHO, blz. 109-132.

GRAMLICH E. en GALPER H. (1973), "State and local fiscal behaviour and federal grant policy", *Brookings Papers on Economic Activity, 1,* blz. 15-58.

MOESEN W. en VAN ROMPUY P. (1991), *Handboek openbare financiën*, Leuven : Acco.

MUELLER D. (1989), *Public Choice II*, Cambridge : Cambridge University Press.

MUSGRAVE R. en MUSGRAVE P. (1989), *Public finance in theory and practice*, New York : McGraw-Hill (vijfde uitgave).

OATES W. (1972), *Fiscal federalism*, New York : Harcourt-Brace.

OATES W. (1990), Public finance with several levels of government : theories and reflections, International Institute of Public Finance 46th Congress, Brussels, 27-30 August 1990,

SANDLER T. en TSCHIRHART S. (1980), "Theory of clubs : an evaluative survey", *Journal of Economic Literature, XVIII,* blz. 1481-1521.

TIEBOUT C. (1956), "A pure theory of local government expenditures", *Journal of Political Economy*, 64, blz. 416-423.

DEEL 3 : DE BEGROTING

De begroting van de diverse overheden bevat een belangrijk aantal institutionele bepalingen in verband met de structuur, vorm, beginselen, voorbereiding, goedkeuring, uitvoering en controle.

In dit hoofdstuk zullen we deze institutionele aspecten van de begroting nader toelichten.

De diverse begrotingen worden per institutioneel niveau toegelicht : de Europese Unie, het Belgische federale niveau, de gemeenschappen en gewesten en de lokale besturen (gemeenten en OCMW's).

Gedurende de laatste decennia is het belang van de overheidsbegrotingen sterk toegenomen. Aangezien deze begrotingen tot de publieke sector behoren, zijn er ook publiekrechtelijke regels van toepassing.

Trefwoorden en -zinnen van hoofdstuk 1

Begrotingsbeginselen
Begrotingsprestatie
Externe controle
Goedkeuring van de begroting
Interne controle
Rekening
Uitvoering van de begroting
Voorbereiding van de begroting

Hoofdstuk 1
DE BEGROTING VAN DE UNIE[1]

Ingevolge de toenemende Europese samenwerking wordt de begroting van de Unie steeds omvangrijker. De algemene begroting van de Europese Unie kent een aantal bepalingen die afwijken van de Belgische begrotingsstelsels en ze valt op door haar functioneel systeem, dat we hieronder zullen bespreken.

1. DE BEGINSELEN VAN DE BEGROTING

Naar analogie met de federale Belgische en de Vlaamse begroting steunt de algemene begroting van de Europese Unie ook op het aspect van de begrotingsbeginselen. Deze zijn vastgelegd in het Verdrag betreffende de Europese Unie en het financieel reglement.
Vooraleer we deze beginselen bespreken dienen we erop te wijzen dat er tal van afwijkingen bestaan op deze beginselen.

1.1. Het evenwicht

De Europese begroting kent het beginsel van het evenwicht, wat inhoudt dat de ontvangsten de uitgaven niet mogen overtreffen. Gezien het limitatief karakter van de uitgaven is hier elke overschrijding uitgesloten. Bij een positief begrotingssaldo wordt het overschot overgeboekt naar de ontvangstenzijde op de begroting van het volgende jaar. Bij een negatief saldo (n.a.v. minder ontvangsten of afwijkingen op het limitatief karakter van de uitgaven) wordt het tekort ingeboekt op de uitgavenzijde van het volgende begrotingsjaar.

1.2. De eenjarigheid

De eenjarigheid of annualiteit houdt in dat de begroting elk jaar opnieuw moet goedgekeurd worden. Het begrotingsjaar is daardoor gebonden aan het kalenderjaar, de begroting loopt met name van 1 januari tot en met 31 december. Hierop bestaan afwijkingen door de techniek van aanvullende periodes en overboekingen.

1.3. De universaliteit

Het begrotingsbeginsel van de universaliteit, ook wel algemeenheid of totaliteit genoemd, betekent dat alle ontvangsten en uitgaven in de begroting moeten opgenomen worden.

1.4. De specialiteit

Het beginsel van de specialiteit houdt in dat de ontvangsten en de uitgaven gedetailleerd dienen weergegeven te worden in de begroting.

---

[1]   Kerremans B. en Matthijs H. (1997).

Het begrip specialiteit m.b.t. de ontvangsten betekent dat de verschillende financie-ringsbronnen van de begroting nauwkeurig moeten worden vastgesteld.

Ten aanzien van de uitgaven houdt de specialiteit in dat ieder krediet een bepaalde bestemming heeft en voor een bepaald doel moet worden gebruikt. De specialiteit heeft vooral te maken met de vorm van de presentatie van de begroting (cfr. infra).

1.5. De wettelijkheid

De ontvangsten en de uitgaven kunnen uitsluitend tot stand komen door aanwijzing van een artikel van de begroting. Bovendien dient het Europees Parlement de begroting vast te stellen. De uitgaven mogen nooit het wettelijk toegestaan krediet overschrijden.

1.6. Het goed financieel beheer

De begrotingskredieten moeten worden aangewend volgens de beginselen van goed financieel beheer, met name zuinigheid en kosteneffectiviteit. Er moeten gekwantifi-ceerde doelstellingen worden bepaald en de uitvoering daarvan moet worden gevolgd. De lidstaten en de Commissie werken samen om te zorgen voor een adequaat, gedecentraliseerd beheer van de gemeenschapsmiddelen. Deze samenwerking omvat de onverwijlde uitwisseling van alle noodzakelijke gegevens (artikel 2 van het financieel reglement).

1.7. De euro

De Europese begroting wordt vastgelegd in euro. De landen die toegelaten zijn tot de derde en definitieve fase van de EMU (Economische en Monetaire Unie) zullen hun bijdragen in euro doen. Al de andere lidstaten van de Unie zullen dit blijven doen in de nationale munten.

2. DE PRESENTATIE

De presentatie van de begroting heeft betrekking op de vorm en de structuur van de begroting. Onder de vorm verstaat men de externe kijk op de begroting : uit hoeveel documenten bestaat het budget. De structuur gaat na hoe de begroting er intern uitziet. Naar de vorm bestaat de begroting uit één enkel document, waarin alle begrotingsver-richtingen zijn opgenomen. De structuur heeft betrekking op de interne kijk van het begrotingsdocument. In feite houdt de structuur verband met het specialiteitsbeginsel.

2.1. De horizontale structuur

De Europese begroting is opgedeeld in twee grote delen :
– Algemene staat van ontvangsten
 Algemene staat van ontvangsten
 Financiering van de algemene begroting
 Lijst van het aantal ambten
– Staat van ontvangsten en uitgaven per afdeling (i.e. instelling)

De staat van ontvangsten en uitgaven per afdeling is als volgt ingedeeld :

Afdeling I :   Europees Parlement
                Staat van ontvangsten
                Staat van uitgaven
                Bijlage : ombudsman

Afdeling II :   Raad
                Staat van ontvangsten
                Staat van uitgaven

Afdeling III : Commissie
                Staat van ontvangsten
                Staat van uitgaven
                        Deel A : huishoudelijke kredieten (met een bijlage voor het
                        Bureau voor publicaties)
                        Deel B : beleidskredieten
                Bijlage : het Bureau voor officiële publicaties, de Europese Economi-
                sche Ruimte (EER) en de leningen.

Afdeling IV :   Hof van Justitie
                Staat van ontvangsten
                Staat van uitgaven

Afdeling V :   Rekenkamer
                Staat van ontvangsten
                Staat van uitgaven

Afdeling VI :   Ecosoc (Economisch en Sociaal Comité) en het "Comité der Regio's"

2.2. De verticale structuur

Binnen elke afdeling worden de kredieten naar hun aard of bestemming gerangschikt in titels, hoofdstukken, artikelen en posten. De ontvangsten en uitgaven worden in de eerste plaats onder een artikel ondergebracht, terwijl het hoofdstuk de basis is van de "specialiteit" en onder de bevoegdheid van de begrotingsautoriteit valt. Als regel moet de begrotingsautoriteit immers haar goedkeuring verlenen voor iedere overschrijving van het ene hoofdstuk naar het andere. De begrotingsnomenclatuur wordt in de loop van de begrotingsprocedure vastgesteld. Zij is momenteel als volgt samengesteld :

a. De ontvangsten

Voor de ontvangsten is de verdeling als volgt vastgesteld :

Titel : 1. Eigen middelen
Titel : 3. Overschotten
Titel : 4. Diverse communautaire belastingen, heffingen en retributies
Titel : 5. Ontvangsten voortvloeiende uit de administratieve werking van de instellingen

Titel : 6. Bijdragen voor communautaire programma's, vergoeding van uitgaven, ontvangsten uit onder bezwarende titel verrichte diensten en bijdragen in het kader van de EER

Titel : 7. Renten wegens vertraagde overmaking en boeten

Titel : 8. Opgenomen en verstrekte leningen

Titel : 9. Diverse ontvangsten

Vanuit de titel gebeurt de verdere onderverdeling.

Als voorbeeld nemen we "eigen middelen"

(Titel : 1) :	Titel :	1.	Eigen middelen
	Hoofdstuk :	1.4.	Eigen middelen op basis BNP
	Artikel :	1.4.0.	(uitsplitsing)
	Post :	1.4.0.0.	(uitsplitsing)

Naast deze algemene financiering zijn er ook nog de eigen ontvangsten van elke afdeling.

b. De uitgaven

De huishoudelijke uitgaven hebben betrekking op de afdelingen I (Parlement), II (Raad), III.A. (Commissie), IV (Hof), V (Rekenkamer) en VI (Ecosoc, Comité der regio's).

Daartegenover staan de beleidsuitgaven van de Commissie (afdeling III.B.)

Hier brengt men boven de "titel" de creatie van de "onderafdeling" :

1. Europees garantiefonds landbouw
2. Europees structuurfonds landbouw, Europees sociaal fonds, Europees regionaal fonds, visserij en verkeer
3. Onderwijs, opleiding en cultuur
4. Energie en milieu
5. Consumenten, interne markt, industrie en Trans-Europese netwerken
6. Onderzoek en technologische ontwikkeling
7. Extern beleid
8. Buitenlands- en veiligheidsbeleid
9. Garanties en reserves

Ook hier verloopt de verdere functionele opsplitsing in titels, hoofdstukken, artikels en posten :

Onderafdeling :	B. 1.	Garantiefonds landbouw
Titel :	1	Plantaardige producten
Hoofdstuk :	1.6.	Wijn
Artikel :	1.6.1.	Interventie van wijnbouwsector
Post :	1.6.1.1.	Distillatie wijn

3. DE VOORBEREIDING

De voorbereiding van de algemene begroting van de Europese Unie is het werk van de Europese Commissie. De raming van de ontvangsten is gebaseerd op de maximale omvang van de middelen, zoals bepaald in het "Eigen Middelenbesluit". De Commissie vertaalt deze bepalingen in concrete bedragen door de berekening van het Bruto Nationaal Product tegen marktprijzen op basis van de meest recente economische gegevens.

De raming van de uitgaven is gebaseerd op de ramingen die door de verschillende instellingen aan de Europese Commissie worden overgemaakt. De Commissie kan echter via een advies aangeven dat ze van die ramingen afwijkt en deze afwijking motiveren. Het voorontwerp van begroting wordt ten laatste op 1 september van het jaar voorafgaand aan het betrokken begrotingsjaar aan de Raad voorgelegd.

De Raad stelt bij gekwalificeerde meerderheid de ontwerpbegroting vast[2]. Dit gebeurt nadat de Commissie is geraadpleegd. De Raad raadpleegt ook andere instellingen indien ze van het voorontwerp wil afwijken De ontwerpbegroting wordt door de Raad aan het Parlement doorgezonden. Dat gebeurt ten laatste op 5 oktober van het jaar voorafgaand aan het betrokken begrotingsjaar.

4. DE GOEDKEURING

De goedkeuring van de EU-begroting verloopt via twee instellingen : het Parlement en de Raad. Het is een vrij ingewikkelde procedure. Nadat de Raad het ontwerp van begroting naar het Parlement heeft toegestuurd, onderzoekt deze de laatste stukken. Het Europese Parlement heeft de keuze uit drie alternatieven :
– Het keurt de begroting binnen de vijfenveertig dagen goed, in dat geval is deze definitief vastgesteld. In de praktijk is dit nog nooit gebeurd.
– Het stelt geen handeling binnen de vijfenveertig dagen. Ook in dit geval is de begroting definitief vastgesteld. Ook dit heeft zich echter nooit voorgedaan.
– Het amendeert en wijzigt de ontwerpbegroting. In de praktijk gebeurt dit altijd.

Bij deze laatste handeling dient een strikt onderscheid gemaakt te worden tussen amendementen en wijzigingsvoorstellen. De amendementen hebben betrekking op de niet-verplichte uitgaven en de wijzigingsvoorstellen zijn van toepassing op de verplichte uitgaven. Deze laatsten worden door artikel 203, lid 4, tweede alinea, in het verdrag betreffende de Europese Unie gedefinieerd als volgt :
" (...) uitgaven die verplicht voortvloeien uit het Verdrag of ter uitvoering daarvan vastgestelde besluiten"[3].

De niet-verplichte uitgaven zijn alle andere uitgaven.

---

[2]   Een gekwalificeerde meerderheid wordt bereikt wanneer 62 van de 87 stemmen ten gunste van een voorstel worden uitgebracht. De 87 stemmen zijn als volgt over de lidstaten verdeeld : 10 stemmen voor Duitsland, Frankrijk, Italië en het Verenigd Koninkrijk; 8 stemmen voor Spanje; 5 stemmen voor België, Nederland, Portugal en Griekenland; 4 stemmen voor Oostenrijk en Zweden; 3 stemmen voor Finland, Denemarken en Ierland en 2 stemmen voor Luxemburg.

[3]   Kerremans B. en Matthijs H. (1997), blz. 127-128.

Tabel 3.1. : Een overzicht van de verschillende bevoegdheden naargelang het gaat om verplichte of niet-verplichte uitgaven.

VERPLICHTE UITGAVEN	NIET-VERPLICHTE UITGAVEN
Het Parlement stelt wijzigingen voor en de Raad doet uitspraak : – indien deze wijzigingen een verhoging van de uitgaven tot doel hebben, moet de Raad ze aannemen bij gekwalificeerde meerderheid. – indien deze wijzigingen de uitgaven niet verhogen moet de Raad ze verwerpen bij gekwalificeerde meerderheid.	Het Parlement kan de begroting binnen bepaalde grenzen amenderen. Het Parlement kan aan een ontwerp van de Raad een som niet-verplichte uitgaven toevoegen die gelijk is aan de helft van het jaarlijkse groeicijfer van de begroting.

Indien het Parlement in een eerste lezing amendementen (voor niet-verplichte uitgaven) en wijzigingsvoorstellen (voor de verplichte uitgaven) heeft aangenomen, dan worden deze aan de Raad toegezonden die daarover een tweede lezing houdt. Deze vindt plaats nadat de Raad overleg heeft gevoerd met de Commissie en, in voorkomend geval, met de andere betrokken instellingen (in casu het Parlement). Opnieuw is het onderscheid tussen verplichte en niet-verplichte uitgaven relevant.

De parlementaire amendementen op de niet-verplichte uitgaven kunnen slechts door de Raad gewijzigd worden wanneer daarvoor een gekwalificeerde meerderheid wordt bereikt. De Raad krijgt daarvoor vijftien dagen de tijd. Bij ontstentenis van een gekwalificeerde meerderheid blijven de amendementen van het Parlement gelden.

Voor de parlementaire wijzigingsvoorstellen op de verplichte uitgaven wordt een onderscheid gemaakt tussen die voorstellen die de totale uitgaven van een instelling niet doen stijgen en zij die dat wel doen. In het eerste geval – een situatie waarin het Parlement een voorgestelde stijging van een specifieke begrotingslijn compenseert door een daling van een andere – moet de Raad een wijzigingsvoorstel met gekwalificeerde meerderheid afwijzen, anders blijft het wijzigingsvoorstel van het Parlement gelden. Als de Raad het voorstel afwijst, geldt het bedrag dat in de ontwerpbegroting was vastgelegd.

In het geval waarin de wijzigingsvoorstellen van het Parlement de totale uitgaven van een instelling wel doen stijgen, is de rol van de Raad groter. Zij moet dergelijke voorstellen immers expliciet met een gekwalificeerde meerderheid aanvaarden, anders zijn ze afgewezen en gelden de bepalingen zoals die door de Raad in de ontwerpbegroting waren vastgesteld.

Wat de Raad ook doet, indien zij de amendementen en wijzigingsvoorstellen van het Parlement wijzigt, wordt de (gewijzigde) ontwerpbegroting opnieuw aan het Parlement voorgelegd. Als de Raad nalaat van te reageren binnen de vijftien dagen dan kunnen zich de volgende twee situaties voordoen :

– het Parlement deed wijzigingsvoorstellen die de totale uitgaven van de instellingen niet deden stijgen : in dat geval is de begroting definitief vastgesteld.

– het Parlement deed wijzigingsvoorstellen die de totale uitgaven van één of meerdere instellingen wel deden stijgen : in dat geval wordt verondersteld dat de Raad de amendementen wel heeft aanvaard maar de wijzigingsvoorstellen heeft verworpen. De (gewijzigde) ontwerpbegroting wordt dan terug aan het Parlement voorgelegd.

Binnen de vijftien dagen na de voorlegging van de (gewijzigde) ontwerpbegroting moet het Parlement opnieuw een uitspraak doen. Die uitspraak kan echter alleen betrekking hebben op de niet-verplichte uitgaven. Voor de verplichte uitgaven geldt de beslissing van de Raad in tweede lezing als definitief. Voor de niet-verplichte uitgaven kan het Parlement de wijzigingen die de Raad aan haar amendementen heeft aangebracht opnieuw amenderen of afwijzen (in dat geval gelden de amendementen zoals ze in de tweede lezing van het Parlement werden aanvaard). Daarvoor is echter een dubbele meerderheid vereist. Een dergelijke beslissing moet immers genomen worden door een meerderheid van de leden van het Parlement (minimum 314 stemmen dus), die tegelijkertijd ook minimum 3/5 van de uitgebrachte stemmen moet bedragen. De lat wordt hier dus vrij hoog gelegd. Wil het Parlement zijn prerogatieven inzake de niet-verplichte uitgaven ten volle benutten, dan is een zo groot mogelijke representativiteit van zijn beslissingen vereist.

In principe is de begrotingsprocedure afgelopen nadat het Parlement in tweede lezing de nodige beslissingen heeft genomen. In dat geval constateert de voorzitter van het Parlement dat de begroting definitief is vastgesteld. Deze wordt dan in het publicatieblad van de EU gepubliceerd. Het Parlement kan echter ook de begroting in haar geheel (verplichte en niet-verplichte uitgaven) verwerpen. Dat gebeurt dan met een meerderheid van de stemmen van zijn leden (minimum 314) die tegelijkertijd 2/3 van het aantal uitgebrachte stemmen vertegenwoordigen. Het Parlement moet daartoe "gewichtige redenen" inroepen. De verwerping van de totale begroting is tevens een verzoek dat een nieuwe ontwerpbegroting wordt voorgelegd.

Tabel 3.2. : Een procedure in vijf fasen :

EERSTE FASE :	De Commissie bereidt een voorontwerp van begroting voor dat ze – vóór september – voorlegt aan de Raad en aan het Parlement.
TWEEDE FASE :	Op basis van dit voorontwerp stelt de Raad een ontwerpbegroting op die ze ten laatste op 5 oktober voorstelt aan het Parlement.
DERDE FASE :	Het Parlement heeft 45 dagen om een uitspraak te doen. Het kan : – de Raad wijzigingen voorstellen voor de verplichte uitgaven – amendementen voorleggen voor de niet-verplichte uitgaven
VIERDE FASE :	De Raad spreekt zich uit over de wijzigingen en de amendementen van het Parlement.
VIJFDE FASE :	Het Parlement kan de wijzigingen die door de Raad aan de eerste amendementen werden aangebracht nogmaals amenderen. Vervolgens stelt het Parlement de begroting vast.

5. DE UITVOERING

De daadwerkelijke uitvoering van de goedgekeurde begroting gebeurt door de Europese Commissie.

De eigen middelen van de Unie worden geïnd door de lidstaten en doorgestort aan de Commissie. Het gaat hier om de landbouwheffingen en douanerechten, beide voor 90 %, alsook een deel van de BTW-opbrengst en een bijdrage op basis van het BNP. De uitgaven verlopen volgens een strikt vastgelegde procedure van begrotingsverplichtingen, betaalbaarstellingen, betalingsopdracht en de betaling.

Een betalingsverplichting is een handeling waardoor een uitgave ten laste van de begroting bestaat. De betaalbaarstelling houdt in dat men de wettelijkheid en de werkelijkheid van de uitgaven controleert terwijl de betalingsopdracht de verstrekking van de betalingsopdracht is.

Deze drie fasen gebeuren door de ordonnateurs.

De vierde en laatste fase (i.c. de betaling) wordt uitgevoerd door de rekenplichtige. Het ambt van ordonnateur en rekenplichtige zijn onverenigbaar.

Elke instelling, behoudens de Rekenkamer, benoemt één financieel controleur[4]. Deze financieel controleurs controleren zowel de ontvangsten als de uitgaven van de begrotingen. Ingevolge de omvang van de begrotingsafdeling van de Commissie is de financieel controleur van deze instelling uiteraard de meest belangrijke onder de controleurs. De directeur-generaal van het directoraat-generaal Financiële Controle bekleedt deze functie. Hij wordt hierin bijgestaan door meerdere ondergeschikte, financiële controleurs. Ten aanzien van hun instelling zijn de financieel controleurs onafhankelijk. Dit wordt hen door het financieel reglement gegarandeerd. Tevens hebben ze de mogelijkheid om over elk besluit dat de uitoefening van hun controlefunctie betreft, beroep in te stellen bij het Hof van Justitie.

Om de decentralisatie van het beheer en de controle van de middelen van de Unie in de lidstaten verder te verhogen, heeft de financieel controleur geregeld contacten met de desbetreffende administraties van de lidstaten. Het gaat hier om de ministeries van Financiën en Begroting.

Het besluit van de Commissie van 7 juni 1990 omschrijft de interne auditopdracht van de financiële controle. Op basis van dit besluit heeft de financieel controleur van de Commissie gerichte onderzoeken uitgevoerd binnen de andere directoraten-generaal. Het doel van de financiële controle is nagaan of de systemen en methoden inzake financieel beheer correct worden toegepast.

6. DE REKENING

Als de geraamde begroting met al de aanpassingen is verlopen, dient men de rekening met de definitieve cijfers op te stellen.

De procedure voorziet erin dat de Commissie het ontwerp van rekening opmaakt voor 1 juni van het daaropvolgende jaar.

---

[4] Voor het Economisch en Sociaal Comité en het Comité van de Regio's gaat het om één gezamenlijke controleur. Dit tengevolge van het Protocol betreffende het Economisch en Sociaal Comité en het Comité van de Regio's, toegevoegd aan het Verdrag van Maastricht.

De Rekenkamer (zie ook : 7. De controle) zendt haar opmerkingen aangaande de rekening naar de Commissie en de andere instellingen (Raad, Parlement e.a.) voor 15 juli. Waarop deze instellingen kunnen antwoorden bij de Rekenkamer voor 31 oktober van het daaropvolgende jaar.

De Rekenkamer zendt haar jaarverslag en de opmerkingen van de instellingen naar de Raad en het Parlement voor 30 november van het daaropvolgende jaar.

Uiteindelijk verleent het Parlement de kwijting over de begroting voor 30 april van het jaar x + 2 (bijv. de kwijting van de begroting 1998 dient te gebeuren voor 30 april 2000). De praktijk leert ons dat de rekeningen van de Unie relatief goed op tijd worden klaargemaakt en goedgekeurd.

7. DE CONTROLE

De controle op de begroting van de Unie vindt zowel plaats op het interne als op het externe vlak.

7.1. De interne controle

De interne controle vindt plaats binnen de instellingen en gebeurt door de ordonnateur, de rekenplichtige en de financieel controleur.

Tevens worden de controles uitgevoerd door de administraties van de lidstaten en het directoraat-generaal "Financiële Controle" van de Commissie. Sinds 1995 heeft de Commissie een centraal coördinatieteam (UCLAF-eenheid) opgestart voor de bestrijding van de fraude. Andere maatregelen ter bestrijding van de fraude zijn :
– een kliklijn, voorbestemd voor de EU-burgers die fraude met EU-gelden zouden opmerken.
– task-forces voor bepaalde fraudedomeinen (zoals de smokkel van sigaretten).
– de onderzoekscommissies van het Europese Parlement. Dergelijke Commissies leggen zich toe op bepaalde fraudedossiers (zoals douanecontroles).

Ook de Europese Rekenkamer laat zich niet onbetuigd. Bij haar onderzoek naar de wettigheid, regelmatigheid en het goede financiële beheer van de Europese financiën doet deze instelling aan preventieve fraudebestrijding.

Dat fraude steeds meer politieke aandacht krijgt, is de laatste jaren gebleken. Elk jaar wordt nu een werkprogramma ter bestrijding van de fraude voorzien en wordt en jaarverslag omtrent de financiële belangen van de Unie opgemaakt. Toch geven de volgende bemerkingen aan dat er op dit vlak nog meer moet gebeuren :
– Er wordt weinig rekening gehouden met de adviezen van de Rekenkamer.
– Verschillende van die adviezen keren jaarlijks terug.
– Vooral de landbouw- en de structuurfondsen (samen 80 % van de begroting) zijn onderhevig aan de fraude.
– Slechts een fractie van het opgespoorde fraudegeld vloeit terug naar de begroting.
– De belastings- (o.a. BTW-regeling) en subsidieregelingen van de interne markt trekken internationale criminele netwerken aan.
– De Europese fraude wordt niet zelden minder hardnekkig opgespoord dan die tegen de begrotingen van de lidstaten.
– De middelen waarvan het UCLAF-team en de Rekenkamer gebruik kunnen maken, zijn duidelijk onvoldoende.

Onder druk van de nieuwe Scandinavische lidstaten (in casu Zweden en Finland) is er binnen de Europese Commissie een nieuwe wind opgestoken ten aanzien van de fraude. Zij hebben duidelijk een actievere aanpak van de fraude voor ogen.

7.2. De externe controle

De externe controle op de begroting wordt voornamelijk uitgevoerd door de Rekenkamer. De Rekenkamer bestaat uit 15 leden, één per lidstaat, die door de Raad voor zes jaren worden aangesteld. Zij zijn herbenoembaar. De Rekenkamer onderzoekt de ontvangsten en de uitgaven van de algemene begroting en rekening, alsook van diverse andere Europese instituten en centra. De bevoegdheden van de Kamer zijn controlerend en raadgevend.

De Rekenkamer onderzoekt de rekeningen van alle ontvangsten en uitgaven van de Unie. Zij onderzoekt tevens de rekeningen van alle ontvangsten en uitgaven van elk door de Unie ingesteld orgaan, voor zover het instellingsbesluit dit onderzoek niet uitsluit. De Rekenkamer legt aan het Europese Parlement en aan de Raad een verklaring voor waarin de betrouwbaarheid van de rekeningen en de regelmatigheid en de wettigheid van de onderliggende verrichtingen worden bevestigd.

De Rekenkamer onderzoekt de wettigheid en de regelmatigheid van de ontvangsten en de uitgaven en gaat tevens na of een goed financieel beheer werd gevoerd. Onder goed financieel beheer verstaat men de evaluatie van de resultaten in vergelijking met de verwachtingen. De controle van de ontvangsten geschiedt aan de hand van de vaststellingen en van de stortingen van ontvangsten aan de Unie. De controle van de uitgaven geschiedt aan de hand van de betalingsverplichtingen en van de betalingen. Deze controles kunnen plaatsvinden voor de afsluiting van de rekeningen van het betrokken begrotingsjaar.

De controle geschiedt aan de hand van stukken en, zo nodig, ter plaatse bij de overige instellingen van de Unie en in de lidstaten. De controle in de lidstaten geschiedt in samenwerking met de nationale controle-instantie of, indien deze laatste niet over de nodige bevoegdheden beschikt, in samenwerking met de nationale diensten. Deze instanties of diensten delen aan de Rekenkamer mee of zij voornemens zijn aan de controle deel te nemen. Alle bescheiden en inlichtingen die nodig zijn voor de vervulling van de taak van de Rekenkamer, worden haar op verzoek verstrekt door de overige instellingen van de Unie en door de controle-instanties of, indien deze niet over de nodige bevoegdheden beschikken, door de bevoegde nationale diensten.

Literatuurlijst :

KERREMANS B. en MATTHIJS H. (1997), *De Europese begroting*, Antwerpen – Groningen : Intersentia.

MATTHIJS H. (1991), "Het uitgavenbeleid van de Europese Gemeenschappen" Documentatieblad Ministerie van Financiën, 5, blz. 137-195.

MATTHIJS H. (1993), "De Europese Rekenkamer" *Documentatieblad*, Ministerie van Financiën., 2, blz. 273-303.

STRASSER D. (1990), *Les finances de l'Europe*, Paris/ LGDJ.

THEATO P. en GRAF R. (1994), *Das Europäischen Parlement und der Haushalt der Europäischen Gemeinschaft,* Baden-Baden : Nomos.

Trefwoorden en -zinnen van hoofdstuk 2

Begrotingsbeginselen
Begrotingspresentatie : Algemene toelichting
Begrotingspresentatie : Rijksmiddelenbegroting
Begrotingspresentatie : Algemene uitgavenbegroting
Classificatie : functioneel
Classificatie : economisch
Classificatie : programmatiebegroting
Voorbereiding van de begroting : ontvangsten
Voorbereiding van de begroting : uitgaven
Voorbereiding van de begroting : instellingen
Goedkeuring van de begroting
Uitvoering van de begroting
Rekening
Interne controle
Externe controle
Inspectie financiën
Rekenhof

Hoofdstuk 2
DE BELGISCHE STAATSBEGROTING

Net zoals de begroting van de Europese Unie kent ook de Belgische staatsbegroting specifieke regels aangaande de beginselen, de presentatie, de voorbereiding, de goedkeuring, de uitvoering en de controle.

1. DE BEGINSELEN

De belangrijkste beginselen op de staatsbegroting zijn de wettelijkheid, de eenjarigheid, de universaliteit en de specialiteit.
Deze beginselen zijn vastgelegd in de "grondwet" (GW) en/of de "samengevoegde wetten op de rijkscomptabiliteit" (SWR).
Op deze beginselen bestaan tal van afwijkingen en in de begrotingsliteratuur worden ook nog andere beginselen vermeld[5].

1.1. De wettelijkheid

Het beginsel van de wettelijkheid houdt ten aanzien van de ontvangsten in dat het parlement dient te beslissen over nieuwe ontvangsten alsmede over de wijzigingen aan de bestaande belastingwetten. Historisch is de macht en de invloed pas ontstaan nadat de verkozen vergadering het beslissingsrecht kreeg over de belastingen. In België moet elke belasting worden ingevoerd door een wet. Het parlement bepaalt de grondslag, de aanslagvoet en de eventuele vrijstellingen (art. 107, §1, GW).
Ten aanzien van de uitgaven houdt het beginsel van de wettelijkheid in dat de staat enkel geld mag uitgeven, wanneer er daarvoor een begrotingsartikel bestaat dat voorkomt in de door het parlement goedgekeurde begroting (art. 28 SWR). Sinds de laatste grondwetsherziening (1995) bezit alleen nog de Kamer van Volksvertegenwoordigers een budgettaire bevoegdheid.

1.2. De eenjarigheid

Het begrotingsbeginsel van de eenjarigheid is zowat het meest fundamentele principe. Dit houdt in dat de ontvangsten (rijksmiddelenbegroting) en de uitgaven (algemene uitgavenbegroting) jaarlijks moeten goedgekeurd worden door de Kamer van Volksvertegenwoordigers (art. 174 GW en art. 2 SWR).
Dit beginsel van de "eenjarigheid" wordt ook wel aangeduid met de benaming "annualiteit".
De Kamer van Volksvertegenwoordigers dient de rijksmiddelenbegroting en de algemene uitgavenbegroting uiterlijk op 31 december van het voorafgaande jaar goed te keuren, anders moet men de financiewet en/of de wet op de voorlopige kredieten stemmen. In België loopt het begrotingsjaar gelijk met het kalenderjaar.

---

[5]   Matthijs H. (1996), blz. 80-93.

1.3. De universaliteit

Het begrotingsbeginsel van de universaliteit wordt ook wel aangeduid als "algemeen-heid" of "totaliteit". Dit beginsel houdt in dat alle ontvangsten en alle uitgaven dienen vermeld te worden in de begroting (art. 174, tweede lid GW). Hierop bestaan er tal van afwijkingen. De ontvangsten en de uitgaven van de sociale zekerheid bevinden zich grotendeels buiten de begroting.

1.4. De specialiteit

Het begrotingsbeginsel van de specialiteit houdt in dat alle ontvangsten en alle uitgaven gespecifieerd moeten opgenomen worden in de begroting. De bedragen mogen niet in globo, uitzonderingen niet ten nagesproken, worden vermeld. Ze worden per begrotingsartikel ingedeeld (bijv. in basisallocaties). Ook de parlementaire stemming over de begroting gebeurt per artikel en daarna pas globaal (art. 76 GW).

2. DE PRESENTATIE

De presentatie van de begroting heeft betrekking op de vorm en de structuur.
Onder de vorm verstaat men de externe kijk op de begroting, namelijk uit hoeveel documenten de begroting bestaat. De structuur is de interne kijk op deze documenten. Hoe zijn ze ingedeeld en gestructureerd ?

2.1. De vorm

De Belgische staatsbegroting bestaat uit drie grote documenten :
– De algemene toelichting
– De rijksmiddelenbegroting
– De algemene uitgavenbegroting

2.2. De structuur

De indeling van deze begrotingsdocumenten is dus de structuur van het budget. In de Belgische begroting kennen we drie documenten : de algemene toelichting, de rijksmiddelenbegroting en de uitgavenbegroting.

a. De algemene toelichting

De algemene toelichting is een louter informatief document, waarover de Kamer van Volksvertegenwoordigers niet dient te stemmen. Nochtans is deze toelichting het belangrijkste begrotingsdocument, omdat het alle mogelijke informatie geeft over de sociale-economische-internationale-financiële en politieke invloeden met betrekking tot de begroting.

Tabel 3.3. : De algemene toelichting

De algemene toelichting is als volgt ingedeeld		(voorbeeld 1998 in miljarden BEF)
I. Algemene begrotingstabel met daarin het algemene begrotingsbeeld	I. ontvangsten	1.491,5
	II. uitgaven	1.690,7
	III. netto saldo	–199,2
	IV. saldo schatkistverrichtingen	–18,9
	V. netto te financieren saldo	218,1
	VI. aflossingen en terugbetalingen van de rijksschuld	–903,6
	VII. bruto te financieren saldo	–1.121,7
II. Samenvatting van de ontvangsten en uitgaven.		
III. Economisch, sociaal en financieel verslag	Met daarin de internationale economische context, de economische ontwikkeling in België, het beleid (budgettair, sociaal, financieel en tewerkstelling) van de regering.	
IV. Het begrotingsverslag	Met daarin de problematiek aangaande de ontvangsten, de uitgaven, de budgettaire gevolgen van de betrekkingen tussen de federale overheid enerzijds en de andere nationale of internationale entiteiten anderzijds, de financiering van de schuld.	

b. De Rijksmiddelenbegroting

De Rijksmiddelenbegroting bevat de ontvangsten van de staat en hierover dient wel door de Kamer van Volksvertegenwoordigers gestemd te worden.

Dit begrotingsdocument verleent machtiging aan de regering voor de invordering van de belasting in overeenstemming met de fiscale wetgeving.

Tevens bevat de Rijksmiddelenbegroting de raming van de ontvangsten van de staat. Tenslotte verleent de Rijksmiddelenbegroting machtiging om, binnen de grenzen en de voorwaarden van de wet, leningen aan te gaan.

De ontvangsten worden opgedeeld in lopende en kapitaalontvangsten.

Onder "lopende ontvangsten" kent men de fiscale ontvangsten (directe belastingen, douane, accijnzen, BTW) en de niet-fiscale ontvangsten (retributies).

De kapitaalontvangsten zijn ook opgedeeld in fiscale ontvangsten (successierechten) en niet-fiscale ontvangsten. Een belangrijke bijlage bij de rijksmiddelenbegroting is de inventaris van de vrijstellingen, aftrekken en verminderingen die de ontvangsten van de staat beïnvloeden. Deze inventaris betreft de lijst vervat in het advies van de Hoge Raad van Financiën aan de minister van Financiën houdende een volledige inventaris van alle vrijstellingen, aftrekken en verminderingen die de ontvangsten van de staat

beïnvloeden. Dit op 25 juli 1985 uitgebracht advies[6] werd aangepast om rekening te houden met de fiscale bepalingen die sinds die datum werden afgeschaft of bijgevoegd. De Hoge Raad van Financiën omschrijft het begrip belastinguitgave als :
"Een minderontvangst wegens fiscale tegemoetkomingen (tax expeditures) voortvloeiend uit een afwijking van het algemeen stelsel van een gegeven belasting ten voordele van zekere belastingplichtigen of van zekere economische, sociale, culturele,... activiteiten en die kan worden vervangen door een rechtstreekse betoelaging".

Het concept "algemeen stelsel van een gegeven belasting" speelt een bepaalde rol in de klassering van bepalingen onder één van de rubrieken in functie van de weerhouden omschrijving. Het vertrekpunt en het criterium om het karakter van belastinguitgave van een te onderzoeken maatregel te bepalen is dientengevolge de fundamentele structuur van de belastingen zoals die tot uiting komt in de fiscale wetgeving die thans in België van toepassing is.

De afwijkingen worden beschouwd als belastinguitgave in de mate althans dat het nagestreefde objectief ook via een rechtstreekse budgettaire betoelaging kan worden bereikt. Alhoewel er internationaal toch een vrij grote mate van overeenstemming bestaat over de beginselen en de structuur van de belastingen, houdt deze werkwijze onvermijdelijk onder meer in :

– Dat sommige bepalingen als belastinguitgaven staan vermeld, terwijl ze elders – in andere landen of onder referentie naar een theoretisch begrip van belastinguitgave – niet als zodanig worden aanzien en vice versa.
– Dat de belastingverminderingen die elders als belastinguitgaven worden aangemerkt, in deze lijst niet voorkomen omdat ze in ons land geen afwijkingen zijn van het algemeen stelsel.

In verband met de aanwijzingen als belastinguitgave is het onvermijdelijk dat er gevallen van twijfel of andere gevallen bestaan waarover een verschillende beoordeling mogelijk is. Voor al de gevallen met een verschillende beoordeling over het karakter van de belastinguitgave werd een derde kolom "twijfel" voorzien. De in aanmerking genomen bepalingen zijn dus verdeeld over drie kolommen naargelang, volgens de hoger vermelde definitie, zij :

– Zls belastinguitgave dienen te worden aangemerkt.
– Niet als dusdanig kunnen worden weerhouden.
– Twijfelt doen rijzen ten aanzien van hun aard van belastinguitgave.

De becijfering is gebeurd volgens de methode "verlies aan ontvangsten". Deze berekeningsmethode toont onmiddellijk aan hoeveel hoger de ontvangsten zouden zijn indien deze fiscale bepalingen niet zouden bestaan. Er werd dus geen rekening gehouden met de geïnduceerde effecten door het bestaan van de bepaling. Er wordt verondersteld dat de andere elementen van het fiscale stelsel en het bedrag van de belasting- en bijdrageverplichtingen door het bestaan van de fiscale bepaling niet worden gewijzigd. De begrotingskost van de fiscale bepalingen is berekend op basis van twee categorieën gegevens die goed te onderscheiden zijn :

---

[6]   Zie jaarverslag 1985 van de Hoge Raad van Financiën, Belgisch Staatsblad van 18 april 1986, blz. 5320.

I. Wanneer deze beschikbaar zijn, is de berekening gebeurd uitgaande van interne gegevens van de fiscale administraties volgens een methode die eigen is aan elk type van belastingen :

– De becijferingen betreffende de personenbelasting werden verricht uitgaande van een staal van aangiften (ongeveer 3 %) dat representatief is voor de diverse categorieën belastingplichtigen gelijktijdig verdeeld volgens de schijf van belastbaar inkomen, volgens de familiale toestand en volgens het type van bedrijfsinkomen.

– Inzake de vennootschapsbelasting zijn de berekeningen gebaseerd op de statistiek van het geheel van de aangiften.

– De aangegeven resultaten voor de andere belastingen en taksen zijn verkregen door de directe toepassing van de normale tarieven op de verrichtingen die niet onderworpen zijn aan deze tarieven.

II. Bij afwezigheid van gepaste en voldoende gegevens die ter beschikking zijn van de belastingadministraties zijn geldige indicaties die uit andere bronnen kunnen worden gehaald, gebruikt voor de becijfering. De aldus verkregen ramingen hebben niet dezelfde waarde als de berekeningen die hoger vermeld zijn. Daarom worden deze laatste ramingen die in de inventaris werden opgenomen onderscheiden door ze tussen haakjes te plaatsen[7].

c. De algemene uitgavenbegroting

De algemene uitgavenbegroting voor het begrotingsjaar 1998 is samengesteld uit de volgende documenten :

I. Een document per departement voor de "algemene beleidslijnen" (die de beleidsnota's uitmaken bedoeld in art. 79, 1. 3de lid van het reglement van de Kamer).

II. Het "ontwerp van wet houdende de algemene uitgavenbegroting voor het begrotingsjaar 1998".

III. Gegroepeerd in een enig document, de "verantwoording van de algemene uitgavenbegroting" voor alle departementen.

IV. In bijlage aan de verantwoording van de algemene uitgavenbegroting : de "globale verantwoordingen", op te nemen in een enig document.

V. Bijlagen aan de verantwoording van de algemene uitgavenbegroting : de begrotings-tabellen van de instellingen van openbaar nut van de categorie b en de synoptische tabellen van de begrotingen van de instellingen van openbaar nut van de categorie d.

Deze voorstelling van de algemene uitgavenbegroting is gebaseerd op de daartoe in de gecoördineerde wetten op de rijkscomptabiliteit opgenomen bepalingen. Vanaf het begrotingsjaar 1996 werd de integratie doorgevoerd van de volledige begrotingsstruc-

---

[7] Bijlage over 1996 bij de rijksmiddelenbegroting van 6 februari 1997.

tuur in één enkele tabel, zowel op het niveau van de programma's als op dat van de basisallocaties, dit in plaats van de vroegere publicaties van de administratieve begrotingen in de vorm van afzonderlijke documenten.

In dit verband dient opgemerkt te worden dat een aantal basisallocaties een CRIFP-code meekrijgen. Naargelang de letter toegepast op de basisallocatie geeft dit nadere informatie over deze uitgave :

C : Uitgaven bestemd voor de financiële dienst van geprefinancierde uitgaven

R : Uitgaven volledig beschouwd als wetenschappelijk onderzoek of wetenschappelijk dienstbetoon

I : Uitgaven volledig beschouwd als overheidsinvestering

F : Transfer (geheel of gedeeltelijk) naar een fonds

P : Transfer (geheel of gedeeltelijk) naar een parastatale.

2.3. De classificatie

De ontvangsten en de uitgaven in een overheidsbegroting zijn op een bepaalde wijze gestructureerd.

Er bestaan hiervoor drie mogelijkheden : functioneel, economisch of op basis van een programmabegroting.

a. De functionele classificatie

De regeringen van de drie "Benelux" landen hebben op 27 november 1989 te Brussel een akkoord getekend om in 1992 (of eerder) een nieuwe functionele classificatie voor de uitgaven en de ontvangsten van de overheid in te voeren[8]. De sector overheid omvat de volgende subsectoren : rijk/staat, gemeenschappen en gewesten in België, lokale overheden en sociale verzekeringen.

Dit akkoord was een gevolg van het akkoord van 22 augustus 1983 van het Comité van ministers inzake de coördinatie van het begrotingsbeleid van de drie Beneluxlanden in de overheidssector[9].

I. Het belang en de kenmerken

De nieuwe functionele Beneluxclassificatie is bedoeld om de functionele classificatie van 1972 te vervangen. De volgende punten verdienen aandacht : het tijdstip van invoering, de opname in officiële begrotingsdocumenten en de reikwijdte van de toepassing. Deze drie zaken worden in artikel 1 van de aanbevelingen uitdrukkelijk genoemd.

Het tijdstip van invoering :

In artikel 1 van de aanbevelingen wordt als tijdstip van invoering genoemd het jaar 1992 of zoveel eerder als mogelijk is. Het tijdstip van invoering zou niet voor elk van de landen hetzelfde zijn, omdat elk land zijn eigen praktijk heeft, die specifieke problemen opleverde bij invoering van de nieuwe classificatie. De datum van 1992 gaf in ieder geval elk van de Beneluxlanden speelruimte om de nieuwe classificatie tijdig

---

[8]   Belgisch Staatsblad, 24 januari 1990, blz. 986-989.
[9]   Belgisch Staatsblad, 11 oktober 1989.

in te voeren. Zo bestond het voornemen in Nederland en Luxemburg om met ingang van de rijksbegroting voor 1991 de nieuwe classificatie toe te passen.

De opname in officiële begrotingsdocumenten :
De keuze van de begrotingsdocumenten en de wijze waarop de nieuwe functionele classificatie daarin wordt gepresenteerd, wordt aan elk van de Beneluxlanden overgelaten. Het ontbreken van een strikte aanwijzing van begrotingsdocumenten en de wijze van de presentatie daarin, doet recht aan het feit dat zich in de praktijk verschillen per land kunnen voordoen. Zo kan de functionele classificatie in de begrotingswetsontwerpen gedetailleerd per begrotingsartikel, in de vorm van een functionele code bij het desbetreffende begrotingsbedrag vermeld worden, dan wel in al dan niet geaggregeerde vorm in de begeleidende budgettaire nota's worden opgenomen.

De reikwijdte van de toepassing binnen de sector overheid :
Bij de totstandkoming van de nieuwe functionele classificatie is er rekening mee gehouden dat deze toepasbaar is op alle sectoren van de overheid. Sommige subsectoren van de overheid verkeerden evenwel in de onmogelijkheid om al in 1992 de nieuw functionele classificatie toe te passen. Het leek in die gevallen evenwel mogelijk, hoewel niet altijd eenvoudig, om overzichten, opgesteld volgens de functionele classificatie van de desbetreffende subsector, te vertalen in overzichten volgens de Benelux functionele classificaties.
Het Comité van ministers van de Benelux Economische Unie besloot in zijn vergadering van 15 februari 1958 om aan de Bijzondere Commissie voor de vergelijking der begrotingen van de overheids- en semi-overheidsinstellingen opdracht te geven gemeenschappelijke economische en functionele classificaties voor de Benelux te ontwerpen. De functionele classificatie van de overheidsverrichtingen maakt het mogelijk inzicht te verkrijgen in de beleidsdoelstellingen zoals die tot uitdrukking komen in de uitgaven en de ontvangsten over meerdere jaren volgens de verschillende onderwerpen van overheidszorg. Daarnaast wordt de economische classificatie opgesteld met het oog op de verwerking van die gegevens in de nationale boekhouding. Een gemeenschappelijke Beneluxclassificatie is van belang voor vergelijkende studies tussen de drie landen. Een belangrijk punt inzake die onderlinge vergelijkbaarheid is dat gegevens die gehergroepeerd zijn op basis van de functionele classificatie of van de economische classificatie een vollediger beeld geven van de betrokken overheidssector door er, waar nodig, debudgetteringen alsmede de verrichtingen van met de overheid gelijk gestelde begrotingsfondsen en instellingen in op te nemen.
Hier moet ook vermeld worden dat de gegevens volgens de economische respectievelijk de functionele classificatie gebruikt worden bij het overleg over het begrotingsbeleid van de Beneluxlanden, wat in het kader van de Bijzondere Commissie voor de vergelijking van de overheidsbegrotingen plaatsvindt. Gegevens volgens deze opstellingen zijn voorts van belang voor gegevensverstrekking aan internationale organisaties als het IMF, de Oeso en de EU.
De taak van de Bijzondere Commissie bstond vooral in het opstellen van een uniform begrippenapparaat – zowel voor de functionele classificatie als voor de economische – dat zoveel mogelijk aanleunt bij internationale aanbevelingen op dit terrein, maar met oog voor het eigene van elk van de drie landen vooral wat betreft de bestuurlijke en

institutionele organisatie van overheidstaken. Getracht werd aan functionele begrippen als defensie, onderwijs, sociale voorzieningen, milieu en dergelijke eenzelfde inhoud te geven. Hetzelfde gold voor economische begrippen als consumptie, overdrachten, investeringen en dergelijke.

De laatste gemeenschappelijke, economische classificatie werd gepubliceerd in een brochure van 1981.

Een eerste versie van de functionele Beneluxclassificatie van de uitgaven van de overheid werd in 1960 gepubliceerd. Een vernieuwde versie van de functionele Beneluxclassificatie, welke zonder commentaar verscheen, werd als bijlage toegevoegd aan het akkoord van 29 mei 1972.

De behoefte een commentaar te schrijven alsmede de ontwikkelingen sindsdien – onder meer de samenstelling van de "Classification of the Functions of Government" door de Verenigde Naties – hebben de Bijzondere Commissie aanleiding gegeven de functionele classificatie van de Benelux aan te passen. Het resultaat hiervan is de hiernavolgende derde versie van de functionele Beneluxclassificatie (cfr. blz. 328).

II. De indeling

Tabel 3.4. : De functionele Beneluxclassificatie

01	**Algemeen bestuur, buitenlandse betrekkingen en ontwikkelingssamenwerking**	
	01.1	Algemeen bestuur : uitvoerende en wetgevende lichamen, bestuursorganen
	01.2	Financieel bestuur en domeinen/eigendommen
		01.20 Algemeen
		01.22 Fiscaal apparaat
		01.23 Financiële diensten
		01.24 Munt
		01.25 Domeinen/eigendommen
	01.3	Centrale diensten van het bestuursapparaat
		01.30 Algemeen
		01.32 Planning en statistiek
		01.33 Personeel
		01.34 Overige
	01.4	Buitenlandse betrekkingen
		01.40 Algemeen
		01.42 Vertegenwoordiging in het buitenland
		01.43 Deelneming aan internationale operaties van algemene aard
	01.5	Ontwikkelingssamenwerking
		01.50 Algemeen
		01.52 Bilaterale hulpverlening aan ontwikkelingslanden
		01.53 Hulpverlening via internationale organisaties
		01.54 Overige hulpverlening aan ontwikkelingslanden
02	**Landsverdediging**	
	02.0	Algemeen
	02.1	Landmacht
	02.2	Luchtmacht

02.3	Zeemacht	
02.4	Militaire pensioenen	
02.5	Buitenlandse militaire bijstand	

03 Openbare orde en veiligheid

03.0 Algemeen

03.1 Rechtspleging

03.2 Politie

03.3 Gevangeniswezen

03.4 Brandweer

03.5 Burgerlijke bescherming

03.6 Overige beschermde diensten

04 Onderwijs en fundamenteel wetenschappelijk onderzoek

04.0 Onderwijs – algemeen

04.1 Leerlingen- en studentenvoorzieningen

    04.10 Algemeen

    04.12 Primair onderwijs

    04.13 Secundair onderwijs

    04.14 Tertiair onderwijs

04.2 Primair onderwijs

04.3 Secundair onderwijs

    04.30 Algemeen

    04.32 Studiefinanciering

    04.33 Algemeen voortgezet en voorbereidend wetenschappelijk onderwijs

    04.34 Technisch onderwijs en vak- en beroepsonderwijs

    04.35 Gemeenschappelijke vormen van onderwijs

    04.36 Buitengewoon/speciaal secundair onderwijs

    04.37 Andere vormen van secundair onderwijs

04.4 Tertiair onderwijs

    04.40 Algemeen

    04.42 Studiefinanciering

    04.43 Universitair onderwijs

    04.44 Overig hoger onderwijs

04.5 Overig onderwijs

04.6 Fundamenteel wetenschappelijk onderzoek

05 Volksgezondheid

05.0 Algemeen

05.1 Preventieve gezondheidszorg

05.2 Medische behandeling

    05.21 Intramurale medische behandeling

    05.22 Extramurale medische behandeling

05.3 Overige gezondheidszorg

06 Sociale voorzieningen

06.0 Algemeen

06.1 Sociale verzekering

    06.10 Algemeen

    06.12 Ouderdom en overlijden

    06.13 Gezin

    06.14 Werkloosheid

    06.15 Arbeidsongeschiktheid

    06.16 Gereserveerd

    06.17 Overige

06.2 Sociale bijstand

06.3 Maatschappelijke dienstverlening

    06.30 Algemeen

    06.32 Maatschappelijke dienstverlening aan kinderen

    06.33 Maatschappelijke dienstverlening aan bejaarden

    06.34 Maatschappelijke dienstverlening aan gehandicapten

    06.35 Oorlog- en rampschade

    06.36 Overige maatschappelijke dienstverlening

06.4 Algemene arbeidsaangelegenheden

    06.40 Algemeen

    06.42 Arbeidsverhoudingen en arbeidsbescherming

    06.43 Werkgelegenheid

07 Volkshuisvesting, ruimtelijke ordening en milieu

07.0 Algemeen

07.1 Volkshuisvesting

07.2 Ruimtelijke ordening

07.3 Milieu

    07.30 Algemeen

    07.32 Openbare hygiëne

    07.33 Kwalitatief beheer oppervlaktewater

    07.34 Vuilafvoer en -verwerking

    07.35 Overig milieubeheer

07.4 Drinkwater

07.5 Natuur- en landschapsbehoud

08 Cultuur, recreatie en erediensten

08.0 Algemeen

08.1 Kunsten en oudheidkunde

08.2 Volksontwikkeling

08.3 Sport en recreatie

08.4 Radio, televisie en pers

08.5 Erediensten en levensbeschouwelijke en maatschappelijke organisaties

09 Brandstoffen en energie

09.0 Algemeen

09.1 Brandstoffen

09.2 Elektriciteit en overige energie

10   Landbouw, jacht en visserij

10.0   Algemeen

10.1   Akkerbouw, tuinbouw, wijnbouw en veeteelt

10.2   Ruilverkaveling

10.3   Bosbouw

10.4   Jacht en visserij

10.5   Ontginning en ontwikkeling van aangewonnen land

11   Algemene economische aangelegenheden, handel, nijverheid en diensten

11.0   Algemeen

11.1   Algemene economische aangelegenheden

11.2   Mijnwezen (exclusief brandstoffen)

11.3   Industrie

11.4   Handel en opslag

11.5   Horeca

11.6   Toerisme

11.7   Overige diensten

12   Verkeer, vervoer, communicatie en waterstaat

12.0   Algemeen

12.1   Landwegen

    12.10   Algemeen

    12.12   Algemene infrastructuur

    12.13   Metro, tram en bus

    12.14   Overige verkeers- en vervoersdiensten

12.2   Spoorwegen

12.3   Scheepvaartwegen en havens

    12.30   Algemeen

    12.32   Algemene infrastructuur

    12.33   Boot- en veerdiensten

    12.34   Overige scheepvaartdiensten

12.4   Luchtvaartwegen

12.5   Pijpleidingen

12.6   Communicatie

12.7   Waterkering en waterkwantiteitsbeheer

    12.70   Algemeen

    12.72   Waterkering

    12.73   Waterkwantiteitsbeheer

12.8   Landaanwinning

13   Uitgaven en ontvangsten die niet onmiddellijk over de hoofdgroepen 01 t/m 12 worden verdeeld

13.1   Rente

13.2   Betrekkingen met lagere publieksrechterlijke lichamen voorzover niet in andere functies opgenomen

13.3   Betrekkingen met gemeenschappen en gewesten in België

13.4   Projecten met verschillende bestemmingen

13.5   Afschrijvingen

13.6	Belastingen
13.9	Uitgaven en ontvangsten nader te verdelen over de hoofdgroepen 01 t/m 13
14	**Overheidsschuld**
14.1	Aflossing en opneming van gevestigde schuld in nationale valuta
14.2	Aflossing en opneming van gevestigde schuld in vreemde valuta
14.3	Ontmunting en aanmunting
14.4	Beleggingsverrichting
14.5	Aflossing en opneming van kortlopende schuld
14.6	Aan- en verkoop van staatsschuld

b. De economische hergroepering

De techniek van de economische hergroepering van de ontvangsten en de uitgaven is voor België concreet uitgewerkt door middel van een"Benelux"-akkoord. De kenmerken van deze vorm van hergroepering zijn :
– Rangschikking van de begrotingsverrichtingen volgens economische criteria.
– De hergroepering heeft betrekking op de openbare administratie.
– De hergroepering van de verrichtingen gebeurt in zogenaamde begrotingstitels :

Titel (I)	: lopende verrichtingen
Titel (II)	: kapitaalverrichtingen
Titel (III)	: schuldaflossingen
Titel (IV)	: fondsen
Titel (VI)	: staatsdiensten met afzonderlijk beheer
Titel (VII)	: instellingen van openbaar nut

In de techniek van deze economische classificatie staat het begrotingsartikel centraal. Elk begrotingsartikel heeft een codenummer van vier cijfers. Het eerste cijfer van de code geeft de economische aard van de verrichting weer :
– 1 tot en met 4 : lopende verrichtingen
– 5 tot en met 8 : kapitaalverrichtingen
– 9 : rijksschulddelging
– 0 : economisch niet-verdeelde uitgaven

Het tweede cijfer stipuleert of het om een ontvangst dan wel een uitgave gaat :
– 1 tot en met 5 : uitgaven
– 6 tot en met 9 : ontvangsten
– 0 : niet-verdeelde posten
De eerste twee cijfers duiden dus de economische aard van de verrichting aan, bijvoorbeeld :
– 11 houdt verband met lopende uitgaven.
– 77 staat voor kapitaalontvangsten.

De laatste twee cijfers van de code geven de volgorde van de onder elke economische rubriek gegroepeerde posten aan. Zij worden gescheiden van de eerste twee cijfers door een punt. Deze genummerde volgorde begint met 01 en kan eindigen met 99, bijvoorbeeld :

11.01 : Jaarwedde en representatiekosten van de minister.

16.01 : Opbrengsten van het Staatsblad (rijksmiddelenbegroting).

Hierna wordt er een overzicht gegeven van de eerste twee cijfers van de economische code.

Tabel 3.5. : De economische code

ONTVANGSTEN	
TITEL I – *Lopende verrichtingen*	
Hoofdstuk I *Opbrengsten van de verkoop van niet-duurzame goederen en diensten*	1
Verkooop van niet-duurzame goederen en diensten	16
Verkoop van duurzame militaire goederen	17
Hoofdstuk II *Rente en winsten van bedrijven*	2
Rente van overheidsvorderingen	26
Aandeel in exploitatiewinsten van openbare bedrijven	27
Overige opbrengsten van het patrimonium	28
Hoofdstuk III *Inkomensoverdrachten van andere sectoren*	3
Indirecte belastingen en heffingen	36
Directe belastingen	37
Overige inkomensoverdrachten van gezinnen en bedrijven	38
Inkomensoverdrachten van het buitenland	39
Hoofdstuk IV *Inkomenoverdrachten binnen de sector overheid*	4
Inkomensoverdrachten van de sociale zekerheid	47
Inkomensoverdrachten van provincies, gemeenten en daarmee gelijkgestelde lichamen	48
Hoofdstuk 0.6 *Diversen*	6
Hoofdstuk 0.7 *Ontvangsten van overheidsdiensten met een bedrijfsmatig karakter*	7
TITEL II – *Kapitaalverrichtingen*	
Hoofdstuk V *Vermogensoverdrachten van andere sectoren*	5
Vermogensoverdrachten van bedrijven	56
Vermogensheffingen	57
Vermogensoverdrachten van gezinnen	58
Vermogensoverdrachten van het buitenland	59
Hoofdstuk VI **Vermogensoverdrachten binnen de sector overheid**	6
Vermogensoverdrachten van provincies, gemeenten en daarmee gelijkgestelde lichamen	68
Vermogensoverdrachten van de gemeenschappen en de gewesten	69
Hoofdstuk VII *Investeringen (civiel)*	7
Verkoop van grond en gebouwen in het binnenland	76
Verkoop van duurzame roerende goederen	77

125

UITGAVEN

TITEL I – *Lopende verrichtingen*

TITEL II – *Kapitaalverrichtingen*

	Aanleg van wegen en waterbouwkundige werken	73
	Aankoop van duurzame roerende goederen	74
Hoofdstuk VIII	*Kredietverleninge en deelnemingen*	8
	Kredietverleningen aan en deelnemingen in bedrijven	81
	Kredietverleningen aan gezinnen	82
	Kredietverleningen aan en deelnemingen in het buitenland	83
	Kredietverleningen binnen de sector overheid	84

c. De programmabegroting

De in België voor de algemene uitgavenbegroting gebruikte hergroepering is gebaseerd op de techniek van de programma's. In de uitgavenbegroting kent men een code van vijf cijfers, waarvan de eerste twee cijfers betrekking hebben op het departement. Deze begroting is als volgt ingedeeld :

Tabel 3.6. De programmabegroting

0. Begrotingen zonder programma

   01   Dotaties

1. Autoriteitsdepartementen

   11   Diensten van de eerste minister

   12   ministerie van Justitie

   13   ministerie van Binnenlandse Zaken en Openbaar Ambt, ministerie van Buitenlandse Zaken, Buitenlandse Handel en Ontwikkelingssamenwerking

   14   Buitenlandse Zaken en Buitenlandse Handel

   15   Ontwikkelingssamenwerking

   16   ministerie van Landsverdediging

   17   Rijkswacht en Algemeen Politiesteunpunt

   18   Ministerie van Financiën

   19   ministerie voor Ambtenarenzaken

2. Sociale departementen

   21   Pensioenen

   23   ministerie van Tewerkstelling en Arbeid

   25   ministerie van Volksgezondheid, Leefmilieu en Sociale Zaken

3. Infrastructuur en Economie

   31   ministerie van Landbouw en Middenstand

   32   ministerie van Economische Zaken

   33   ministerie van Verkeerswezen en Infrastructuur

5. Rijksschuld en financiën

   51   Rijksschuld

   52   Europese Unie (financiering)

Daarna volgen twee cijfers voor de organisatie-afdeling en nog één cijfer voor het programma, bijvoorbeeld :
"16.xx" is een organisatie-afdeling op de begroting van landsverdediging.
"16.xx.x" is een programma op de begroting van landsverdediging.

Op dit door vijf cijfers gecodeerde begrotingsartikel (de kredieten per programma), berusten de wettelijke specialiteiten en ook het wettelijk krediet.
De uitsplitsing van de uitgavenbegroting over de administratieve begrotingen leidt tot het tweede luik van de getrapte begrotingsspecialiteit.

Dit tweede deel bestaat uit :
– Een cijfer voor de activiteit
– Vier cijfers voor de basisallocatie waarin de eerste twee cijfers de economische hergroepering weergeven en de laatste twee een volgnummer krijgen, bijvoorbeeld : "x.11.xx" heeft betrekking op de basisallocatie voor de lopende uitgaven.

Samengevat krijgen we de volgende mogelijkheden :
"xx.xx"   = organisatie-afdeling
"xx.xx.x"   = programma
"xx.xx.x.x"   = activiteit
"xx.xx.x.x.xx.xx"   = basisallocatie

De code "16.xx.x.x.13.xx" is een aankoop van duurzame militaire goederen op de begroting van landsverdediging. Er dient opgemerkt te worden dat alleen de cijfers van de begroting (de eerste twee) en die van de economische hergroepering (de twee beginnende cijfers van de basisallocatie) een vaststaande code bezitten.
De organisatie-afdelingen komen overeen met de hoofdbestanddelen van de administratieve organisaties : doorgaans vallen deze samen met de algemene directies van de departementen. De programma's worden ingedeeld in de "bestaansmiddelenprogramma's" en "activiteitenprogramma's".
De bestaansmiddelenprogramma's groeperen de basisallocaties die betrekking hebben op de werkingskosten van de administraties (lonen, werkingskosten en uitrustingskosten). De activiteitenprogramma's geven de begrotingsmiddelen weer die bijdragen tot de doelstellingen die toegekend zijn aan deze programma's (bijvoorbeeld hulp aan gehandicapten, burgerlijke bescherming, ziekenhuisbeheer, wetenschappelijk onderzoek enz.). Deze programma's zijn gekoppeld aan organisatie-afdelingen : elk van hen omvat in principe een bestaansmiddelenprogramma en een of meer activiteitenprogramma's.

d. De kritieken

De techniek van de programmabegrotingen had vooral als uitgangspunt een moderner begrotingstelsel in te voeren dat management-gericht zou zijn. Toch zijn er heel wat kritieken op dit stelsel :
– De programma's zijn meestal van een te grote omvang en onsamenhangend samengesteld.
– De verantwoordingsnota's zijn vaag, niet precies en onvolledig.

128

– De programmastructuur is voor de vele niet-kenners (politici en burgers) onbegrijpbaar.
– De nieuwe techniek heeft zeker niet bijgedragen tot een beter beheer van de gelden.

Daarom zou de functionele begroting (gebruikt door de Europese Unie, de gemeenten) een veel doorzichtiger en beter begrijpbaar beeld geven van de overheidsgelden.

3. DE VOORBEREIDING

De voorbereiding van de ontwerpbegroting begint reeds in de maand mei van het voorafgaand jaar. Het zijn de ministers van Begroting en Financiën die als taak hebben het ontwerp op te stellen. De desbetreffende ministers worden hierin bijgestaan door hun kabinetten, de administratie van de begroting en de controle op de uitgaven, de fiscale administratie alsook de studiedienst van het ministerie.
Er is een afzonderlijke procedure voorzien aangaande de ontvangsten en de uitgaven.

3.1. De ontvangsten

De minister van Financiën heeft tot taak de rijksmiddelenbegroting op te stellen. Er dient een onderscheid gemaakt te worden tussen de lopende fiscale, de lopende niet-fiscale en de kapitaalontvangsten.

a. De lopende fiscale ontvangsten

Deze ontvangsten worden geraamd op basis van de onderrichtingen van de minister. Ze worden berekend aan de hand van de "gedesaggregeerde of globale macro-economische ramingsmethode". Voor de raming van de lopende fiscale ontvangsten wordt nog steeds de gedesaggregeerde methode toegepast. Deze steunt op de twee volgende principes :

I. De totale, lopende fiscale ontvangsten kunnen worden onderverdeeld in economisch significante belastingscategorieën (personenbelasting, vennootschapsbelasting, bevrijdende roerende voorheffing, door de Administratie van Directe Belastingen geïnde ontvangsten, douanerechten, accijnzen, BTW en registratierechten).
II. Sommige macro-economische grootheden die in de nationale rekeningen (of, als raming, in het economische budget) voorkomen, zijn representatief voor de belastbare grondslagen van bovenvermelde belastingscategorieën.

Derhalve is het mogelijk om aan de hand van de vermoedelijke evolutie van die macro-economische grootheden (en dus van de belastbare grondslagen) de spontane evolutie van de daarop betrekking hebbende belastingen te voorspellen mits een aangepaste weging wordt toegepast.
De inleidende fase in de raming volgens die gedesaggregeerde methode is dus de opsplitsing van de lopende fiscale ontvangsten van het voorgaande jaar (vermoedelijke ontvangsten) in economisch significante en naar het volgend jaar extrapoleerbare belastingscategorieën.

Sinds 1990 wordt er gewerkt met zes partiële elasticiteitscoëfficiënten en twee vergelijkingen. De elasticiteitscoëfficiënt van een belasting is de verhouding tussen de relatieve verandering van het nationaal inkomen of het BBP die tot de wijziging van de belastingsopbrengst aanleiding heeft gegeven. In feite geeft deze elasticiteit de automatische procentuele verandering weer in de belastingsopbrengst en dit in verhouding tot een procentuele verandering van het nationaal inkomen of BBP.

Om dit in de praktijk te berekenen vertrekt men van de gerealiseerde ontvangsten of de laatste ramingen. Op deze vertrekbasis wordt een groeicoëfficiënt toegepast, die afgeleid wordt uit verschillende elementen overeenkomstig de desbetreffende belasting (bijv. BTW). Deze coëfficiënt bekomt men door de procentuele variatie in de grondslag te vermenigvuldigen met de elasticiteitscoëfficiënt voor de betrokken te ramen belastingscategorie. Op dit resultaat worden de gevolgen van de genomen of te nemen maatregelen toegevoegd.

Hierna geven we een overzicht van de diverse soorten berekeningen[10] :

I. Voor de personenbelasting (belasting op de beroepsinkomens) : een geraamde elasticiteit ten opzichte van een aggregaat, bestaande uit de loonmassa van de werknemers en de inkomsten van de zelfstandigen na aftrek van de socialezekerheidsbijdragen. Deze elasticiteitscoëfficiënt wordt slechts toegepast op de verhoging van de inkomsten die voortvloeit uit de tewerkstelling, want op dit laatste bestanddeel van de evolutie van de inkomsten wordt een elasticiteit van 1 toegepast.

II. Voor de bevrijdende roerende voorheffing : een geraamde elasticiteitscoëfficiënt ten opzichte van de dividenden en de andere roerende inkomsten van de particulieren met uitzondering van de huurgelden.

III. Voor de vennootschapsbelasting geldt een logaritmische formulering van de belastinggroei op basis van de inkomsten en dividenden en van het nationaal inkomen.

IV. Voor de diverse door de Administratie der Directe Belastingen geïnde indirecte belastingen : een geraamde elasticiteitscoëfficiënt ten opzichte van de evolutie van de private bestedingen in waarde voor deze ontvangsten (zijnde de verkeersbelasting, de taksen op de spelen en de weddenschappen en op de automatische ontspanningstoestellen).

V. Voor de invoerrechten : een geraamde elasticiteitscoëfficiënt ten overstaan van de evolutie van de goedereninvoer.

VI. Voor de accijnzen en diversen : een geraamde elasticiteitscoëfficiënt ten opzichte van de private bestedingen in volume, daar het grootste deel van de ontvangsten van de accijnzen bestaat uit specifieke rechten die geïnd worden a rato van de verbruikte hoeveelheden.

---

[10]   Begrotingsgids, Kluwer, I/A/4/5.

VII. Voor de BTW-ontvangsten : een geraamde elasticiteitscoëfficiënt ten overstaan van de groei van de grondslag, die bestaat uit de private consumptie, de aankopen van de overheid, de staatsinvesteringen in woongebouwen;

VIII. Voor de registratierechten en diversen : een logaritmische formulering van de belastinggroei. Daar voor deze belastingrubriek geen macro-economisch aggregaat bestaat dat voldoende de evolutie van deze ontvangsten verklaart, die met name voortvloeien uit de rechten geïnd op de mutaties van de bestaande onroerende goederen, alsmede uit rechten op de inbrengen in vennootschappen en op de kapitaalverhogingen, worden deze ontvangsten via een vergelijking gerelateerd tot een variatie van de investeringen in woongebouwen.

b. De niet-fiscale ontvangsten

De niet-fiscale ontvangsten worden onmiddellijk definitief geraamd door de administratie voor de begroting. Het gaat hier om retributies, de domaniale opbrengsten en de opbrengsten uit overheidsaandelen.

c. De kapitaalontvangsten

De administratie raamt ook de fiscale (bijv. successierechten) – en de niet-fiscale (bijv. verkoop van staatspatrimonium) kapitaalontvangsten.

3.2. De uitgaven

a. Algemeen

Op federaal vlak is de beleidsruimte fors ingekrompen als gevolg van twee oorzaken :
- Het beslag van de schuldenlast op de uitgaven
- De overheveling van bevoegdheden naar de gemeenschappen en de gewesten

In juli 1993 heeft de regering een meerjarenkader vastgelegd voor de primaire uitgaven. De meerjarenprognose geldt per basisallocatie.
Het hoofddoel van deze meerjarenraming is het bereiken van de budgettaire Maastricht-normen. De directe aanleiding voor dit plan was het convergentieplan. Deze meerjarenplanning bevat steeds het desbetreffende jaar en de twee daaropvolgende jaren. Tezamen met de invoering van de meerjarenplanning heeft de regering de heroverwegingstechniek ingevoerd. Daardoor worden beleidsterreinen grondig nagekeken, doorgelicht, geplaatst in een meerjarenperspectief en getoetst naar beleidsvarianten.
Bij de opstelling van de federale begroting dient de overheid rekening te houden met een aantal sociaal-economische indicatoren.

I. De internationale economische context

Aangezien België een import-export land is, dient men rekening te houden met internationale factoren. De belangrijkste, buitenlandse elementen, met een weerslag op dit land, zijn de volgende :
- De afzetmarkten
- De externe rentestand

131

- De monetaire ontwikkeling
- De prijs der grondstoffen
- De onderrichtingen van de Commissie van de Europese Unie

II. De nationale economische context

Nogal wat binnenlandse economische indicatoren kunnen de begroting beïnvloeden :
de economische groei (toename BBP, investeringen, productiecapaciteit)
- De werkgelegenheid
- De inflatie
- De rente
- De situatie van de belastingbalans
- De evolutie van de lonen

III. De nationale sociale context

De financiële toestand van de sociale zekerheid heeft ook zijn invloed op de federale begroting, aangezien het verschil tussen de uitgaven en de inkomsten (bijdragen) dient bijgepast te worden door de federale begroting. Bij een toename van de werkloosheid zullen de bijdragen dalen en de uitgaven stijgen, waardoor het tekort zal toenemen. De uitgaven worden geschat op basis van een aantal bekende gegevens, zoals de inflatie, het aantal ambtenaren, de sociale wetgeving, de economische groei, de uit te voeren werken, de monetaire situatie, enz. De basis voor de opstelling bevindt zich nu in de begrotingslijnen (zie infra), die volledig in het teken staan van Maastricht. De opmaak van de federale uitgavenbegroting vindt plaats tussen de maanden maart en november van het voorafgaande jaar.

b. De opstelling

Na beraadslaging van de ministerraad sturen de federale ministers van Begroting en Financiën, in de maanden maart of april van het voorgaande jaar, de begrotingsonder-richtingen voor de opmaak van de begroting door naar de andere regeringsleden. De omzendbrief aangaande de begrotingsonderrichtingen heeft gewoonlijk de volgende inhoud :
- De bepalingen in het regeringsakkoord m.b.t. de begroting
- De personeelsuitgaven
- De evolutie van de andere uitgaven (stijgingsritme, enz.)
- De opmaak van de begrotingsdocumenten
- Onderrichtingen t.a.v. de begrotingsfondsn en de parastatalen
- De kredieten voor wetenschapsbeleid
- Het te volgen tijdschema

Elke minister is verantwoordelijk voor de opmaak van de begroting in zijn departe-ment(en).
Binnen de diverse ministeries maken het algemeen secretariaat of de eventuele begrotingscel het ontwerp van de begroting op. Als het ministerie wenst af te wijken van het ontwerp van begroting, dan dient het voor elke nieuwe uitgave een afzonderlijk gefundeerd document op te maken. Bij de departementele opmaak van de begroting

wordt de aldaar geaccrediteerde inspecteur van financiën gevraagd om zijn advies te geven bij de voorstellen van de administratie. De inspecteur van financiën gaat na of de ramingen stroken met de werkelijk noodzakelijke uitgaven en toetst de vooropgestelde kredieten aan het beginsel van de opportuniteit. Vervolgens (normaal in de maand mei) worden de departementele voorstellen doorgestuurd naar de minister van Begroting, die bevoegd is voor de uitgavenzijde van de begroting.

De federale regering steunt zich bij de voorbereiding van de begroting ook op de aanbevelingen van internationale instellingen (OESO, IMF) en vooral op die van de Europese Commissie. Deze laatste heeft veel invloed gekregen naar aanleiding van de economische en budgettaire convergentienormen in het verdrag betreffende de Europese Unie (Maastrichtakkoord). Bij de berekening van de te verwachten groeicijfers steunt men zich op rapporten van de Nationale Bank, de universiteiten, het planbureau en de financiële instellingen.

c. De richtlijnen

De laatste jaren wordt de Belgische begroting beheerst door de reeds vermelde "Maastrichtnormen". De richtlijnen die de federale overheid hanteert, zijn in de hiernavolgende punten vastgelegd :
– Nulgroei van de uitgaven in reële termen en dit met uitsluiting van de rentelasten.
– De bevriezing van sommige begrotingsenveloppes (o.a. defensie, overheidsbedrijven, sociale zekerheid).
– Nieuwe, onmisbaar geachte initiatieven kunnen slechts worden voorgesteld indien ze gepaard gaan met de afschaffing van minder prioritaire activiteiten.
– De voortzetting van de inspanningen aangevat tijdens de vorige legislatuur met het oog op de blijvende verbetering van de begrotingsprocedures (instellen van departementele begrotingscellen, de auditprocedure en de meerjarenprogrammatie).
– De tot de inflatie beperkte toename van kredieten bestemd voor de werkings- en uitrustingskosten van de administratie, evenals van de ministeriële kabinetten.

d. De investeringen

Ten aanzien van de investeringen moet erop gewezen worden dat belangrijke delen hiervan zijn overgeheveld naar de gewesten (openbare werken, economie). De federale overheidsinvesteringen beperken zich tot dienstgerichte aankopen (bijv meubilair) en vooral landsverdediging, alsook de overheidsbedrijven (Belgacom, Spoorwegen).

Het voorafgaandelijk werk met betrekking tot de investeringen wordt gedaan door de Commissie voor Oriëntatie en Coördinatie van de overheidsopdrachten (COC) onder leiding van het Planbureau met afgevaardigden van de belangrijkste departementen. De uiteindelijke beslissingen worden genomen door de ministerraad. Een belangrijk element in de aankoopdossiers bij de overheid is het fenomeen van de economische compensaties. Dit houdt in dat de budgettaire kost moet gecompenseerd worden door economische investeringen vanwege de opdrachtkrijger, die ook nog regionaal moeten verdeeld zijn. Hiermede is veel fout gelopen (o.a. fraude) en het heeft in de praktijk weinig opgeleverd. Bovendien is de totale kostprijs daarmee gestegen, want de gegadigde heeft de prijs van die compensaties gewoon bijgeteld in de factuur voor de begroting.

e. Het wetenschapsbeleid

De departementele voorstellen aangaande wetenschapsbeleid worden toegezonden aan de bevoegde minister en de Interministeriële Commissie voor Wetenschapsbeleid (ICWB). Deze commissie wordt voorgezeten door de secretaris-generaal van de Diensten voor Programmatie van het Wetenschapsbeleid (DPWB) en bestaat voor het overige ook uit ambtenaren.

Het verslag van deze commissie dient als uitgangspunt voor het overleg tussen de minister van Begroting, zijn collega van Wetenschapsbeleid en de betrokken departementen. Het federale wetenschapsbeleid stelt na de staatshervormingen niet veel meer voor. Ongetwijfeld zijn de belangrijkste uitgaven de Belgische bijdragen in de Europese ruimtevaartorganisaties (ESA).

In het kader van de verdeelde bevoegdheden aangaande het wetenschapsbeleid bestaat er sinds 1991 een samenwerkingsakkoord met betrekking tot deze materie tussen de federale overheid, de drie gemeenschappen en de drie gewesten. Op federaal vlak wordt de uiteindelijke beslissing genomen door het ministerieel Comité voor Wetenschapsbeleid onder leiding van de eerste minister.

f. De procedure

In de loop van de maand mei van het voorgaande begrotingsjaar worden de departementele begrotingsvoorstellen onderzocht door de administratie van Begroting. Vervolgens start er een bilateraal onderhoud tussen de departementen en Begroting. Eerst gebeurt dit op kabinetsniveau, later tussen de betrokken minister en de minister van Begroting. Deze laatste laat zich vooral leiden door de adviezen van de inspecteur van Financiën en de administratie van Begroting. Daarna worden de resultaten van het bilateraal overleg besproken in de diverse begrotingscellen :

– Sociale cel (Pensioenen, Sociale Voorzorg, Arbeid en Volksgezondheid)
– Economische cel (Landbouw, Middenstand, Verkeer, Economische Zaken, Overheidsbedrijven)
– Gezagscel (Landsverdediging, Justitie, Binnenlandse Zaken, Ontwikkelingssamenwerking, Dotaties, Buitenlandse Zaken, Financiën, Rijkswacht, Diensten van de eerste minister)

Vervolgens stelt het ministerieel Comité voor de Begroting (d.i. de ministerraad) de begrotingsenveloppes vast. Een populaire benaming voor dit comité bij de begrotingsbesparingen, is het hakbijlcomité. Het is deze instantie die het begrotingsontwerp definitief vastlegt. Dit is meestal zomerwerk.

3.3. De instellingen

Ten aanzien van de ontvangsten en de uitgaven is een aantal instellingen en administraties actief. Zij spelen niet alleen een rol op het vlak van de voorbereiding, doch ook aangaande de uitvoering.

a. Het overlegcomité

Het overlegcomité van de regeringen (federaal, gemeenschap, gewest) is ingericht als gevolg van de wetten op de staatshervorming. De "Interministeriële Conferentie voor Financiën en Begroting" pleegt regelmatig overleg over het fiscaal en begrotingsbeleid.

b. Het directiecomité van de schatkist

Het "Directiecomité van de Schatkist" werd in 1986 opgericht met als voornaamste opdracht de verwezenlijking van de functionele coördinatie van de verschillende taken op het vlak van het beheer van schatkist en begroting, inzonderheid met betrekking tot :

I. Het onderzoek van vooruitzichten en resultaten van de begrotingen en kasbestanden op middellange termijn
II. Het onderzoek van de financiering van de begroting, de toestand van de schatkist en de evolutie van de staatsschuld
III. De integratie van de boekhoudkundige beheersmiddelen

Dit directiecomité is samengesteld uit de secretaris-generaal van de Thesaurie, de directeur-generaal van de administratie van de Begroting en de controle op de uitgaven en de directeur-generaal van de studie- en documentatiedienst van het Ministerie van Financiën. Het comité wordt ook bijgewoond door de kabinetschef van de minister van Financiën en de kabinetschef van de minister van Begroting. Het comité komt maandelijks bijeen, zodra de resultaten bekend zijn van de evolutie van de openbare schuld en de fiscale ontvangsten tijdens de vorige maand en de kasresultaten van de tweede voorafgaande maand.

c. De "Hoge Raad van Financiën"

De "Hoge Raad van Financiën" omvat sinds de bijzondere financieringswet van 1989 een permanente afdeling "Financieringsbehoeften van de overheid" die :
– Jaarlijks een advies verstrekt over de financieringsbehoeften van de overheden.
– Ambtshalve of op vraag van de minister van Financiën een advies kan uitbrengen over de opportuniteit om de leningscapaciteit van een overheid tijdelijk te beperken en dit om verstoringen van het interne en externe monetaire evenwicht te vermijden en/of een structurele ontsporing van de financieringsbehoeften te voorkomen.
Bedoelde adviezen moeten niet alleen rekening houden met de financieringsbehoeften van de betrokken overheden zelf, maar ook met die van de instellingen waarvan de financiële dienst de begroting van die overheden bezwaart.
Belangrijk is dat de vermelde financieringswet aan de koning de bevoegdheid geeft om op basis van het betrokken advies en op voorstel van de minister van Financiën, bij een in de ministerraad besproken besluit en na overleg met de betrokken regering, de leningsmogelijkheid van de gemeenschappen en de gewesten te beperken.

d. Het Ministerie van Financiën

Ten aanzien van de voorbereiding en de uitvoering van de begroting speelt het federale Ministerie van Financiën een uiterst belangrijke rol[11].

I. Inleiding

Ministeries of departementen hebben geen aparte rechtspersoonlijkheid : zij zijn onderdelen van de federale staat die deze rechtspersoonlijkheid wel bezit.

Departementen hebben geen reeks officiële taken : zij hebben een sector of werkgebied waarbinnen ze geacht worden op te treden en ze voeren de hun in dit verband toegewezen operationele opdrachten en beleidstaken uit.

Boven het ambtelijke apparaat staan de ministers en/of staatssecretarissen. Hun respectieve kabinetten kunnen als verlengstuk van de individuele regeringsleden worden beschouwd. Naast deze politieke leiding, die van tijdelijke aard is, bestaat er een administratieve leiding in de persoon van een secretaris-generaal die een vastbenoemd ambtenaar is.

De coördinatie van een departement berust bij de diensten van de secretaris-generaal die de eerste pijler vormt. Het secretariaat-generaal is belast met de controle en de opvolging van de dossiers bestemd voor de kabinetten en met de uitvoering van instructies waarmee de kabinetten de administratie gelasten.

Een tweede pijler van de organisatie wordt gevormd door de algemene diensten, die bestaan uit :
– Conceptie- of stafdiensten : zij verzorgen het beleidsvoorbereidend werk.
– Hulpdiensten : zij ondersteunen de andere diensten in de uitvoering van hun taak en worden gemeenzaam de "algemene" diensten genoemd.

Meestal vindt men er de personeelszaken,de financiële, de juridische en de studie- en documentatiedienst in terug. Elk departement kan deze taken ook op een eigen wijze invullen.

De recente vernieuwingen in het administratief openbaar ambt leidden ertoe dat ook de vormingsdirecteur en de organisatiediensten hierin werden ondergebracht.

De uitvoeringsdiensten, die meestal met de term "administratie" of "directie" worden aangeduid, vormen de derde en voornaamste pijler. Naargelang de organisatie zijn zij verder hiërarchisch opgesplitst in "besturen" en "diensten".

De departementen zagen, vanuit de verschillende etappes van de staatshervorming, hun bevoegdheden steeds opnieuw aangepast.

Naast de centrale rol van de diensten van de eerste minister, worden de elf departementen, op basis van hun werkgebied, thans in een matrix-structuur ingedeeld.

---

[11]   Cloet M. en Matthijs H. (1996), blz. 175 e.v.

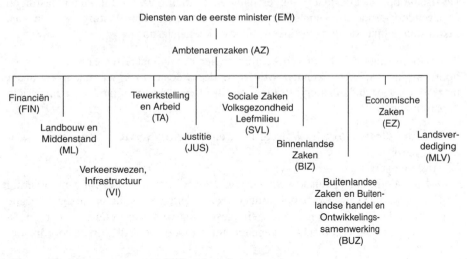

Diensten van de eerste minister (EM)

Ambtenarenzaken (AZ)

Financiën (FIN)

Landbouw en Middenstand (ML)

Verkeerswezen, Infrastructuur (VI)

Tewerkstelling en Arbeid (TA)

Justitie (JUS)

Sociale Zaken Volksgezondheid Leefmilieu (SVL)

Binnenlandse Zaken (BIZ)

Buitenlandse Zaken en Buiten-landse handel en Ontwikkelings-samenwerking (BUZ)

Economische Zaken (EZ)

Landsver-dediging (MLV)

Figuur 1 : Matrix-structuur Federale Administraties.

Deze matrix-structuur bestaat uit een horizontaal departement, te weten ambtenarenzaken, en tien verticale departementen. De tien verticale departementen kunnen als volgt worden ingedeeld :
– Gezags- of autoriteitsdepartementen
  Binnenlandse Zaken – Financiën – Landsverdediging – Justitie – Buitenlandse Zaken, Buitenlandse Handel en Ontwikkelingssamenwerking
– Beheersdepartementen
  Economische Zaken – Verkeerswezen en Infrastructuur – Middenstand en Landbouw
– Sociale en Verzorgingdepartementen
  Tewerkstelling en Arbeid – Sociale Zaken, Volksgezondheid en Leefmilieu

II. Financiën

Het Ministerie van Financiën is een belangrijk departement en heeft actictiviteiten die betrekking hebben op de fiscale taken en het budgettair beheer.
Om aan de behoeften van een gemeenschap te kunnen voldoen, dient de overheid te kunnen beschikken over voldoende financiële middelen. Zij worden geput uit diverse bronnen, waaronder de fiscale, de para-fiscale en de niet-fiscale ontvangsten. De fiscale ontvangsten vormen de voornaamste bron van inkomsten en de betrokken fiscale administraties worden sinds de hervorming van 1978 gegroepeerd in de Algemene Administratie der Belastingen teneinde de algemene organisatie optimaal te laten verlopen.
Aangezien bij het verschijnen van dit boek nog over de komende hervorming van de fiscale administraties wordt onderhandeld, geven we hieronder de situatie geldig in januari 1999 weer.

1) De administratie der Directe Belastingen vervult een fiscale opdracht ten gunste van de staat, een gelijkluidende opdracht naar de ondergeschikte besturen toe en een opdracht als openbare dienst.

137

De fiscale opdracht bestaat in de vestiging en de inning van de inkomenbelastingen (waaronder personen-, vennootschaps- en rechtspersonenbelasting) en de met inkomsten gelijkgestelde belastingen (bijv. verkeersbelasting).

2) De administratie der Douane en Accijnzen voert een dubbele fiscale en economische opdracht uit. De taken kunnen worden onderverdeeld in eigen taken en taken uitgevoerd voor andere adminstraties van het departement of andere ministeriële departementen.

3) De administratie van de BTW, Registratie en Domeinen vervult vier opdrachten van diverse aard :
I) fiscale opdrachten :
  – De voorbereiding van de wetgeving, inclusief de geschillenregeling, invordering en controle van diverse belastingen waaronder de belasting op de toegevoegde waarde (BTW), met het zegel gelijkgestelde taksen, successierechten, registratie-, griffie-, hypotheek- en zegelrechten asook de belasting op de coördinatiecentra.

  – Drukken en verdelen van fiscale zegels en gezegeld papier en toezicht op de zegelmachines.

II) opdracht inzake domeinen
  De administratie beheert de goederen van het private domein van de staat en maakt er periodiek een inventaris van op. In dit beheer zijn begrepen het onderhoud, het in huur geven, het toekennen van zakelijke rechten, het invorderen van schuldvorderingen en het vereffenen van erfloze nalatenschappen.

III) opdracht van openbare dienst waarbij ondermeer de bewaring van de voorrechten en hypotheken wordt georganiseerd.

4) De administratie van het Kadaster vervult een amalgaam van opdrachten waarin, naast de voorbereiding van en het toezicht op wetgeving en reglementering, enkele belangrijke elementen kunnen worden aangestipt :
– Vaststelling van de kadastrale inkomens van onroerende goederen.
– Schatting van onroerende goederen ten bate van de administraties en de instellingen van openbaar nut.
– Beheer van het algemeen perceelplan dat wordt gebruikt bij het uitwerken van infrastructuurwerken, plannen en aanleg, ruilverkavelingen en onteigeningen.

5) De administratie van de Begroting en de Controle op de Uitgaven speelt een belangrijke rol in het begrotingsbeleid, dat één van de hoekstenen is vormt van een regeringsbeleid. Haar complexe en zeer technische opdrachten kunnen worden samengevat in twee sleutelwoorden : voorbereiding en controle.
De opdracht "voorbereiden" bestaat uit een aantal taken die nauw verbonden zijn met de begrotingscyclus en -procedure.
De ingerichte begrotingscontrole omvat vier soorten controles met als belangrijkste de wettelijkheid, de opportuniteit en het gebruik van de kredieten en de basisallocaties.

6) De administratie van de Thesaurie vervult belangrijke taken zoals :
- Betrekkingen van de staat met de financiële instellingen (de Europese Centrale Bank de Nationele Bank) en de internationale monetaire instanties (de Wereldbank en het Internationaal Monetair Fonds).
- Het beheer van de staatsschuld
- Het beheer van de Koninklijke Munt.
- Het beheer van alle financiële, patrimoniale en budgettaire verrichtingen uitgevoerd door de fiscale administraties.
- Het opstellen van de jaarrekening van de schatkist en het opstellen van de algemene rekening van de staat.
- De vereffening door de Centrale Dienst der Vaste Uitgaven (CDVU) van de wedden, toelagen, vergoedingen en pensioenen van de personeelsleden van de meeste staatsadministraties.
- Enz.

Tot slot wordt hieronder een schematisch overzicht van dit departement gegeven, zoals het bij de verschijning van dit boek was opgebouwd.

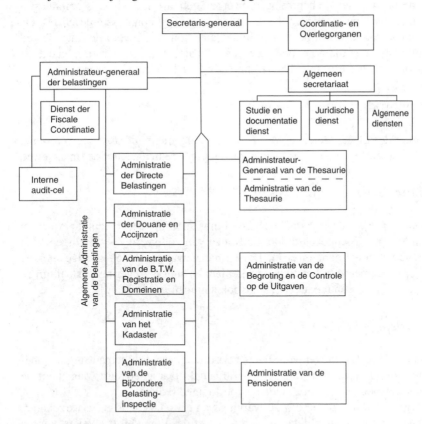

Figuur 2 : Organigram Financiën
Bron : Wegwijs in de federale administraties (FVD)

4. DE GOEDKEURING

De ontwerpen van rijksmiddelenbegroting en de algemene uitgavenbegroting worden altijd ingediend bij de Kamer van Volksvertegenwoordigers.

Het is de minister van Begroting die deze documenten moet indienen bij de Kamer en dit voor 31 oktober van het voorafgaande jaar.

4.1. De procedure

Tezamen met de begroting wordt er ook een ontwerp van programmawet ingediend. Deze wet bevat de praktische regels aangaande de uitvoering van de begrotingsintenties. Sinds het begrotingsjaar 1996 kennen we in België het budgettair éénkamerstelsel. Inderdaad alleen de Kamer van Volksvertegenwoordigers heeft nog de bevoegdheid om de begrotingsontwerpen goed te keuren.

In de Kamer wordt de procedure van behandeling vastgelegd in het reglement. De eigenlijke bespreking van de begrotingsontwerpen gebeurt in de diverse commissies van de Kamer (bijv. het onderdeel landsverdediging in de commissie defensie). De rijksmiddelenbegroting wordt behandeld in de kamercommissie voor de financiën en de begroting. Deze commissie bespreekt de globale uitgavenbegroting nadat de bevoegde commissies (bijv. Justitie enz.) hun adviezen hebben afgeleverd.

4.2. De niet-tijdige goedkeuring

Als de Kamer de rijksmiddelenbegroting en/of de algemene uitgavenbegroting niet tijdig goedkeurt, start men het stelsel van de voorlopige kredieten en/of de financiewet.

a. De financiewet

Als het ontwerp van de rijksmiddelenbegroting niet op 31 december van het voorafgaande jaar is goedgekeurd door de Kamer van volksvertegenwoordigers, dan dient de regering een financiewet in. Deze financiewet dient ook goedgekeurd te worden door de Kamer voor het einde van het jaar en stelt de regering in staat om de bestaande belastingwetten toe te passen, alsook leningen aan te gaan.

b. De voorlopige kredieten

Als de Kamer van volksvertegenwoordigers het ontwerp van de algemene uitgavenbegroting niet vóór 1 december van het voorafgaande jaar goedkeurt, dan dient de regering een wetsontwerp in aangaande de voorlopige kredieten.

Deze wet voorziet in kredieten om de werking van de staatsdiensten te verzekeren. Deze kredieten worden in mindering gebracht op de uiteindelijk goed te keuren begroting. De Kamer dient deze wet goed te keuren voor het einde van het jaar, want anders kan de overheid geen uitgaven doen.

Begrotingstechnisch zijn er twee mogelijkheden ten aanzien van voorlopige kredieten :
– Als de algemene uitgavenbegroting reeds is goedgekeurd, doch nog niet de administratieve begroting : in dit geval mag de minister slechts betalingen en vastleggingen verrichten a rato van 1/12 binnen de perken van de basisallocaties van de laatst goedgekeurde administratieve begroting.
– Als ook de algemene uitgavenbegroting niet tijdig is goedgekeurd : dan wordt het volledige stelsel van de voorlopige kredieten toegepast.

Deze wet op de voorlopige kredieten houdt de volgende regels in :
– Het stelsel van de twaalfden mag maximum vier maanden duren en dient dan door de Kamer hernieuwd te worden.
– De voorlopige kredieten mogen niet aangewend worden voor nieuwe uitgaven.
– De voorlopige kredieten worden berekend op de programma's en de basisallocaties van de laatst goedgekeurde begrotingen.

5. DE UITVOERING

In de voorgaande teksten hebben we de voorbereiding en de goedkeuring van de federale begroting besproken. Deze vormen de eerste twee onderdelen van de begrotingscyclus. De ganse begrotingscyclus wordt afgesloten met de uitvoering ervan. Het uiteindelijke eindpunt ervan is echter de rekening (zie infra).
Een begrotingscyclus van een openbare boekhouding heeft drie fasen : de voorbereiding, de goedkeuring en de uitvoering. Deze laatste fase heeft betrekking op het eigenlijke begrotingsjaar waarin de geraamde inkomsten en goedgekeurde uitgaven worden uitgevoerd. Deze uitvoeringsfase wordt beheerst door begrotings-technische procedures.

5.1. De procedure

De goedgekeurde rijksmiddelen- en uitgavenbegroting geeft de staat de bevoegdheid om ontvangsten te innen en de uitgaven te doen. Dit gebeurt volgens een vastgesteld aantal stadia.

a. De ontvangsten

De inning van de ontvangsten kent vier stadia : de wettelijke titel, de zetting, de heffing en de invordering.
Onder de wettelijke titel verstaat men de wettelijke machtiging om een belasting te innen.
De zetting is het tweede stadium en behelst de aanwijzing van de belastingplichtigen en de vaststelling van de belastbare materie.
De heffing of vereffening van een belasting is het bepalen van het verschuldigd bedrag.
Het vierde en laatste stadium bij de inning der ontvangsten is de invordering van het verschuldigde bedrag bij de belastingplichtige.

b. De uitgaven

Ook in verband met de uitgaven zijn een aantal stadia te onderscheiden.
De vastlegging heeft een juridische en een boekhoudkundige betekenis. In de juridische betekenis is de vastlegging het verrichten van de handeling waaruit de verplichting tot betalen vanwege de staat ontstaat.
Onder de boekhoudkundige betekenis van de vastlegging verstaat men het boeken van de ontstane verbintenis ten laste van de staat in de registers van de controleurs der vastlegging. Deze boeking hypothekeert het begrotingskrediet.
De vereffening is het onderzoek naar de werkelijkheid, de wettelijkheid en de grootte van de schuld. In de primaire (voorlopige) vereffening wordt door het ministerie nagegaan of de schuld echt bestaat en of de schuldeiser een schuldvordering heeft ingediend. De zogenaamde vaste uitgaven (wedden en pensioenen) zijn vrijgesteld van dit bewijs.
De ordonnancering is het geven van het bevel tot betaling. Dit gebeurt door de ordonnateur en is gericht aan de rekenplichtige. Bij de ordonnancering maakt men een onderscheid tussen twee fasen : de primaire en de secundaire ordonnancering (zie verder).
De primaire (ook : voorlopige of titel-) ordonnancering vindt plaats bij de ordonnateur in het ministerie en houdt de betaaltitel in. Daarbij worden opnieuw twee soorten titelbetalingen onderscheiden. De "betalingsordonnantie" heeft betrekking op de uitgaven die onderworpen zijn aan het visum van het Rekenhof. Daarnaast is er de "aanrekeningsordonnantie"" om onmiddellijk bedragen uit te trekken op de begroting. Het gaat hier om de uitgaven die vrijgesteld zijn van het visum.
Het Rekenhof onderzoekt in de secundaire (definitieve) vereffening of de uitgave wettelijk en werkelijk is. Elke uitgave dient gedekt te zijn door een "visum" van het Rekenhof. De vaste uitgaven zijn hiervan vrijgesteld. De definitieve vereffening kan plaats vinden tot en met 31 januari van het volgend jaar. Dit is een afwijking op het éénjarigheidbeginsel om de administratieve afwerking van de begroting te vereenvoudigen.
De secundaire (ook : definitieve of begrotings-) ordonnancering ontstaat door de vermelding op de ordonnantie van de datum en het inschrijvingsnummer in de boeken van de schatkist. Dit stadium in de uitvoering gebeurt door het Ministerie van Financiën en kan gebeuren tot en met 31 januari van het daaropvolgend jaar.

De rekenplichtige voert de betaling effectief uit. Deze betaling gebeurt op bevel van het Ministerie van Financiën. De ingeboekte ordonnanties zijn betaalbaar gedurende vijf jaar met ingang van het begrotingsjaar waartoe ze behoren. Na de betaling verifieert het Rekenhof nog eens de uitgaven, die onderworpen zijn aan het visum. Het gaat hier om een onderzoek naar de regelmatigheid van de kwijting.

5.2. De ambtenaren

Ten aanzien van de ontvangsten en de uitgaven zijn niet alle ambtenaren bevoegd om inningen of betalingen te doen.

a. De ordonnateur

De ordonnateur is elke ambtenaar die door zijn initiatief een uitgave uitlokt of aan de uitvoering deelneemt. Het ambt van ordonnateur is onverenigbaar met dat van rekenplichtige. Men maakt een onderscheid tussen de "primaire" en de "secundaire" ordonnateur. De primaire ordonnateur is de minister en de secundaire ordonnateur is de ambtenaar.

De ordonnateur ligt aan de grondslag van de vastlegging, de primaire vereffening en de primaire ordonnancering. Dit onderscheid is van belang voor de aansprakelijkheid in het kader van de controle.

b. De rekenplichtige

De rekenplichtige komt tussen in het laatste stadium van de uitvoering der ontvangsten (inning) en uitgaven (betaling). De "gewone" rekenplichtige doet de inning en de "buitengewone" rekenplichtige doet de betaling. De rekenplichtigen worden benoemd door de minister van Financiën. De volgende punten zijn inherent aan hun functie :
– de eedaflegging
– de borgstelling
– het voorrecht van de staat op hun vermogen
– de onderwerping aan de rechtsmacht van het Rekenhof

6. DE REKENING

De rekening van de staat bevat de definitieve cijfers van de ontvangsten en de uitgaven. Artikel 174 van de grondwet bepaalt dat de Kamer van volksvertegenwoordigers de eindregeling van de begroting (i.c. de rekening) moet goedkeuren.

In de wetgeving aangaande de rijkscomptabiliteit stelt de wetgever dat de minister van Begroting belast is met de opmaak van de rekening. Tijdens de maand mei, na het begrotingsjaar, geeft het Rekenhof aan de Kamer van volksvertegenwoordigers kennis van een voorafbeelding van de uitslagen van de uitvoering.

Deze bepaling is enige jaren geleden ingevoerd om een eerste resultaat te hebben over de rekening. Meer bepaald omdat de ontwerpen van rekeningen zeer laattijdig worden ingediend door de regering.

De procedure in de begrotingswetgeving voorziet erin dat de minister het ontwerp van eindregeling van de rekening zou moeten indienen bij het Rekenhof voor 30 juni van het daaropvolgende jaar. In de loop van de maand oktober, van het daaropvolgende jaar, wordt dan het ontwerp – geverifieerd door het Rekenhof – ingediend bij de Kamer van volksvertegenwoordigers.

Tabel 3.7. geeft een overzicht van de goedgekeurde rekeningen.

Dienstjaren	Datum wet	Publicatie in het Belgisch Staatsblad
1968	17 juli 1974	10 december 1974
1969	25 juli 1975	4 november 1975
1970	21 juni 1976	25 september 1976
1971	8 maart 1977	19 mei 1977
1972	19 juni 1978	20 september 1978
1973	24 juli 1979	11 december 1979
1974	31 april 1979	4 juli 1980
1975	23 december 1980	23 april 1981
1976	23 juli 1981	21 november 1981
1977	29 oktober 1982	23 februari 1983
1978	21 juni 1983	10 april 1984
1979	19 juni 1986	8 augustus 1986
1980	19 juni 1986	8 augustus 1986
1981	22 juli 1987	27 oktober 1987
1982	22 juli 1987	27 oktober 1987
1983	23 februari 1990	22 mei 1990
1984	12 juli 1990	25 juli 1991
1985	1 december 1994	21 februari 1995
1986	1 december 1994	22 februari 1995
1987	19 juni 1997	18 augustus 1998

Bron : Staatsblad

Door de rekening goed te keuren worden de eindresultaten van de begroting definitief goedgekeurd. De goedkeuring van de rekening door de Kamer van Volksvertegenwoordigers betekent ook de definitieve afsluiting van de begrotingscyclus. Doch in de praktijk loopt het met de opstelling en dus ook met de goedkeuring van de rekening behoorlijk mis. Op federaal vlak heeft men een vertraging van zowat tien jaren

Wij dienen hier ook nog even stil te staan bij de problematiek van de nieuwe staatsboekhouding. Het "Europees Stelsel van geïntegreerde Economische Rekeningen" (ESER) is het referentiekader in het Verdrag van Maastricht. Dit dient dan ook als referentiepunt voor de "Commissie van de normalisatie van de overheidscomptabiliteit". Deze commissie werd opgericht bij de wet van 15 maart 1994 houdende de hervorming van de algemene rijkscomptabiliteit en van de provinciale comptabiliteit[12]. In feite wil men hier de grondslag leggen voor een meer bedrijfsboekhoudkundige manier van werken binnen de overheid.

Tenslotte nog iets over de balans of het vermogen van de staat. Eind 1996 is er nog een geconsolideerde balans van de overheden gepubliceerd met als waarde einde 1992. De waarde van de balans zou de tegenhanger zijn van de omvang van de schuld. Het is zeer belangrijk om op te maken dat de goederen van de staat een grote historische kostprijs hebben (bijv. gevechtsvliegtuigen), doch lage actuele marktwaarde. Inderdaad, om

---

[12]   Belgisch Staatsblad, 22 mei 1991.

redenen van algemeen belang, monopoliepositie of gewoon onmogelijk te verkopen hebben vele van de staatsbezitingen weinig of geen waarde.

De hiernavolgende tabel geeft een overzicht van de procedures inzake de opmaak van de rekening.

Tijdstip van voorlegging aan of indiening bij de kamers	
– Door de minister van Financiën :	
● Algemene toestand openbare schatkist en de voorlopige rekening van uitvoering van de rijksbegroting	vóór 30 april van het volgende jaar
– Door het Rekenhof :	
● Voorafbeelding van de uitslagen van de uitvoering van de begroting	in de loop van de maand mei volgend op het einde van het begrotingsjaar
● Algemene rekening van de staat	in de loop van de maand oktober van het volgende jaar
– Door de minister van Financiën :	
● Wetsontwerp houdende eindregeling van de begroting	in de loop van de maand oktober van het volgende jaar
● Wetsontwerp houdende eindregeling van de begroting van de staatsbedrijven	uiterlijk in de maand september van het volgende jaar

7. DE CONTROLE

De controle op de federale begroting vindt plaats op het interne en op het externe niveau.

7.1. De interne controle

I. De minister van Begroting : de federale minister van Begroting is bevoegd voor de controle op de uitgaven. Deze minister moet zijn akkoord geven aan de ontwerpen waarvoor geen of onvoldoende krediet bestaat of waardoor de ontvangsten worden beïnvloed of nieuwe uitgaven kunnen ontstaan.
De belangrijkste waakhonden van de minister van Begroting zijn de inspecteurs van financiën (infra).

II. De minister van Financiën : de federale minister van Financiën is bevoegd voor de ontvangsten en het monetaire beleid.

III. De minister van Openbaar Ambt : de federale minister van Ambtenarenzaken is bevoegd voor de personeelsformaties, de bezoldigingsregeling en de statutaire bepalingen.

Naast deze ministeriële controle zijn er nog tal van andere instanties, op ambtelijk vlak, die een controle verrichten.

145

I. De toezichtsambtenaren doen een regelmatigheids- en wettelijkheidscontrole a posteriori en zijn belast met het toezicht op de rekenplichtigen van de ontvangsten. Deze soort van controle vindt men voor het merendeel binnen het Ministerie van Financiën.

II. Het directoraat-generaal "Administratie van de begroting en de controle op de uitgaven" is een onderdeel van het Ministerie van Financiën. Hier worden de uitgaven geanalyseerd en opgevolgd. Tevens heeft het als taak om de minister te adviseren.

III. De inspectie van financiën is een autonoom interfederaal korps binnen de bovenvermelde administratie van de begroting. Ten aanzien van de uitgaven controleert zij de regelmatigheid en de wettelijkheid. Bovendien heeft de inspectie van financiën een opportuniteitscontrole. Dit laatste is uniek voor ambtenaren, want hierdoor kunnen de inspecteurs zich begeven op het gladde politiek ijs. Tevens geven zij advies over alle ontwerpen met een budgettaire weerslag. Zij staan hiërarchisch rechtstreeks onder de minister van Begroting (federaal, gemeenschap, gewest).
Als de betrokken minister het niet eens is met een advies van de Inspecteur van Financiën dan kan hij dit niet zomaar naast zich neerleggen en dit in tegenstelling tot andere adviezen. De betrokken minister dient dan het dossier over te maken aan zijn collega van begroting. Als de twee ministers geen akkoord bereiken dan kan de betrokken minister met het dossier naar de ministerraad gaan. In de praktijk zal de minister van Begroting meestal zijn Inspecteur van Financiën steunen. De leden van dit korps zijn dus de budgettaire waakhonden van de minister van Begroting.

IV. De controleurs van de vastleggingen worden aangeduid door de minister van Begroting en treden op ten aanzien van de uitgaven. In feite zijn zij de rekenplichtigen van de vastleggingen (i.c. de eerste fase van de uitgaven) en zij dienen ervoor te zorgen dat de begrotingskredieten niet worden overschreden.

7.2. Het Rekenhof

De externe controle op de begroting en de rekening gebeurt door het Rekenhof. Deze laatste instelling is een deel van de wetgevende macht. Het Rekenhof wordt geleid door een college van 12 raadsheren, waarvan zes Nederlandstaligen en zes Franstaligen. Zij worden door de Kamer van volksvertegenwoordigers benoemd voor een (hernieuwbare) periode van zes jaren. In de praktijk worden de mandaten van raadsheer verdeeld over de voornaamste politieke partijen.
De bevoegdheden van het Rekenhof zijn informatief, budgettair en rechtsprekend. Bovendien heeft het Rekenhof ook bevoegdheden op het vlak van vermogensbeheer.

Ten aanzien van zijn informatieve taak publiceert het hof elk jaar het "Boek van Opmerkingen", met daarin de opmerkingen aangaande de verlopen begrotingen.
Om de periode tussen twee boeken te overbruggen, publiceert het Rekenhof ook nog diverse mededelingen.
Op budgettair vlak is het Rekenhof bevoegd voor het nazicht van de rekeningen en de controle (i.c. de wettelijkheid, de regelmatigheid en de werkelijkheid) van de uitgaven.

Deze controle op de uitgaven gebeurt a priori, omdat het Rekenhof een visum moet verlenen. de controle op de ontvangsten is vrij nieuw (1993) en gebeurt a posteriori. Ten aanzien van het vermogensbeheer is het de taak van het Rekenhof om de lijst van mandaten, ambten, beroepen en vermogenaangifte bij te houden van de regeringsleden alsook van de parlementsleden, topambtenaren en andere hoogwaardigheidsbekleders. Anno 1998 ontbreekt het nog steeds aan uitvoeringsbesluiten met betrekking tot deze bevoegdheid.

Op jurisdictioneel vlak kan het hof een rekenplichtige of een afgevaardigde ordonnateur veroordelen voor een tekort in zijn kas. Het Rekenhof kan dan ook eisen dat de betrokkene dit terugstort. Maar het hof kan geen strafrechtelijke procedure inspannen en kan ook geen sancties nemen tegen de persoon overeenkomstig het statuut. Daarom zal het Rekenhof het desbetreffende dossier doorzenden naar de hiërarchisch verantwoordelijke minister.

De laatste jaren is er werk gemaakt van een aanpassing van de wetgeving (i.c. 29 mei 1846) op het Rekenhof. Zo zal het hof in de toekomst enige nieuwe bevoegdheden krijgen, zoals de goede aanwending van de overheidsgelden, een doelmatigheidscontrole en een betere controle op de overheidsbedrijven.

Literatuurlijst

CLOET M. en MATTHIJS H. (1996), Administratie en beleid, *Sociaal-economisch beleid* (deel I, ed. MATTHIJS H. en NAERT F.), STOHO – open universiteit, blz. 175-180.

DE CLERCQ W. (1991), *Algemene beginselen van de openbare financiën*, Brussel : Bruylant.

MATTHIJS H. (1996), *De overheidsbegrotingen*, Brugge : Die Keure.

VAN DE VOORDE A. en STIENLET G. (1995), "De rijksbegroting in het federale België", *Cepess bladen nr. 7.*

Trefwoorden en -zinnen van hoofdstuk 3

Financiering : Gewesten
Financiering : Gemeenschappen
Begrotingscyclus
Rekening
Controle

Hoofdstuk 3
DE GEMEENSCHAPPEN EN DE GEWESTEN

Sinds 1970 heeft België reeds diverse staatshervormingen doorgevoerd. Daardoor is er een nieuw bestuurlijk niveau ontstaan met de oprichting van de gemeenschappen en de gewesten.

1. DE STAATSHERVORMING

Het federale Koninkrijk België is opgedeeld in drie gewesten en drie gemeenschappen. De gewesten zijn Vlaanderen, Brussel en Wallonië. Zij zijn bevoegd voor de plaatsgebonden materies, namelijk ruimtelijke ordening, leefmilieu, huisvesting, landinrichting, landbouw, economie, buitenlandse handel, energie, lokale besturen, tewerkstelling, openbare werken en wetenschappelijk onderzoek.

Daarnaast zijn er de drie gemeenschappen, namelijk de Vlaamse (Vlaanderen en Nederlandstalig Brussel), de Waalse (Wallonië min het Duitstalig gebied maar met Franstalig Brussel) en de Duitstalige Gemeenschap. Deze laatste zijn de zogenaamde Oostkantons.
De gemeenschappen zijn bevoegd voor de persoonsgebonden materies, namelijk : onderwijs, cultuur, media en sociale zaken.
Er dient opgemerkt te worden dat vele van deze bevoegdheden in feite een gedeelde bevoegdheid zijn tussen de federale staat enerzijds en de gemeenschap/het gewest anderzijds.
Landbouw is bijvoorbeeld ten dele federaal en ten dele een bevoegdheid van het gewest.
Ten aanzien van het onderwijs is de federale staat nog steeds bevoegd voor de diplomavereisten en de schoolplicht.
Langs Vlaamse zijde zijn de gemeenschap en het gewest samengevoegd. Doch langs de Franstalige kant is er nog een strikt onderscheid tussen het gewest en de gemeenschap.

2. DE WETTELIJKE BEPALINGEN

In afwachting van een wet die uitvoering geeft aan artikel 50, §2, van de bijzondere financieringswet van 16 januari 1989 geldt de overgangsmaatregel van artikel 71 in diezelfde financieringswet.
Dit betekent dat de wettelijke regeling aangaande het Rekenhof, het verlenen van subsidies en de rijkscomptabiliteit van toepassing zijn op de gemeenschappen en de gewesten.
Daarom zijn de regels voor de beginselen en de presentatie van de begrotingen van de gemeenschappen en de gewesten dezelfde als voor de federale begroting.
De mogelijkheid bestaat wel dat de gemeenschappen en de gewesten in de toekomst een eigen regeling opstarten voor hun begrotingsstelsel.

149

3. DE FINANCIERING

De financiering van de gemeenschappen en de gewesten is vastgelegd in de bijzondere financieringswet van 16 januari 1989 en de wet van 31 december 1983. In de bedoelde bijzondere wet wordt het financieringsstelsel bepaald van de drie gewesten en de twee grote gemeenschappen. Bovendien bevat de bijzondere wet van 12 januari 1989 met betrekking tot de Brusselse instellingen nog enige specifieke bepalingen met betrekkingen tot de Brusselse begroting.

De financiering van de Duitstalige Gemeenschap wordt geregeld in de wet van 1983.

3.1. De gewesten

De budgettaire middelen van de drie gewesten zijn vastgelegd in de bijzondere financieringswet en voor het Brussels Hoofdstedelijk ook nog gedeeltelijk in de bijzondere wet aangaande de Brusselse instellingen.

Deze gewestelijke middelen zijn de volgende :

– De niet-fiscale ontvangsten die voortvloeien uit de toegekende bevoegdheden.

– De eigen fiscale middelen die voortvloeien uit de fiscale bevoegdheid van de gewesten. Voorbeelden hiervan zijn de milieubelasting en de mogelijke opcentiemen op het kijk- en luistergeld.

– De samengevoegde belasting is in omvang het belangrijkste financieringsmiddel. Ze heeft betrekking op een deel van de personenbelasting.

– De gewestelijke belastingen : De bijzondere financieringswet voorziet in enkele belastingen die volledig kunnen geïnd worden door de gewesten : spelen en weddenschappen, automatische ontspanningstoestellen, slijterijen, successierechten en onroerende voorheffing. De registratierechten komen maar ten dele te goed aan de gewesten. Tenslotte is er nog de opbrengst van de milieutaks. Belangrijk is wel dat de bevoegdheid ten aanzien van de heffingsgrondslag, de aanslagvoet en de vrijstellingen soms tot de federale overheid en soms tot de gewesten behoort.

– De leningen : De gewesten kunnen leningen aangaan mits goedkeuring van de federale overheid. Het federale toezicht op de leningen is bepaald in de bijzondere financieringswet om een concurrentieslag tussen de deelgebieden en de federale overheid te vermijden op de kapitaalmarkt.

– De wedertewerkstelling : De gewesten bekomen van de federale overheid middelen voor de financiering van programma's met betrekking tot de wedertewerkstelling.

– De nationale solidariteit : Elk gewest waarvan de gemiddelde opbrengst inzake de personenbelasting lager ligt dan de gemiddelde opbrengst inzake de personenbelasting per rijksinwoner bekomt een nationale solidariteitstussenkomst.

Daarnaast zijn er nog specifieke middelen voorzien voor het Brussels Hoofdstedelijk Gewest. Hieraangaande vermelden we de tegemoetkoming aan de Brusselse gewesten ter compensatie van het verlies voor de niet inning van de opcentiemen op de onroerende voorheffing, de federale dotatie voor de stad Brussel ter financiering van zijn Europese rol en de federale dotatie aan de Gemeenschappelijke Gemeenschaps Commissie (GGC) binnen het Hoofdstedelijk Gewest. De staatshervorming heeft de structuur van de Brusselse instellingen er niet doorzichtiger op gemaakt.

Binnen het gewest zijn er drie commissies : de Gemeenschappelijke, de Vlaamse en de Franstalige. De Gemeenschappelijke Gemeenschaps Commissie oefent de bi-communautaire bevoegdheden uit binnen het Brussels Hoofdstedelijk Gewest. Zij krijgt daarvoor kredieten vanwege de federale overheid en het Brussels Gewest.

De uni-communautaire bevoegdheden te Brussel worden uitgeoefend door de Vlaamse of de Franse Gemeenschapscommissie.

Ingevolge de staatshervorming van 1993 werden bepaalde gemeenschapsbevoegdheden overgedragen van de Franse Gemeenschap aan de Franse Gemeenschapscommissie. De belangrijkste middelen van deze twee gemeenschapscommissies zijn afkomstig van de respectievelijke Gemeenschap en het Brussels Hoofdstedelijk Gewest.

Tenslotte dienen we ook nog te vermelden dat de Brusselse agglomeratie als instelling nog steeds bestaat, doch haar taken worden waargenomen door het gewest.

3.2. De gemeenschappen

De reeds vermelde bijzondere financieringswet behandelt ook de middelen voor de Vlaamse en de Franse Gemeenschap.

Daarnaast regelt de wet van 31 december 1983 de financiering van de Duitstalige Gemeenschap.

Voor de twee grote gemeenschappen zijn de hiernavolgende middelen voorzien :
– De niet-fiscale ontvangsten : dit zijn de middelen die samenhangen met de uitoefening van hun bevoegdheden.
– De fiscale ontvangsten : het enige voorbeeld van deze soort van ontvangsten is het kijk- en luistergeld.
– Gedeelde belastingen : aan de hand van diverse parameters (inflatie, intrest, bevolkingsaantal, het aantal schoolplichtige jongeren enz.) wordt een deel van de personenbelasting en de BTW overgeheveld naar de twee gemeenschappen.
– Leningen : ook de gemeenschappen kunnen leningen aangaan mits goedkeuring van de federale overheid.
– Buitenlandse universitaire studenten : de federale overheid geeft jaarlijks kredieten aan de twee gemeenschappen voor de financiering van de buiten de EU komende studenten aan de Belgische universiteiten.

Afwijkend van het voorgaande is er een aparte regeling voor de Duitstalige Gemeen-schap. De desbetreffende middelen zijn :
– De niet-fiscale ontvangsten
– De fiscale ontvangsten (bijv. kijk- en luistergeld)
– Het begrotingskrediet vanwege de federale overheid
– De leningen

4. DE BEGROTINGSCYCLUS

Onder de begrotingscyclus verstaat men ook hier de voorbereiding, de goedkeuring en de uitvoering.

Net zoals bij de federale begroting is ook hier de voorbereiding het onderwerp van talrijke voorstellen en bilaterale onderhandelingen. Reeds in de maand april van het voorafgaande jaar worden de eerste prognoses gemaakt. Het kabinet van Begroting heeft talrijke overlegrondes met de andere kabinetten en de administratie. Tevens worden de begrotingsvoorstellen voor advies voorgelegd aan de inspectie van financiën.

In de loop van de maand juli volgen de zogenaamde bilaterale gesprekken tussen de minister van Begroting en de desbetreffende ministers. Uiteindelijk komt uit deze gesprekken een begrotingsontwerp tot stand.

De Vlaamse overheid is de laatste jaren actief binnen de begroting met nieuwe technieken, zoals privatiseringen, Zero Base Budgetting, enveloppefinanciering enz.

Ten aanzien van de begrotingsnormering werkt de Vlaamse regering met de zogenaamde, "Meesternorm". Deze norm geeft aan welke groei de uitgaven van jaar tot jaar mogen kennen. Als een bepaalde uitgavenpost sterker stijgt dan het genormeerde groeipad toelaat, dan dient er op andere uitgavenposten gecompenseerd te worden. Sinds 1994 werkt de Vlaamse overheid ook met een meerjarenplanning van de begroting en dit voor de volgende drie jaren.

De federale overheid voert jaarlijks overleg met de gemeenschappen en de gewesten met betrekking tot de middelen voor de deelgebieden op basis van de bijzondere financieringswet en het algemene fiscale beleid. Deze gesprekken vinden plaats in het overlegcomité en binnen de afdeling financieringsbehoeften van de Hoge Raad Financiën.

De ontvangsten van de gemeenschappen en de gewesten zijn grotendeels vastgelegd in de bijzondere financieringswet. Het merendeel van deze ontvangsten wordt geïnd door het federale Ministerie van Financiën en doorgestort.

Hierna volgt een overzicht van de ontvangsten sinds 1992 (in miljarden BEF) voor de Vlaamse Gemeenschap.

Tabel 3.9. : Overzicht van de ontvangsten van Vlaanderen sinds 1992 (zonder de opbrengst van leningen).

Jaar	ontvangsten (in miljarden BEF)
1992	404,4
1993	429,2
1994	460,8
1995	490,1
1996	505,7
1997	544,3
1998	572,9
1999	604,8

Voor het begrotingsjaar 1999 zijn de voornaamste ontvangsten als volgt vastgelegd (in miljarden BEF), namelijk :

Tabel 3.10. : De ontvangsten voor het begrotingsjaar 1999 (in miljarden BEF)

gedeelde belastingen	314,4
kijk- en luistergeld	17,6
gewestelijke belasting	35,7
samengevoegde belasting	223,8
andere middelen	13,3

Ten aanzien van de uitgaven gaat ruim 40 % van de begroting naar de sector onderwijs. De belangrijkste uitgavenpost zijn de lokale besturen (10 %), welzijn (8,5 %), openbare werken en verkeer (7,5 %). In de hiernavolgende tabel geven we een overzicht van de belangrijkste uitgaven van de Vlaamse Gemeenschap in 1999.

Tabel 3.11. : Uitgaven van de Vlaamse Gemeenschap in 1999 (in miljarden BEF)

onderwijs	248,5	41,78 %
lokale besturen	59,9	10,08 %
welzijn	53,4	8,99 %
openbare werken/verkeer	48,3	8,13 %
werkgelegenheid/opleiding	31,2	5,25 %

Over de laatste jaren zijn de uitgaven als volgt geëvolueerd :

Tabel 3.12 : uitgaven (in miljard BEF)

Jaar	Uitgaven (in miljarden BEF)
1992	434,2 (tekort 30 miljard)
1993	480,1 (tekort 50 miljard)
1994	502,3 (tekort 42 miljard)
1995	520,4 (tekort 30 miljard)
1996	533,3 (tekort 28 miljard)
1997	553,2 (tekort 8,9 miljard)
1998	571,7 (overschot 1,2 miljard)
1999	594,8 (overschot 10 miljard)

De ontvangsten zijn gegroepeerd in de middelenbegroting en de uitgaven vindt men terug in de algemene uitgavenbegroting.

De tweede fase van de begrotingscyclus is de goedkeuring van de begroting. Ook hier is de regeling van de rijkscomptabiliteit van toepassing.

De bevoegde minister van Financiën en Begroting dient het ontwerp in bij het parlement voor 31 oktober van het voorafgaande jaar. Binnen de parlementen van de gemeenschappen en de gewesten worden de ontwerpen van begroting eerst besproken in de commissies en later in de algemene vergadering. Ook hier dient de begroting te worden goedgekeurd voor het einde van het kalenderjaar. Want anders wordt het stelsel van voorlopige kredieten/financiewet van toepassing.

De doelstellingen van de middelen – alsook de algemene uitgavenbegroting – worden uitgevoerd met een zogenaamd "begeleidingsdecreet", dit is de tegenhanger van de federale programmawet.

De begrotingsontwerpen moeten niet geadviseerd worden door de Raad van State. Wel kan het parlement van één gemeenschap of één gewest aan het Rekenhof vragen om een doorlichting te doen van de ontwerpen.

De grondwettelijk voorziene alarmbel is niet van toepassing op de federale begroting. Doch de alarmbelprocedure in de wet van 3 juli 1971 is wel van toepassing op de begrotingen van de gemeenschappen en de gewesten.

Hierdoor kan een met reden omklede motie, ondertekend door tenminste 1/4 van de leden van het parlement en ter tafel gelegd na de indiening van het verslag en voor de eindstemming in openbare vergadering, bepalen dat een ontwerp of een voorstel van decreet discriminerend werkt op ideologisch en/of filosofisch vlak.

De ontwerpen van begroting moeten goedgekeurd zijn voor het einde van het voorafgaande jaar. Indien deze regeling niet wordt gehaald, dan dient men het stelsel toe te passen van de financiewet en de voorlopige kredieten, zoals bij de federale begroting.

Ten aanzien van de diverse Brusselse begrotingen is er één speciale regeling, namelijk voor de "Gemeenschappelijke Gemeenschap Commissie". De goedkeuring van deze begroting behoeft een meerderheid in beide taalgroepen.

Tenslotte is er nog de uitvoering als derde deel van de begrotingscyclus. Hier is de federale regeling ook van toepassing.

5. DE REKENING

De opstelling van de rekeningen van de gemeenschappen en de gewesten kent dezelfde procedure als bij de federale rekening. Ook bij deze rekeningen kent men een ernstige vertraging.

6. DE CONTROLE

De bepalingen van het KB van 16 november 1994 aangaande de interne begrotingscontrole is niet meer van toepassing op de Vlaamse begroting. Hier heeft de Vlaamse regering een eigen besluit aangaande de interne controle in voege laten treden.

De hoofdlijnen van dit besluit zijn :
– Een strengere begrotingscontrole
– Een doelmatigheidscontrole
– Een grotere bevoegdheid aan de minister van Begroting
– De aanduiding van eigen controle-ambtenaren (i.c. controleurs der vastleggingen)
– Een grotere rol van de gedetacheerde inspecteurs van financiën

De regeling van de externe controle, i.c. het Rekenhof, is helemaal van toepassing op de gemeenschappen en de gewesten. De deelgebieden hebben wel geen zeggingsmacht in de aanduiding van de raadsheren in het Rekenhof.

De rekenplichtigen van de gemeenschappen en de gewesten dienen in beroep te gaan tegen een arrest van het hof, bij een ad hoc commissie van de Kamer van volksvertegenwoordigers.

Literatuurlijst

BOON A. (1998), "De begrotingsdecreten van de Vlaamse Gemeenschap versus de wetten op de rijkscomptabiliteit" *Documentatieblad van het Ministerie van Financiën, nr. 3*, blz. 13-42.

DEKETELAERE K. (ed.) (1997), *Vlaamse fiscaliteit status questiones*, Brugge : Die Keure.

DEMEESTER W., *Het centenblaadje* (Jaarlijkse uitgave van de Vlaamse Minister van begroting).

MATTHIJS H. (1994), "Het nieuwe financieringsstelsel voor de gemeenschappen en de gewesten" *Tijdschrift voor bestuurswetenschappen en publiekrecht. nr. 9*, blz. 579-593.

SPINNOY C. (1995), "De financiering van de gemeenschappen en de gewesten na het Sint Michielsakkoord . De effecten op de openbare financiën van het federale België", *Documentatieblad van het Ministerie van Financiën, nr. 1*, blz. 127-242.

Trefwoorden en -zinnen van hoofdstuk 4

Begrotingsbeginselen
Begrotingspresentatie (gemeenten)
Budgettaire boekhouding (gemeenten)
Algemene boekhouding (gemeenten)
Classificatie : functioneel (gemeenten)
Classificatie : economisch (gemeenten)
Uitgaven (gewone)
Uitgaven (buitengewone)
Ontvangsten (gewone)
Ontvangsten (buitengewone)
Begroting (gewone : gemeenten)
Begroting (buitengewone : gemeenten)
Uitgaven (verplichte : gemeenten)
Uitgaven (niet-verplichte : gemeenten)
Voorbereiding begroting (gemeenten)
Financieel meerjarenplan (gemeenten)
Goedkeuring van de begroting (gemeenten)
Uitvoering van de begroting (gemeenten)
Nieuwe gemeentelijke boekhouding (NGB)
Ontvanger (gemeenten)
Rekening (gemeenten)
Controle
OCMW's

Hoofdstuk 4
DE LOKALE BESTUREN (DE GEMEENTEN)

In dit laatste onderdeel bespreken we het begrotingsstelsel van de lokale besturen, namelijk de gemeenten en de OCMW's.

Ingevolge de gemeentewet van 1836 hadden de gemeenten een zeer ruime autonomie gekregen. Deze situatie had ook betrekking op de financiële autonomie. Rond 1860 werd er door de toenmalige liberale regering ingegrepen. Inderdaad de binnenlandse gemeentelijke tol en talrijke lokale financiële regelingen werden afgeschaft. Ter compensatie voor het inkomstenverlies werd het "gemeentefonds" opgericht.

Het was pas na de Tweede Wereldoorlog dat er nog eens grote veranderingen plaatsvonden in het gemeentelijke begrotingsstelsel. Bij besluit van de regent van 10 februari 1945 werd het "Algemeen Reglement op de Gemeentelijke Comptabiliteit" (ARGC) van toepassing. De wet van 24 december 1948 (Wet-Vermeylen) heeft de gemeentelijke fiscaliteit herschikt en meer middelen vrijgemaakt voor het gemeentefonds.

Het KB van 2 augustus 1990 voerde een volledig nieuw begrotingsstelsel in bij de gemeenten. Nogal wat fundamentele begrotingsregels zijn ook vastgelegd in de "Nieuwe GemeenteWet" (NGW).

1. DE BEGINSELEN

Net zoals bij de federale begroting, alsook deze van de gemeenschappen en de gewesten, kent men ook in dit begrotingsstelsel het bestaan van beginselen.

– De eenjarigheid : Dit beginsel houdt in dat de ontvangsten en de uitgaven betrekking hebben op de periode van het kalenderjaar. De gemeenteraad dient elk jaar de begroting goed te keuren.

– De algemeenheid (universaliteit, totaliteit) : Dit betekent dat alle ontvangsten en alle uitgaven moeten opgenomen zijn in de begroting en in de rekening. Dit beginsel houdt ook in dat het volledige bedrag van alle ontvangsten in de begroting alsook in de boekhouding moet worden ingeschreven, ook wanneer de uitgaven geheel of gedeeltelijk worden gecompenseerd door ermee overeenstemmende ontvangsten.

– De specialiteit : Dit houdt in dat de ontvangsten en de uitgaven nauwkeurig moeten gespecifieerd worden, zowel wat hun omschrijving als wat hun bedrag betreft. Alle ontvangsten en alle uitgaven worden aangerekend op het desbetreffende begrotingsartikel.

– De eenheid : Dit begrotingsbeginsel hangt nauw samen met dat van de universaliteit (supra) en de specialiteit (supra). Het betekent dat alle ontvangsten en alle uitgaven samengebracht worden in één begrotingsdocument.

– De openbaarheid : Dit betekent dat het ontwerp van begroting en van rekening openbaar besproken wordt in de gemeenteraad. Tevens is de gemeente verplicht om de begroting te laten inzien door elke burger die erom vraagt.

– Het evenwicht : In 1982 werd het begrotingsevenwicht opgelegd aan de gemeenten en dit vanaf 1988. Later werd dit beginsel ook geïnstitutionaliseerd in de nieuwe gemeentewet en het Vlaamse decreet inzake het administratief toezicht.

De belangrijkste oorzaken van het ontstaan van begrotingstekorten zijn zowel extern als intern van aard. Op de externe oorzaken hebben de gemeenten weinig of geen greep en zij hangen vaak samen met het algemeen economisch klimaat. De interne oorzaken hebben betrekking op het eigen gemeentelijk beleid.

I. Tot de externe oorzaken behoren :
    – Een neerwaartse economische conjunctuur met de gevolgen daarvan op fiscaal vlak, inzonderheid op de opbrengst van de personenbelasting en de onroerende voorheffing (toegenomen werkloosheid, stagnatie in de bouwactiviteit).
    – De vertraagde aangroei van het gemeentefonds door besparingsmaatregelen van de overheid. De gemeenten moeten bijdragen tot het herstel van de overheidsfinanciën.
    – Verminderde overheidstoelagen voor wedden en infrastructuur (vb. bibliotheekwerking).
    – De gestegen energieprijzen.
    – De verhoogde sociale uitgaven, voornamelijk via de bestaansminima waarin het OCMW, en dus onrechtstreeks de gemeenten, bijdragen.
    – De gestegen rentelasten voor de investeringsleningen.
    – De financiële problemen van sommige intercommunale verenigingen.
    – Het opleggen van sommige lasten aan de gemeenten, bijvoorbeeld inzake de kosten van werken voor beschermde gebouwen.

II. Tot de interne oorzaken behoren :
    – Een onvoldoende fiscale inspanning in vergelijking met de uitgebouwde dienstverlening.
    – Een onoordeelkundig investeringsbeleid. De financiële weerslag van vele investeringen is uitermate belangrijk. Niet alleen blijven de leningslasten dikwijls twintig jaar op de begroting wegen, maar bovendien hebben veel initiatieven verhoogde personeels- en werkingskosten tot gevolg, die vaak onvoldoende nauwkeurig worden berekend op het ogenblik van de investeringsbeslissing.
    – Het peil van de personeelskosten is buitensporig hoog tegenover de andere gemeentelijke uitgaven en tegenover de middelen die redelijkerwijze kunnen worden bekomen. Zowel het aantal personeelsleden in dienst, als het weddeniveau is in dit verband van belang.
    – Het ontijdig en onvoldoende inpikken door het bestuur op de financiële gevolgen van omstandigheden of maatregelen die door de overheid buiten de verantwoordelijkheid van de gemeenten worden opgelegd (cfr. de externe oorzaken).
    – Het ontbreken van managementsgeest en moed bij hen die politieke verantwoordelijkheid in de gemeente dragen om niet-populaire maatregelen te nemen.

Artikel 253 van de nieuwe gemeentewet stelt dat de gemeenten die in gebreke blijven om een sluitende begroting in de zin van artikel 252 in te dienen :

I. Op hun personeelsleden, met inbegrip van degenen die functies uitoefenen welke inherent zijn aan de bijzondere werkzaamheden van die gemeenten, de bezoldigingsregel en de weddeschalen van het personeel der ministeries mogen toepassen.

II. Aan de leden van hun onderwijzend personeel slechts de wedde mogen toekennen waarop de betrokkenen, rekening houdend met hun bekwaamheidsgetuigschriften, recht zouden hebben indien zij lid waren van het personeel van het rijksonderwijs, alleen vermeerderd met de vergoedingen en toelagen die het rijksonderwijs worden toegekend.

III. De aan de hoedanigheid van lid van het onderwijzend personeel verbonden bezoldiging niet mogen toekennen aan een personeelslid in overtal ten opzichte van de nationale reglementering inzake schoolbevolkingsnormen, evenmin als aan een personeelslid dat niet in het bezit is van de vereiste of van de als voldoende geachte getuigschriften.

Het verdrag tot oprichting van de Europese Unie (Maastrichtakkoord) bevat normen ten aanzien van de begrotingstekorten en de schulden. Dit verdrag heeft het over "overheidstekort" (3 % BBP) en "overheidsschuld" (60 % BBP). Dit betekent dat de tekorten en de schulden van de lokale besturen worden meergerekend in het nationaal cijfer. Zodoende zal de begrotingssituatie van de lokale besturen worden bïnvloed door de EU-normen en omgekeerd.

2. DE PRESENTATIE

Sinds 1995 wordt de gemeentelijke begroting opgesteld op basis van een dubbel stelsel, namelijk de kasbegroting en de algemene boekhouding.

2.1. De gemeentelijke budgettaire boekhouding

tot en met het begrotingsjaar 1994 bestond de gemeentelijke begroting enkel uit een budgettaire boekhouding. Dit stelsel is gestoeld op het ARGC (Algemeen Reglement op de Gemeentelijke Comptabiliteit) uit 1945. De basis is een functioneel-economische indeling en dit op basis van een kasbegroting.

a. *De indeling*

Binnen de begroting vindt men de onderstaande volgorde terug namelijk namelijk :
– Algemene gegevens over de gemeente en de belangrijkste belastingen.
– Overzichtstabellen van de gewone en buitengewone dienst met daarin een overzicht van de financiële toestand waarmee de begroting van het volgende jaar start.
– Begroting van uitgaven en ontvangsten van de vorige dienstjaren.
– Begroting van het dienstjaar (per functie onderverdeeld in gewone en buitengewone begroting, met telkens links de uitgaven en rechts de ontvangsten).
– Samenvattingstabellen voor de gewone en buitengewone dienst met een recapitulatie van de uitgaven en ontvangsten per functie en per economische groep.

Daarnaast moet de begroting vergezeld zijn van een reeks verplichte bijlagen namelijk :
– Een programma van de tijdens het dienstjaar uit te voeren investeringen, met vermelding van de financieringswijze.
– Een tabel van de gemeenteleningen met naast de opgenomen leningen en leasing ook de gedurende het dienstjaar op te nemen leningen en leasing.
– De evolutie van de gemeenteschuld, gaande van het voorlaatste dienstjaar tot drie jaar na het begrotingsjaar.

- De personeelsuitgaven, met een opsplitsing volgens het administratieve statuut waartoe het personeel behoort.
- Een tabel van het Investeringsfonds met de toestand i.v.m. het gebruik van de trekkingsrechten.
- Een meerjarig financieel beleidsplan.
- Een syntheserapport met de krachtlijnen van de voorgelegde begroting en de belangrijkste financiële implicaties van het geplande beleid.
- Een jaarverslag over het dienstjaar waarvoor de laatste rekening werd goedgekeurd.
- Het advies van de begrotingscommissie.
- Het advies van de raad voor cultuurbeleid.

b. De functionele code

De functionele Benelux code duidt op de toewijzing van de uitgaven, en de oorsprong van de ontvangsten. Ze duidt aan met welke dienst de geldstromingen te maken hebben (cfr. federale begroting).

Zij omvat 10 hoofdfuncties, genummerd van 0 tot 9.

0 – Niet-verdeelbare ontvangsten en uitgaven
1 – Algemeen bestuur
2 – Landsverdediging (wordt niet gebruikt in de gemeentebegroting)
3 – Openbare orde en veiligheid
4 – Verkeer en waterstaat
5 – Handel, nijverheid en middenstand
6 – Landbouw, visserij en voedselvoorziening
7 – Onderwijs, cultuur, recreatie en eredienst
8 – Sociale voorzieningen en volksgezondheid
9 – Volkshuisvesting en ruimtelijke ordening

Het cijfer 0 wordt gebruikt wanneer bepaalde uitgaven en ontvangsten niet aan één van de hoofdfuncties 1 tot en met 9 kunnen toegewezen worden.

De functionele code bestaat uit minimum drie cijfers en maximaal vijf cijfers.

Het eerste cijfer slaat op de hoofdfunctie, het tweede cijfer geeft een indeling van de hoofdfunctie (functies genoemd), het derde cijfer geeft een indeling van een functie, (subfuncties genoemd) enz.

Het vierde en het vijfde cijfer hebben geen specifieke betekenis, zij laten enkel een verdere onderverdeling toe.

De verrichtingen, opgenomen in de gemeentebegroting, worden in functionele groepen gegroepeerd. De gemeenten zijn verplicht een aantal functies in de modelbegroting te onderscheiden. Deze indeling vindt men terug in het samenvattend overzicht van de begroting.

Tabel 3.13. : De functionele groepen en hun statistiekcode.

Statistiekcode	Omschrijving van de functiegroep	Groep
009	Algemene ontvangsten en uitgaven	F 00
019	Algemene schuld	F 01
029	Fondsen	F 02
049	Belastingen en retributies	F 04
059	Vezekeringen	F 05
123	Algemene administratie	F 10-121
129	Privaat patrimonium	F 124
139	Algemene diensten	F 13
399	Justitie – Politie	F 3
369	Brandweer	35-36
499	Verkeer – Wegen – Waterlopen	F 4
599	Handel – Nijverheid	F 5
699	Landbouw	F 6
729	Basisonderwijs	F 70-72
739	Secundair, Kunst en Technisch onderwijs	F 73
749	Hoger onderwijs	F 74
759	Onderwijs gehandicapten	F 75
789	Volksontwikkeling en Kunst	F 76-77-78
767	Openbare bibliotheekwerking	F 767
799	Eredienst	F 79
839	Sociale zekerheid en bijstand	F 82-83
849	Sociale hulp en gezinsvoorziening	F 84
872	Gezondheid en Hygiëne	F 870-872
874	Voeding – Water	F 873-874
876	Ontsmetting – Reiniging – huisvuil	F 875-876
877	Afvalwater	F 877
879	Begraafplaatsen en Milieubescherming	F 878-879
939	Huisvesting – Stedebouw	F 9

c. De economische code

De economische code duidt op de aard van de ontvangsten en uitgaven. Zij omvat eveneens 10 hoofdfuncties, genummerd van 0 tot 9 :

0 – Niet-verdeelbare ontvangsten en uitgaven
1 – Lopende uitgaven en ontvangsten voor goederen en diensten
2 – Renten, verliezen en winsten van bedrijven
3 – Inkomensoverdrachten aan en van andere sectoren
4 – Inkomensoverdrachten binnen de overheidssector
5 – Vermogensoverdrachten van en naar andere sectoren
6 – Vermogensoverdrachten binnen de overheidssector
7 – Investeringen
8 – Kredietverleningen en deelnemingen
9 – Overheidsschuld en overboekingen

161

Het cijfer 0 wordt gebruikt voor de ontvangsten en uitgaven die niet aan één van de hoofdfuncties 1 tot en met 9 kunnen toegewezen worden.

De hoofdfuncties 1 tot en met 4 bevatten de lopende verrichtingen, dit zijn de zogenaamde werkings- of courante uitgaven welke nodig zijn voor de werking van het gemeentebestuur (o.a. personeelsuitgaven en onderhoudskosten) en de inkomsten die nodig zijn om deze uitgaven te kunnen doen (o.a. belastingen).

De hoofdfuncties 5 tot en met 9 bevatten de kapitaalverrichtingen, deze betreffen het gemeentelijk vermogen (o.a. investeringen).

De hoofdfuncties zijn op hun beurt ingedeeld in functies en subfuncties.

Daar waar bij de functionele code het tweede en derde cijfer geen specifieke betekenis hebben is het tweede cijfer bij de economische code zeer belangrijk. De functies 1 tot en met 5 hebben betrekking op de uitgaven, de functies 6 tot en met 9 hebben betrekking op de ontvangsten.

Het derde cijfer heeft geen specifieke betekenis en laat enkel een verdere onderverdeling toe.

Er bestaan negatieve economische codes, in tegenstelling tot de functionele codes die nooit negatief kunnen zijn. Negatieve economische codes ontstaan waar een bepaalde verrichting geheel of gedeeltelijk ongedaan wordt gemaakt. Dit is het geval voor rechtzettingen en terugbetalingen.

Binnen elk functioneel hoofdstuk worden de ontvangsten en de uitgaven geordend in economische groepen. Elke economische groep omvat de gelijksoortige kredieten. De indeling is als volgt :

I. Gewone uitgaven (GU)

1. GU Personeel (hoofdnatuur 1)

Deze economische groep bevat de lonen en de sociale lasten van het gemeentepersoneel.

2. GU Werkingskosten (hoofdnatuur 1)

Hier vindt men de uitgaven voor de werking van de gemeentelijke diensten, uiteraard zonder de personeelskosten. Het gaat dan om administratieve kosten (kantoorbenodigdheden, abonnementen, enz.), technische kosten (brandstoffen, onderhoudskosten, enz.) en vergoedingen en honoraria betaald aan derden.

3. GU Overdrachten (hoofdnaturen 3 en 4)

Dit zijn de inkomensoverdrachten van de gemeente (d.w.z. financiële transacties zonder direct aanwijsbare tegenprestatie) naar derden.

Voorbeelden hiervan zijn allerhande subsidies aan het verenigingsleven, de dotaties ter financiering van het tekort van het OCMW en van de kerkfabrieken, enz.

4. GU Schuld (hoofdnaturen 2 en 9)

Deze categorie bevat voornamelijk de aflossingen en intresten van de door de gemeente opgenomen leningen ter financiering van de buitengewone dienst (zie buitengewone ontvangsten). Enkel de regelmatige aflossingen worden hier vermeld, dus niet de vervroegde aflossingen (buitengewone uitgaven).

5. GU Overboekingen (hoofdnatuur 9)

Hier vindt men de overboekingen van de gewone dienst naar een gewoon of buitengewoon reservefonds en naar de buitengewone dienst. Daarnaast zijn er ook de dotaties aan de voorzieningen voor risico's en kosten.

II. Gewone ontvangsten (GO)

1. GO Prestaties (hoofdnatuur 1)

Hier vindt men de ontvangsten afkomstig van de door de gemeenten verrichte diensten of leveringen, zoals de opbrengst van verhuringen of de verkoop van toegangsbewijzen.

2. GO Overdrachten (hoofdnaturen 3, 4 en 6)

In deze economische groep staan de inkomensoverdrachten van andere openbare besturen, gezinnen en ondernemingen. Er zijn drie belangrijke onderdelen : de fondsen (vooral Gemeentefonds en Sociaal Impulsfonds), de subsidies (bijv. weddesubsidies voor het onderwijzend personeel of werkingssubsidies voor de bibliotheek) en de belastingen.

3. GO Schuld (hoofdnaturen 2, 8 en 9)

Deze economische groep bevat de ontvangsten uit schuldvorderingen van de gemeente of uit haar patrimonium, zoals intresten van beleggingen, dividenden uit participaties in intercommunales, enz.

4. GO Overboekingen (hoofdnatuur 9)

Hier vindt men de overboekingen vanuit een gewoon reservefonds of vanuit de buitengewone dienst (slechts in uitzonderlijke omstandigheden toegelaten), naast de terugnemingen of aanwendingen van de voorzieningen voor risico's en kosten.

III. Buitengewone uitgaven (BU)

1. BU Overdrachten (hoofdnaturen 5 en 6)

De economische groep omvat de zogenaamde kapitaaloverdrachten van de gemeenten aan derden, zoals investeringssubsidies aan verenigingen, het OCMW of kerkfabrieken, verplichte restauratiepremies voor beschermde monumenten, enz.

2. BU Investeringen (hoofdnatuur 7)

Hier komen de gemeentelijke investeringen in wegen, gebouwen, materieel, enz. Het gaat zowel om eigen realisaties (bijv. het aanleggen van een weg in eigen beheer), als om pure aankopen van duurzame goederen.

3. BU Schuld (hoofdnaturen 8 en 9)

Deze ietwat misleidende term slaat op de door de gemeente toegestane leningen. Voorts vindt men er ook de beleggingen op lange termijn (meer dan 1 jaar) en de aankopen van effecten in bijv. intercommunales. Daarnaast staan hier ook de vervroegde aflossingen van leningen.

4. BU Overboekingen (hoofdnatuur 9)

Hier treft men de overboekingen aan naar een buitengewoon reservefonds en de (slechts uitzonderlijk toelaatbare) overboekingen naar de gewone dienst.

IV.   *Buitengewone ontvangsten (BO)*

1. BO Overdrachten (hoofdnaturen 5 en 6)

Deze economische groep bevat de door de gemeente ontvangen kapitaalsubsidies, bestemd voor de financiering van investeringen. Belangrijkste element hiervan zijn de trekkingsrechten uit het Investeringsfonds.

2. BO Investeringen (hoofdnatuur 7)

Ook hier gaat het om een wat misleidende term, want het gaat voornamelijk om de ontvangsten uit de verkoop van gemeentelijke activa, zoals gronden of gebouwen (dus eigenlijk desinvesteringen).

3. BO Schuld (hoofdnaturen 8 en 9)

Op deze plaats vindt men de ontvangsten uit de door de gemeente opgenomen leningen. Wanneer de gemeente effecten verkoopt, vindt men daarvan ook hier de ontvangsten terug.

4. BO Overboekingen (hoofdnatuur 9)

De economische groep bevat de ontvangsten afkomstig van de overboeking uit een buitengewoon reservefonds of vanuit de gewone dienst.

d. De gewone en buitengewone begroting

De gewone ontvangsten en uitgaven worden gescheiden van de buitengewone ontvangsten en uitgaven. Vanaf het dienstjaar 1982 behoren alle kredieten, ontvangsten en uitgaven met een volgnummer van 01 tot en met 50 tot de gewone dienst en alle kredieten, ontvangsten en uitgaven met een volgnummer van 51 tot en met 99 tot de buitengewone dienst. De belastingcodes vormen hier een uitzondering op.

De uitgaven van iedere dienst moeten door ontvangsten van dezelfde aard tegengewogen worden. De buitengewone ontvangsten mogen niet tot dekking van gewone uitgaven gebruikt worden.

1) De gewone begroting

De gewone begroting bevat de ontvangsten en de uitgaven voor de normale dagelijkse werking van het gemeentebestuur. Het zijn de uitgaven die jaarlijks terugkomen en de ontvangsten die als geregelde opbrengsten kunnen beschouwd worden.

I. De gewone uitgaven

De gewone uitgaven omvatten inzonderheid :

1. Het nadelig saldo van de gewone dienst van het voorafgaande dienstjaar.
2. De jaarlijkse uitgaven aan de gemeenten opgelegd door de wetten en reglementen van algemeen bestuur.
3. De werkingskosten van de verschillende gemeentelijke diensten.
4. De subsidies en aanmoedigingen door de gemeente verleend.
5. Het eventueel nadelig saldo der zelfstandig beheerde bedrijven.
6. De geregelde aflossing en de intresten van de leningen en andere schuldenlasten, alsmede de nalatigheids- of verwijlintresten.
7. Een post waaruit de onvoorziene uitgaven, met uitzondering van alle onverplichte uitgaven en personeelsuitgaven, zullen bestreden worden.
8. De opnemingen op de gewone ontvangsten tot stijving van de buitengewone begroting of het kasgeldfonds.

De gewone uitgaven moeten verplicht gefinancierd worden met de eigen middelen van de gemeente, zoals belastingen, opbrengsten van het gemeentefonds, enz. Het is dus niet toegelaten kredieten op te nemen voor de financiering van de gewone uitgaven.

II. De gewone ontvangsten

De gewone ontvangsten omvatten inzonderheid :

1. Het batig saldo van de gewone dienst van de voorafgaande dienstjaren.
2. De vermoedelijke bedragen van de aandelen van de gemeente in de rijksbelastingen.
3. Het aandeel der gemeente in de dotatie van het fonds van de gemeenten.
4. De vermoedelijke opbrengst van de diverse gemeentebelastingen.
5. De vermoedelijke opbrengst van de retributies en rechten geheven ten bate van de gemeenten.
6. De opbrengst van verhuringen, verpachtingen, renten en concessies.
7. De renten van de uitstaande kapitalen.
8. De tegemoetkomingen van rijk en provincie in de jaarlijkse uitgaven van de gemeenten.
9. De terugbetaling van de lasten door de gemeente voor rekening van de zelfstandig beheerde gemeentebedrijven aangegaan, zomede de nettobedrijfswinst dezer diensten.
10. De terugbetaling, door het OCMW van het aandeel in het gemeentefonds.
11. De onvoorziene ontvangsten.

2) De buitengewone begroting

De buitengewone begroting mag enkel de grote uitgaven voor verbetering of uitbreiding van het gemeentelijk patrimonium omvatten, met uitzondering van alle uitgaven voor onderhoud of gewone herstelling, welke thuishoren in de gewone dienst.

Eveneens worden tot de buitengewone begroting de ontvangsten en uitgaven gerekend die beschouwd moeten worden als kapitaalverrichting ter financiering van de gemeentelijke investeringen. Voor iedere op de buitengewone begroting voorziene aanneming van gemeentewerken worden afzonderlijke ontvangst- en uitgaveposten uitgetrokken.

De buitengewone begroting bevat enkel de kredieten voor de uitgaven welke tijdens het begrotingsjaar werkelijk zullen worden aangewend.

In de buitengewone begroting kan men wel gebruik maken van schuldfinanciering. Daarnaast kunnen de verkoop van activa van de gemeente en de overdracht van kapitaalsubsidies voor bijkomende ontvangsten zorgen. Tevens kan de gemeente middelen van de gewone begroting overhevelen naar de buitengewone begroting. Het omgekeerde is niet toegelaten, want dan zouden de gewone uitgaven toch met schulden gefinancierd worden.

I. De buitengewone ontvangsten

De buitengewone ontvangsten omvatten de volgende punten :
1. Het batig saldo van de buitengewone dienst van de voorgaande dienstjaren.
2. De opbrengst van de vervreemding van gemeentegoederen en van effecten.
3. De tegemoetkoming van rijk en provincie in de gemeentelijke uitgaven van buitengewone aard.
4. De terugbetaling van uitgeleende kapitalen.
5. De opbrengst der geldleningen.
6. De opnemingen op de gewone ontvangsten der gemeente.
7. De onvoorziene ontvangsten.

II. De buitengewone uitgaven

De buitengewone uitgaven omvatten :
1. Het nadelig saldo van de buitengewone dienst van de voorgaande dienstjaren.
2. De kosten van bouw-, aanleg- en aanzienlijke herstellingswerken van gebouwen en wegen.
3. De belangrijkste uitgaven voor aankoop van meubelen en materieel.
4. De kosten van elektrificatie-, watervoorzienings-, sanerings-, riolerings-, en gezondheidswerken.
5. De aankoopkosten van vaste goederen.
6. De vaste beleggingen van beschikbare gemeentegelden.
7. De voorschotten van de zelfstandig beheerde bedrijven.
8. De terugbetalingen van discontoleningen en de vervroegde aflossingen van leningen.

e. De verplichte en niet-verplichte uitgaven

Binnen de begroting moet er tevens een onderscheid gemaakt worden tussen de verplichte en de niet-verplichte of de facultatieve uitgaven. De verplichte en de niet-verplichte uitgaven worden in afzonderlijke kolommen van de begroting gebracht. Uit eenzelfde post mogen niet terzelfdertijd bestreden worden :
1. Verplichte en niet-verplichte uitgaven.
2. Personeels- en materieelsuitgaven.

1) De verplichte uitgaven

De verplichte uitgaven zijn uitgaven welke aan de gemeente zijn opgelegd. Zij moeten hiervoor jaarlijks kredieten op de begroting voorzien en zij kunnen zich hier niet aan onttrekken.
Zij kunnen ontstaan door :
1. Wetten, decreten en besluiten.
2. Vonnissen en arresten.
3. Uitvoerbare contracten.
4. Uitgaven voor het personeel en voor de normale werking van de diensten.

Dit verplichte karakter slaat enkel op het feit dat hiervoor kredieten moeten worden voorzien en niet op het effectief uitvoeren van deze uitgaven.
Artikel 255 van de nieuwe gemeentewet geeft volgende opsomming van de verplichte uitgaven :
1. Het aankopen en onderhouden van de registers van de burgerlijke stand.
2. Het abonnement op het Belgisch Staatsblad en op het Bestuursmemoriaal.
3. De belastingen op de goederen van de gemeente.
4. De vaststaande en opeisbare schulden van de gemeente, alsmede de schulden die ze moet voldoen ten gevolge van tegen haar uitgesproken rechterlijke veroordelingen.
5. De wedden van de burgemeester, de schepenen, de secretaris, de ontvanger, de bedienden van de gemeente, de leden van het gemeentelijke politiekorps en de boswachters van de gemeente.
6. De kantoorkosten van het gemeentebestuur.
7. Het onderhoud van de gemeentgebouwen of de huur van de huizen die tot gemeentegebouw dienen.
8. De huurgelden en de kosten, behalve die voor geringe herstellingen betreffende de lokalen van vredegerechten, politierechtbanken, politieafdelingen van de parketten van de procureur des Konings en arbeidsrechtbanken in de gemeenten waar die rechtscolleges gevestigd zijn, wanneer de staat of de Regie der gebouwen geen eigenaar of huurder van de lokalen is.
9. De hulpgelden aan de kerkfabrieken en consistories, overeenkomstig de desbetreffende bepalingen te verlenen wanneer de middelen van die instellingen ontoereikend blijken.
10. De kosten die door de wetten op het onderwijs ten laste worden gebracht van de gemeente.
11. De uitgaven betreffende de plaatselijke veligheids- en gezondheidspolitie.

12. De vergoeding voor huisvesting van de bedienaren van de erediensten, overeen-komstig de geldende bepalingen, wanneer geen woning wordt verschaft.
13. De uitgaven bepaald in artikel 130 van het kieswetboek en de uitgaven vereist voor de verkiezingen van de gemeenteraad.
14. De kosten van het drukwerk benodigd voor de boekhouding van de gemeente.
15. De pensioenen ten laste van de gemeente.
16. De dotaties bepaald in artikel 106 van de organieke wet van 8 juli 1976 betreffen-de de Openbare Centra voor Maatschappelijk Welzijn.
17. De uitgaven voor de gemeentewegen en de buurtwegen, de sloten, de waterlei-dingen en de bruggen, die krachtens de wet ten laste van de gemeente zijn.

2) De niet-verplichte uitgaven

Facultatieve uitgaven worden uit vrije wil op de begroting ingeschreven. In tegenstel-ling tot de verplichte uitgaven mag de gemeente ze naar goeddunken toekennen of afschaffen, al naargelang de financiële toestand van de gemeente en het beleid dat zij wenst te voeren. Niet-verplichte uitgaven kunnen dus vervallen wanneer de financiële toestand van de gemeente dit noodzakelijk maakt.
De uitgaven van de buitengewone dienst hebben steeds een facultatief karakter, al zijn er ook hier uitzonderingen.
Het onderscheid tussen verplichte en facultatieve uitgaven is echter in de praktijk minder duidelijk dan het lijkt. Sommigen pleiten er dan ook voor om het op te heffen.

2.2. De algemene boekhouding

Op basis van het KB van 1990 dient elke gemeente vanaf 1 januari 1995 een algemene boekhouding te voeren en dit naast de reeds bestaande budgettaire kameralistische begroting, zoals hiervoor besproken.
Het stelsel van algemeen boekhouden is grotendeels gebaseerd op de bestaande bedrijfsboekhouding.

a. De algemene rekeningen

Binnen de algemene boekhouding worden er algemene rekeningen gebruikt. Elke algemene rekening bestaat uit 5 cijfers en er zijn vier soorten algemene rekeningen :
– Kostenrekeningen : eerste cijfer 6
– Opbrengstenrekeningen : eerste cijfer 7
– Actiefrekeningen : eerste cijfer 2, 3, 4 of 5
– Passiefrekeningen : eerste cijfer 1 of 4

Op de kostenrekeningen worden de kosten geregistreerd, zowel de kosten die uitgaven met zich meebrengen (personeelskosten, werkingskosten, intresten op leningen, enz.) als de zogenaamde niet-kaskosten (afschrijvingen, waardeverminderingen, aanleg van voorzieningen, enz.). De opbrengstenrekeningen leggen de opbrengsten vast, zoals intresten uit beleggingen, inkomgelden, huuropbrengsten, waardevermeerderingen, enz.

Op de actiefrekeningen staan de verrichtingen die te maken hebben met het gemeentelijk patrimonium : (gronden, gebouwen, beleggingen, kasvoorraad, bankrekeningen, enz.).

De passiefrekeningen zijn bestemd voor de verrichtingen die te maken hebben met de oorsprong van de gemeentelijke middelen : het eigen vermogen, resultaten van vorige boekjaren, reserves, schulden op lange termijn (voor de financiering van investeringen) en schulden op korte termijn (door de gemeente nog te betalen facturen). De passiefrekeningen staan voor het passiva op de balans.

Al deze rekeningen kunnen gedebiteerd en gecrediteerd worden.

Tabel 3.14. : het crediteren en debiteren van rekeningen

rekening	stijging	daling
kostenrekeningen	debiteren	crediteren
opbrengstrekeningen	crediteren	debiteren
actiefrekeningen	debiteren	crediteren
passiefrekeningen	crediteren	debiteren

Elke verrichting in de algemene boekhouding leidt ertoe dat één of meer rekeningen gedebiteerd en één of meer rekeningen gecrediteerd worden. Het totale gedebiteerde bedrag moet gelijk zijn aan het totale gecrediteerde bedrag.

b. De individuele rekeningen

Met bijna alle actief- en passiefrekeningen hangen individuele rekeningen samen. Die rekeningen (die eveneens gedebiteerd en gecrediteerd kunnen worden) hebben de bedoeling om de zaken individueel te kunnen opvolgen. De algemene rekeningen geven immers enkel informatie over het geheel van bepaalde activa of passiva, zonder daarbij in detail te gaan.

Op basis van de individuele rekeningen is het mogelijk om de schulden en de vorderingen op een geïndividualiseerde manier op te volgen. De boeking op de individuele rekening gebeurt gelijktijdig met die op de algemene rekeningen.

2.3. De band tussen de budgettaire en de algemene boekhouding

De budgettaire en de algemene boekhouding functioneren afhankelijk van elkaar. Door de informatica zijn deze twee boekhoudingen nauw met elkaar verbonden. De meeste boekingen in de budgettaire boekhouding brengen automatisch ook wijzigingen aan de algemene boekhouding met zich mee.

De band tussen de budgettaire en de algemene boekhouding verloopt door middel van de economische codes. Elke economische code is verbonden met één algemene rekening. Eén algemene rekening kan wel verbonden zijn met verschillende economische codes.

3. DE VOORBEREIDING

Het opmaken van het ontwerp van begroting en de voorbereiding daarvan gebeuren onder de verantwoordelijkheid van het College van Burgemeester en Schepenen (art. 12 in het KB van 2 augustus 1990 en art. 6 in het ARGC van 10 februari 1945). De opmaak van de begroting veronderstelt inderdaad het nemen van opties en beslissingen inzake het beleid dat gedurende het dienstjaar zal worden gevoerd.

Bij deze taak laat het college zich bijstaan door de administratie, in de eerste plaats door de dienst financiën.

Een goede voorbereiding van de begrotingsopmaak vergt een permanente aandacht voor de evolutie van de gemeentefinanciën in het algemeen en een doorlopende analyse en opvolging van de kredieten van de begroting in uitvoering. Alleen zo beschikt het bestuur over voldoende informatie om het belang en de waarde van de gemeentelijke inspanningen te beoordelen en af te wegen tegenover de groeiende behoeften van de bevolking.

3.1. De opmaak

Bij de opstelling van de begroting baseert zich vooral op de jaarlijkse onderrichtingen van de voogdij-overheid. Hiervoor maakt de gewestelijke minister van Binnenlandse Aangelegenheden jaarlijks een omzendbrief op voor de gemeenten (bijv. de omzendbrief van 24 juli 1998 betreffende de begroting 1999).

Er is een afzonderlijke omzendbrief voor de gemeenten met een taalregime.

Zo bevat de omzendbrief voor de begroting de volgende onderrichtingen :
– Het behoud van het financieel evenwicht
– De nieuwe gemeentelijke boekhouding
– De meerjarenplanning
– Het beroep van de gouverneur
– De fondsen
– De fiscaliteit
– De uitgaven

Bij de opmaak van de begroting kan de gemeente zich baseren op diverse inlichtingen :
– Het schrijven van de gewestelijk directeur van de administratie der directe belastingen van het Ministerie van Financiën aangaande de ramingen van de gemeentelijke opcentiemen op de onroerende voorheffing.
– Eenzelfde schrijven met betrekking tot de raming van de opdeciemen op de verkeersbelasting.
– Een schrijven van het hoofdbestuur van het kadaster van het Ministerie van Financiën aangaande de opbrengst van de onroerende voorheffing.
– Diverse schrijven van intercommunales i.v.m. de gemeentelijke dividenden.
– Diverse schrijven van instellingen van openbaar nut (o.a. waterbedeling, enz.) i.v.m. de gemeentelijke lasten in deze sector.
– Diverse ministeriële schrijven i.v.m. de gemeentelijke trekkingsrechten in de diverse fondsen.

3.2. De juiste raming van de kredieten

De begroting moet volledig zijn. Alle werkelijk te verwachten ontvangsten en uitgaven moeten zo nauwkeurig mogelijk worden geraamd (KB 1990, art. 5, alsook ARGC (art. 1 en 7).

Er mogen geen fictieve ontvangsten worden ingeschreven en evenmin mogen uitgaven worden onderschat of verzwegen om de begroting op fictieve wijze sluitend te maken. Ingevolge artikel 252 van de nieuwe gemeentewet is het de gemeenten uitdrukkelijk verboden een begroting voor te leggen met een fictief evenwicht of een fictief batig saldo.

a) De ramingen van de ontvangsten mogen niet worden verhoogd tot boven het bedrag waarvan mag worden aangenomen dat het werkelijk realiseerbaar is. Evenmin mag een ontvangst worden ingeschreven die wellicht niet zal worden bekomen.

b) De uitgavenkredieten moeten zodanig worden begroot dat zij normaliter voldoende hoog zijn voor het volledige dienstjaar. Kredietverminderingen tegenover het vorige dienstjaar mogen niet worden doorgevoerd als tegelijkertijd geen maatregelen worden genomen waardoor de uitgaven ook daadwerkelijk verminderen.

Het is duidelijk dat bij een juiste toepassing van deze beginselen de begrotingswijzigingen in de loop van het dienstjaar van relatief beperkte omvang zullen zijn en dat zij beperkt in aantal zullen zijn. Veel begrotingswijzigingen waarbij zowat de gehele bevolking wordt aangepast en een ander uitzicht krijgt, zijn een aansluiting van een gezond en waarheidsgetrouw begrotingsbeleid.

Het strookt trouwens met de principes van een gezond beheer de gewone begroting oorspronkelijk af te sluiten met een overschot dat voldoende groot is. Zo is men ertegen gewapend dat in de loop van het dienstjaar verhoopte ontvangsten lager uitvallen dan aanvankelijk werd geraamd en kunnen bijkomende uitgaven, die bij begrotingswijziging wellicht nodig blijken, worden opgevangen.

3.3. Het financieel meerjarenplan

Vanaf de begroting voor het dienstjaar 1990 moet elke gemeente een financieel meerjarenplan opmaken, dat als verplichte bijlage bij de begroting moet worden gevoegd. De tabel in de gemeentebegroting, die de financiële gevolgen van de grote investeringen (meer dan 10 miljoen BEF) voor de komende periode van drie jaren omvat, wordt geïntegreerd in het financieel meerjarenplan.

Dit financieel meerjarenplan wordt jaarlijks beschreven in een omzendbrief van de Vlaamse minister voor Binnenlandse Aangelegenheden, die gebaseerd is op de basisomzendbrief van 28 maart 1989.

Het financieel beleidsplan omvat meestal de volgende rubrieken :
– De omschrijving van de huidige financiële toestand als uitgangsbasis voor het beleidsplan
– Financiële ontwikkeling van de gewone dienst
– Achterstallige ontvangsten en uitgaven
– Ontvangsten
– Uitgaven

171

- Overboekingen en reservefondsen
- Meerjarenplanning van de buitengewone dienst en de weerslag op de gewone dienst
- Overzicht van de financiële ontwikkeling

Dit plan loopt over drie jaren (bijv. de begroting 1999 loopt over de jaren 1999, 2000 en 2001).

Voor de gemeenten die een overeenkomst hebben gesloten met het Vlaams financieringsfonds geldt de decretale verplichting dat de meerjarenplanning loopt over een termijn van vijf jaar. Ook andere gemeenten, die dat wensen, mogen hun meerjarenplanning tot vijf jaar uitbreiden.

Het is essentieel dat het financieel meerjarenplan correct en nauwgezet wordt opgesteld. Ook een ernstige toelichting bij het plan dient te worden nagestreefd.

3.4. Het voorafgaand advies van de commissie

Ingevolge het KB van 2 augustus 1990 moet het College van Burgemeester en Schepenen, vooraleer het definitieve begrotingsontwerp op te maken, het advies inwinnen van een administratieve commissie.

Artikel 12 van dat KB bepaalt dat het College van Burgemeester en Schepenen het ontwerp opmaakt na het advies te hebben ingewonnen van een commissie waarin ten minste zetelen : een lid van het college, de secretaris en de ontvanger. Het advies van de commissie slaat uitsluitend op de wettelijkheid en de te verwachten financiële weerslag en het advies mag niet eenjarig zijn. De gemeenteraad kan ook nog andere personen aanduiden in deze commissie.

Deze bepaling heeft tot doel de rol van de administratie als adviserend deskundige te versterken en haar betrokkenheid bij het beleid te vergroten. Belangrijk is ook dat de ontvanger wordt gevaloriseerd als financieel deskundige en nauwer bij het beleid wordt betrokken.

De toezichthoudende overheid zal de begroting slechts goedkeuren als het advies aanwezig is.

Naast het bovenvermeld advies is er ook een wettelijke regeling voorzien aangaande het cultuur- en milieubeleid.

Ingevolge het decreet van 24 juli 1991 houdende organisatie van het overleg en de inspraak dienen voor de hierboven vermelde items de gemeentelijke culturele raad en de gemeentelijke milieuraad geraadpleegd te worden.

4. DE GOEDKEURING VAN DE BEGROTING

Artikel 241 van de nieuwe gemeentewet stelt dat de gemeenteraad elk jaar op de eerste maandag van oktober vergadert om te beraadslagen over de begroting en die goed te keuren.Het ontwerp moet ten laatste zeven dagen voor de vergadering aan de raadsleden bezorgd worden.

De gemeenteraad vergadert over de begroting in haar geheel. Doch op vraag van één lid bestaat er de mogelijkheid om over één bepaald artikel apart te stemmen.

Na de goedkeuring door de gemeenteraad wordt de begroting doorgestuurd naar de toezichthoudende overheid, de provinciale administratie. Zij onderzoekt het document en geeft een advies van beoordeling aan de "bestendige deputatie" die zich uitspreekt. Eenmaal de begroting definitief is goedgekeurd, worden de kredieten die er in zijn opgenomen als vastgesteld beschouwd, zodat de begroting uitvoerbaar wordt.

Als alle partijen de tijdstippen respecteren, beschikt de gemeente op 1 januari van het dienstjaar over een uitvoerbare begroting. De realiteit is echter anders. In de meeste gemeenten wordt de begroting pas in november of december door de gemeenteraad behandeld, zodat de provinciale goedkeuring te laat komt. Daarom moet er een onderscheid gemaakt worden tussen twee gevallen :

I. Goedkeuring begroting door gemeenteraad voor 1 januari :
    In dit geval mag men gebruik maken van zogenaamde voorlopige twaalfden, zonder dat de gemeenteraad of het college van Burgemeester en Schepenen hierover een aparte beslissing moet nemen. Deze voorlopige twaalfden betekenen dat het college uitgaven kan aanwenden (zie verder) en de ontvanger betalingen kan doen door maand na maand gebruik te maken van telkens 1/12 van het krediet dat het laatste jaar op deze post stond geschreven. Deze voorlopige twaalfden mogen echter uitsluitend gebruikt worden voor de verplichte uitgaven en voor de uitgaven die onontbeerlijk zijn voor de werking van de gemeentelijke diensten.

II. Goedkeuring begroting door gemeenteraad na 1 januari :
    In dit geval kan de gemeente enkel gebruik maken van voorlopige twaalfden indien hiervoor een expliciet besluit genomen wordt door de gemeenteraad dat voor enige aanwending ter goedkeuring wordt voorgelegd aan de deputatie.

5. DE UITVOERING VAN DE BEGROTING

Onder de uitvoering verstaan we hier ook de procedures voor de ontvangsten en de uitgaven alsook de werking van de verantwoordelijke ambtenaar.

5.1. De procedures

a. De uitgaven

Vooraleer de gemeenten een bepaalde uitgave kunnen verrichten, moet een hele procedure worden doorlopen. Eerst en vooral moet er sprake zijn van een begrotings-krediet dat niet overschreden is. De tweede stap is de aanwending of vastlegging van de uitgave.

Hiervoor is het college bevoegd. Deze vastlegging ontstaat op het moment dat een contract wordt afgesloten of een bestelbon wordt uitgeschreven. Door de vastlegging ontstaat een verbintenis. Vooraleer een bedrag definitief wordt vastgelegd, kan dit eventueel ook reeds voorlopig gebeuren. Hiermee wil het college vermijden dat een bedrag aan andere doeleinden wordt besteed. De voorlopige vastlegging veroorzaakt echter geen verbintenis.

De derde stap is de aanrekening. Deze gebeurt na de ontvangst van een factuur die door het college in orde wordt bevonden. Het bedrag van de aanrekening kan verschillen (in min of in meer) van dat van de vastlegging en zo nodig wordt de vastlegging dan ook aangepast.

Vervolgens geeft het college aan de ontvanger een bevelschrift tot betaling. Met dit document kan de ontvanger (de enige ambtenaar die betalingen mag verrichten) uiteindelijk de betaling doen.

b. De ontvangsten

De eerste stap in de uitvoering van de begroting met betrekking tot de ontvangsten is een invorderingsrecht, vastgesteld door het college. Dit geeft aan de ontvanger het recht bepaalde ontvangsten te innen. Ook hier bestaat de mogelijkheid eerst een voorlopig invorderingsrecht te boeken. Bij gemeentelijke belastingen ontstaat een invorderings-recht op het moment dat het belastingkohier door het college wordt vastgesteld. De inning kan echter pas gebeuren op het moment van de uitvoerbaarverklaring van het kohier door de gouverneur.

Eenmaal een belastingkohier uitvoerbaar is verklaard, moet de ontvanger onmiddellijk met de inning beginnen. De andere ontvangsten kunnen in principe meteen geïnd worden.

De ontvanger is verplicht een oninbare ontvangst te boeken indien blijkt dat de schuldenaar insolvent geworden is, bij een vergissing of bij een dergelijke beslissing van het college.

5.2. De ontvanger

De bevoegde ambtenaar voor de gemeentelijke financiën is de ontvanger. Onder de 5.000 inwoners heeft elke gemeente een gewestelijke ontvanger, die wordt aangeduid door depProvinciegouverneur.

Tussen de 5.001 en de 10.000 inwoners kan de gemeente een eigen ontvanger aanstellen. Dit gebeurt dan in de praktijk in combinatie met het OCMW. Boven de 10.000 inwoners is er een voltijdse gemeente-ontvanger voorzien.

De ontvanger is steeds een vastbenoemd ambtenaar, die wordt aangesteld en afgezet door de gemeenteraad.

Tot de belangrijkste taken van de ontvanger behoren :
– De ontvangsten innen (na de uitvoerbaarheid van de belastingskohieren).
– De regelmatige uitgaven doen.
– De boekhouding.
– Een budgettair advies in de begrotingscommissie.

De ontvanger dient bij zijn aanstelling een borg te storten. Deze borg dient als waarborg voor de gemeente bij een diefstal of tekort in de kas.

5.3. De NGB

De "nieuwe gemeentelijke boekhouding" (NGB) is reeds toegelicht in het deel aangaande de presentatie (infra).

De budgettaire boekhouding hield geen rekening met de waarde van het patrimonium. Zij geeft geen antwoord op de vraag naar de rijkdom van de gemeente of de kost van een gebouw. Nergens vindt men de boekwaarde van het patrimonium, dit wil zeggen de afschaffingswaarde verminderd met de afschrijvingen en aangepast aan de herwaarderingen.

Zij steunt voldoende het beheer van het patrimonium. In het huidige systeem vindt men enkel de herkomst, de datum en het bedrag van de verwerving van, bijvoorbeeld, een gebouw of een stuk grond. Er wordt echter geen rekening gehouden met de verbeteringen, de verbouwingen of het eventueel laten verwaarlozen van de gebouwen.

Vandaar dat aan de huidige budgettaire boekhouding een algemene boekhouding zal toegevoegd worden.

Zoals eerder al vermeld blijven de principes van de actuele budgettaire boekhouding behouden, mits enkele verbeteringen. Alle principes van de algemene boekhouding die niet in tegenspraak zijn met het openbaar beheer worden overgenomen.

Bezittingen en schulden vormen twee basisbestanddelen in de nieuwe boekhouding. Daarnaast vinden we ook nog volgende begrippen terug :

– Rekening van derden
– Herwaarderingen
– Afschrijvingen

De begrippen "fiscaliteit" en "winst" worden echter niet opgenomen.

De budgettaire en de algemene boekhouding stellen de gemeente in staat om op het einde van het jaar de begrotingsrekening en de jaarrekening op te stellen.

De jaarrekening is een gestructureerde beschrijving van het economisch leven van de gemeente. De balans is, naast de resultatenrekening en de toelichting, een onderdeel van de jaarrekening.

De balans geeft een voorstelling van de patrimoniale toestand. De resultatenrekening verschaft geen informatie over de begintoestand, maar zij geeft wel inlichtingen over de elementen die de nettosituatie beïnvloeden gedurende een boekjaar.

Het gemeentelijk patrimonium is in feite het verschil tussen wat de gemeente bezit en wat zij verschuldigd is. De balans is hier een weergave van. De balans en de resultatenrekening moeten de gemeente toelaten de activa- en de passivatoestand, alsook de nettotoestand, dit wil zeggen de eigen middelen, van de gemeente na te gaan.

a. Het dubbel boekhouden

Het totaal van de actiefbestanddelen moet steeds gelijk zijn aan het totaal van de passiefbestanddelen. Dit heeft tot gevolg dat elke verrichting ten minste twee rekeningen doet wijzigen, namelijk

– Tegenover een verhoging van een element op de actiefzijde, staat een vermindering van een ander element op actiefzijde.
– Met een vermindering van een element op de actiefzijde stemt een vermeerdering van een element op de passiefzijde overeen.

De boekhouding gaat uit van de veronderstelling dat de economische entiteit haar werkzaamheden voor een onbepaalde tijd zal voortzetten, met andere woorden de boekhouding wordt niet bijgehouden in een optiek van een vereffening.

De vermogensbestanddelen worden, in principe, geboekt op basis van hun aanschaffingswaarde. Daardoor kan de reële waarde van een actief verschillen van de boekhoudkundige waarde ervan.

Bij het opstarten van de nieuwe gemeenteboekhouding zullen de gemeenten een inventariswaarde van hun bezittingen moeten bepalen. Die inventariswaarde wordt in de boekhouding opgenomen.

Wanneer er verschillende boekhoudingsmogelijkheden bestaan, moet de keuze steeds gaan naar deze met de laagste waardering van de activa-elementen.

b. De balans

De balans wordt opgesteld onder de vorm van een tabel met aan de linkerzijde het actief en aan de rechterzijde het passief.

Het totaal van de middelen die ter beschikking van de gemeente gesteld zijn, vormen het passief. Men onderscheidt de financiële middelen die door de gemeente zelf ter beschikking gesteld zijn (eigen middelen) en de middelen die door derden ter beschikking gesteld zijn (schulden).

Het totaal van de bezittingen die met die middelen verworven werden, vormt het actief. De activa worden ingedeeld in twee grote rubrieken, namelijk de vaste en de vlottende activa. De vlottende activa kunnen, in tegenstelling tot de vaste activa, binnen een relatief korte periode omgezet worden in liquide middelen.

Tabel 3.15. : De balans

De balans			
Activa		Passiva	
Vaste activa		**Eigen vermogen**	
Oprichtingskosten en immateriële vaste activa	....	Beginkapitaal	....
Onroerend en roerend patrimonium	....	Reserves	....
Toegestane investeringstoelagen	....	Resultaten	....
Kredieten, toegestane leningen en vorderingen	....	Gekapitaliseerde resultaten	....
Deelnemingen en waarborgen	....	Toelagen, giften en legaten	....
		Voorzieningen voor risico's en lasten	.....
Vlottende activa		**schulden**	
Voorraden	....	Leningen op meer dan één jaar	.....
Rekeningen van derden, vorderingen op ten hoogste één jaar	....	schulden die binnen het jaar vervallen	....
Bewerkingen voor derden	....	bewerkingen voor derden	....
Financiële rekeningen	....	overlopende rekeningen	....
Overlopende rekeningen	....		
TOTAAL ACTIEF	....	TOTAAL PASSIEF	....

c. De resultatenrekening

De resultatenrekening is een beknopte en overzichtelijke weergave van de kosten en de opbrengsten die de gemeente realiseerde in een bepaald dienstjaar.

Onder kosten verstaat men deze elementen die de nettotoestand, dit wil zeggen het eigen vermogen, van de gemeente verminderen. Opbrengsten daarentegen zijn deze elementen die de nettotoestand van de gemeente vermeerderen. Het verschil tussen de opbrengsten en de kosten geeft het resultaat (positief of negatief).

Het is niet noodzakelijk dat de kosten betaald worden, en de geboekte opbrengsten geïnd worden. Vandaar dat het resultaat niet noodzakelijk overeenstemt met de thesaurieschommelingen binnen dezelfde periode.

Alleen de kosten en opbrengsten die betrekking hebben op hetzelfde dienstjaar worden in de resultatenrekening opgenomen. De resultatenrekening is met andere woorden een document dat als doel heeft te beschrijven hoe de eigen middelen van de gemeente evolueerden in de loop van een boekjaar.

In de algemene boekhouding moeten de kosten die aan een bepaald boekjaar toegerekend worden, verband houden met de opbrengsten die dankzij die kosten verwezenlijkt konden worden of die betrekking hebben op de activiteiten van het betreffende boekjaar.

In de gemeentelijke boekhouding is dat niet altijd het geval. De periode van registratie wordt immers bepaald door het algemeen reglement op de gemeentelijke comptabiliteit. Dit reglement is echter opgesteld in functie van de budgettaire boekhouding en niet in functie van de algemene boekhouding.

Een uitgave zal geboekt worden op de actiefzijde, als een toename van een activa-element, indien ze van nut is voor de toekomst van de gemeente (bijvoorbeeld een verwerving van een stuk grond).

Tabel 3.16. : De resultatenrekening

De resultatenrekening			
Kosten		Opbrengsten	
Normale kosten		Normale opbrengsten	
Aankoop van materialen	....	Retributies en opbrengsten fiscaliteit	.....
Exploitatiegoederen en -diensten	....	Andere exploitatieopbrengsten	.....
Personeelskosten	....	Ontvangen exploitatietoelagen	.....
Verleende exploitatietoelagen	....		
Aflossingen van leningen	....	Terugvorderingen van leningen	.....
Financiële kosten	....	Financiële opbrengsten	.....
TOTAAL A	....	TOTAAL A'	....
Rechtzettingen		Rechtzettingen	
Toevoeging aan afschrijvingen	....	Meerwaarden	....
Waardeverminderingen	....	Voorraadtoenamen	....
Voorraadafname	....	Interne werken	....
Rechtzetting hout op stam	....	Rechtzetting van de rekening 64	....
Rechtzetting van de rekening 74	....	Vermindering ontvangen investeringstoelagen	....

De resultatenrekening			
Kosten		Opbrengsten	
Vermindering verleende investeringstoelagen	....	Overboeking tussen de diensten	....
Voorzieningen	....	Interne werken	....
Overboeking tussen de diensten	....		
TOTAAL B	....	TOTAAL B'	....
Kosten A + B		Opbrengsten A' + B'	
Uitzonderlijke kosten en reserves		Uitzonderlijke opbrengsten en reserves	
Uitzonderlijke kosten	....	Uitzonderlijke opbrengsten	....
Uitzonderlijke kosten GD	....	Uitzonderlijke opbrengsten GD	....
Uitzonderlijke kosten BD	....	Uitzonderlijke opbrengsten BD	....
Niet in de begroting opgenomen uitzonderlijke kosten	....	Niet in de begroting opgenomen uitzonderlijke opbrengsten	....
Toevoeging aan de gewone reserves	....	Opneming uit de gewone reserves	....
Toevoeging aan de buitengewone reserves	....	Opneming uit de buitengewone reserves	....
TOTAAL	....	TOTAAL	....
Boni		Mali	

d. De beginbalans

Op het ogenblik van de installatie van de nieuwe gemeenteboekhouding moet elke gemeente kunnen vertrekken met een beginbalans. De beginbalans geeft de waarde van het gemeentelijk patrimonium, dit is het verschil tussen wat de gemeente bezit en wat zij verschuldigd is. Zij dient nauwkeurig te worden opgesteld, zoniet zou dit een nadelige invloed hebben voor de invoering van de algemene boekhouding. Zij is immers de basis waarop jaarlijks wijzigingen zoals afschrijvingen en herwaarderingen toegepast worden. Ook alle wegen, gebouwen en materieel dienen een waarde te krijgen. Het uitgangspunt is de historische kostprijs.

6. DE REKENING

De gemeenteraad vergadert in openbare zitting over de rekening gedurende het eerste kwartaal van het daaropvolgende jaar. Deze rekening omvat de definitieve cijfers van de ontvangsten en de uitgaven.

Na de goedkeuring van de rekening wordt, via een begrotingswijziging, het geraamde algemene begrotingsresultaat van het jaar waarop de rekeningen slaan (en dat de startbasis vormde voor het opstellen van de begroting van het lopende jaar), vervangen door het algemene resultaat van de begrotingsrekening. Ontstaat hierdoor een begrotingstekort, dan moet de gemeenteraad de nodige maatregelen nemen om het begrotingsevenwicht te herstellen.

Ook ten aanzien van de rekening, net zoals bij de begroting, bestaat er een administratief toezicht. Hier gaat het om de gouverneur van de provincie en een beroepsprocedure bij de regionale regering.

7. DE CONTROLE

De gemeentelijke of gewestelijke ontvanger is verplicht de wettelijkheid en de regelmatigheid van de ontvangsten alsook van de uitgaven te controleren. Hij is persoonlijk verantwoordelijk voor de gemeentekas.

De leden van het college zijn wel zelf verantwoordelijk voor de uitgaven die ze bevolen hebben of gedaan hebben zonder dat er hiervoor een krediet beschikbaar was op de begroting.

Het college controleert elk kwartaal de kas van de ontvanger. Ingevolge de nieuwe gemeentewet (art. 53, §3) staat de gemeentelijke ontvanger onder het gezag van het College van Burgemeester en Schepenen. De gewestelijke ontvangers worden gecontroleerd door de gouverneur van de provincie.

Als de ontvanger zijn ambt beëindigt, dan moet hij een eindrekening opstellen. Na goedkeuring van deze eindrekening door de gemeenteraad, wordt hem kwijting verleend (waardoor de zekerheid die hij bij zijn indiensttreding heeft moeten stellen, kan worden terugbetaald) of een tekort vastgesteld dat in de gemeentekas moet worden gestort. De borg van de ontvanger dient dus als waarborg voor eventuele tekorten.

Ingevolge artikel 21 van het decreet van 28 april 1993 houdende de regeling van het administratief toezicht op de gemeenten in het Vlaamse gewest kunnen de Vlaamse regering en de gouverneur van de provincie steeds de boekhouding en de kas controleren.

8. ENKELE KRITISCHE BEMERKINGEN

Het idee om een deel van de elementen uit de bedrijfsboekhouding in te voeren bij de gemeenten opent theoretisch de weg naar een meer managementgerichte boekhouding. Doch de volgende kritieken dienen deze theorie te ontkrachten :

1) Het kan niet de bedoeling zijn dat de gemeenten, zoals de private ondernemingen, als doel winst hebben. Het allereerste doel van een gemeente is het algemeen belang.

2) De meeste gemeentegoederen (materieel, gebouwen) hebben wel een hoge historische aanschafprijs. Doch de actuele marktwaarde is dikwijls nihil (bijv. brandweerwagens, wettelijke verplichtingen enz.).

3) De gemeentewet en de NGB. zijn nog een federale materie. Doch het administratief toezicht is overgeheveld naar de gewesten.

4) De boekhoudkundige conclusies uit deze oefening dienen een politieke vertaling te krijgen in het beleid en dat wordt nergens geregeld.

5) Alle commerciële diensten (sport, cultuur enz.) en niet commerciële diensten (brandweer, administratie, politie) in één gemeente worden in één boekhouding ondergebracht.

6) Wat is het nut van ratio's zoals rentabiliteit, solvabiliteit voor een openbaar bestuur ?

9. DE OCMW'S

Eind 1993 werd er gestart met de uitwerking van een eigen boekhoudstelsel voor het "Openbare Centrum voor Maatschappelijk Welzijn" (OCMW). In tegenstelling tot de gemeentewet is de OCMW wetgeving wel een bevoegdheid van de gewesten.

De NOB (de nieuwe OCMW-boekhouding) breekt volledig met het verleden en voert een volledige bedrijfsboekhouding in. De NOB is een financieel-analytische boekhouding.

Er zal gewerkt worden met rekeningen uit het minimum genormaliseerd rekeningenstelsel en de boekhouding wordt gevoerd per kostenplaats (= activiteitencentrum).

De OCMW's beschikken nu ook over een meerjarenplanning. Deze laatste bestaat uit een kwalitatief- en een kwantitatief deel. In het kwalitatief deel worden de beleidsdoelstellingen beschreven van 3 tot 6 jaar. Het kwantitatief deel bevat het exploitatiebudget, het investeringsbudget, het liquiditeitsbudget en de gedebudgetteerde balans. Dit laatste is de prognosebalans.

Literatuurlijst

LEROY J. (1995), *Gemeentefinanciën*, Brussel : VVSG.

PAUWELS E. en VANTORRE R. (1997), *De gemeentecomptabiliteit in de praktijk : de begroting*, Brugge : Vanden Broele.

PAUWELS E. en VANTORRE R. (1997), *De gemeentecomptabiliteit in de praktijk : de boekhouding en het beheer van de financiën*, Brugge : Vanden Broele.

UMANS J. (1994), *Inleiding tot het algemeen boekhouden voor de gemeenten*, Brugge : Vanden Broele.

VERSTRAETEN R. (1998), "De krachtlijnen van de nieuwe OCMW-boekhouding" in *Nieuwsbrief overheidsmanagement nr. 8 en 9*.

WEYMEIS H. (1994), *Handleiding bij het opstellen van de gemeentebegroting*, Brugge : Vanden Broele

DEEL 4 : DE BELASTINGEN

De belastingen vormen de onvermijdbare tegenhanger van de overheidsuitgaven. Met hun vaststelling kan de overheid de drie traditionele doelstellingen nastreven nl. allocatie, stabilisatie en herverdeling. Hierbij moet wel worden rekening gehouden met een reeks bijwerkingen zoals afwenteling, ontwijking, fraude enz. Voor België komt hier nog de eenvoud van internationale ontwijking bij. De overheid kan ook opteren om de belastingheffing uit te stellen door schulden aan te gaan. Dit is veelvuldig gebeurd in Belgiê. Hieraan besteden we dan ook uitgebreid aandacht.

Trefwoorden en -zinnen van hoofdstuk 1

Accijnzen
Ad-valorem en een specifieke belasting
Afgestane belastingen
Belasting op de toegevoegde waarde
Belastingen
Belastingharmonisatie en concurrentie
Belastinghervormingen
Belastingillusie
Concurrerende belastingen
Decumul of gescheiden belastingheffing
Directe en indirecte belastingen
Douanerechten
Economische en monetaire unie
Evaluatie van fiscale stelsels
Exclusieve belastingen
Fiscale autonomie
Fiscale ontvangsten van de gewesten en gemeenschappen
Fiscale onzekerheid
Fiscale uitgaven
Gemeentefonds
Gewest- en gemeenschapsbelastingen
Grote aantal belastingen
Inkomsten- of personenbelastingen
Inningskosten
Milieubelastingen
Niet-fiscale ontvangsten
Onroerende voorheffing
Overgedragen of gedeelde belastingen
Principe van de draagkracht en de progressiviteit
Rijksmiddelen
Roerende voorheffing
Splitting of het huwelijksquotiënt
Supplementaire of samengevoegde belastingen
Toegewezen fiscale ontvangsten
Toegewezen of geaffecteerde ontvangsten
Vennootschapsbelasting
Volle fiscale bevoegdheden
Voorafbetalingen

Hoofdstuk 1
DE FINANCIERING VAN DE OVERHEDEN IN BELGIË

In dit hoofdstuk behandelen we de financiering van de overheden in België. Het overgrote deel van de overheidsuitgaven wordt gefinancierd door de opbrengst uit het heffen van belastingen. Hierom gaan we ook dieper in op de karakteristieken van deze heffingen. Nadien besteden we aandacht aan de belastinginkomsten van de gemeenschappen en gewesten en de lokale overheden.

De houding van de belastingbetaler tegenover belastingen wordt niet alleen bepaald door de hoogte van de af te dragen belastingen, maar ook door de administratieve verplichtingen die hiermee gepaard gaan. Deze privé-administratiekosten verzwaren de last van de belastingheffing; voor de overheid verminderen de administratie- of inningskosten de netto-opbrengst van de belastingen. Naast aandacht voor deze inningskosten evalueren we ook het Belgisch fiscaal stelsel en gaan we na hoe de fiscaliteit in de toekomst zou kunnen evolueren.

1. INLEIDING

"Koken kost geld". Zoals alle economische agenten moet ook de overheid zorgen voor een evenwicht tussen de uitgaven en de ontvangsten. Vier financieringsbronnen heeft de overheid tot haar beschikking :
– Belastingen of fiscale ontvangsten
– Niet-fiscale ontvangsten
– Schuldcreatie
– De opbrengst van de verkoop van activa

Veruit de belangrijkste financieringsbron van de overheidsuitgaven zijn de belastingen. Gemiddeld beschouwd werden in België tot 1993 ongeveer 87 procent van de totale overheidsuitgaven gefinancierd door belastingen[1]. Het overheidstekort bedroeg derhalve 13 procent van de uitgaven. Dit tekort komt overeen met de toename van de schuld, maar doordat deze moet terugbetaald worden in de toekomst gaat het in feite om uitgestelde belastingen. Nadien daalde het tekort tot 6 à 7 procent van de uitgaven om vandaag ongeveer 4 procent te bedragen. Niet-fiscale ontvangsten zijn beperkt tot een paar procenten terwijl de opbrengst van privatiseringen enkel tussen 1993 en 1996 belangrijk was, in totaal 163,4 miljard BEF[2].

In de voorgaande cijfers werden de socialezekerheidsbijdragen als fiscale ontvangsten beschouwd. In principe worden deze bijdragen als parafiscale en niet als fiscale ontvangsten beschouwd omdat de relatie tussen de heffingen en de dienstverlening er veel nauwer is dan voor belastingen. Om evenwel een juist beeld van de totale heffingen van de overheidssector te bekomen is een aggregatie met de andere belastingontvangsten noodzakelijk. Zo wordt in internationale vergelijkingen van de fiscale druk het onderscheid tussen fiscale en parafiscale druk niet gemaakt. Daar de economische theorie omtrent de belastingheffing verschilt van deze voor de sociale zekerheid sluiten we evenwel in dit hoofdstuk de parafiscaliteit uit. Deze wordt behandeld in deel 6 : De sociale zekerheid.

De voorgaande opsplitsing van de geldbronnen van de overheid is vooral handig voor een korteretermijnanalyse omdat ze de keuzemogelijkheden van de overheid aangeeft : de afweging tussen een groter tekort, het verhogen van de belastingheffing of het verminderen van de uitgaven vormt één van de moeilijkste beleidskeuzes. In periodes van laagconjunctuur was de overheid in het verleden nogal geneigd om het tekort te laten oplopen om aldus de conjunctuurcyclus te dempen (cfr. stabilisatietaak van de overheid). De ervaring van de jaren tachtig heeft evenwel aangetoond dat dit een "gevaarlijke" benadering is wanneer de economie kampt met structurele groeivertragingen : dan kunnen de beleidsvoerders de toekomstige problemen verbonden aan schuldfinanciering (o.a. de dynamiek van de rentelasten) onderschatten. De Keynesiaanse benadering die voorhield dat het tekort cyclisch mag evolueren, is dus

---

[1]   Jaarverslag 1996, Nationale Bank, blz. 122.

[2]   Doordat binnen Europa vele overheden privatiseringsopbrengsten gebruikten om hun tekort te beperken en aldus gemakkelijker te voldoen aan de Maastrichtnorm van 3 procent, heeft de Europese Commissie in 1996 beslist dat dergelijke opbrengsten enkel nog konden gebruikt worden om de schuld te beperken. Het voordeel voor het overheidstekort blijft dan beperkt tot de geïnduceerde daling van de intrestlasten. Hetzelfde geldt voor de goudverkopen van de Nationale Bank.

grotendeels door de ervaring van de jaren tachtig achterhaald. De Maastrichtcriteria en het stabiliteitspact hebben deze tendens bevestigd. De politieke roep in vele landen om het budgettair evenwicht in de grondwet in te schrijven is hiervan een uitloper. Bovendien moet er op langere termijn mee rekening worden gehouden dat er grenzen bestaan op de ontleningscapaciteit. In principe moeten de uitstaande leningen worden terugbetaald. Op langere termijn zal de overheid dus de uitgaven enkel kunnen financieren uit belastingen.

Op basis van het voorgaande kan men dus stellen dat in de financiering van het overheidsbudget het tekort en dus de schuldcreatie aan belang heeft ingeboet ten voordele van de belastingen.

Niet-fiscale ontvangsten zoals bijv. dotaties zijn vooral belangrijk voor de lagere overheden omdat het instandhouden van de nationale *economische en monetaire unie*, de economische omschrijving van een land, inhoudt dat de lagere overheden niet over de *volle fiscale bevoegdheden* beschikken. Ze kunnen niet in alle vrijheid de belastingbasis, de belastingtarieven, de vrijstellingen en de inningsmodaliteiten vaststellen. Bij het onderzoek van de financiering van de lagere overheden moet dan ook systematisch de vraag worden gesteld naar de fiscale verantwoordelijkheden. Een financiering via dotaties bijv. betekent echter wel dat de federale overheid "ergens" belastingen int. Het gevolg is dat er niet noodzakelijk een band bestaat tussen de lokale uitgaven en de belastingen die er worden betaald.

In de volgende hoofdstukken zal nader worden ingegaan op de schuldcreatie (de tekorten) en de schuld. De privatiseringen worden elders behandeld (zie deel 7, hoofdstuk 5). Hier beperken we ons dus tot de fiscale en de niet-fiscale ontvangsten en dit voor de verschillende overheden.

2. DE BELASTINGONTVANGSTEN

2.1. Inleiding

Opvallend bij het overlopen van de belastingheffing is het grote aantal belastingen. Hiervoor zijn er veel verklaringen :

– Het spreiden van de belastingheffing biedt het voordeel dat ook de last van de belastingen wordt verdeeld : geen activiteit of dienst hoeft buitensporig te worden belast om de overheid de noodzakelijke inkomsten op te leveren.

– Daar men niet alle gevolgen van alle geheven belastingen kent[3], bestaat een defensieve houding er in om deze over een groot aantal heffingen te spreiden.

– In de regel verhogen marktprijzen door het heffen van belastingen terwijl producentenprijzen zullen dalen. Deze wig tussen prijzen vertekent hun economische functie waardoor verkeerde beslissingen kunnen worden genomen. Door het spreiden van de belastingheffing wordt vermeden dat de wig bijzonder groot wordt in een klein aantal markten.

– Vele belastingen bieden het politieke voordeel dat de belastingbetaler-kiezer mogelijk niet volledig bewust is van de omvang van de heffing. Deze *belastingillu-*

---

[3]   Voorbeelden zijn : verschilt de impact van de inkomstenbelasting niet tussen bevolkings- en inkomensgroepen ?, wat is de impact van belastingheffing op de beslissing van de partner om al of niet actief te zijn op de arbeidsmarkt ?, hoe reageert een bedrijfsleider op eco-belastingen ?, enz.

sie kan inhouden dat de negatieve effecten van de heffingen worden beperkt : minder ontmoediging van de inspanningen, minder kapitaalvlucht, minder belastingontwijking en -fraude enz.

2.2. Enkele belangrijke fiscale begrippen

In de volgende paragrafen zullen de belangrijkste fiscale begrippen worden toegelicht. We volgen hierbij een eerder economische dan juridische invalshoek.
– Directe en indirecte belastingen
De belastingen worden meestal opgesplitst in *directe en indirecte belastingen.* De directe belastingen worden met een zekere regelmaat, meestal jaarlijks, geheven op basis van een naamlijst (kohier). Ze zijn niet gebonden aan een bepaalde transactie en hebben betrekking op de inkomens van fysieke personen of bedrijven en op de vermogens. Van directe belastingen wordt verondersteld dat ze gedragen worden door diegene die ze betaalt; in het volgende hoofdstuk zullen we evenwel aangeven dat deze stelling, door belastingafwenteling, met enig voorbehoud moet worden benaderd.
Indirecte belastingen worden geheven naar aanleiding van een transactie zoals een aankoop of overdracht. Deze belastingen worden geïnd door de belastingplichtige die ze doorrekent aan de tegenpartijen; ook hier geldt de opmerking dat de juridische verantwoordelijkheden niet noodzakelijk overeenkomen met de economische realiteit. Het voorbeeld bij uitstek is de belasting op de toegevoegde waarde die wordt doorgerekend naar de consument.
– Ad valorem en specifieke belastingen
Bij de indirecte belastingen dient een onderscheid te worden gemaakt tussen een *ad-valorem* en een *specifieke belasting.* De BTW is een ad-valorem belasting die geheven wordt op de waarde; een accijns[4] is een specifieke of eenheidsbelasting die berekend wordt per fysieke eenheid zoals kilogram en liter. In de praktijk worden beide samen geheven; eerst wordt een accijns opgelegd en het totaal wordt onderworpen aan de BTW. Het onderscheid tussen beide is belangrijk in inflatieperiodes : een ad-valorem belasting zal automatisch met de omzet evolueren; dit geldt niet voor een accijns.
– Zakelijke versus persoonlijke belastingen
Zakelijke transacties worden geheven zonder rekening te houden met de persoonlijke toestand van de belastingplichtige (bijv. BTW). Bij persoonlijke belastingen wordt wel rekening gehouden met de persoonlijke toestand (bijv. inkomstenbelasting of successierechten).
– Bevoegdheden
Dat een overheid wordt gefinancierd door belastinggelden houdt niet in dat deze over de volle fiscale bevoegdheid beschikt. De grondwet of speciale wetten regelen de fiscale relaties tussen de verschillende overheden. De belastingtheorie maakt een onderscheid tussen :
I. *Exclusieve belastingen* : hier normeert een overheid (federaal, gewestelijk of gemeentelijk) de belastingen. Zij bepaalt dus de tarieven, de grondslag, de

---

[4]   Belangrijke accijnzen worden geheven op minerale oliën en tabak.

eventuele vrijstellingen en de inningsmodaliteiten. De betrokken overheid beschikt over de volledige belastingopbrengst.

In werkelijkheid blijkt dat de administratieve kosten van de inning een flink deel van de opbrengst van "kleinere" belastingen opslorpen.

Voorbeelden van exclusieve gewestbelastingen zijn de heffingen op wedden-schappen en spelen, op ontspanningstoestellen en de openingsbelasting op slijterijen van gegiste dranken. Hier komt de federale overheid niet tussen; de ontvangsten "passeren" zelfs niet via deze overheid. Exclusieve belastingen zijn dus de uitdrukking bij uitstek van de fiscale autonomie van overheden.

II. *Concurrerende belastingen* : op eenzelfde belastingbasis heffen verschillende overheden belastingen, eventueel zelfs zonder onderling overleg.

III. *Afgestane belastingen* : de federale overheid normeert, maar staat een gedeelte van de geïnde belastingen af aan andere overheden. Het percentage dat wordt afgestaan, wordt in overleg bepaald. Deze terminologie wordt ook gebruikt voor de belastingopbrengsten afgestaan aan de EU.

IV. *Supplementaire of samengevoegde belastingen* : hier heffen lagere overheden een belasting op de federaal geheven belasting onder de vorm van op- of afcentiemen. Dit is het geval bij de inkomstenbelasting waar de gemeenten opcentiemen op de federale belasting heffen; de gewesten kunnen dit ook, maar hebben het tot hiertoe niet gedaan. De federale overheid int de volledige belasting en stort het deel van de lagere overheden door.

V. *Overgedragen of gedeelde belastingen* : hier blijft de volledige fiscale bevoegdheid bij de federale overheid, maar deze stort het geheel of een gedeelte van de geïnde belastingen door aan een andere overheid. Deze verdeling vindt plaats volgens vooraf bepaalde sleutels. In België worden de gemeenschappen gefinancierd met een deel van de BTW opbrengsten.

VI. *Toegewezen of geaffecteerde ontvangsten* : opnieuw gaat het om een deel van de belastingen dat naar andere instanties wordt overgeheveld. Het onderscheid met afgestane en overgedragen belastingen is dat er meestal een duidelijk gebruik wordt voorzien (bijv. om een bepaalde uitgavenpost te financieren). De belastingbetaler "weet" dus waarvoor zijn belastinggeld zeer specifiek zal worden gebruikt. Hiervan wordt dan ook handig gebruik gemaakt om de tegenstand tegen belastingverhogingen te omzeilen. In België werden socialezekerheidsbijdragen "vervangen" door BTW-verhogingen. Een deel van deze ontvangsten wordt dan ook toegewezen aan de sociale zekerheid.

De voorgaande opdeling werd niet strikt gevolgd bij de vastlegging van de financiering van de gemeenschappen en gewesten in België. Naast de samengevoegde belastingen (voor de personenbelasting) en de gedeelde belastingen (BTW) spreekt men meestal nog van *gewest- en gemeenschapsbelastingen*. Deze zijn een combinatie van samengevoegde en gedeelde belastingen.

Het kijk- en luistergeld is de enige gemeenschapsbelasting. Het is een belasting waarvan de federale overheid de normeringsbevoegdheid uitoefent (vanuit deze optiek dus een gedeelde belasting), maar de gemeenschappen zorgen zelf voor de inning (dus geen doorstorting). Bij benadering kan men wel stellen dat het om een gedeelde belasting gaat.

De gewestbelastingen met een gewestelijke normering van zowel grondslag als tarieven zijn : de belastingen op spelen en weddenschappen, de belasting op automatische ontspanningstoestellen, de openingsbelasting op slijterijen van gegiste dranken en sommige milieuheffingen. In dit geval kan men dus spreken van exclusieve belastingen. De gewestbelastingen met een gewestelijke normering van de tarieven, maar een federale normering van de grondslag zijn de successierechten en de onroerende voorheffing. Het gaat hier dus om belastingen die aspecten vertonen zowel van de gedeelde belastingen (de doorstorting) als van de samengevoegde belastingen (de bepaling van de tarieven, maar bij de samengevoegde belastingen gaat het niet om een exclusief gewestelijke bevoegdheid zoals voor de successierechten en de onroerende voorheffing).

Voor de registratierechten en de verkeersbelastingen worden zowel de grondslag als de tarieven federaal bepaald zodat het gaat om een gedeelde belasting, maar het deel van de gewesten in de verkeersbelasting is nog niet toegewezen.

In tabel 4.1. geven we een overzicht van de afgestane, *toegewezen* en overgedragen fiscale ontvangsten in België[5]. De term "toegewezen" duidt op alle fiscale stromen naar de gemeenschappen en gewesten. Voor de duidelijkheid merken we op dat de federale overheid beschikt over de totaliteit van de belastingopbrengst van de verkeersbelasting en aanverwante belastingen, de roerende voorheffing, de accijnzen en een reeks belastingen met een beperkte opbrengst en over het resterende deel van de toegewezen ontvangsten.

Tabel 4.1. : Afgestane, toegewezen en overgedragen ontvangsten

	Volledig	Gedeeltelijk
Afgestaan aan de EU	Douanerechten	BTW
Overgedragen aan de gewesten	Belasting op weddenschappen en spelen, op automatische ontspanningstoestellen, onroerende voorheffing, ecotaksen, openingsbelastingen en successierechten	Bedrijfsvoorheffing personenbelasting en registratierechten
Overgedragen aan de gemeenschappen		Bedrijfsvoorheffing personenbelasting en BTW
Toegewezen aan de sociale zekerheid		Bedrijfsvoorheffing personenbelasting en BTW

Bron : Opgesteld op basis van tabel III.A.0.2 van de Conjunctuurnota

De geldstromen zijn omvangrijk[6] (cijfers voor 1998) :
– Afgestaan aan de EU : 87,9 miljard BEF
– Overgedragen aan de gewesten : 427,9 miljard BEF

---

[5] De afgestane, toegewezen en overgedragen ontvangsten verklaren het verschil tussen de totale overheidsontvangsten en de Rijksmiddelen.

[6] Bron : Conjunctuurnota Ministerie van Financiën, tabel III.A.4.4.

- Overgedragen aan de gemeenschappen : 513,4 miljard BEF
- Toegewezen aan de sociale zekerheid : 125,7 miljard BEF
- Totaal : 1.121,2 miljard BEF of 41,1 procent van de totale ontvangsten van de federale overheid.

Voor ieder gebruik van afgestane, toegewezen, exclusieve of overgedragen belastingen bestaat een specifieke verklaring. Zo worden de afgestane belastingen aan de EU in overleg met de andere lidstaten bepaald.
De verklaring voor het gebruik van toegewezen belastingen hebben we reeds gegeven. De exclusieve en overgedragen belastingen vloeien hoofdzakelijk voort uit de staatsstructuur en de opties die in dit verband werden genomen. Wordt gevreesd dat de economische en monetaire unie gevaar loopt door de fiscale concurrentie die zou ontstaan bij het verlenen van een verregaande fiscale autonomie, dan zal worden geopteerd om lagere overheden eerder te financieren met dotaties en gedeelde belastingen dan door hen ruime fiscale normeringsbevoegdheden toe te kennen. De lagere overheden zullen dan enkel kunnen beschikken over exclusieve en supplementaire belastingen die betrekking hebben op belastbare grondslagen die weinig mobiel zijn (bijv. onroerende goederen).
We gaan verder in op deze problematiek in hoofdstuk 4.

2.3. De belastingdruk in internationaal perspectief

In de volgende tabel geven we de belastingdruk in de lidstaten van de Europese Unie en in Canada, Japan en de Verenigde Staten voor een representatief aantal jaren. Uit de cijfers blijkt een zeer groot verschil in fiscale druk : in 1998 was de fiscale druk in Zweden (62,8 procent) bijna dubbel zo hoog als in Japan (32,1 procent). Verder valt het op dat, zonder uitzondering, de fiscale druk in alle landen sterk steeg na 1970. De stijging was bijzonder groot in deze landen die in 1970 de laagste fiscale druk kenden namelijk Italië (+ 18,0 procentpunten), Spanje (+ 18,2 procentpunten) en Portugal (+ 19,8 procentpunten). In deze landen blijft de fiscale druk evenwel relatief laag. In de landen waar de fiscale druk in 1970 reeds hoog was, is deze druk verder gestegen, maar minder dan in de hierboven vermelde landen. Het gevolg is dat de verschillen in fiscale druk tussen de landen wel daalde, maar vandaag nog steeds bijzonder groot is. Merk nog op dat binnen de Europese Unie de "zuiderse" landen een lagere fiscale druk kennen dan de meer noordse landen.

De samenstelling van de belastingdruk verschilt zeer sterk tussen de landen. Dit illustreren we in tabel 4.3 voor de landen van de Europese Unie voor 1997. Hieruit blijkt dat vooral de socialezekerheidsbijdragen verschillen. Zo lopen deze bijdragen op tot meer dan 2/5 van de fiscale druk in Duitsland en in Frankrijk.
Landen met een lage druk van de socialezekerheidsbijdragen zoals Denemarken en Ierland, kennen een hogere druk van de directe belastingen. Gemiddeld beschouwd kan men stellen dat de directe en de indirecte belastingen ieder voor ongeveer 30 procent van de belastingopbrengst instaan; de socialezekerheidsbijdragen voor 35 procent en de overige ontvangsten voor 6 procent.

Tabel 4.2. : Fiscale druk in de landen van de Europese Unie (in procenten van het BBP)

	1970	1975	1980	1985	1990	1995	1997	1998
België	39,2	45,5	48,3	51,6	47,7	49,5	49,8	49,7
Canada	34,6	36,7	36,5	38,7	42,1	42,2	43,5	43,5
Denemarken	45,1	44,7	50,4	54,8	55,9	58,7	59,6	58,8
Duitsland	38,7	43,1	45,1	46,0	43,3	46,6	45,4	44,8
Finland	34,8	43,1	42,8	48,0	52,1	53,3	53,2	52,9
Frankrijk	39,0	41,4	46,5	49,9	49,0	49,8	51,4	51,3
Griekenland	n.b.	22,4	24,9	28,3	32,1	37,7	38,9	39,0
Ierland	31,6	32,83	5,9	40,3	37,3	35,1	34,8	33,7
Italië	29,0	29,2	34,3	39,1	43,1	45,6	48,4	47,7
Japan	20,6	24,0	27,6	30,8	34,2	32,0	32,1	32,1
Luxemburg	33,0	45,2	49,9	52,7	n.b.	n.b.	47,5	46,8
Nederland	40,6	47,7	52,4	54,4	50,1	48,9	49,1	47,0
Oostenrijk	39,4	42,5	46,1	48,4	47,8	50,0	50,0	49,3
Portugal	22,4	23,2	28,1	33,2	35,0	38,0	40,6	40,4
Spanje	22,3	24,6	30,3	35,4	39,6	39,4	40,8	40,8
Verenigd Koninkrijk	39,8	40,0	39,7	41,3	41,8	40,1	40,4	41,4
Verenigde Staten	28,9	28,7	30,0	29,7	30,1	31,0	32,1	32,0
Zweden	48,1	52,1	57,6	61,0	64,9	60,1	62,8	62,8

Bron : Europese Commissie en Oeso.

Wanneer we de Belgische situatie met dit Europees gemiddelde vergelijken stellen we vast dat in België de indirecte belastingen lager en de directe belastingen hoger liggen dan het Europese gemiddelde. Deze vaststelling is natuurlijk niets anders dan de afspiegeling van het gevoerde beleid.

2.4. De Belgische belastingheffing

a. Inleiding

De vermelde cijfers over de belastingdruk in België gelden voor de globale overheid. Dit zijn de belastingen die worden geïnd door de federale overheid, de gewesten en gemeenschappen, de provincies, de agglomeratie Brussel, de gemeenten en de sociale zekerheid. Retributies betaald aan overheidsinstellingen worden als ontvangsten beschouwd voor de overheid waarvan de instelling afhangt. Zo wordt het kijk- en luistergeld als een ontvangst beschouwd van het Vlaamse Gewest. Voor de duidelijkheid zullen we werken volgens de institutionele structuur.

Tabel 4.3. : Samenstelling belastingdruk, 1997 (in procenten van het totaal)

	Indirecte belastingen	Directe belastingen	Socialezekerheidsbijdragen	Andere ontvangsten
België	26,1	36,4	34,7	2,8
Denemarken	30,9	53,0	4,6	11,5
Duitsland	27,9	22,1	44,4	5,6
Finland	27,2	34,9	25,6	12,3
Frankrijk	30,5	20,7	41,3	7,5
Griekenland	36,6	19,3	32,4	11,7
Ierland	42,1	40,9	12,3	4,7
Italië	26,3	32,9	32,0	8,8
Luxemburg	36,0	30,7	24,4	8,9
Nederland	27,6	26,4	38,8	7,2
Oostenrijk	32,1	27,3	34,7	5,9
Portugal	34,7	25,9	29,1	10,3
Spanje	27,2	28,9	34,1	9,8
Verenigd Koninkrijk	36,5	38,3	19,1	6,1
Zweden	26,0	36,1	24,2	13,7

Bron : Europese Commissie.

b. De belastingheffing door de federale overheid[7]

I. Overzicht

In de volgende tabel geven we een overzicht van de totale belastingontvangsten van de federale overheid. We stellen vast dat de directe belastingen bijna de helft belangrijker zijn dan de indirecte belastingen. Bij de directe belastingen gaat het om een veelheid van belastingen, maar de belangrijkste zijn wel de belastingen op natuurlijke personen namelijk de personenbelasting en de belasting van de vennootschappen. In onderstaande tabel zijn beide niet onmiddellijk van elkaar te onderscheiden doordat ze samen

---

[7]   De mate waarin details kunnen worden gegeven is beperkt. Voor verdere en actuele informatie verwijzen we naar het Fiscaal Memento, Ministerie van Financiën, nr. 11/1999. Deze publicatie wordt jaarlijks herzien.

vervat zitten in de voorafbetalingen en de bedrijfsvoorheffingen. Bovendien moet rekening worden gehouden met correcties op stortingen uit het verleden. Het totaal van beide posten geeft evenwel een goede benadering.

De indirecte belastingen staan in voor 40 procent van de belastinginkomsten. Driekwart hiervan zijn BTW-ontvangsten. De successierechten leveren slechts 1,2 procent van de belastinginkomsten op. Deze inkomsten worden geboekt onder de kapitaalinkomsten, niettegenstaande het om indirecte belastingen gaat. Hierom beschouwen we ze ook als een afzonderlijke belastingpost.

Tabel 4.4. : Samenstelling totale belastingontvangsten van de federale overheid, 1998

	In miljard BEF	In procenten van totaal	In procenten van BBP
Directe belastingen	1509,6	58,3	16,6
* Waarvan :			
Roerende voorheffing	98,3	3,8	1,1
Bedrijfsvoorheffingen	1001,6	38,7	11,0
Voorafbetalingen	370,6	14,3	4,1
Indirecte belastingen :	1046,1	40,4	11,5
Waarvan :			
Douane en accijnzen	274,2	10,6	3,0
BTW	771,9	30,0	8,5
Successierechten	33,6	1,3	0,4
Totaal	2.589,3	100,0	28,5

Bron : Conjunctuurnota Ministerie van Financiën, tabel III.A.3.2.

Merk wel op dat de totale belastingontvangsten slechts gedeeltelijk door de federale overheid kunnen gebruikt worden om haar uitgaven te financieren daar een deel van de opbrengst moet afgestaan worden aan de EU, overgedragen aan de gemeenschappen en gewesten en toegewezen aan de sociale zekerheid. Het gaat dus gewoon om belastinggelden waarvoor de federale overheid, om welke reden dan ook, instaat voor de inning. Het is trouwens mogelijk dat de federale overheid over geen enkele normeringsbevoegdheid ter zake beschikt. Dit is het geval voor de belastingen op spelen en weddenschappen, de belasting op automatische ontspanningstoestellen en de openingsbelasting op de slijterijen van gegiste dranken.

De *Rijksmiddelen* geven een juister beeld van de werkmiddelen waarover de federale overheid beschikt. We bekomen deze door van de totale belastingontvangsten de gelden die afgestaan, overgedragen en toegewezen worden af te trekken en dan de niet-fiscale ontvangsten toe te voegen. In tabel 4.5 geven we de cijfers hieromtrent voor 1998.

We stellen vast dat de belastingen 92,4 procent uitmaken van de geldmiddelen die door de federale overheid kunnen worden besteed. De directe belastingen zijn veruit de belangrijkste bron van inkomsten en leveren bijna 2/3 van de Rijksmiddelen op. De BTW ontvangsten die de federale overheid behoudt, staan "slechts" in voor 13 procent van de totale Rijksmiddelen. Een vergelijking met de cijfers uit tabel 4.4 illustreert de

invloed van de afgestane, overgedragen en toegewezen gelden op de structuur van de werkmiddelen van de federale overheid : het relatieve belang van de directe fiscaliteit neemt toe terwijl dit van de indirecte belastingen daalt.
In de volgende paragrafen gaan we dieper in op de belangrijkste belastingen.

Tabel 4.5. : Samenstelling van de Rijksmiddelen van de federale overheid, 1998

	In miljard BEF	In procenten van totaal	In procenten van BBP
Directe belastingen	985,8	62,3	10,8
Waarvan :			
Roerende voorheffing	98,3	6,2	1,1
Bedrijfsvoorheffingen	486,8	30,7	5,4
Voorafbetalingen	370,6	23,4	4,1
Indirecte belastingen	447,1	28,2	4,9
Waarvan :			
Douane en accijnzen	224,6	14,1	2,5
BTW	222,5	14,1	2,4
Successierechten	0,0	0,0	0,0
Niet-fiscale ontvangsten	150,4	9,5	1,7
Totaal	1583,3	100,0	17,4

Bron : Conjunctuurnota Ministerie van Financiën, tabel III.A.3.4.

II. De directe belastingen

a) De inkomsten- of personenbelasting

Inkomsten- of personenbelastingen kunnen worden geheven volgens drie stelsels. Ten eerste, het analytische of cedulaire stelsel waarbij de verschillende inkomsten afzonderlijk worden belast. Dit stelt problemen wanneer een herverdelingsdoelstelling aan de belastingheffing wordt toegekend. In een tweede belastingstelsel worden alle inkomsten geaggregeerd zodat de heffing kan rekening houden met de toestand van de belastingplichtige (cfr. persoonlijke belasting). In een derde gemengd belastingstelsel worden de inkomsten zowel afzonderlijk als geaggregeerd belast. Tot de belastingher-vorming van 1962 werd in België gewerkt met dit gemengde stelsel. De inkomsten werden in drie grote groepen ingedeeld namelijk de roerende, de onroerende en de bedrijfsinkomsten. Ieder inkomen werd afzonderlijk belast, maar bovendien werd op het globale inkomen een aanvullende persoonlijke belasting geheven. Na 1962 werd het belastingstelsel meer een geglobaliseerde belasting alhoewel de globalisatie beperkt bleef tot de inkomstenbelasting. Zo werd de winst van een vennootschapsbelasting die men volledig controleert niet met het andere inkomen geglobaliseerd. Belangrijker is echter dat bepaalde inkomsten niet werden geglobaliseerd. Het gaat hier om de meerwaarden en de toevallige inkomsten. Ook is de roerende voorheffing bevrijdend geworden : na vereffening van deze voorheffing is geen inkomstenbelasting meer verschuldigd.

De personenbelasting moet worden afgedragen door iedere rijksinwoner, namelijk iedere natuurlijke persoon met een woonplaats in België. De niet-inwoners die in België inkomsten verwerven zijn onderworpen aan de belasting op niet-inwoners. De belangrijkste kenmerken van het stelsel vermelden we hieronder. We herhalen dat we enkel een algemene beschrijving geven en dat bepaalde aspecten snel kunnen achterhaald zijn door de wetgeving[8] :

– De belastingtarieven worden vastgesteld volgens het *principe van de draagkracht en de progressiviteit.* Op de inkomsten van 1998 werden volgende aanslagvoeten toegepast :

Tabel 4.6. : Marginale aanslagvoeten, inkomsten 1998

Belastbare inkomsten (in BEF)	Marginale aanslagvoet (in procenten)
0 – 253.000	25
253.001 – 335.000	30
335.001 – 478.000	40
478.001 – 1.100.000	45
1.100.001 – 1.650.000	50
1.650.001 – 2.420.000	52,5
2.420.001 en meer	55

Bron : Fiscaal Memento, Ministerie van Financiën, Nr.11/1999, blz. 27.

Wel is een eerste inkomensschijf vrijgesteld (206.000 BEF voor een alleenstaande en 165.000 BEF voor iedere echtgenoot). Bijkomend zijn er vrijstellingen voor kinderen ten laste. Deze starten met een bedrag van 44.000 BEF voor het eerste kind en lopen op tot 155.000 BEF voor het vierde kind en volgende. Merk wel op dat deze vrijstellingen geen invloed hebben op het marginale tarief. Zo zal een belastingplichtige met een belastbaar inkomen van 850.000 BEF en vrijstellingen ten belopen van 550.000 BEF op een inkomen van 300.000 BEF een belasting betalen van $0,45 \times 300.000$ BEF = 135.000 BEF
– Tot 1985 waren de Belgische inkomstenbelastingen nauwelijks of niet geïndexeerd. Dit had tot gevolg dat de belastingdruk op het inkomen sluipend verhoogde als gevolg van inflatie. Hierdoor nam immers het belastbare inkomen toe waardoor de belastingbetaler in hogere belastingschijven terecht kwam. De inkomstenbelasting beschouwde de inkomensverhoging als een toename van het reële inkomen daar waar dit in werkelijkheid niet het geval was. Tussen 1985 en 1992 waren de bedragen in de inkomstenbelasting nagenoeg volledig geïndexeerd. Na 1992 werd dit evenwel grotendeels vervangen door een jaarlijkse discretionaire aanpassing

---

[8] Een interessante bron voor de technische aspecten van alle belastingen is het Fiscaal Memento dat jaarlijks wordt opgesteld door de Studie- en Documentatiedienst van het Ministerie van Financiën.

waarover wordt beslist bij de opstelling van de begroting. Een automatische volledige indexering van de inkomensschalen bestaat dus niet in België, maar wordt wel voorzien voor het midden van 1999.

– Daar belastingen pas volledig kunnen verrekend worden na afloop van een jaar, wordt vereist dat iedere belastingbetaler een aangifte verricht in de loop van het volgende jaar. De aangifte die midden van het aanslagjaar 1999 wordt ingediend heeft dus betrekking op de inkomsten voor 1998. Om evenwel te vermijden dat de belastingplichtige plots voor een omvangrijk liquiditeitsprobleem zou komen te staan, worden bedrijfsvoorheffingen geïnd. Het gaat om een benadering van de toekomstige belastingen. Deze worden bekomen door een belastingschaal toe te passen op het brutojaarinkomen verminderd met forfaitaire beroepskosten. Het gehanteerde barema wijkt lichtjes af van dit vermeld in tabel 4.6 omdat wordt rekening gehouden met de familiale toestand. De belastingaangifte dient dus essentieel om correcties op de voorafbetalingen toe te passen. De voorafbetalingen worden ingehouden door de werkgevers. Handelaars, bestuurders en beoefenaars van vrije beroepen kunnen vrijwillig voorafbetalingen overmaken aan de belastingdienst. Aldus vermijden ze belastingverhogingen.

– Op de onroerende inkomsten, de roerende inkomsten, de beroepsinkomsten en de diverse inkomsten worden *voorafbetalingen* geheven die, in principe, te verrekenen vallen met de definitieve belasting. Dit geldt evenwel niet voor de bevrijdende roerende voorheffing.

– De belastingen worden op alle inkomsten geheven ongeacht waar ze werden verkregen. Wel kunnen belastingverdragen tussen België en andere landen een dubbele belastingheffing vermijden.

– De berekening van de belasting start van het bruto-inkomen en vereist een aantal bewerkingen :

  – Van de inkomsten worden een aantal bedragen afgetrokken zoals de (forfaitaire of werkelijke) kosten, bepaalde verliezen, giften, uitkeringen tot onderhoud, bepaalde hypothecaire intresten enz. om de belastbare inkomsten te bekomen.

  – Deze inkomsten worden belast volgens het barema (zie tabel 4.6). Hiervan worden dan belastingverminderingen afgetrokken voor het langetermijnsparen, vervangingsinkomsten en de gezinslasten. Eventueel wordt de belasting van afzonderlijk belaste inkomsten hier aan toegevoegd.

  – In principe geldt dat de inkomsten van echtgenotes of samenwonenden worden samengevoegd (de "cumul"). Bij een progressief belastingstelsel resulteert dit evenwel in sterk oplopende belastingen. Om dit enigszins te verhelpen werden twee technieken toegepast, namelijk de decumul en de splitting. De *decumul of gescheiden belastingheffing* wordt toegepast wanneer beide partners over een beroepsinkomen beschikken. De beroepsinkomsten van de partner met de laagste inkomsten wordt belast tegen het afzonderlijke tarief; de andere inkomsten van het gezin worden bij de hogere beroepsinkomsten gevoegd.
  De *splitting of het huwelijksquotiënt* wordt toegepast op gezinnen waar slechts één partner over een beroepsinkomen beschikt. Een deel (30 procent met een maximum van 297.000 BEF) van het beroepsinkomen van de werkende partner wordt toegekend aan de andere partner als beroepsinkomen en afzonderlijk belast.

– De hierboven berekende belasting is nog niet het te betalen bedrag en wel omdat er belastingverminderingen of -vermeerderingen kunnen spelen. Zo is er een vermindering voor zelfstandigen die een investering met eigen fondsen financieren. Ook gelden er verminderingen om het langetermijnsparen aan te moedigen. Het kan hier gaan om premies in het kader van een groepsverzekering of een levensverzekeringscontract of gelden die in een pensioenfonds worden belegd of dienen ter financiering van de terugbetaling van een hypothecaire lening met schuldsaldoverzekering, het pensioensparen of aandelen in het bedrijf waar men is tewerkgesteld. Een derde vermindering is gebonden aan uitgaven in het kader van werkgelegenheidsagentschappen. Deze agentschappen trachten langdurige werklozen in te schakelen in de huishoudelijke taken.

Een vierde vermindering heeft als doel pensioenen en vervangingsinkomens belastingvrij te maken wanneer het de enige inkomsten zijn. Een laatste vermindering poogt een dubbele belasting van in het buitenland verworven inkomsten te vermijden. De belastingvermeerderingen hebben enerzijds betrekking op de crisisbijdrage (3 opcentiemen) en anderzijds op onvoldoende voorafbetalingen.

b) De vennootschapsbelasting

Aan de *vennootschapsbelasting* zijn deze entiteiten onderworpen die voldoen aan drie criteria : de rechtspersoonlijkheid bezitten, in België gevestigd zijn en er een economische activiteit uitoefenen. In principe worden de totale winsten belast, dus ook de buitenlandse. Om evenwel een dubbele belasting te vermijden worden beperkingen ingevoerd die de vorm kunnen aannemen van een verrekening van de buitenlandse belasting of een beperking van het Belgische tarief. Eventueel gelden zelfs bilaterale belastingverdragen die bepalen dat enkel belasting wordt geheven in het land waar de winst wordt gegenereerd.

De algemene principes van de vennootschapsbelasting vatten we hieronder samen.

– De belasting is verschuldigd op de totale winst zonder onderscheid of deze wordt gereserveerd dan wel wordt uitgekeerd.

– De belastbare basis omvat de totale winst plus de verworpen uitgaven zoals overdreven beroepskosten (zo is slechts de helft van de restaurantkosten fiscaal aftrekbaar).

– Het belastingtarief bedraagt 39 procent. Het voorheen bestaande lagere tarief voor de eerste schijf winsten van ongeveer 1 miljoen BEF werd afgeschaft tenzij een voldoende inkomen aan de beheerders werd uitgekeerd. Aldus poogde men de oprichting van "fictieve" bedrijven te beperken. De crisisbelasting van 3 opcentiemen geldt ook voor de vennootschapsbelasting.

– Meerwaarden worden belast afhankelijk van de tijd dat het bedrijf de activa in bezit had en van een herbelegging. Meerwaarden op financiële activa die langer dan vijf jaar in bezit van het bedrijf zijn en snel herbelegd worden, zijn belastingvrij. Meerwaarden op andere activa worden later belast naargelang ze worden afgeschreven.

Merken we nog op dat recentelijk het stelsel van de "fiscale ruling" werd ingevoerd. Volgens dit stelsel kunnen bedrijven en de fiscale administratie afspraken maken over de wijze waarop in de toekomst de opbrengsten van een activiteit of een investering (minimale omvang van 40 miljoen BEF is vereist) fiscaal zullen behandeld worden. De afspraken hebben een bindend karakter voor een periode van vijf jaar en beperken aldus de fiscale onzekerheid omdat de bedrijfsleiding exact weet hoe een project fiscaal zal behandeld worden, zelfs al is het nog niet gerealiseerd.

c) De roerende voorheffing

De *roerende voorheffing* is verschuldigd op dividenden en intresten. Tot 1984 bedroeg deze belasting 20 procent; het was een echte voorheffing zodat een verrekening via de inkomstenbelasting plaatsvond. In 1984 werd de roerende voorheffing verhoogd tot 25 procent, maar werd wel bevrijdend en dus definitief. In 1990 werd de belasting op intresten van nieuwe obligatie-emissies gereduceerd tot 10 procent; voor dividenden bleef de roerende voorheffing, tenzij uitzonderingen, 25 procent. Sedertdien is de roerende voorheffing op intresten in verschillende stappen verhoogd tot 15 procent. Merk op dat de intresten op spaardeposito's tot 55.000 BEF zijn vrijgesteld. Daar meerwaarden niet belastbaar zijn, en gemeenschappelijke beleggingsfondsen reeds aan de bron worden belast, is er geen roerende voorheffing verschuldigd op de via deze fondsen gekapitaliseerde intresten.

d) De onroerende voorheffing

De *onroerende voorheffing* wordt geheven op het kadastrale inkomen. Dit is, in principe, de jaarlijkse nettohuurwaarde van het onroerend goed. Deze waarde werd vroeger periodiek herzien door de overheid, maar door het uitblijven van een dergelijke herziening vindt er nu een jaarlijkse indexering plaats. Het grootste deel van de opbrengst van de onroerende voorheffing vloeit naar de gemeenten.

e) Andere directe belastingen

Buiten de hierboven vermelde belastingen bestaan er nog andere directe belastingen die evenwel een relatief beperkte opbrengst genereren en zeer typisch zijn in hun toepassing. Voor een bespreking verwijzen we dan ook naar de gespecialiseerde literatuur. De belangrijkste van deze belastingen zijn de verkeersbelasting, de belasting op de inverkeersstelling en het eurovignet.

III.   De indirecte belastingen

Indirecte belastingen worden geheven naar aanleiding van een transactie of handeling. Het gaat om de BTW bij het consumeren van goederen of diensten, de registratierechten, de hypotheekrechten, de zegelrechten bij transacties van onroerende goederen, de douanerechten bij invoer, accijnzen en sterkedrankvergunningen.

a) De belasting op de toegevoegde waarde (BTW)

De *belasting op de toegevoegde waarde* werd ingevoerd in 1971. De BTW verving de toen bestaande verkoopsbelasting[9] om de belastingheffing dichter te laten aansluiten bij de creatie van economische waarde. Hierom is het een omzetbelasting (ad valorem of proportionele belasting op de waarde) met betalingen gespreid over de productie- en distributiecyclus volgens de gecreëerde toegevoegde waarde[10]. In werkelijkheid wordt de aan de schatkist af te dragen belasting bepaald als het verschil tussen de belasting die de verkoper aanrekent aan zijn cliënt en de belasting die de verkoper heeft moeten betalen aan zijn leveranciers. Dit is dus het verschil tussen de belasting die geheven wordt op de productie en deze die betaald is op de inputs. De juridische bedoeling is dat de eindverbruiker de belasting draagt (hierover meer in het volgende hoofdstuk waar belastingafwenteling wordt behandeld).

De belasting is verschuldigd op zowel invoer van buiten de EU als van binnen de EU. In de loop van de jaren tachtig werd gedacht dat bij de invoering van de eenheidsmarkt in 1993, het bestaande stelsel met fiscale grenscontroles zou kunnen worden afgeschaft voor de intra-EU handel en worden vervangen door een belasting in het land dat uitvoert, gekoppeld aan een globaal compensatiestelsel : aldus zou het bestemmings-principe[11] worden bereikt dat inhoudt dat BTW is verschuldigd waar de consumptie plaatsvindt. Dit bleek niet realiseerbaar zodat het bestaande stelsel marginaal werd aangepast. Praktisch wordt het bestemmingsprincipe gerealiseerd door de uitvoer vrij te stellen, maar de uitvoerder dient op zijn factuur het BTW-nummer van de EU-invoerder te vermelden. Deze invoerder moet dan BTW aan zijn overheid betalen; fraude wordt bestreden via controles.

Op de uitvoer naar landen die geen lid zijn van de EU is ook geen BTW verschuldigd. Vrijgesteld zijn ook een aantal diensten zoals deze verleend door notarissen, advocaten, gerechtsdeurwaarders, medische en paramedische beroepen, bejaardenzorg, verhuur, sport-, onderwijs- en culturele instellingen, weddenschappen enz.

De BTW-plichtige is verantwoordelijk voor de betaling aan de overheid. In principe gaat het om iedere persoon, vereniging of ieder bedrijf met een regelmatige activiteit. Na de aanpassingen en vereenvoudigingen ter gelegenheid van de creatie van de interne markt op 1 januari 1993[12], bestaan er in België nog 5 BTW-tarieven :

– 0 procent : dagbladen, periodieke publicaties en recuperatiestoffen en -producten
– 1 procent : goud als belegging
– 6 procent : levensnoodzakelijke goederen en diensten zoals voeding, waterdistribu-tie, textiel, geneesmiddelen, boeken, tijdschriften, personenvervoer

---

[9]   Een verkoopsbelasting wordt geheven bij iedere overdracht van goederen. Bedrijven met een sterk geïntegreerd productieproces betaalden dus minder belastingen dan deze met een bijzonder laag geïntegreerd proces.

[10]   De toegevoegde waarde is het verschil tussen de nettoverkoopprijs en de aankoopprijs verminderd met de gebruikte grondstoffen. De toegevoegde waarde bevat dus de lonen en wedden en de winsten.

[11]   Dit staat tegenover het oorsprongprincipe dat inhoudt dat de BTW wordt geheven op de plaats waar de goederen worden geproduceerd.

[12]   De initiële bedoeling van de Europese Commissie was het beperken van de BTW-tarieven tot twee, namelijk een laag tarief (bijv. 6 procent) en een normaal tarief tussen 15 en 20 procent. De tariefverschillen tussen landen dienden beperkt te blijven tot maximaal 5 procent om de "fiscale handel" niet aan te moedigen.

- 12 procent : tabak, luiers, margarine, steenkool, sociale huisvesting en betaaltelevisie
- 21 procent : alle andere goederen en diensten

b) Douanerechten

De *douanerechten* zijn een verbruiksbelasting die wordt geheven op de waarde van ingevoerde goederen. In alle landen van de EU wordt volgens een gemeenschappelijk tarief belast. Dit verschilt van product tot product. De opbrengst van de douanerechten wordt afgestaan aan de EU.

c) Accijnzen

Accijnzen zijn ook verbruiksbelastingen die worden geheven op brandstoffen, alcoholhoudende dranken, mineraalwater, limonades en koffie. Meestal gaat het om eenheidsbelastingen, namelijk een vastgesteld bedrag per fysieke eenheid (bijv. een liter benzine). Voor tabak gaat het evenwel om een advalorembelasting, een percentage van de waarde.

d) Zegelrechten en met zegel gelijkgestelde rechten

Het zegelrecht is een belasting op akten en geschriften en wordt feitelijk voldaan door het aanbrengen en nadien vernietigen van een fiscale zegel. Voorbeelden zijn akten opgesteld door notarissen, procesverbalen van gerechtsdeurwaarders en uittreksels uit de burgerlijke stand. Bepaalde belastingen worden met de zegel gelijkgesteld zoals belastingen op beursverrichtingen, op verzekeringscontracten, op winstdeelnemingen, op de aflevering van effecten aan toonder enz. De tarieven verschillen van geval tot geval.

e) Registratierechten

De registratierechten worden geheven bij het "afschrijven, ontleden of vermelden van akten of geschriften door de ontvanger van de registratie in een register". De registratierechten nemen verschillende vormen aan naargelang de aard van de akte. Zo zijn er rechten van 12,5 procent voor overdrachten van onroerende goederen, 1 procent voor hypotheekinschrijvingen, 6000 BEF voor naturalisatie enz. Is er geen registratierecht voorzien in het wetboek der registratierechten dan bedraagt het 1000 BEF.

De registratierechten zijn gedeeltelijk (voor 41 procent) toegewezen aan de gemeenschappen en gewesten, maar de normeringsbevoegdheid is volledig federaal. Hierom werden deze belastingen hier behandeld.

f) Andere indirecte belastingen

Naast de vermelde indirecte belastingen bestaan er nog andere. Hun opbrengst is beperkt, maar niet verwaarloosbaar. Meestal werden ze ingevoerd om specifieke beleidsdoelstellingen na te streven. We vermelden de specifieke belasting op de energie (op benzine, op huisbrandolie, aardgas en elektriciteit), de milieutaksen (op verpakkingen, wegwerpartikelen, batterijen, lijmen en bestrijdingsmiddelen) en de belasting op drankslijterijen.

IV. De fiscale inkomsten van de gewesten en gemeenschappen[13]

De *fiscale ontvangsten van de gewesten en gemeenschappen* omvatten de eigen belastingen en de overgedragen, samengevoegde of gedeelde belastingen. Het bepalen van de verschillende onderdelen is een moeilijke en tijdrovende aangelegenheid omdat, zoals aangegeven, verschillende ontvangstenstelsels een belang hebben. Hierom beperken we ons, voor wat de cijfers betreft, in tabel 4.7 tot de totale ontvangsten.

Tabel 4.7. : De ontvangsten van de gemeenschappen en gewesten (in miljard BEF)

	1993	1998
Vlaamse Gemeenschap[a]	435,6	573,2
Franse Gemeenschap	209,6	232,1
Waals Gewest	114,3	171,7
Brussels Hoofdst. Gewest	45,0	54,1
Duitstalige Gemeenschap	3,6	3,9
Gemeenschappelijke Gemeenschapscommissie	1,6	2,0
Franse Gemeenschappelijke Gemeenschapscommissie	n.b.	8,2
Totaal	809,7	1.045,1

[a] Het Vlaamse Gewest en de Vlaamse Gemeenschap zijn gefuseerd.
Bron : Documentatieblad Ministerie van Financiën, Tabel III.E.1.1.

We herinneren aan wat in de inleiding werd gesteld, namelijk dat de gewesten alleen voor de exclusieve belastingen over de volledige fiscale bevoegdheden beschikken. Het gaat hier om de belasting op weddenschappen en spelen, op ontspanningstoestellen en de openingsbelasting op slijterijen van gegiste dranken. Voor bepaalde andere belastingen beschikken de gewesten over een zekere normeringsbevoegdheid; het grootste deel van de fiscale inkomsten zijn evenwel overgedragen en gedeelde belastingen. Daar de gewesten en gemeenschappen over geen normeringsbevoegdheden beschikken (of de beperkte bevoegdheid van op- of afcentiemen niet hebben gebruikt), wordt frequent gesproken van verkapte dotaties.
Hieronder geven we toelichting bij enkele belangrijke, fiscale ontvangstenposten.
– Van de gemeenschappen : De belangrijkste fiscale ontvangst van de gemeenschappen is het kijk- en luistergeld. De opbrengst van deze belasting wordt volledig doorgestort naar de gemeenschappen (Vlaanderen staat nu ook in voor de inning), maar de normeringsbevoegdheid is nationaal gebleven. Verder wordt ook een deel van de BTW toegewezen aan de gemeenschappen. Het gaat niet om een vast deel van de opbrengst, maar wel om een ingewikkeld stelsel dat rekening houdt met de inflatie en de bevolkingsevolutie van de min-18 jarigen. Dit steunde op de vaststelling dat een

---

[13]   In het volgende zullen we niet automatisch spreken over gewesten en gemeenschappen, enkel over gewesten, tenzij er verwarring mogelijk is.

belangrijk deel van deze ontvangsten diende om de onderwijsuitgaven te financieren. Na 1998 zal enkel nog rekening worden gehouden met het werkelijke aantal leerlingen. Ook een deel van de opbrengst van de inkomstenbelasting wordt toegewezen. In essentie gaat het om een bedrag dat jaarlijks wordt aangepast aan de BBP-groei.

– Van de gewesten : Zoals reeds geïllustreerd in tabel 4.1 worden een reeks belastingen volledig of gedeeltelijk overgeheveld naar de gewesten. Vooral de bepaling van het aandeel van gedeeltelijk geregionaliseerde belastingen is complex. We verwijzen hiervoor naar de gespecialiseerde literatuur[14].

– De successierechten

Een belangrijke directe belasting moet nog worden toegelicht namelijk de successierechten. Het gaat hier om een belasting waarbij de federale overheid de bevoegdheid heeft tot het vastleggen van de grondslag, de gewesten bepalen het tarief. De successierechten worden geheven op de erfenissen. Het successierecht is afhankelijk van het bedrag dat iedere erfgenaam erft, niet op het totaal van de erfenis. Ook op uit het buitenland verkregen erfenissen wordt een successierecht betaald.

Schenkingen binnen de drie jaar voor het overlijden worden gelijkgesteld met een erfenis en als dusdanig belast tenzij er registratierechten op de schenkingen werden betaald.

De successierechten zijn progressief; ze verhogen ook wanneer de bloedverwantschap afneemt. Daar de belasting werd geregionaliseerd verschillen de tarieven tussen de gewesten. De woonplaats van de erflater bepaalt welke tarieven van toepassing zijn. In werkelijkheid verschillen alleen de tarieven voor nalatenschappen in rechte lijn of tussen echtgenoten. Voor het Vlaamse Gewest gelden volgende tarieven :

– tot 2.000.000 BEF : 3 procent
– tussen 2.000.000 en 10.000.000 BEF : 9 procent
– boven 10.000.000 BEF : 27 procent

Voor de Waalse en Brusselse tarieven gelden meer drempels, maar ze komen grosso modo met de Vlaamse overeen.

Voor de andere nalatenschappen gelden voor alle gewesten volgende tarieven :

Tabel 4.8. : Successierechten voor nalatenschappen in de zijlijn en tussen niet-verwanten, 1999 (in procent)

Bedrag (in BEF)	Tussen broers en zusters	Tussen ooms, tantes, neven en nichten	Tussen andere personen
1 tot 500.000	20	25	30
500.000 tot 1.000.000	25	30	35
1.000.000 tot 3.000.000	35	40	50
3.000.000 tot 7.000.000	50	55	65
Boven 7.000.000	65	70	80

Bron : Fiscaal Memento, Ministerie van Financiën, 11/1999, blz.119.

---

[14]   Zie Matthijs H. (1996), blz. 220 e.v.

Daar de bevoegdheid betreffende de tarieven werd geregionaliseerd, bestaan er verschillen tussen Vlaanderen en Wallonië. Zo worden de tarieven voor erfenissen in rechte lijn of tussen echtgenoten, toegepast op het roerende en het onroerend deel van de erfenis (geen aggregatie van beide). Ook is voorzien (na juni 1999) mits aan zekere voorwaarden is voldaan, dat familiale ondernemingen volledig worden vrijgesteld. Dit laatste werd ingevoerd om te vermijden dat erfgenamen zouden verplicht worden om de onderneming te verkopen enkel en alleen om te voldoen aan de successierechten.

– De belastingontvangsten van de lagere overheden[15]

Met lagere of lokale overheden worden hoofdzakelijk de provincies, de gemeenten, de Brusselse agglomeratieraad, de OCMW's, de intercommunales, de kerkfabrieken en de polders en wateringen bedoeld. Enkel de eerste drie vermelde instellingen beschikken over een fiscale bevoegdheid. Hierom beperken we ons tot een bespreking van hun belastingheffing. We merken hier wel op dat de verdeling van de fiscale bevoegdheden tussen de verschillende overheden deel uitmaakt van de staatskundige structuur. Niet alleen louter economische aspecten spelen hier, maar ook politieke en administratieve aspecten zoals de staatsorganisatie uit het verleden.

De lokale overheden gaven in 1998 ongeveer 6,1 procent van het BBP uit; 2/3 hiervan komt op rekening van de gemeenten.

De ontvangsten van de lokale overheden bestaan hoofdzakelijk uit twee componenten, dotaties en belastingen; de andere inkomsten zijn beperkt. In principe is schuldfinanciering niet meer toegestaan.

Voor de provincies ziet de verdeling van de ontvangsten er ongeveer uit als volgt : 45 procent belastingen, 40 procent dotaties en het overige zijn ontvangsten uit activa (onroerende goederen en beleggingen). Het grootste deel van de ontvangsten betreft provinciale opcentiemen op de onroerende voorheffing. De algemene dotaties kunnen "vrij" worden gebruikt en komen uit het Provinciefonds; de specifieke dotaties dienen om het provinciaal onderwijs en de infrastructuurwerken te financieren en om leningen terug te betalen.

De financiële toestand van de gemeenten is vandaag vrij gezond te noemen. Dit contrasteert scherp met de situatie van het begin van de jaren tachtig toen de tekorten en de schulden sterk opliepen. De voogdij-overheid heeft de gemeenten toen verplicht om tegen het einde van het decennium hun budget in evenwicht te brengen. Dit werd, op een paar uitzonderingen na (vooral grotere steden), gerealiseerd. Deze prestatie dient te worden onderlijnd omdat terzelfdertijd de toelagen via het Gemeentefonds[16] werden verlaagd.

Ongeveer 2/5 van de gemeentelijke ontvangsten zijn van fiscale aard. In het algemeen stelt men vast dat de gemeenten veel soorten belastingen heffen, sommigen zelfs een 40-tal. Evenwel is systematisch de opbrengst uit opcentiemen op de onroerende voorheffing en de aanvullende personenbelasting het belangrijkst. Als vuistregel kan men stellen dat deze twee belastingen instaan voor 75 à 80 procent van de belastingin-

---

[15] We verwijzen ook naar hoofdstuk 4.
[16] Dit fonds verdeelt de algemene dotatie naar de gemeenten. Hierbij wordt rekening gehouden met de rol als centrumgemeente en met de algemene welstand van de gemeente. Deze middelen dienen in de plaats te komen van belastingen en mogen het totale budget niet vergroten.

komsten. Voor een verklaring voor deze asymmetrische verdeling kan men verwijzen naar de zeer brede belastingbasis, naar de vaststelling dat iedereen deze belastingen betaalt en naar het feit dat ze geïnd worden door de federale overheid zodat een gemeente geen eigen administratie hoeft te organiseren en dus wellicht ook op de inningskosten bespaart.

Een ander belangrijk stuk van de gemeentelijke ontvangsten betreft de dotaties.

Ook hier gaat het om algemene en specifieke dotaties. Deze laatste dienen voor de financiering van het onderwijs en de infrastructuurwerken en voor de terugbetaling van leningen. Een belangrijke taak wordt vervuld door het *Gemeentefonds* dat meer dan de helft van de algemene dotaties uitbetaalt. Door dotaties van het Gemeentefonds daalt de belastingheffing door de gemeenten (substitutiefunctie) en worden middelen herverdeeld ten gunste van centrumgemeenten (compensatiefunctie) en ten gunste van de armere gemeenten (nivelleringsfunctie).

Zoals andere overheden hebben de gemeenten ook andere ontvangsten uit participaties in intercommunales en beleggingen.

2.5. Inningskosten

De *inningskosten* worden gedragen door zowel de overheid als de belastingplichtige. Hierom maakt men een onderscheid tussen openbare en privé-innings- of administratie-kosten. Deze kosten vormen een belangrijk aspect van de fiscaliteit : voor de overheid beperken ze de nettobelastingopbrengst en voor de belastingbetalers verhogen ze de ervaren belastingdruk. Het beperken van de omvang van de inningskosten is dan ook een zinvolle beleidsdoelstelling.

De openbare inningskosten betreffen de kosten voor het beheer van de belastingwetge-ving en de werkingskosten van de fiscale administratie. De werkingskosten van de administratie vloeien voort uit de controle op en de strijd tegen de fraude. De vaststelling van een aanvaardbare fiscale controle is een bijzonder moeilijke beleidsbeslissing : een te hoge controle houdt een hoge administratieve en private kost in, een te lage controle kan tot fraude aanzetten.

Enkel voor de federale overheid is informatie beschikbaar over het budget van de fiscale administratie. In 1996 bedroeg dit 40,5 miljard BEF wat overeenkomt met ongeveer 1,5 procent van de belastingopbrengst. De administratiekosten worden natuurlijk ook bepaald door de veelheid van belastingen, de aanwezigheid van schaalvoordelen, de complexiteit van het belastingstelsel enz. Voor vele kleinere lokale belastingen kan men moeilijk aan de indruk ontsnappen dat de belastingopbrengst nauwelijks of niet de inningskost dekt.

Private administratiekosten hebben betrekking op de kost van de boekhoudkundige verwerking van de belastingen, de kost van fiscaal advies enz. Veel hard cijfermateriaal is hierover niet beschikbaar omdat dit sterk afhankelijk is van de complexiteit van het stelsel van vennootschaps- en inkomstenbelasting[17]. Merk wel op dat het voor de belastingplichtige weinig of geen verschil uitmaakt of hij een lage belasting moet betalen dank zij vele private administratiekosten dan wel een hoge belasting en weinig

---

[17]   Voor 1985 werden de private administratiekosten in België geschat op 7,5 procent van de belastingopbrengst (zie Vuchelen J. (1985), blz. 367). Musgrave A. en Musgrave P. (1989), blz. 279 vinden een vergelijkbaar cijfer.

administratiekosten, voor zover de som van de afgedragen belasting en de private administratiekosten gelijk zijn.

2.6. Evaluatie van het Belgisch fiscaal stelsel

Bij het *evalueren van fiscale stelsels* ligt de nadruk overduidelijk op de nadelen. Dit verhindert niet dat we toch kunnen stellen dat ons belastingstelsel zorgt voor een ruime opbrengst die toelaat dat de overheidsuitgaven ongeveer worden gefinancierd. Verder is de belastingheffing relatief evenwichtig gespreid over de verschillende grondslagen en gaat er een zeker herverdelend effect van uit.

Voor wat de tekortkomingen betreft vermelden we :
- De institutionele inrichting van België maakt het niet steeds duidelijk waar de normeringsbevoegdheden liggen. Welke belastingen en binnen welke grenzen kunnen deelgebieden, gemeenten enz. belastingen heffen ?
- De frequente wijzigingen in alle belastingbepalingen heeft geresulteerd in een complex en weinig doorzichtig stelsel.
- Het voorgaande houdt ook een grote *fiscale onzekerheid* in. Vooral voor langeretermijnbeslissingen (bijv. pensioensparen, investeringen) is het belangrijk dat de economische agenten relatief zeker zijn van hun toekomstige fiscale behandeling.
- De gemiddelde en marginale belastingtarieven op het inkomen uit arbeid zijn te hoog. Dit heeft niet alleen te maken met de hoge overheidsschuld die de overheid verplicht tot het heffen van veel belastingen, maar ook met het beleid dat vele belastingvoordelen toekende. Het is de evidentie zelf dat een gegeven belastingopbrengst een hoger tarief noodzakelijk maakt des te kleiner de belastingbasis. De uitholling van de belastingbasis wordt technisch omschreven als het fenomeen van de *fiscale uitgaven*. Dit wordt in het volgende hoofdstuk nader onderzocht.
- De complexiteit en hoogte van de belastingtarieven resulteren in een omvangrijke belastingontwijking en -fraude. Ook hierop wordt ingegaan in het volgende hoofdstuk. Dit geldt evenzeer voor de sociale bijdragen.
- De openheid van de Belgische economie en de nabijheid van belastingparadijzen heeft tot gevolg dat de inkomsten uit kapitaal aan een bijzonder belastingstelsel moeten worden ontworpen. Concreet betekent dit dat een globalisatie met de arbeidsinkomsten niet realistisch is. De roerende voorheffing is dan ook een onvermijdbare eindbelasting.
- Doordat de dividenden, naast de roerende voorheffing, nog worden onderworpen aan de belasting op de inkomsten, keren bedrijven bij voorkeur de winsten niet uit.
- De intresten van leningen zijn aftrekbare kosten terwijl dividenden slechts kunnen worden uitbetaald wanneer de winsten na belastingen voldoende groot zijn. Dit vertekent de financiering van de werkmiddelen van bedrijven ten gunste van vreemd vermogen.

2.7. Tendensen in de fiscaliteit

De fiscaliteit is niet statisch, maar permanent in beweging. Verschillende invloeden werken in op de beleidsvoerders en de administratie van financiën. Dit resulteert in veranderingen in de toepassingsmodaliteiten, in wetswijzigingen en zelfs in grootschalige belastinghervormingen. De veranderingen in de toepassingsmodaliteiten hebben vooral als bedoeling de toepassing van de wetgeving aan te passen aan de dagelijkse realiteit. Wetswijzigingen gaan verder daar de wetgever dan de regels van de belastingheffing vastlegt of aanpast. Belastinghervormingen zijn eerder zeldzaam, maar hebben hierom ook een zeer groot belang. Uit al de veranderingen in de fiscaliteit die de laatste jaren zijn opgetreden, willen we een viertal tendensen distilleren : de hervormingen van de inkomstenbelasting, de invoering van nieuwe belastingen en dan voornamelijk milieubelastingen, de Europese belastingharmonisatie - concurrentie en tenslotte de tendens naar fiscale autonomie. Hier willen we voornamelijk de problematiek aankaarten. Zo zal in het volgende hoofdstuk nader worden ingegaan op de nadelen van hoge marginale belastingtarieven op het arbeidsinkomen. In hoofdstuk 4 zal de internationalisatie van de fiscaliteit en de problemen rond fiscale autonomie worden besproken.

a. De hervorming van de inkomstenbelasting

De voorgaande vaststellingen betreffende de Belgische fiscaliteit gelden evenzeer, in meer of mindere mate, voor de andere landen. Het hoeft dan ook geen verbazing te wekken dat een roep op *belastinghervormingen* zeer regelmatig de kop opsteekt. De tendens hiervan gaat in de richting van het verminderen van de marginale belastingtarieven en het uitbreiden van de belastbare basis. Het meest illustratief zijn de belastinghervormingen van de jaren tachtig die gestart zijn in Californië en overwaaiden naar de meeste westerse landen, ook naar België. De vlaktaks (een laag uniform tarief toegepast op een maximale belastingbasis) vormt hiervan de meest extreme uitdrukking. Dat de budgettaire situatie in de meeste landen bijzonder moeilijk lag, vormde geen hinderpaal : de argumentatie van de fervente aanbodeconomen was immers dat de lagere belastingtarieven de groei zou stimuleren zodat de belastingontvangsten zouden toenemen. De terugverdieneffecten verbonden aan lagere belastingtarieven zouden voldoende groot zijn om de initiële daling van de belastingen te compenseren. Aldus zou de belastingverlaging zichzelf terugbetalen. Merk nog op dat de internationalisatie van deze belastinghervormingen illustreert hoe sterk het economisch gebeuren verweven zit tussen de landen : een lagere belasting in een land heeft zeer snel repercussies op de andere landen die dan ook "verplicht" worden "om te volgen".

Merken we nog op dat naast de pleidooien voor een verlaging van de belastingtarieven en een verbreding van de belastingbasis, regelmatig ook de stelling wordt verkondigd dat niet het inkomen, maar de consumptie moet worden belast. Dergelijke drastische belastinghervorming schrikt velen af, maar de onmiskenbare voordelen en het groeiende aantal voorstanders geeft aan dat dit in de toekomst een terugkerend thema zal blijven. In het volgende hoofdstuk dat handelt over belastingprincipes, komen we op het probleem van de keuze van de belastingbasis terug.

b. Nieuwe belastingen

De belangrijkste nieuwe soort belastingen zijn de *milieubelastingen*. Meer nog dan voor andere belastingen streeft de beleidsvoerder met deze belastingen een wijziging na van de allocatie van de consumptie en productie ten gunste van niet-milieubelastende goederen en diensten. Extreem gesteld, is de opbrengst zeer bijkomstig : de nadruk ligt op het wijzigen van gedragingen. Een tweede typische eigenschap van milieubelastingen is dat ze in essentie pogen om de externaliteiten verbonden aan bepaalde consumpties en producties te internaliseren. De vervuiler ondervindt weinig of geen hinder van zijn vervuiling zodat hij niet of slechts in beperkte mate wordt aangespoord om de vervuiling te minimaliseren. Een milieubelasting kan die aansporing wel geven[18].

Tussen theorie en praktijk ligt evenwel een brede kloof. De belangrijkste moeilijkheid is dat een rechtstreekse belasting van de vervuiling niet altijd mogelijk is door de problemen omtrent het bepalen van de belastbare basis. Voor niet-herbruikbare flessen stelt dit geen probleem, maar wat met afvalwater ? Het waterverbruik belasten houdt niet noodzakelijk een juiste belasting van de vervuiling in : personen die veel water gebruiken vervuilen immers niet altijd veel, en omgekeerd. De belasting zal dan ook slechts een beperkte sturingsimpact hebben op het gedrag. Ook moet men voor bedrijven rekening houden met de invloed op de concurrentiepositie en met de mogelijkheid dat ze deze belasting doorrekenen in hun prijzen (belastingafwenteling).

c. De Europese belastingharmonisatie – concurrentie

De voortschrijdende Europese integratie leidt onvermijdelijk tot een ruimere belangstelling voor verschillen in belastingstelsels en belastingtarieven. Een centraal gestuurde harmonisatie die als doel heeft de werking van de gemeenschappelijke markt te stimuleren is dan ook onvermijdbaar. De vraag blijft evenwel hoever de *harmonisatie* dient te gaan. Moeten de belastingstelsels en -tarieven nagenoeg identiek worden gemaakt of kunnen er verschillen blijven bestaan ? Hoe groot en in welke aspecten van de fiscaliteit kunnen deze verschillen bestaan zonder de marktwerking te verstoren[19] ? Bovendien speelt ook een louter politiek aspect : een te omvangrijke harmonisatie houdt een kleinere bevoegdheid voor de nationale beleidsvoerders in. Het economische aspect is dat een te ruime harmonisatie tot gevolg heeft dat de concurrentie tussen de lidstaten afneemt. Het probleem komt dus neer op het vinden van deze harmonisatiegraad die de werking van de gemeenschappelijke markt stimuleert zonder evenwel zo ver te gaan dat de fiscale concurrentie zou worden uitgesloten.

d. Fiscale autonomie

De staatskundige reorganisatie van België over de voorbije dertig jaar heeft geresulteerd, zoals de hierboven vermelde cijfers aangeven, in de overheveling van omvangrijke uitgavenbevoegdheden naar de gewesten en gemeenschappen. Voor de financiering van deze uitgaven kunnen de gewesten en gemeenschappen slechts in zeer beperkte mate een beroep doen op eigen fiscale inkomsten, namelijk belastingen waarover de gewesten en gemeenschappen de volledige fiscale bevoegdheid hebben. Dit beperkt de financiële verantwoordelijkheid. Bovendien ontneemt het de gewesten en gemeenschappen het belastinginstrument als "sturingsmiddel". De tendens naar een grotere fiscale bevoegdheid of *fiscale autonomie* voor de gewesten en gemeenschappen lijkt

---

[18] We verwijzen voor meer details naar de steeds groeiende literatuur omtrent milieu-economie.

[19] Met verstoring van de marktwerking wordt hier hoofdzakelijk handel tussen lidstaten bedoeld die uitsluitend gebaseerd is op het exploiteren van fiscale verschillen.

dan ook onomkeerbaar. Dit betekent, samen met de internationalisatie van de fiscaliteit, dat de fiscale bevoegdheden van de federale overheid zullen verminderen. Zoals gesteld, komen we op beide ontwikkelingen terug in hoofdstuk 4.

3. NIET-FISCALE ONTVANGSTEN

3.1. Van de federale overheid

In het totaal van de ontvangsten van de overheid nemen de *niet-fiscale ontvangsten* een belangrijke plaats in. Hun stijging verliep, trendmatig beschouwd, even snel als deze van de fiscale ontvangsten. In 1970 bedroegen de niet-fiscale ontvangsten 17,5 miljard BEF of een 6 procent van de fiscale ontvangsten. In 1998 was dit 150,4 miljard BEF of 7,6 procent van de Rijksmiddelen. Een maximum werd bereikt in 1993 en 1994 door de ruime privatiseringen. De belangrijkste ontvangsten vloeien voort uit :
– Retributies : dit zijn betalingen voor diensten verleend door de overheid. Merk wel op dat er geen rechtstreeks verband hoeft te bestaan tussen de kostprijs van de dienst en de retributie. Een typisch voorbeeld is de vergoeding voor administratieve formaliteiten.
– Opbrengsten uit de overheidsdomeinen : het betreft hier de inkomsten uit musea, het verkoop van verouderd materiaal (bijv. van het leger) enz.
– Inkomsten uit overheidsbedrijven : het gaat om dividenden of andere inkomsten uit bedrijven die de overheid bezit of waarin de overheid participeert. Typische voorbeelden waren, tot voor de privatisering, de ASLK en de NMKN voor de federale overheid en het Gemeentekrediet voor de gemeenten.
– De privatiseringen : in de loop van 1993 en 1994 besliste de regering om een ruim, vierjarig privatiseringsprogramma af te werken. In totaal bracht dit tussen 1993 en 1996 163,4 miljard BEF op. Door het boeken van de opbrengst als een niet-fiscale ontvangst daalde het tekort, wat de realisatie van de Maastrichtnorm vergemakkelijkte. Deze praktijk "vervalste" de overheidsrekeningen zodat de Europese Commissie de boekhoudkundige normen aanpaste.

3.2. Van de gewesten en gemeenschappen

– Voorbeelden zijn de loodsdiensten, de vergoedingen voor administratieve formaliteiten enz.
– Opbrengsten uit de gewestdomeinen : het betreft hier de inkomsten uit musea, uit het verpachten van jacht- en visrechten, de verkoop van houtkaprechten, de verkoop en verhuur van gronden enz.
– Inkomsten uit overheidsbedrijven : het gaat om dividenden of andere inkomsten uit bedrijven die de overheid bezit of waarin de overheid participeert. Voor de gewesten is het typische voorbeeld de gewestelijke investeringsmaatschappijen.

3.3. Van de gewesten

De solidariteitstussenkomst : deze tussenkomst heeft als doel de inkomstenverschillen tussen de gewesten te beperken. Dusdanig sluit dit aan bij de herverdelingsfunctie van de overheid, maar dan wel toegepast via de gewesten. Sedert 1990 ontvangt een gewest waarvan de gemiddelde opbrengst van de personenbelasting per inwoner lager is dan het nationaal gemiddelde, een solidariteitstussenkomst. Het basisbedrag bedraagt 468 BEF per inwoner en per procentpunt verschil met het nationaal gemiddelde. Het bedrag is geïndexeerd aan de consumptieprijzen. Het betreft geen bijkomende werkmiddelen voor de gewesten daar het bedrag wordt afgenomen van de middelen die aan de gewesten worden toegewezen. Het gaat dus om een zuivere herverdeling van het "rijkere" naar het "armere" gewest.

3.4. Van de lagere besturen

Zoals opgemerkt hebben de niet-fiscale ontvangsten grotendeels betrekking op participaties in bedrijven (bijv. intercommunales) en op de opbrengst van het beheer van onroerende goederen zoals sportinfrastructuur. Verder leverde de privatisering van een deel van het Gemeentekrediet in 1996 ook niet-fiscale inkomsten op aan de gemeenten.

4. BESLUIT

Het belangrijkste deel van de overheidsuitgaven wordt gefinancierd met de opbrengst van belastingheffing. Schuldfinanciering, d.i. uitstel van belastingheffing, is minder en minder aanvaard door de Europese eenmaking. Dit houdt in dat aan de wisselwerking tussen belastingen en overheidsuitgaven nog meer dan vroeger aandacht zal worden besteed. Hierom is een goed theoretisch inzicht in de belastingheffing noodzakelijk. Beleidsmatig zal in de toekomst veel aandacht moeten worden besteed aan de aanpassing van de belastingen aan internationale concurrentie. Voor België komt hier zeker de fiscale autonomie van de gemeenschappen en gewesten bij. Dit stelt terecht het probleem van de beleidsruimte van de Belgische federale overheid. Zal deze voldoende groot zijn, rekening houdend met de intrestlasten, om de nieuwe noden (sociale zekerheid, justitie, pensioenen enz.) te financieren ? Het zal er dan op aan komen om de "negatieve" aspecten van de Belgische fiscaliteit maximaal weg te werken, zoniet te beperken. Hierbij moet men zich evenwel geen illusies maken. De voorgaande bladzijden hebben voldoende aangetoond dat het belastingstelsel, en dit geldt in meer of mindere mate voor ieder stelsel, een complex geheel is. Dit is het resultaat van een historische ontwikkeling waarin vele invloeden hebben gespeeld. Een echte belastingrevolutie kan dan ook moeilijk worden verwacht. Aanpassingen zijn evenwel onvermijdbaar.

Literatuurlijst

BOON A. (1989), "Gemeenschappen en gewesten : bevoegdheden en financiering", *Documentatieblad* Ministerie van Financiën, nr. 4, blz. 51-166.

Conjunctuurnota, Studiedienst Ministerie van Financiën, 8 nummers per jaar.

Fiscaal Memento, Studiedienst Ministerie van Financiën, jaarlijkse publicatie.

MATTHIJS H. (1996), *Overheidsbegrotingen*, Brugge, Die Keure.

MUSGRAVE A. en MUSGRAVE P. (1989), *Public finance in theory and practice*, New York : McGraw-Hill, (vijfde uitgave).

VANDERVEEREN C. en VUCHELEN J. (red.) (1998), *Een Vlaamse fiscaliteit binnen een economische en monetaire Unie*, Antwerpen : Intersentia.

VUCHELEN J. (1985), "De administratiekosten van de belastingen", in De Meyer L. en Flamant E., (red.) *Liber Amicorum Willy De Clercq*, Leuven, Peeters, blz. 347-371.

Trefwoorden en -zinnen van hoofdstuk 2

Aanbodeffecten
Ad-valorembelasting
Algemeenheid van bestemming van de belastingopbrengst
Belastbare basis
Belastingafwenteling
Belastingontwijking en belastingfraude
Belasting- of aanslagvoet
Consumptiebelasting
Definitie belastingen
Directe en indirecte belastingen
Draagkrachtbeginsel
Effectief tarief
Extra-last
Fiscaal bruikbare definitie van het inkomen
Fiscaal dividend
"Fiscal drag"
Fiscale eenheid
Fiscale onzekerheid en de fiscale illusie
Fiscale voordelen
Gevolgen van een belastingheffing
Globalisatie
Hoofdelijke belasting
Horizontale rechtvaardigheid
Inkomenseffect
Inkomenstransfers
Kapitalisatie van de belastingen
"Kwaliteit" van een belasting
Last van een belasting
Loonwig
Marginale en het gemiddelde tarief
Meerwaarden
Mobiliteit
Nominaal tarief
Profijtbeginsel
Progressief belastingstelsel
Proportioneel belastingstelsel
"Rechtvaardigheid" of "billijkheid"
Regressieve belastingstelsels
Retributies
Roerende voorheffing
Socialezekerheidsbijdragen
Subsitutie-effect
Tarief-elasticiteit van de belastbare basis
Vermogensbelasting
Verticale rechtvaardigheid
Vlaktaks

Hoofdstuk 2
DOELSTELLINGEN VAN BELASTINGHEFFING

De belastingen vormen de onvermijdbare kost van de overheidsuitgaven : zonder belastingheffing kan de overheid weinig of geen tussenkomsten uitvoeren. Evenwel houdt dit niet in dat de wijze waarop de belastingen worden geheven van ondergeschikt belang zou zijn. Integendeel, de belastingen vormen een belangrijk instrument van economisch beleid, maar dit stelt dan wel de vraag of geen andere doelstellingen dan het financieren van de overheidsuitgaven dienen te worden nagestreefd met de belastingheffing. Moeten de belastingschalen bijv. progressief zijn zodat de hogere inkomens relatief meer belasting betalen dan de minder vermogenden ? Buiten deze herverdelingsdoelstelling worden belastingen ook gebruikt om het gedrag van economische agenten te sturen. Illustraties hiervan vormen de hoge belastingen op gevaarlijke en ongezonde producten. Vanuit een stabilisatiedoelstelling zal de overheid de belastingen moeten verhogen in periodes van hoogconjunctuur om ze later, bij een verzwakking, te verlagen. Aanbodeconomen zullen bovendien argumenteren dat hoge en progressieve marginale belastingtarieven de economische groei zullen afremmen. Tevens mag niet worden vergeten dat de economische agenten-kiezers bijzonder gevoelig zijn voor de belastingen : iedereen zal vinden dat hij teveel belasting betaalt en zal trachten zijn belasting maximaal te beperken. Er zal dan ook een systematische druk op de overheid uitgaan om de belastingen te hervormen. Hierbij kan de economische theorie een hulp zijn, maar niet meer. Ultiem zullen voor- en nadelen van de mogelijke hervormingen door de beleidsvoerders moeten afgewogen worden.

Het vaststellen van de belastingheffing vormt dus wel één van de belangrijkste en moeilijkste taken van de overheid. Deze taak is evenwel onvermijdbaar.

1. INLEIDING

Belastingen kunnen worden gedefinieerd als deze bedragen die door politieke overheden (parlement, provincieraad, gemeenteraad enz.) worden gevorderd van personen, ondernemingen of instellingen zonder direct duidelijke tegenprestatie vanwege de overheid en dit met als doel de overheidsuitgaven te financieren. Verschillende beginselen van belastingheffing zijn vervat in deze definitie :

– Daar de belastingen worden opgelegd door politieke overheden gaat het om een verplichte overdracht vanuit de privé-sector naar de overheid.
– De verwijzing naar de financiering van de overheidsuitgaven en de afwezigheid van een specifieke tegenprestatie vanwege de overheid houdt het principe in van de *algemeenheid van bestemming van de belastingopbrengst* : in principe vormen de belastingopbrengsten één geheel waarmee de uitgaven worden gefinancierd. De totale belastingen vormen dus de globale prijs van de overheidsdiensten. Het is verkeerd te denken dat de voertuigenbelasting wordt gebruikt om de aanleg van wegen te financieren.
Op het principe van algemeenheid, bestaan wel enkele uitzonderingen. Zo worden gedeeltes van de BTW-opbrengst afgestaan aan de EU en aan de sociale zeker-heid[20]. Ook op het vlak van milieubelastingen vindt men voorbeelden. Men spreekt dan over toegewezen of geaffecteerde ontvangsten.
– Een aantal heffingen geïnd door de overheid behoren niet tot de belastingmiddelen. Zo zijn *retributies* vergoedingen die door de overheid worden geïnd voor geleverde prestaties (bijv. tolgelden). Ontvangen dividenden van overheidsbedrijven zijn ook geen belastinggelden. Discussiepunt is of de socialezekerheidsbijdragen behoren tot de belastingen. Afwijzingen steunen op de stelling dat de overheid wel degelijk een tegenprestatie levert daar de bijdragen dienen als financiering van de socialezekerheidsuitgaven. De bijdragen zouden dus eerder retributies zijn. Anderzijds wijst het verplichtend karakter in de richting van een belasting.

Naast de voorgaande bemerkingen over het concept "belastingen", moeten nog enkele begrippen worden verduidelijkt.
– De belastbare basis of grondslag
De bevoegde overheden bepalen de *belastbare basis*. Het kan gaan om het inkomen, de dividenden of de toegevoegde waarde. Eventueel kennen ze ook vrijstellingen, beperkingen van de belastbare basis of belastingverminderingen toe (bijv. voor het aantal kinderen ten laste of het pensioensparen in de inkomstenbelasting).
– De belasting- of aanslagvoet
De belasting- of aanslagvoet is het toegepaste belastingpercentage, bijv. 15 procent voor de roerende voorheffing. Voor een goede economische analyse is het onderscheid tussen het *marginale en het gemiddelde tarief* cruciaal. Het marginale tarief is gelijk aan de verhouding tussen de toename van de belasting en de toename van de belastbare basis :

$$mt = \Delta T / \Delta B$$

---

[20]   Binnen de sociale zekerheid ook aangegeven als "alternatieve financiering".

met   mt : marginaal belastingtarief
ΔT : verhoging van de afgedragen belasting
ΔB : verhoging van de belastbare basis

Het gemiddelde tarief legt een verband tussen de totale afgedragen belasting en de belastingbasis :

$$t = T / B$$

De beslissingen van de economische agenten worden bepaald door het marginale tarief.
De relatie tussen het gemiddelde en het marginale tarief laat toe te stellen of we te maken hebben met een progressief, proportioneel of regressief belastingstelsel. Staat het tarief los van de omvang van de belastbare basis zoals bij de BTW het geval is, dan spreekt men van een *proportioneel stelsel* :

$$t = mt$$

Zolang het marginale tarief groter is dan het gemiddelde tarief (t < mt), bij gelijke grondslag, gaat het om een *progressieve belasting*. Voor *regressieve belastingstelsels* zal het marginale tarief kleiner zijn dan het gemiddelde tarief (t > mt).
Alternatief kan men de belastingstelsels onderscheiden op basis van de elasticiteit van de belastingopbrengsten t.o.v. de belastbare basis. Deze elasticiteit is gedefinieerd als :

$$E(T,B) = mt/t$$

Is deze elasticiteit groter dan 1, dan spreekt men over een progressief stelsel; bij een elasticiteit kleiner dan 1 gaat het om een regressief belastingstelsel.

– De tariefelasticiteit van de belastbare basis
  Met de *tariefelasticiteit van de belastbare basis* wordt deze procentuele verandering in de belastbare basis bedoeld die volgt op een procentuele verandering in de *belastingvoet* :

$$E(B,t) = (\Delta B/B) / (\Delta t/t)$$

Deze elasticiteit valt te vergelijken met een prijselasticiteit. Al naargelang |E(B,t)| groter of kleiner is dan 1, spreekt men over een elastische of in-elastische belasting. De grootte van deze elasticiteit varieert van belasting tot belasting. In principe kan men zelfs niet uitsluiten dat deze elasticiteit positief is. Dit zal het geval zijn wanneer een verhoging van de belastingtarieven resulteert in een uitbreiding van de belastbare basis[21].

---

[21]   De bespreking van figuur 4.2. zal aangeven dat dit het geval is als het inkomenseffect van een tariefverhoging groter is dan het substitutie-effect.

– De macro-economische inkomenselasticiteit
Vanuit een macro-economisch standpunt is het interessant om de gevoeligheden te kennen van de belangrijke belastingopbrengsten t.o.v. een macro-economische maatstaf zoals het BNP of het BBP :

$$E(T,Y) = (\Delta T/T) / (\Delta Y/Y)$$

met   Y : een macro-economische maatstaf van het inkomen (BNP of BBP).

Deze macro-economische inkomenselasticiteit kan worden opgesplitst in een elasticiteit van de belastingopbrengst t.o.v. de belastbare basis (E(T,B)) en een elasticiteit van de belastbare basis t.o.v. het inkomen (E(B,Y)), zodat :

$$E(T,Y) = E(T,B)*E(B,Y)$$

Een kennis van deze elasticiteiten laat toe een juistere voorspelling te maken van de macro-economische opbrengst van de belastingen. Als de elasticiteit E(B,Y) groter is dan 1, zal de belastingopbrengst sneller toenemen dan de groei. Deze sluimerende fiscaledrukverhoging wordt *"fiscal drag"* genoemd en kan negatief inwerken op de groei. Anderzijds vormt dit een eenvoudige techniek om een groeiende overheidssector te financieren : het *fiscaal dividend* (de toename van de belastingopbrengst die de inkomensgroei overtreft) betekent extra middelen voor de overheid zonder dat tarieven dienen te worden gewijzigd.

– Nominale of effectieve belastingdruk
De gepubliceerde belastingtarieven worden niet altijd daadwerkelijk betaald omdat de overheid vrijstellingen, uitzonderingen en aftrekmogelijkheden voorziet. Het "officiële" tarief wordt aangeduid als *nominaal tarief,* het werkelijk betaalde tarief als *effectief tarief.* Ter illustratie : op de intresten op obligaties wordt een roerende voorheffing van 15 procent geheven. Evenwel dient geen roerende voorheffing te worden betaald wanneer de inkomsten in een gemeenschappelijk beleggingsfonds worden gekapitaliseerd. De effectieve belastingvoet bedraagt dan 0 procent.

2. PRINCIPES VAN BELASTINGHEFFING[22]

2.1. Inleiding

Het vaststellen van de belastingen behoort tot de belangrijkste taken van ieder democratisch verkozen, politiek college. Vele invloeden komen dan ook in het belastingbeleid tot uiting. Economische motieven, partijpolitieke doelstellingen, sociale invloeden enz. hebben hun belang. Bovendien mag men niet over het hoofd zien dat ieder belastingstelsel zijn eigen geschiedenis heeft. Veranderingen naar het "optimale" stelsel zijn dan ook niet op korte termijn mogelijk omdat de weerstand wordt opgeroepen van diegenen die meer zouden dienen af te dragen. Hierom is het wellicht beter te stellen dat beleidsvoerders zullen streven naar een aanvaardbaar belastingstelsel eerder dan naar een optimaal stelsel. Dit laatste zou men kunnen bereiken wanneer het

---

[22]   Een algemene referentie voor de volgende paragrafen is Musgrave A. en Musgrave P. (1989).

bestaande stelsel volledig zou kunnen worden afgebouwd : een "tabula rasa" benadering. Beleidsmatig is dit evenwel utopisch. Bovendien stelt zich het praktische probleem dat een discussie omtrent een volledig nieuw belastingstelsel wellicht niet zal leiden tot een consensus.

Musgrave A. en Musgrave P. (1989, blz. 216) vatten de literatuur omtrent een aanvaardbaar belastingstelsel samen in 7 vereisten :

1. De opbrengst moet voldoende groot zijn.
2. De last van de belastingen moet rechtvaardig verdeeld zijn : iedereen moet zijn/haar aandeel bijdragen.
3. Relevant is niet wie de belasting overdraagt aan de overheid, maar wel wie de uiteindelijke last draagt. Het gaat hier om het probleem van de afwenteling van belastingen.
4. Belastingen moeten zo weinig mogelijk invloed hebben op het economisch gebeuren. De neutraliteit moet zo dicht mogelijk benaderd worden.
5. Het belastingstelsel moet gemakkelijk kunnen worden gebruikt door de beleidsvoerders voor het stabiliseren van de economie en het stimuleren van de groei. Het belastingstelsel moet dus flexibel zijn.
6. De inning moet door de belastingadministratie op een correcte wijze kunnen plaatsvinden; het stelsel mag niet te ingewikkeld zijn voor de belastingbetaler zodat deze het stelsel kan begrijpen. De complexiteit moet dus zo beperkt mogelijk zijn.
7. De administratiekosten voor de betaler en de inningskosten van de overheid moeten minimaal zijn, rekening houdend met de andere doelstellingen.

De voorgaande vereisten resulteren niet in bijzonder duidelijke en evidente regels voor de opbouw van een belastingstelsel. Zo bestaan er zeker conflictsituaties tussen de vereisten. Rechtvaardigheid kan inhouden dat de complexiteit toeneemt wat dan de administratieve en de inningskosten verhoogt. Hoe deze conflicten worden opgelost door de beleidsvoeders valt niet te voorspellen omdat hier ook partijpolitieke doelstellingen een belang kunnen hebben. Over de jaren heen kan men stellen dat de doelstelling van rechtvaardigheid aan belang heeft ingeboet. Een mogelijke verklaring vormt de aanhoudende hoge werkloosheid die tot gevolg heeft dat het nastreven van meer groei belangrijker is dan meer gelijkheid.

Bepaalde van de vermelde vereisten zijn aan grenzen onderhevig. Dit geldt voor de neutraliteit waar de overheid in een aantal situaties duidelijk de niet-neutraliteit nastreeft. Het voorbeeld bij uitstek vormen de milieubelastingen : de economische theorie aanvaardt de niet-neutraliteit. Dit geldt, alhoewel in mindere mate, ook voor de belastingen op de consumptie van producten met schadelijke nevenwerkingen zoals tabak of alcohol.

De zesde vereiste betreffende de complexiteit van de belastingheffing omvat impliciet nog twee belangrijke aspecten, namelijk de *fiscale onzekerheid en de fiscale illusie.*

De fiscale onzekerheid houdt verband met al te frequente veranderingen in de belastingwetgeving en onduidelijkheden bij de toepassing. Dit bemoeilijkt niet alleen een verificatie van de af te dragen belasting door de belastingbetaler, maar maakt het voorspellen van de toekomstige belastingen zeer onzeker. Een gevolg hiervan is dat belastingbetalers weinig of geen zicht op, of erger, geen interesse meer in de omvang en samenstelling van de afgedragen belastingen hebben. Aldus ontstaat fiscale illusie. Dit houdt het gevaar in dat de burger moeilijker een afweging zal kunnen maken tussen de belastingen en de overheidsdiensten die hij in ruil ontvangt. Politieke keuzes voor meer of minder overheid worden evenzeer bemoeilijkt wanneer fiscale illusie te groot is.

Een praktisch gevolg van de vereiste dat de kosten moeten worden beperkt, is dat de fiscale inning op een zo gemakkelijk mogelijke wijze dient plaats te vinden. Hierom vinden voorafbetalingen en afhoudingen aan de bron plaats.

De voorgaande lijst leidt tot een dubbele invalshoek voor het benaderen van de belastingheffing :

– De rechtvaardigheid van het belastingstelsel : hoe moet de af te dragen belasting worden bepaald ? Dit resulteert in een discussie over de draagkracht en het profijtbeginsel.

– De gevolgen van de belastingen : hier wordt nagegaan welke de last van belastingen is, wie de de belastingen draagt (belastingafwenteling) en welke de gevolgen van belastingen op het arbeidsaanbod, het sparen enz. zijn.

Deze twee punten zullen de centrale elementen vormen van de volgende bladzijden, maar omvatten niet alle zeven vermelde vereisten. Zo is er geen discussie over de hoogte van de belastingdruk omdat deze variabele ook wordt bepaald door de gewenste omvang van de overheidsuitgaven. Hier nemen we dus aan dat het politieke beslissings-mechanisme de omvang van deze uitgaven heeft vastgesteld. Verder merken we ook op dat de tweede invalshoek in tegenstelling lijkt met de vierde vereiste van Musgrave en Musgrave. Evenwel zal de discussie van de gevolgen van belastingheffing duidelijk maken dat aan iedere belasting gevolgen zijn verbonden. De "nieuwere" opdrachten van de overheid (milieu, werkgelegenheid, ouderenzorg) die ietwat worden verwaar-loosd in bovenstaande vereisten, bestaan er nu juist in om via deze gevolgen het gedrag van de economische agenten te beïnvloeden.

De flexibiliteit van een belastingstelsel en de problematiek van de inning behoren te worden besproken op basis van bestaande belastingstelsels. Hieraan hebben we in het voorgaande hoofdstuk reeds aandacht besteed.

2.2. "Rechtvaardigheid" en belastingheffing

a. Inleiding

Met *"rechtvaardigheid" of "billijkheid"* wordt meestal bedoeld dat iedereen zijn/haar "juist" aandeel in de financiering van de overheid moet dragen. Twee zienswijzen werden hieromtrent in de literatuur uitgewerkt : het draagkrachtbeginsel en het profijtbeginsel. Het *profijtbeginsel* houdt in dat de betaalde belasting evenredig moet zijn met de voordelen die de belastingbetaler geniet van de overheidsdiensten. Het belangrijke en interessante is de band tussen belastingheffing en overheidsuitgaven. Impliciet worden de belastingen dan tot de instrumenten gerekend die de allocatiedoel-stelling nastreven.

Volgens het *draagkrachtbeginsel* evenwel moet de vooropgestelde belastingopbrengst verdeeld worden over de belastingbetalers volgens hun betaalmogelijkheden en dit los van hun verbruik van overheidsdiensten. De belasting behoort volgens deze stelling dan ook tot de instrumenten die de herverdelingstaak van de overheid uitvoeren.

De toepassing van beide beginselen stelt evenwel problemen. Om het profijtbeginsel te kunnen toepassen dient men het verbruik van overheidsdiensten te kennen. Hoe meet men evenwel het "verbruik" van politie, leger of autowegen ? Bovendien stelt zich het probleem van de inkomensverdeling : vormen belastingen dan nog wel een instrument om de verdeling van het inkomen gelijkmatiger te maken ? Kan men de socialezeker-heidsuitkeringen inpassen in een belastingstelsel dat volledig gebaseerd is op het profijtbeginsel ? Wordt het nastreven van een rechtvaardige inkomensverdeling via belastingen niet zo goed als onmogelijk ?

Anderzijds valt de draagkracht moeilijk te meten : inkomen, vermogen, consumptie zijn aanvaardbare indicatoren van de draagkracht, maar meten deze zeker niet op een perfecte wijze.

De voorgaande kritieken verhinderen niet dat beide principes in belangrijke mate de bestaande belastingstelsels bepalen. Deze stelsels zijn zeker niet optimaal, maar eerder aanvaardbaar; hun aantrekkelijkheid ligt veeleer in de onaantrekkelijkheid van alternatieven.

b. Het profijtbeginsel

Zeer globaal beschouwd, financieren de belastingen natuurlijk de overheidsdiensten. De belasting van iedereen vaststellen op basis van zijn verbruik van deze diensten stelt problemen omdat de voorkeuren voor overheidsdiensten verschillen van belastingbeta-ler tot belastingbetaler. Dit verhindert niet dat een verder onderzoek ons toch wel enkele algemene besluiten kan opleveren.

Laten we er voor de eenvoud van uitgaan dat alle belastingbetalers de overheidsdien-sten op eenzelfde wijze evalueren : iedereen met eenzelfde inkomen wordt dus verondersteld dezelfde waarde te hechten aan een gegeven hoeveelheid overheidsdien-sten. We stellen ook voorop dat de vraag naar overheidsdiensten toeneemt met het inkomen : hoe hoger dit inkomen hoe meer waarde wordt gehecht aan dezelfde hoeveelheid overheidsdiensten. Als deze waardering nu proportioneel stijgt met het inkomen (bijv. verdubbelt als het inkomen verdubbelt) dan is een proportioneel belastingstelsel aangewezen zodat een vast percentage van het inkomen aan de overheid wordt afgedragen. Stijgt de waardering meer dan proportioneel met het inkomen, dan is een progressief belastingstelsel vereist; stijgt de waardering minder dan proportioneel met het inkomen, dan dient een regressief belastingstelsel te worden verkozen.

Een gelijkaardige analyse kan worden gemaakt voor wat de relatie betreft tussen de prijs (=afgedragen belasting) en de vraag naar overheidsdiensten (bij een gegeven inkomen).

De besluiten uit dergelijke analyse zijn intuïtief duidelijk : hoe hoger de inkomensge-voeligheid, gevat in de inkomenselasticiteit, hoe progressiever de belastingschaal; hoe hoger de prijselasticiteit, hoe kleiner de progressiviteit. Stellen E_p en E_y respectievelijk de prijs- en inkomenselasticiteit van de vraag naar overheidsdiensten voor dan zal, wanneer beide veranderlijken zich in evenwicht houden :

$$E_y/E_p = [(\Delta G/G)/ \Delta Y/Y] / [(\Delta G/G)/ \Delta P/P]$$
$$= [(\Delta P/P)/ \Delta Y/Y]$$
$$= 1$$

met   G : de vraag naar overheidsdiensten

        p : de prijs van overheidsdiensten (= belasting)

de inkomenselasticiteit van de prijs gelijk zijn aan 1 (zie tweede uitdrukking). Dit houdt een proportioneel belastingstelsel in. Dit betekent dat een proportioneel belastingstelsel aangewezen is wanneer de vraag naar overheidsdiensten even gevoelig is voor veranderingen in het inkomen als voor veranderingen in de prijs.

Als de voorgaande verhouding groter is dan 1, zal de belastingprijs van de overheids-diensten toenemen met het inkomen zodat het belastingstelsel progressief dient te zijn. Het omgekeerde geldt voor een verhouding die kleiner is dan 1.

Veel praktisch voordeel levert het voorgaande resultaat ons evenwel niet op daar informatie over de prijs- en inkomenselasticiteit niet gemakkelijk beschikbaar is omdat de relatie tussen de afgedragen belastingen en het verbruik van overheidsdiensten in werkelijkheid niet altijd wordt gelegd. Bovendien zijn deze elasticiteiten niet gelijk voor de verschillende overheidsdiensten. Wel geeft het voorgaande aan dat rekening moet worden gehouden met de betalingsbereidheid (de prijselasticiteit) van de overheidsdiensten als de belastingdruk oploopt dan wel progressiever wordt.

Een laatste moeilijkheid houdt verband met een afwijzen door de belastingbetaler van de prijs van de aangeboden overheidsdiensten. In principe betekent dit dat de overheid deze dienst niet moet aanbieden. Maar wat als de privé-sector dergelijke dienst niet kan of wil aanbieden of als het gaat om een zuiver publiek goed ?

De voorgaande discussie geeft aan dat het profijtbeginsel moeilijk kan worden gebruikt als basis voor het structureren van een belangrijk belastingstelsel zoals de inkomsten-belasting of de BTW. Evenwel heeft het profijtbeginsel toch zijn nut in de belasting-theorie omdat het een fundament geeft aan de financiering van overheidsdiensten wanneer hun verbruik identificeerbaar is en de inning niet al te veel problemen stelt. Wanneer het gaat om diensten die gelijkaardig zijn aan "privé"-diensten. De tendens bestaat wereldwijd om in dergelijke gevallen meer en meer de gebruiker een prijs aan te rekenen die dicht bij de kostprijs ligt. Zo wordt in een aantal gevallen een tol geheven op het gebruik van bepaalde infrastructuurwerken, wordt soms een vergoeding gevraagd voor het ophalen van huisvuil die afhangt van de verwerkingskost van huisvuil enz. Voor zuivere overheidsdiensten lijkt, zoals opgemerkt, het profijtbeginsel weinig te kunnen bijbrengen.

Wanneer de inning moeilijk of duur is, kan een "aanverwant" goed worden belast : voorbeelden zijn het belasten van het verbruik van brandstof door auto's i.p.v. het heffen van tol, het aanrekenen van waterzuivering volgens het verbruik van water enz. Merk wel op dat het gaat om een benadering : het verbruik van brandstof is slechts een benadering voor het "gebruik" van wegen omdat het brandstofverbruik niet proportio-neel evolueert met de afgelegde afstand. Bovendien staat deze belastinginning los van het werkelijke "verbruik" van dure infrastructuur : de automobilist betaalt immers altijd. Dit heeft als gevolg dat deze vorm van belastinginning niet echt rechtvaardig is. Een open vraag blijft of de opbrengst van de belasting moet worden toegewezen ("earmarked") voor de financiering van specifieke uitgaven zoals de opbrengst van de belastingen op autobezit en -gebruik voor de aanleg van wegen. Het zelfde geldt in de sociale zekerheid waar, in principe, de bijdragen dienen voor de financiering van de uitgaven. Tot op zekere hoogte lijkt dergelijke toewijzing moeilijk contesteerbaar : zo kan men niet betwisten dat autobezitters de kost van het aanleggen en onderhoud van de wegen moeten dragen. Evenwel bestaan er grenzen op een toewijzing :

– Bij een ver doorgedreven toepassing van het principe van toewijzing zal de uitgavenstructuur niet flexibel zijn door de al te beperkte discretionaire beslissingsbevoegdheid van de beleidsvoerders. Een belangrijk deel van de ontvangsten zal immers "a priori" aan bepaalde uitgaven zijn toegewezen. De toewijzing van ontvangsten verhindert een goede budgettering van overheidsmiddelen.

- Het principe van toewijzing kan danig interfereren met andere doelstellingen. Zo zullen de voorstanders van openbaar vervoer argumenteren dat de opbrengst van een belasting op autobezit en -gebruik moet dienen om het openbaar vervoer te ontwikkelen.
- Evenzeer moet de vraag worden gesteld of een belastingopbrengst welke het resultaat is van het internaliseren van externaliteiten (bijv. de luchtverontreiniging door het autoverkeer) ook kan worden toegewezen.

De discussiepunten rond de toewijzing van belastingen verhinderen niet dat het principe één belangrijk voordeel biedt, namelijk dat duidelijk wordt gemaakt dat de overheidsuitgaven moeten worden gefinancierd door de opbrengst van belastingen. Voor het vaststellen van specifieke belastingen kan het profijtbeginsel zeer nuttig zijn. Evenwel kan het beginsel moeilijk als basis dienen voor het bepalen van de omvang en de structuur van "het" belastingstelsel, omdat de toepassing niet altijd evident is en er een interferentie kan bestaan tussen het toepassen van het profijtbeginsel en andere belastingdoelstellingen zoals het herverdelen van de inkomens. Het draagkrachtbeginsel vormt een alternatief.

c. Het draagkrachtbeginsel

Het draagkrachtbeginsel houdt in dat iedereen belasting moet betalen volgens zijn/haar mogelijkheden. In tegenstelling tot het profijtbeginsel staat de betaalde belasting dus los van de consumptie van overheidsdiensten. Dit kan worden verantwoord door te stellen dat een gegeven bedrag belastingen moet worden geheven omdat de uitgaven exogeen zijn vastgesteld. Dit bedrag moet worden verdeeld over de belastingbetalers. De toepassing van het draagkrachtprincipe kan ook niet probleemloos gebeuren. We bespreken hieronder de moeilijkheden.

I. Verticale en horizontale rechtvaardigheid

Met *verticale rechtvaardigheid* wordt bedoeld dat belastingbetalers met een grotere draagkracht ook een grotere belasting moeten betalen. *Horizontale rechtvaardigheid* betekent dat belastingbetalers met eenzelfde draagkracht eenzelfde belasting moeten betalen. Deze principes lossen evenwel niet het probleem van het bepalen van de draagkracht op. In principe dient deze belastingbasis een "vertaling" te zijn van de determinanten van het welzijn. Het gaat dan om inkomen, vermogen, consumptie, werkzekerheid, vrije tijd enz. Vele van deze elementen zijn nauwelijks of niet meetbaar en dus praktisch onbruikbaar. We blijven dan bij belastingbasissen zoals de consumptie, het inkomen en het vermogen.

II. Inkomen of consumptie als belastingbasis ?

De discussie over het belasten van het inkomen of de consumptie werd in het verleden herhaaldelijk gevoerd en duikt regelmatig op. Een moeilijkheid is dat de inkomensbelasting de belangrijkste belasting vormt waardoor ingrijpende veranderingen moeilijker kunnen worden doorgevoerd. In de huidige belastingstructuur is het inkomen de belastingbasis bij uitstek wanneer het gaat om "persoonlijke" belastingen; de consumptie is dit voor de eerder "onpersoonlijke" belastingen. Historisch bekeken, vormde de consumptie van bepaalde producten (bijv. zout in de middeleeuwen) altijd een belastbare basis. Daar de inkomstenbelasting slechts in deze eeuw werd ingevoerd, lijkt het alsof de consumptiebelasting eerder ouderwets en de inkomstenbelasting een moderne belasting vormt.

Bij het vervangen van de inkomstenbelastingen door een *consumptiebelasting* denken we niet onmiddellijk aan een verhoging van de BTW-tarieven, wel aan een globale heffing. Dit zou op eenzelfde wijze kunnen gebeuren als de huidige inkomstenbelasting : de aangifte zou evenwel naast de inkomens ook het bedrag moeten bevatten dat werd gespaard. Het verschil zou dan worden belast. Deze "gepersonaliseerde" consumptiebelasting laat een rechtvaardige toepassing toe. Zo kan zonder problemen rekening worden gehouden met de gezinslast, kan de belasting progressief worden toegepast enz.

De voorstanders van de consumptiebelasting argumenteren dat het belasten van de consumptie overeenkomt met het belasten van het "verbruik van vermogen" terwijl het belasten van inkomen uiteindelijk het belasten van de "creatie van vermogen" inhoudt. De economische nadelen van een consumptiebelasting zouden dus kleiner zijn dan bij het belasten van het inkomen. Hierdoor zou de groei worden gestimuleerd wat, na verloop van tijd, een gunstig effect moet hebben op de belastbare basis.

Daar bij ongewijzigde overheidsuitgaven de overheid voldoende middelen moet binnenhalen, zal een consumptiebelasting er in de praktijk op neer komen dat de belastingen doorheen de levenscyclus van de belastingbetaler worden verschoven : op actieve leeftijd zal de gemiddelde belastingbetaler sparen zodat een belasting op de consumptie zal leiden tot een lagere belasting. Op latere leeftijd zal integendeel worden ontspaard zodat meer belasting zal moeten worden betaald. Gecumuleerd over de levenscyclus zal het totale bedrag belastingen dus niet verschillen.

III. Welke definitie voor het inkomen als belastingbasis ?

De moeilijkheid van het bepalen van een *fiscaal bruikbare definitie van het inkomen*, kan niet worden onderschat. Volgens de economische theorie is het inkomen dit bedrag dat over een periode kan worden besteed zonder dat het initiële vermogen wordt aangetast[23]. Evident behoren de inkomens uit arbeid, de dividenden en de intresten dan tot het belastbare inkomen. Maar wat met de meerwaarden van beleggingen op de beurs ? Maakt het een verschil uit of het gaat om gerealiseerde of niet-gerealiseerde meerwaarden ? Wat met de waardestijging van het bewoonde huis ? Moet een inkomen worden aangerekend aan de eigenaars die hun eigen huis bewonen ? enz. Op basis van rechtvaardigheid zou het belastbare inkomen de *meerwaarden* moeten bevatten. Het draagkrachtbeginsel maakt immers geen onderscheid tussen inkomen uit arbeid, uit kapitaal en meerwaarden.

In de praktijk is het evenwel moeilijk om kapitaalwinsten te belasten omdat ze zeer volatiel zijn, omdat er minwaarden kunnen optreden, omdat het belasten van niet-gerealiseerde meerwaarden een liquiditeitsprobleem voor de belastingbetaler kan stellen

---

[23]   Het betreft hier de mnkomensdefinitie van Haig R. (1921) en Simons H. (1937).

enz. Internationaal is er dan ook weinig overeenstemming voor wat de fiscale behandeling van meerwaarden betreft. In sommige landen worden ze belast als normaal inkomen; dikwijls worden ze evenwel belast tegen een lager tarief, eventueel afhankelijk van de periode dat de belastingbetaler het goed in bezit had. In nog andere landen, zoals België, geldt de regel in de inkomstenbelastingen dat kapitaalwinsten niet belastbaar zijn.

Vanuit economisch standpunt vormt niet alleen de ruimheid van de bepaling van het inkomen een probleem. Ook de verminderingen of aftrekken of het belasten tegen een lager tarief, fiscale uitgaven genoemd, verstoren de neutraliteit van de inkomstenbelasting. Via deze techniek trachten de beleidsvoerders welbepaalde doelstellingen te realiseren. Zo is het veelal een beleidsdoelstelling om het langetermijnsparen of het bezit van een woonhuis aan te moedigen. Hiertoe worden de premies voor levensverzekeringen, voor pensioensparen en hypothecaire lasten fiscaal aftrekbaar gemaakt. Om dezelfde reden worden vrijstellingen toegekend. Een goed voorbeeld hier betreft de intresten verworven op spaardeposito's ten belope van 55.000 BEF.

Het belangrijkste voordeel van de *fiscale voordelen* is dat ze automatisch werken, via de jaarlijks ingediende belastingaangifte. Een bestaande administratie vervult dus de formaliteiten. Evenwel houden belastinguitgaven het risico in dat te lichtzinnig wordt omgesprongen met de gevolgen op het overheidsbudget, daar het niet gaat om uitgaven wel om ontvangstverminderingen. Tevens is het voordeel groter voor de hogere inkomensgenieters daar deze een hoger marginaal tarief betalen[24]. Het belastingvoordeel wordt immers gegeven door dit marginaal tarief. Doordat dit tarief kan veranderen in de tijd zal het belastingvoordeel ook niet constant zijn zoals wel het geval zou zijn bij het toekennen van subsidies. Concreet vermindert dus de belastingdruk voor de belastingbetalers die van de fiscale voordelen genieten, maar verhoogt de progressiviteit voor de andere belastingbetalers. In het extreme geval dat iedereen van de belastingvoordelen geniet, zal iedereen evenveel belasting blijven betalen, maar is het belastingstelsel wel progressiever en complexer geworden. Velen stellen zich dan ook de vraag of uiteindelijk de gemeenschap wel beter wordt van de vele belastingvoordelen. De voorstanders van de vlaktaks ("flat tax") gaan het verst door deze voordelen af te schaffen en om te zetten in tariefverlagingen.

IV. Welke fiscale eenheid ?

Een laatste probleem dat we hier nog moeten aansnijden betreft de *fiscale eenheid*. Moet geopteerd worden voor "het gezin" of moeten de gezinsleden afzonderlijk worden belast ? Dit probleem heeft vele aspecten en is hierom niet eenduidig op te lossen. Zo houdt een *globalisatie* (cumul) van de inkomens in de praktijk in, door de progressiviteit van de belastingschalen, dat het wettelijk huwelijk wordt gepenaliseerd t.o.v. een situatie waarbij twee afzonderlijke inkomens worden belast. Evenwel is het duidelijk dat een gezinssituatie voordelen biedt, maar ook bijkomende kosten (o.a. op het vlak van de uitgaven voor kinderen) zodat het probleem van de praktische omschrijving van het concept "draagkracht" opnieuw is gesteld. Tevens kan men argumenteren dat een gegeven inkomen waarvoor twee personen arbeidsactiviteiten dienden uit te voeren anders moet worden behandeld dan eenzelfde inkomen dat door één enkele persoon is

---

[24]   Dit is de reden waarom het fiscale voordeel verbonden aan pensioensparen werd beperkt.

verdiend. Hierom worden in alle belastingstelsels aanpassingen doorgevoerd voor de samenstelling van het gezin. Dit gebeurt evenwel op een bijzonder pragmatische wijze zonder veel theoretische verantwoording.

V. En een vermogensbelasting ?

Blijft het probleem van het vermogen als belastbare basis. In bijna ieder belastingstelsel wordt vermogensbezit of transfers van vermogensbestanddelen belast. Macro-economisch gaat het spreiden van de belastingen over inkomens en vermogens samen met een kleiner nutsverlies dan wanneer de belasting enkel en alleen zou worden geheven op één van beide. Zo zal de rentenier ook een redelijke belasting betalen wanneer het vermogen wordt belast, terwijl dit veel minder het geval is wanneer enkel het inkomen wordt belast. De belastingen zullen dus "beter" gespreid worden. Dit is niets anders dan een toepassing van het beginsel dat de draagkracht beter wordt benaderd door het inkomen en het vermogen dan door één van beide. Is dit een voldoende reden om te pleiten voor een *vermogensbelasting* ? Neen, en wel om verschillende redenen.

Het vermogen is voor velen niets anders dan wat in het verleden werd gespaard uit reeds belast inkomen. Het belasten van het vermogen kan dus als een "tweede" belasting worden beschouwd. Een tegenargument is dat dit reeds het geval is als de inkomsten uit vermogens worden belast. Zo zal een belasting van 50 procent op een vermogensinkomen van 10 procent overeenkomen met een belasting van 5 procent op het vermogen. Op basis van deze redenering kan men stellen dat het belasten van het inkomen uit vermogen en het vermogen zelf dus een dubbele belasting inhoudt. Ook moet in kleine open economieën rekening worden gehouden met fraude- en evasiemogelijkheden (bijv. naar Luxemburg).

Anderzijds zijn er een aantal argumenten die het belasten van het vermogen ondersteunen. Zo wordt de ongelijke verdeling van de vermogens als een belangrijk economisch en politiek probleem beschouwd omdat hierdoor de startkansen van de jongeren niet gelijk zijn[25]. Deze verdeling gelijkmatiger maken kan dus een doelstelling van het beleid zijn. Verder is het zo dat vele grote vermogens niet zelf door de belastingbetaler werden opgebouwd, maar werden geërfd. Het argument dat het vermogen werd opgebouwd uit reeds belast inkomen is dan niet valabel.

VI. Welke progressiviteit ?

Het verticale gelijkheidsbeginsel waarbij aan de hogere inkomensverdieners een hogere belasting moet worden opgelegd, wordt dikwijls als verantwoording gegeven voor het bestaan van een *progressief belastingstelsel*. Strikt beschouwd, hoeft dit evenwel niet het geval te zijn : bij een proportionele belasting zullen de hogere inkomens ook meer belastingen betalen. Wel zal het toevoegen van de doelstelling dat de belastingen ook herverdelend moeten werken, inhouden dat de inkomstenbelastingen progressief moeten zijn. De vraag is dan, welke progressiviteit ?

Verschillende benaderingen zijn hier mogelijk. Volgens het principe van de horizontale rechtvaardigheid worden belastingbetalers gelijk behandeld als hun welvaartsoffer hetzelfde is. Dit offer is de vertaling van hun inkomensverlies en wordt gemeten door

---

[25] Zie Rademaekers K. en Vuchelen J. (1998) voor cijfers voor 1984 en 1994.

het marginale nut van het inkomen. Het verloop van dit marginale nut wordt voor alle belastingbetalers gelijk verondersteld. Dat belastingbetalers met eenzelfde inkomen, eenzelfde offer moeten dragen en dus eenzelfde belasting betalen, ligt voor de hand. Belastingbetalers met een hoger inkomen moeten meer betalen. Hoeveel meer ? Het antwoord hangt af van de vorm van de marginale nutscurve van het inkomen en van de definiëring van "gelijk offer". Het kan gaan om een zelfde absoluut, relatief of marginaal offer. Dit verduidelijken we in figuur 1 waar de linker helft betrekking heeft op een belastingbetaler met een laag inkomen en de rechter helft op een belastingbetaler met een hoog inkomen. Het marginaal nut wordt voorgesteld door respectievelijk MU_L en MU_H. De bruto-inkomens bedragen respectievelijk B en B'. Het nut dat beide belastingbetalers hieruit putten bedraagt respectievelijk OMDB en O'M'D'B'. Veronderstel nu dat een totaal bedrag aan belastingen (T) door de overheid wordt opgelegd. Hoe moet dit bedrag verdeeld worden over de twee belastingbetalers ?

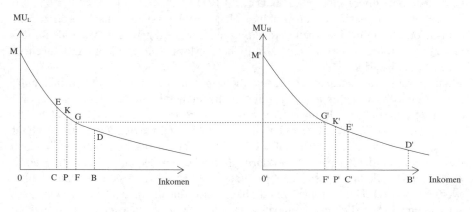

Belastingbetaler met laag inkomen   Belastingbetaler met hoog inkomen

Figuur 4.1. : Absoluut, relatief en proportioneel offer.

Bij toepassing van het principe van eenzelfde absoluut offer, zal de belasting over de twee belastingbetalers zo worden verdeeld dat ze eenzelfde nutsdaling ervaren. De belastingbetaler met een laag inkomen van OB, zal een belasting van CB betalen; de genieter van het hoge inkomen O'B' zal een belasting betalen van C'B' en wel omdat de nutsdalingen CBDE en C'B'D'E' gelijk zijn. De totale belasting CB + C'B' is gelijk aan het noodzakelijke bedrag T. Indien het marginale nut niet zou dalen met een toename van het inkomen (de marginale nutscurve verloopt horizontaal) dan zouden beide belastingbetalers evenveel betalen. We zijn dan in een situatie waarbij een *hoofdelijke belasting* wordt geheven.

In de normale situatie waarin de marginale nutscurve daalt, zal de te betalen belasting toenemen als het inkomen stijgt. Evenwel volgt hier niet uit dat de belastingschalen progressief moeten zijn. Dit hangt af van de mate waarin de marginale nutscurve van het inkomen daalt met een toename van het inkomen : hoe sneller deze curve daalt, hoe minder een gegeven bedrag aan belasting het nut verlaagt zodat, om eenzelfde offer te

bekomen, meer belasting zal moeten opgelegd worden. Dus als de absolute waarde van de inkomenselasticiteit van het marginaal nut :
– Groter is dan 1, zal de belastingschaal progressief moeten zijn.
– Gelijk is aan 1, zal de belastingschaal proportioneel moeten zijn.
– Kleiner is dan 1, zal de belastingschaal regressief moeten zijn.

Het praktische probleem is dat de belangrijke determinant, de inkomenselasticiteit van MU, niet gekend is.

Wensen de beleidsvoerders de structuur van het belastingstelsel te bepalen op basis van het principe dat de belastingbetalers eenzelfde relatief offer leveren, dan zal de belastingbetaler met het lage inkomen PB belasting betalen terwijl de andere belastingbetaler P'B' zal betalen. De verklaring hiervoor is dat het relatieve nutsverlies voor de eerste belastingbetaler PBDK/OBDM gelijk is aan het relatieve nutsverlies dat de tweede belastingbetaler lijdt, P'B'D'K'/O'B'D'M'.

De praktische toepassing van dit principe stelt nog meer problemen dan het voorgaande daar nu ook het initieel nutspeil in rekening moet worden gebracht, d.w.z. de initiële verdeling van het inkomen. Verder blijft het verloop van de marginale nutscurve natuurlijk belangrijk.

Wanneer de belastingschalen zouden worden opgesteld op basis van het principe dat het marginale offer gelijk moet zijn zal de belastingbetaler met het lage inkomen FB belasting betalen; de belastingbetaler met het hoge inkomen zal F'B' betalen. Het marginale offer is gelijk (FG = F'G'). Merk op dat het gelijke marginale principe leidt tot identieke netto-inkomens met OF = O'F', zodat het rechtvaardigheidsprincipe toch wel extreem wordt toegepast. De verklaring ligt in het vertrekpunt : de belasting wordt zo geheven dat de laatste betaalde frank belasting het nut van iedere belastingbetaler evenveel beperkt. Het "aardige" van dit beginsel is dus dat de belastingtarieven zeer eenvoudig vast te stellen zijn : ze moeten het netto-inkomen van iedereen gelijk maken. Het tarief moet dus 100 procent bedragen voor het inkomen dat OF = O'F' overtreft. Dit gelijke marginale principe houdt ook in dat het totale nutsverlies wordt geminimaliseerd : FBDG + F'B'D'G' is minimaal. Dit principe is dus ook te beschouwen als een efficiëntieregel.

De voorgaande principes geven aan dat de belastingbetaler met het hogere inkomen meer belasting moet betalen dan deze met het lagere inkomen. De lagere-inkomensgroepen betalen het minst belasting bij toepassing van het gelijke marginale offer, dan bij toepassing van het gelijke relatieve offer en ten slotte bij toepassing van het gelijke absolute offer. Echt uitsluitsel over de mate van progressiviteit geeft het draagkrachtbeginsel evenwel niet. Vergeten we echter ook niet dat de voorgaande bevindingen steunen op de belangrijke basisveronderstellingen dat de marginale nutscurve van het inkomen gekend is en voor iedereen dezelfde is. Dit is in werkelijkheid niet het geval. Hierom stelt de socialewelvaartsbenadering dat moet gewerkt worden via een sociale waardering van het marginale nut van de individuele inkomens. Dit houdt in essentie in dat wordt gewerkt met de som van het marginale nut van de belastingbetalers en dus met de verdeling van het inkomen. Concreet betekent dit dat de sociale welvaart zal gemaximaliseerd worden wanneer de inkomens gelijk verdeeld zijn. Vertrekkend van een gegeven inkomensverdeling zal het belastingstelsel dat het nutsverlies door belastingen minimaliseert, als optimaal worden beschouwd. Dit gebeurt bij het heffen van belastingen volgens het principe van een gelijk marginaal offer.

VII.   Welke belasting ?

In alle belastingstelsels wordt de belastingopbrengst verdeeld tussen *directe en indirecte belastingen*. In de voorgaande paragrafen werd er van uitgegaan dat de belastingen van het directe type waren : deze verminderden het besteedbare bedrag, maar wijzigden de relatieve prijsverhouding van consumptiegoederen niet. Dit verschil kan worden geïllustreerd in figuur 4.2.

De belastingbetaler kan voor het lenigen van zijn consumptiebehoeften kiezen tussen twee goederen X en Y. Zonder belastingen zou hij het punt E verkiezen omdat zijn beschikbaar budget, gegeven door de lijn AB, daar zo wordt gespendeerd dat hij er het maximale nut uit haalt. Dit is ook het zogenoemde Pareto-evenwicht.

Stel nu dat er een inkomstenbelasting wordt geheven. De budgetlijn verschuift dan naar CD en het evenwicht komt in punt F te liggen. Daar het gaat om een "voorafname" op de consumptiemogelijkheden veranderen de relatieve prijzen niet zodat de helling van de indifferentiecurve in E gelijk is aan deze in punt F. Het nutsverlies en dus de "kost" van de belasting, is het verschil tussen de nutsniveaus van de indifferentiecurves I en I'. De consumptie van beide goederen X en Y is gedaald.

Nu kan de overheid eenzelfde opbrengst bekomen door het belasten van goed Y. Hiervoor zoekt de overheid een belasting op Y zodat de nieuwe budgetlijn, startend in punt A, een indifferentiecurve raakt in een snijpunt met de budgetlijn CD. In figuur 2 gebeurt dit in punt G waar de indifferentiecurve I" de budgetlijn AD' juist raakt in het snijpunt met CD. Evident ligt in punt G de consumptie van goed Y lager dan in punt F. Deze beweging van punt F naar punt G is het *substitutie-effect*, daar het besteedbare budget in beide punten gelijk is. De beweging van punt E naar punt F is het *inkomens-effect*. Het effect van de invoering van een indirecte belasting op goed Y kan dus opgesplitst worden in een inkomenseffect van punt E naar punt F en een substitutie-effect van punt F naar punt G. Bij het heffen van een inkomstenbelasting is enkel het inkomenseffect aanwezig : het evenwichtspunt F is ook een Pareto-evenwichtspunt. Dit lijkt dan de conclusie te moeten inhouden dat een inkomstenbelasting, door het vermijden van het substitutie-effect, superieur is aan een indirecte belasting. Dit is evenwel niet noodzakelijk het geval daar de inkomstenbelasting de relatieve prijs van vrije tijd verlaagt, wat gevolgen zal hebben op het arbeidsaanbod (zie verder de paragraaf over de aanbodeffecten van belastingen). De inkomstenbelasting is dus ook geen neutrale belasting.

In werkelijkheid worden, zoals gesteld, inkomsten- en indirecte belastingen samen geheven. Dit heeft te maken met de progressiviteit van de inkomstenbelastingen (herverdelingsinstrument). Verder worden directe belastingen meer gehanteerd voor het stabiliseren van de conjunctuur. Indirecte belastingen zijn dan weer nuttiger en doeltreffender voor het realiseren van doelstellingen verbonden aan de allocatie. Typisch hier is het belasten van producten die het milieu zwaar teisteren. Dit moet via een indirecte belasting gebeuren.

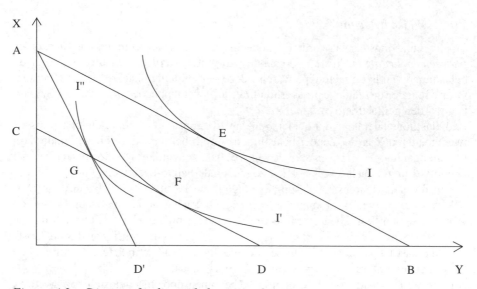

Figuur 4.2. : Directe of indirecte belastingen ?

d. Besluit

Het voordeel van het draagkrachtprincipe voor het uitstippelen van een belastingstelsel is dat de herverdelingsfunctie van de belastingen zonder problemen kan worden beschouwd. Nadelig is wel dat de neiging bestaat om de band tussen de belastingen en de overheidsuitgaven te verwaarlozen. In de praktijk worden veel doelstellingen nagestreefd met de belastingheffing zoals het bevorderen van de tewerkstelling, van de groei, het nastreven van een zo stabiel mogelijke conjunctuur, het inspelen op problemen met de internationale concurrentiepositie enz. Het gaat hier dan meestal om macro-economische doelstellingen. Hiernaast moet het belastingstelsel ook niet-economische doelstellingen nastreven. Deze zijn van politieke of sociale aard (bijv. de beschikbaarheid en dus financiering van zuivere publieke goederen). Kortom, het belastingstelsel dient een veelheid van doelstellingen weer te geven.

2.3. Gevolgen van belastingheffing

a. Inleiding

Belastingen dienen, zoals reeds herhaaldelijk werd aangegeven, voor de financiering van overheidsuitgaven. In principe moet dus de besteding van de belastinggelden worden betrokken bij het evalueren van de gevolgen van belastingheffing. Zo zal het economische gevolg van een verhoging van de belastingen om de hogesnelheidstrein te financieren verschillen van de gevolgen van dezelfde belastingverhoging bedoeld om de werkloosheidsvergoedingen te verhogen. De verklaring hiervoor is dubbel. Ten eerste zal de overheid in het eerste geval productiemiddelen aan de privé-sector onttrekken daar waar dit in het tweede geval niet geldt. Ten tweede kan men verwachten, daar de transfers in de sociale zekerheid enkel herverdelen, dat de bereidheid tot het betalen van belastingen zal verschillen. Het loskoppelen van de analyse van de belastingheffing van de uitgaven steunt op het principe dat alle belastingopbrengsten dienen om alle uitgaven te financieren : de toewijzing van belastingen aan specifieke uitgaven is in werkelijkheid vrij beperkt. We zullen dit volgen, ook al om de discussie duidelijk te houden, en dus alleen het gevolg van belastingheffingen nagaan.

Het onderzoek naar de *gevolgen van een belastingheffing* kan zich niet beperken tot de loutere vaststelling van prijs- en hoeveelheidseffecten. Traditioneel worden deze gevolgen opgedeeld in de last van belastingen, de afwenteling van belastingen, aanbodeffecten en de belastingfraude en -ontwijking. Alhoewel deze gevolgen samen optreden zullen we ze afzonderlijk behandelen om de discussie zo duidelijk mogelijk te houden.

Met de last van een belasting, waarmee we starten in de volgende paragraaf, wordt een welvaartsverlies bedoeld. Dit verlies is een efficiëntieverlies : door de belastingheffing veranderen immers de gedragingen van de economische agenten. In een volgende paragraaf gaan we in op het probleem van de afwenteling. Zij die de belastingen betalen, dragen niet noodzakelijk de last van de belasting en wel omdat ze deze afwentelen op andere belastingbetalers. Het typische voorbeeld is een indirecte belasting die via prijsverhogingen wordt doorgerekend naar de consument. Hierna komen de aanbodeffecten van belastingen aan bod. Het gaat om gevolgen op de groei. Tenslotte bespreken we de belastingontwijking en fraude.

b. De last van belastingen

Wie uiteindelijk de *last van een belasting* draagt, is afhankelijk van veel elementen. Zo is er de hoogte van de belastingvoet, de bepaling van de belastingbasis, de aard van het belaste product of activiteit, de marktvorm en de beschouwde tijdshorizon. Ultiem moet ook rekening worden gehouden met de gevolgen op de productiefactoren. Bij wijze van illustratie : van milieubelastingen wordt gesteld dat ze pas echt succesvol zijn als ze niet worden betaald. Hiermee bedoelt men natuurlijk niets over de fraude, wel dat door een wijziging in het gedrag alle verontreinigingen ophouden. Dit betekent dan wel dat arbeid en kapitaal wordt gerealloceerd wat gevolgen op hun prijsvorming zal hebben. We starten met een partiële evenwichtsbenadering van de gevolgen van een verkoops-belasting op één product. Figuur 4.3. illustreert dit.

Door de invoering van een *ad-valorembelasting* verandert de bereidheid van de consumenten om het betreffende product te kopen niet : V blijft de marktvraagcurve. De vraagcurve die voor de producent echter relevant is, is de nettovraagcurve, V – belasting = V'. Het evenwicht verschuift dus van punt A naar punt L, zodat de nettoprijs daalt van OB naar OK (= prijs die de producent ontvangt), de marktprijs verhoogt van OB naar OF (= prijs die de consument betaalt) en de verkochte hoeveelheid daalt van OC naar OE. De belastingvoet is gelijk aan de verhouding FK/OK. De belastingopbrengst voor de overheid bedraagt KFGL.

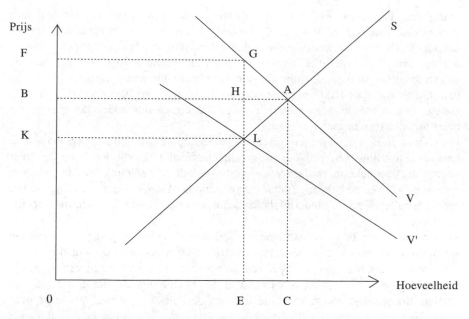

Figuur 4.3. : Gevolgen van de invoering van een verkoopsbelasting in een concurrerende markt

Door de invoering van de belasting stijgt dus de prijs die de consument betaalt terwijl de prijs die de producent ontvangt daalt; ook de verkochte hoeveelheid neemt af. Deze veranderingen worden wel op een cruciale wijze bepaald door de elasticiteit van de vraag- en aanbodcurve. Enig tekenwerk leert ons dat de toename van de prijs groter zal zijn, hoe groter de elasticiteit van de aanbodcurve en/of hoe kleiner de elasticiteit van de vraagcurve. In het extreme geval dat de vraagelasticiteit oneindig is, zal de marktprijs (=brutoprijs) niet veranderen; is de aanbodelasticiteit daarentegen oneindig dan zal de marktprijs toenemen met de belasting.

Een eerste, maar onvolledige indruk over de verdeling van de last van de belasting kan worden verkregen door na te gaan hoeveel ieder van de marktpartijen van de belasting draagt. Uit figuur 4.3. blijkt dat de verkoper zijn ontvangsten ziet dalen met een bedrag van BHKL terwijl de koper, voor een kleinere hoeveelheid, een bijkomend bedrag van FBGH moet betalen. Alhoewel dit geen juiste benadering is van de verdeling van de last van de belasting, blijkt toch reeds dat, in principe, beide marktpartijen nadeel van de belasting ondervinden. Opvallend is wel dat dit losstaat van wat de wetgeving bepaalt : het zijn de vraag- en aanbodelasticiteiten die zullen bepalen hoeveel elke marktpartij draagt[26]. Dit betreft de studie van de afwenteling van belastingen. Hierop gaan we verder in. Merken we hier evenwel reeds op dat er dikwijls wordt gesteld, m.n. door de wetgever, dat "bedrijven de vooropgestelde belasting moeten betalen". Dit zou verkeerdelijk de indruk kunnen wekken dat bedrijven een deel van de last dragen. Een belasting wordt evenwel altijd naar personen afgewenteld. Bedrijven vormen slechts

---

[26]   De juiste uitdrukking voor de verdeling van de belasting is $B_b/B_s = E_s/E_d$; met B_b het aandeel van de kopers, B_s het aandeel van de verkopers, E_s de elasticiteit van het aanbod en E_d de elasticiteit van de vraag.

een tussenschakel in dit proces : de last die hen wordt opgelegd zal systematisch worden afgewenteld naar de gezinnen en dit omdat deze ofwel aandeelhouders zijn van het bedrijf, ofwel tewerkgesteld zijn in het bedrijf dan wel de productie van het bedrijf consumeren.

De last van een belasting wordt, maar gedeeltelijk gemeten door de bedragen die ieder van de marktpartijen overmaakt aan de overheid. Ter verduidelijking kan men het voorbeeld van de hoofdelijke ("lump sum") belastingen beschouwen. Dit zijn onvermijdbare belastingen omdat ze altijd moeten worden betaald. De economische impact van een hoofdelijke belasting zal evenwel verschillen van deze van een inkomstenbelasting die dezelfde opbrengst oplevert. De verklaring is dat naast het inkomenseffect geen economische gevolgen verbonden zijn aan een hoofdelijke belasting. Voor andere belastingen is dit niet het geval daar de keuzemogelijkheden van de economische agenten veranderen. Dit is een belangrijke bijkomende last, een "extra-last", verbonden aan belastingheffing.

Dat niet systematisch wordt geopteerd voor hoofdelijke belastingen en dus voor het vermijden van bijkomende lasten, is het gevolg van het toepassen van het rechtvaardig-heidsbeginsel : een hoofdelijke belasting houdt immers geen rekening met de toestand van de belastingbetaler, met zijn inkomen, vermogen enz. Dit geeft dus aan dat het nastreven van rechtvaardigheid in de belastingheffing niet zonder economische kost is. De beleidsvoerder moet in werkelijkheid een afweging maken tussen de economische efficiëntie van belastingheffing en de rechtvaardigheid ervan.

Dit kunnen we verder illustreren aan de hand van de figuur 4.3. De belastingheffing verlaagt het consumentensurplus[27] met het bedrag BFGA. Hiervan gaat evenwel het deel BFHG naar de overheid[28] zodat de consument netto HGA verliest : dit deel van het consumentensurplus verdwijnt in het niets. Een gelijkaardige redenering geldt voor de aanbieders : hun producentensurplus[29] daalt met BKAL, maar aan de oppervlakte HAL heeft niemand iets. De som van beide verloren oppervlaktes, HGA + HAL = LGA, is de *extra-last* ("deadweight loss" of "excess burden") van een belasting. De totale last van een belasting is dus gelijk aan de belastingopbrengst plus de extra-last (FKGL + LGA). Maatschappelijk is enkel de extra-last een verlies daar de belastingopbrengst wordt gebruikt om overheidsuitgaven te financieren en dus opnieuw bij de belastingbe-talers belandt.

Om de aard van de extra-last te verduidelijken kunnen we terugkeren naar wat werd gesteld betreffende de hoofdelijke belastingen en de invloed van belastingen op de keuzemogelijkheden. Aan onvermijdbare belastingen is geen extra-last verbonden : in de voorgaande figuur verandert een algemene consumptiebelasting of een hoofdelijke belasting het evenwicht niet daar er geen wig ontstaat tussen de aanbod- en vraagprijs. Een belasting op een product of dienst resulteert wel in dergelijke wig en leidt aldus tot een welvaartsverlies. In vergelijking met een hoofdelijke belasting is er dus een welvaartsverlies en juist dit verlies is de extra-last. Het gaat dus niet om een vergelij-king tussen een situatie zonder en met belastingen, maar tussen een situatie met een belasting die de kleinst mogelijke impact heeft (de hoofdelijke belasting) en de

---

[27] Dit is de oppervlakte tussen de prijs en de vraagcurve.
[28] Men kan stellen dat de consument dit via overheidsdiensten of transfers terugkrijgt.
[29] Dit is de oppervlakte tussen de prijs en de aanbodcurve.

opgelegde belasting[30]. Op deze wijze kan men de extra-last van een proportionele dan wel een progressieve inkomstenbelasting onderzoeken[31].

De eerste determinant van de omvang van de extra-last is de hoogte van het belastingtarief. Ook hier hebben de elasticiteiten van vraag en aanbod hun belang. Merk wel op dat de omvang van de extra-last niet proportioneel toeneemt met de hoogte van de belastingvoet, maar wel met het kwadraat van deze voet[32]. Enig tekenwerk kan inzicht geven over hun invloed op de omvang en op de verdeling van de extra-last tussen vragers en aanbieders. Zo zal de grootte van de extra-last kleiner zijn wanneer beide curves zeer onelastisch zijn; hoe groter de elasticiteit van de vraagcurve t.o.v. de aanbodcurve, hoe groter het deel van de extra-last dat wordt gedragen door de aanbieder. De voorgaande analyse levert ons een mogelijke maatstaf op voor de *"kwaliteit" van een belasting* : deze bekomt men door de extra-last te delen door de belastingopbrengst (LGA/GFKL in de voorgaande figuur). In principe verkiest men, al het overige gelijkblijvend, de belasting met de hoogste kwaliteit.

De voorgaande analyse kan worden toegepast op alle mogelijke belastingen die op de verschillende markten kunnen worden geheven. Zo zal de aanbodcurve van arbeid de bereidheid van arbeiders weergeven om tegen de vooropgestelde lonen te werken en de vraagcurve hoeveel arbeiders de werkgevers wensen aan te werven. Voor arbeiders is het relevante loon een nettoloon; voor werkgevers een totale loonkost. Het verschil tussen beide grootheden is de *loonwig*. Een belasting, een inkomstenbelasting of een socialezekerheidsbijdrage, veroorzaakt een verschuiving van het marktevenwicht en dus een extra-last.

Wat leert het voorgaande ons nu over het bestaande belastingstelsel en de richting waarin dit zou dienen hervormd te worden ? Voor de duidelijkheid herhalen we dat de doelstelling van de belastinghervorming hier het beperken van de extra-last is. Dit zal worden bereikt als alle goederen en diensten zo worden belast dat de laatste frank belasting eenzelfde extra-last inhoudt.

De belangrijkste moeilijkheid bij het toepassen van bovenstaande benadering vloeit voort uit de vaststelling dat in alle belastingstelsels een belangrijk goed nauwelijks of niet wordt belast, namelijk de vrije tijd. Dit heeft als gevolg dat er in ieder belastingstelsel een systematische scheeftrekking plaatsvindt. De literatuur leert ons nu dat "het optimale belastingstelsel" afhangt van de substitutie tussen goederen en vrije tijd. Als deze substitutie niet bestaat is een algemene ad-valorembelasting aangewezen omdat aldus alle goederen en diensten eenzelfde prijsverhoging zullen ondergaan : scheeftrekkingen tussen producten onderling zullen dan niet optreden zodat de extra-last onbestaand zal zijn. Bestaat er wel substitutie tussen goederen, diensten en vrije tijd – maar niet tussen goederen onderling – dan wordt het optimale belastingtarief op ieder product zo vastgesteld dat de prijsverhoging omgekeerd evenredig is met de elasticiteit van de vraag. Dit volgt duidelijk uit de voorgaande bespreking rond de impact van de vraagelasticiteit op de extra-last. In het laatste geval waarbij er substitutiemogelijkhe-

---

[30]   Meer technisch uitgedrukt is er enkel een inkomenseffect verbonden aan een hoofdelijke belasting; aan een selectieve belasting is bijkomend een substitutie-effect verbonden. De extra-last meet het nutsverlies dat optreedt door dit laatste effect.

[31]   Zie Musgrave A. en Musgrave P. (1989), blz. 289-290.

[32]   Zie hierover Musgrave A. en Musgrave P. (1989), blz. 281 en 284-285.

den tussen goederen, diensten en vrije tijd bestaan, zijn de optimale belastingtarieven een combinatie van de twee voorgaande gevallen.

Het voorgaande geeft aan dat de economische theorie wel een bijdrage te leveren heeft in het vaststellen van de optimale belastingtarieven. Het probleem voor de beleidsvoerder is evenwel dat informatie over de noodzakelijke parameters meestal niet of onvoldoende beschikbaar is. Bovendien mag men niet uit het oog verliezen dat de basisdoelstelling van de bovenstaande analyse het beperken van de extra-last is. In de dagelijkse beleidsvoering zullen de beleidsvoerders ook rekening houden met het draagkracht- en/of het profijtbeginsel. Dit resulteert dan meestal in een proportionele of een beperkte progressieve belasting op goederen en diensten. De structuur van de meeste BTW-stelsels illustreert dit : het aantal tarieven is vrij beperkt en de progressiviteit ook.

c. De afwenteling van belastingen

Het bovenstaande geeft aan dat de economische agent die de belasting int en er dus wettelijk voor verantwoordelijk is, niet altijd de last van de belasting draagt. Dit is *belastingafwenteling* en ontstaat doordat de economische agenten maximaal pogen om de toestand te behouden die bestond voor de belastingheffing. De afwenteling vindt plaats via een aanpassing van de prijzen en de hoeveelheden. Vanuit een beleidsstandpunt is het kennen van de mate van belastingafwenteling cruciaal om een oordeel te kunnen uitspreken over de gevolgen van een belasting en dus over de gevolgen van fiscale beleidsmaatregelen. Het verhogen van de marginale belastingtarieven voor de hoogste inkomsten zou de verdeling van de netto-inkomsten weinig of niet beïnvloeden als de genieters er in zouden slagen om hun belastbare inkomsten evenredig te verhogen.

Zoals reeds werd opgemerkt, gaat een onderzoek naar de belastingafwenteling verder dan louter de vaststelling wie welk deel van de belasting betaalt. De effecten van een wijziging in een belastingvoet verspreiden zich immers over de gehele economie. Een sterke verhoging in de belastingen zal op een bepaald product resulteren – door de prijsverhoging – in een afname van de vraag. Hierdoor zal de productie dalen wat de ondernemingen in de sector ertoe kan aanzetten om arbeiders af te danken. Hierdoor kunnen de lonen iets afnemen zodat de belasting gedeeltelijk wordt afgewenteld op de arbeiders, zelfs op deze die in een andere sector te werk zijn gesteld. Traditioneel beperkt men evenwel de analyse van de afwenteling van belastingen tot de directe effecten, op de prijs en de hoeveelheid van de betrokken producten voor wat de indirecte belastingen betreft en de belastingbasis (inkomen, winst, rente enz.) voor de directe belastingen.

Een tweede probleem heeft betrekking op de termijn waarop de gevolgen van de afwenteling worden bestudeerd. Gaat het om het directe kortetermijngevolg zodat er van moet worden uitgegaan dat alle productiefactoren vast zijn, dan wel om de langetermijneffecten. Dit heeft gevolgen op de elasticiteit van de aanbodcurve. Eenzelfde redenering geldt voor de vraagcurve, ook deze elasticiteit neemt toe met de termijn die wordt beschouwd; hoe langer, hoe meer substitutiemogelijkheden de consument bezit. Merk ook op dat de substitutiemogelijkheden van de consument worden bepaald door de "uitgebreidheid" van de belastingheffing : een belasting die veel producten treft biedt de consument weinig uitwijkmogelijkheden (= substitutiemogelijkheden) zodat de elasticiteit eerder beperkt zal zijn. Daarentegen zullen de substitutiemogelijkheden veel ruimer en dus de elasticiteit veel groter zijn wanneer een zeer beperkt aantal producten wordt getroffen door de belasting. Dit is meestal de opzet van de eco-taksen.

Een derde moeilijkheid betreft de hypothese over het gebruik dat de overheid maakt van de belastingopbrengst. Deze gelden kunnen dienen om het tekort te verminderen dan wel om een andere belasting te verminderen of om sociale uitkeringen te verhogen. De macro-economische effecten zijn duidelijk niet dezelfde zodat de evaluatie van de afwenteling zal worden beïnvloed. In dit verband wordt een onderscheid gemaakt tussen[33] :

- Absolute impact : hier wordt verondersteld dat alle andere belastingen constant worden gehouden. Dit is dus enkel een zinvolle hypothese wanneer de belastingwijziging vrij beperkt is zodat de macro-economische gevolgen kunnen worden verwaarloosd.
- Differentiële impact : de gehanteerde hypothese hier is dat de belastingverhoging volledig wordt gecompenseerd door de verlaging van een andere belasting. Het macro-economische effect op de groei, de inflatie enz. zou dus eerder beperkt moeten zijn en kan in een eerste benadering worden verwaarloosd; de nadruk ligt eerder op de verdelingsaspecten.
- De budgettaire evenwichtsimpact veronderstelt dat de opbrengst van de belasting wordt gebruikt om overheidsuitgaven te verhogen. Ook hier kan dus de macro-economische impact in een eerste benadering worden verwaarloosd.

Traditioneel wordt bij het bestuderen van de belastingafwenteling geopteerd voor een langetermijnbenadering waarbij de differentiële impact wordt nagegaan op de belastbare basis. Over de belasting die wordt "vervangen" wordt meestal verondersteld dat het om een neutrale belasting gaat zoals een "vast bedrag" (lump sum), zodat de gevolgen van de afschaffing van deze belasting het onderzoek niet bemoeilijken.

Een laatste opmerking betreft de langeretermijngevolgen op de markt van de productiefactoren. Een belasting op een product zal tot gevolg hebben dat na verloop van tijd de productiecapaciteit in de sector zal dalen. Productiefactoren zullen in andere sectoren worden gebruikt, maar of dit zal leiden tot dalingen of stijgingen van de loon- en winstvoet is afhankelijk van de kapitaal-arbeidsverhoudingen in de "belaste" sector relatief tot de niet-belaste sector. Als het belaste product zeer kapitaalintensief is, zal de verschuiving naar een arbeidsintensief product resulteren in een verhoging van de loonvoet en een daling van de winstvoet doordat er een relatief tekort aan arbeid en een relatief overschot van kapitaal ontstaat.

I. Afwenteling van indirecte belastingen

De afwenteling van indirecte belastingen werd in figuur 4.3. betreffende de invoering van een verkoopsbelasting in een concurrerende markt behandeld. We hoeven daar dus niet meer op in te gaan.

---

[33] Zie Break G. (1974).

II. Afwenteling van directe belastingen

– De inkomstenbelasting

Bij de analyse van de heffing van inkomstenbelastingen is duidelijk geworden dat er een mogelijk effect op de economische activiteit van de beschouwde economische agent bestaat. Merk wel op dat de analyse eenheid een "modale" werknemer is voor wie het bruto-uurloon gegeven is, zelfs op langere termijn. Binnen de gemaakte hypothesen bestaat er derhalve weinig of geen mogelijkheid om te spreken over een afwenteling van een verhoging van een inkomstenbelasting op het loon. Enkel door over te gaan naar een macro-economische interpretatie is een effect op de loonvoet mogelijk. Zo zal, wanneer de inkomenselasticiteit van het arbeidsaanbod voldoende positief is, het arbeidsaanbod dalen wat zal resulteren in een verhoging van de marginale productiviteit van arbeid en zo, na verloop van tijd, in een toename van het bruto-uurloon. Het gevolg is een nettouurloon dat minder daalt dan de toename van de belasting. Onderlijnen we wel dat dit effect samengaat met een daling van de werkgelegenheid[34].

In de realiteit zal de verhoging van het bruto-uurloon worden bewerkstelligd via collectieve arbeidsonderhandelingen waarin vakbonden zullen pogen om het nettoloon constant te houden. Op langere termijn is deze tussenschakel evenwel niet belangrijk daar de lonen toch de marktpositie van de werknemers en de mogelijkheden van de werkgevers zullen weerspiegelen. De institutionele structuur van de loononderhandelingen kan wel een belangrijke invloed hebben op de snelheid waarmee dit langetermijnevenwicht wordt bereikt.

– De socialezekerheidsbijdragen

De economische gevolgen van socialezekerheidsbijdragen onderzoeken we in het hoofdstuk dat de *socialezekerheidsbijdragen* behandelt. Merken we hier evenwel reeds op dat er twee interessante problemen dienen te worden beschouwd. Ten eerste is er het onderscheid tussen werkgevers- en werknemersbijdragen. Is dit juridisch verschil ook economisch te onderkennen ? In het hoofdstuk dat handelt over sociale zekerheid zal worden aangetoond dat dit niet het geval is. Ten tweede is het waarschijnlijk dat er voor de socialezekerheidsbijdragen een nauwere relatie wordt gelegd met de uitkeringen dan het geval is voor de andere belastingen. Bij het bespreken van de sociale zekerheid zal dan ook duidelijk worden dat wanneer de socialezekerheidsvoordelen een perfect substituut zijn voor privé-uitgaven, socialezekerheidsbijdragen het welzijn niet beïnvloeden.

Deze band moet ook in de analyse worden betrokken. Vestigen we hier ook nog de aandacht op de omvang van de sociale zekerheidsbijdragen, namelijk 15 à 16 procent van het BBP wat neerkomt op 1/3 van de totale fiscale druk. Dit percentage is stabiel sedert 1985.

– De vennootschapsbelasting

Een afwenteling van de winstbelasting is niet mogelijk wanneer we het gewone tekstboekmodel hanteren waarbij de bedrijven pogen om hun winsten zo groot mogelijk te maken : het beste wat de ondernemers kunnen doen om hun winst na belasting te optimaliseren is hun winst voor belasting te maximaliseren. Dit laatste is onafhankelijk

---

[34] In principe zal de werkloosheid niet toenemen daar het gaat om een daling van het arbeidsaanbod.

van de omvang van de winstbelasting omdat deze belasting de marginale kosten en de marginale opbrengsten ongewijzigd laat. Anders uitgedrukt, indien de bedrijven hun prijzen zouden verhogen omdat de winstbelasting steeg, zal de winst dalen waardoor de winst na belasting nog meer zal verminderen. De winstbelasting wordt dus, op kortere termijn, volledig gedragen door het bedrijf en dus door de aandeelhouders. Een zekere afwenteling van de winstbelasting bestaat wel op langere termijn omdat :
– De bedrijfsleiders minder zullen investeren als andere beleggingsmogelijkheden netto meer opbrengen (bijv. overheidsobligaties).
– De bedrijfsleiders eventueel in het buitenland zullen investeren als daar de netto-opbrengst hoger ligt.

De bedrijfsleiders kunnen verkiezen om hun activiteiten anders te ontplooien dan in vennootschapsvormen. Zo kunnen zelfstandigen minder gemakkelijk hun activiteiten onderbrengen in ondernemingen. Dit kan een invloed hebben op de groei van de activiteiten.

– Vermogensbelastingen
Zoals opgemerkt in het overzicht van de belastingheffing in België bestaan er een aanzienlijk aantal belastingen die onder de hoofding van vermogensbelastingen kunnen worden gerangschikt. Een belangrijk principe is dat vermogensbelastingen "duurzame" goederen treffen zodat de kopers en verkopers zullen rekening houden met alle toekomstige belastingen. Dit noemt men de *kapitalisatie van de belastingen.* Ook hier geldt dat de uiteindelijke last van de belasting zal worden bepaald door de beschikbare alternatieven wat tot uiting komt in de elasticiteiten van de vraag- en aanbodcurve. Kopers zullen pogen om de netto-opbrengst van beleggingen in het belaste vermogens-bestanddeel constant te houden. De verkopers zullen pogen de maximale prijs te bekomen. Dit kunnen we illustreren aan de hand van twee voorbeelden : een belasting op een immobiel actief zoals grond en een belasting op een mobiel actief zoals obligaties. We merken voor de duidelijkheid op dat de *mobiliteit* hier een relatief begrip is. Als het om een effect gaat van een gemeentebelasting op het inkomen uit een onroerend goed, dan houdt mobiliteit in dat bezitters en/of beleggers in andere gemeenten terecht kunnen. De vraag kan evenwel ook gesteld worden voor een nationale belasting zodat de mobiliteit dan betrekking heeft op de internationale mobiliteit. Mobiliteit betreft dus de bewegingsmogelijkheid van en naar de geografische entiteit waar de belasting van toepassing is.
– Belasting op een immobiel actief
Het kan gaan om het belasten door lokale overheden van het inkomen uit gronden of het bezit van gronden. Het is duidelijk dat de huidige eigenaars niet "weg kunnen" met hun bezit terwijl de potentiële beleggers terecht kunnen in gemeenten die geen belasting opleggen. Door dit laatste en de mogelijkheid die beleggers hebben om eventueel in staatsfondsen of andere financiële waarden te beleggen, moet het nettorendement voor de kopers hetzelfde blijven. Dit betekent dat het brutorendement moet toenemen met de belasting. Hiervoor bestaan er theoretisch twee mogelijkheden :
a. Ofwel moet het brutoinkomen toenemen wat zou betekenen dat de belasting wordt afgewenteld op de huurder of, ingeval het gaat om bedrijfsgebouwen of landbouwgronden, op de consumptie van de producten die er worden geproduceerd. Dit zal enkel mogelijk zijn wanneer deze economische agenten

over geen uitwijkmogelijkheden beschikken. In werkelijkheid zal deze mogelijkheid zich meestal niet voordoen.

b.   Ofwel daalt de waarde van het onroerend goed : de relatieve waardedaling zal gelijk zijn aan de belasting zodat de belasting feitelijk wordt gekapitaliseerd. De invoering van een belasting van 10 procent op het inkomen van gronden zal resulteren in een waardedaling van de gronden met 10 procent. Het gevolg van de belasting op onroerend goed is dus dat de last volledig wordt gedragen door de huidige eigenaars. De economische theorie leert ons dat hieraan, in principe, geen gevolgen zijn verbonden daar de toekomstige opbrengst niet verandert. Daar in de praktijk de toekomstige beleggers veelal ook de beleggers uit het verleden zijn, kan men niet uitsluiten dat deze minder geneigd zullen zijn om in de toekomst verder te beleggen. Dit kan het aanbod verschralen (bijv. minder huurwoningen). Of dit belangrijke gevolgen heeft zal afhangen van de grootte van de jurisdictie die de belasting oplegt. Als door een gemeentelijke belasting op woningbezit alle nieuwbouwactiviteit wordt gestaakt, zal dit niet resulteren in een stijging van de huurprijzen in de streek daar elders wellicht meer zal worden gebouwd zodat het globale aanbod van huurwoningen weinig zal veranderen. Evident liggen de gevolgen anders als de belasting een nationale belasting is en de beleggers ontmoedigd worden. Er kan dan wel een daling van het aanbod van huurwoningen optreden zodat een deel van de belasting wordt overgeheveld naar de huurders. De eigenaars zullen dus niet langer de volledige last van de belasting dragen.

Het voorgaande leert wel dat voor zover de vermogensactiva immobiel zijn, belastingverschillen tussen gemeenten zullen gekapitaliseerd worden en leiden tot prijsverschillen.

–   Belastingen op een mobiel actief

Het kan hier gaan om een federale belasting op inkomsten uit kapitaal zoals de roerende voorheffing of een belasting op het bedrijfskapitaal. Daar de roerende voorheffing nog andere problemen oproept en deze belasting later aan bod komt, beschouwen we hier enkel een belasting die zou worden opgelegd op het kapitaal van bedrijven. Het gaat om een theoretische constructie die enkel tot doel heeft om een aantal mechanismen te verduidelijken.

De belasting op bedrijfskapitaal zal tot gevolg hebben dat investeerders hun kapitaal zullen terugtrekken uit belaste bedrijven en zo zullen investeren dat ze de belasting niet moeten betalen (ontwijkingsgedrag). Hierdoor neemt de rendabiliteit van het overblijvende kapitaal toe zodat de brutovergoeding ervan stijgt[35]. Daar het omgekeerde gebeurt in de sector waar bijkomend wordt geïnvesteerd zal de belasting op bedrijfskapitaal gedeeltelijk worden afgewenteld op de andere sector onder de vorm van een lagere rendabiliteit. Dit aanpassingsproces zal voortduren tot de nettorendementen in beide sectoren gelijk zijn. Het verschil tussen de brutorendementen komt overeen met de belasting.

Het voorgaande veronderstelt dat de mobiliteit van de productiefactor of de vermogenscomponent die wordt belast zeer groot is zodat er een gelijkschakeling van netto inkomens plaatsvindt. Zoals het laatste voorbeeld aangeeft kan evenwel niet worden uitgesloten dat dit gedeeltelijk wordt gerealiseerd door een daling van

---

[35]   Eventueel kan dit verlopen via prijsverhogingen van de geproduceerde goederen en diensten.

de netto-inkomens. Dit is wel moeilijk vast te stellen omdat deze netto-inkomens doorheen de tijd veranderen.

Onderlijnen we het belang van de mobiliteit. Deze heeft betrekking op zowel het gedrag van de inwoners van de jurisdictie die de belasting heft als op de buitenstaanders. Bestaat er een onderscheid tussen het gedrag van beide groepen dan beïnvloedt dit de effecten van de belasting. Ter verduidelijking van dit onderscheid kunnen we de roerende voorheffing beschouwen. Stel dat België de *roerende voorheffing* voor beleggingen verhoogt. Belgische beleggers zullen aangezet worden om in het buitenland te beleggen zodat men verwacht dat de Belgische rente zal stijgen. Indien voldoende Belgische beleggers dit doen en buitenlanders ook verplicht worden om de roerende voorheffing te betalen zal de brutorente inderdaad evenveel toenemen als de verhoging van de voorheffing. Dit verwacht men op basis van het voorgaande bij een hoge mobiliteit van de kapitaalbewegingen. Indien het kapitaal volledig immobiel zou zijn, zou de brutorente niet veranderen zodat de nettorente zou dalen met de verhoging van de roerende voorheffing.

Veronderstel nu evenwel dat buitenlanders geen interesse hebben in Belgische obligaties. Een verhoging van de roerende voorheffing zal de Belgische beleggers er nog steeds toe aanzetten om in het buitenland te beleggen en dit tot het renteverschil tussen België en het buitenland juist gelijk is aan de te betalen voorheffing. Of het buitenlands kapitaal mobiel is of niet maakt dus geen verschil uit[36]. Indien evenwel, zoals in werkelijkheid het geval is, de buitenlandse beleggers geen roerende voorheffing dienen te betalen op hun beleggingen in België, wordt de hypothese betreffende hun gedrag determinerend voor de impact van de verhoging van de roerende voorheffing. Immers als Belgische beleggers meer in het buitenland beleggen en hierdoor de rente verhoogt, zal dit voor buitenlanders een toename van de nettorente betekenen. Als zij veel interesse in Belgische obligaties vertonen zal dit verhinderen dat de Belgische marktrente stijgt[37]. Zodoende wordt het voor de Belgische beleggers onmogelijk om de roerende voorheffing af te wentelen op de emittent van obligaties : de roerende voorheffing is dan inderdaad een belasting die het nettorendement van beleggingen in obligaties vermindert. Indien buitenlandse beleggers evenwel weinig of geen interesse betonen voor Belgische obligaties, zal de marktrente in België kunnen stijgen zodat het nettorendement hetzelfde blijft.

Uit het voorgaande kunnen twee belangrijke conclusies worden getrokken. Ten eerste kan het bij het bespreken van mobiliteit belangrijk zijn om een onderscheid te maken tussen wie mobiel is : zijn het de huidige beleggers of huidige inwoners, potentiële inwoners enz. De vraag moet worden gesteld of de beleggers een

---

[36] Het omgekeerde is evenwel ook juist zodat het effect van de roerende voorheffing niet afhangt van welke beleggers hun beleggingen verschuiven. Het enige relevante is dat voldoende beleggers het doen.

[37] Na de start van de Europese Monetaire Unie kan men verwachten dat buitenlandse beleggers, o.a. door het verdwijnen van het wisselkoersrisico verbonden aan Belgische obligaties, veel meer interesse zullen hebben voor Belgische beleggingen. Alles gelijkblijvend zou dit moeten resulteren in een daling van het effect van de roerende voorheffing op de rente en dus in een daling van het rendement voor Belgische beleggers die in België beleggen. Indien er evenwel een Europese roerende voorheffing zou komen, zal de redenering uit de tekst op Europees niveau kunnen worden toegepast.

homogene groep vormen. Ten tweede moet het toepassingsveld van de belasting nauwkeurig in rekening worden gebracht. Het voorbeeld van de roerende voorheffing geeft immers aan dat het een hemelsbreed verschil uitmaakt of buitenlandse beleggers de belasting moeten betalen of niet.

Merk tot slot op dat potentiële beleggers kunnen vrezen dat in de toekomst de belastingen nog verder zullen toenemen. In dit geval zal de daling van de vraag resulteren in een prijsverlaging die de actuele waarde van de toekomstige belastingen, berekend op basis van de huidige belastingtarieven, overtreft.

In het voorgaande werd geen rekening gehouden met een mogelijke band tussen belastingen en uitgaven. Dit gebeurt wel in de Tiebout-benadering die in hoofdstuk 4 wordt behandeld.

d. De aanbodeffecten van belastingen

I. Inleiding

In het voorgaande werd veel aandacht besteed aan de gevolgen van belastingheffing op het marktevenwicht. We hebben gesteld dat een belasting op de inkomsten uit onroerende goederen (bijv. huren) tot gevolg zal hebben dat beleggers minder interesse zullen betonen om te investeren in deze activa wat zal resulteren in een daling van het aanbod. De micro-economische *aanbodeffecten* hebben dus altijd veel aandacht gekregen. Macro-economisch is dit niet zo : de aandacht voor de aanbodeffecten dateert van na het uitbarsten van de economische crisis in het midden van de jaren zeventig. Het betreft hoofdzakelijk de gevolgen van belastingen en subsidies op het arbeidsaanbod, de investeringen en het sparen en aldus op de productiecapaciteit en de groei. Deze aanbodeconomische benadering werd aangevoeld als een verrijking van de traditionele beleidsanalyse waar de aandacht eerder uitging naar de vraag. Een tweede belangrijk aspect was de langeretermijntijdshorizont van de aanbodeconomen : ze vestigden de aandacht op de nefaste langeretermijngevolgen verbonden aan het gebruik van instrumenten die korteretermijndoelstellingen nastreefden. Een typisch voorbeeld betreft het verhogen van belastingtarieven als "oplossing" voor overheidstekorten. Zo hebben aanbodeconomen systematisch gesteld dat dergelijk beleid het financieringsprobleem op langere termijn zou verergeren door het negatieve effect op de groei. Het "succes" van de aanbodeconomie valt gedeeltelijk te verklaren door het "falen" van het traditionele beleid dat er niet in slaagde om de economische crisis op te lossen.

De belangrijkste determinanten van de langeretermijngroei van de economie zijn de beschikbaarheid van de productiefactoren arbeid en kapitaal en de technologische vooruitgang. Voor de fiscaliteit leidt dit tot het onderzoeken van de invloed van de belastingen op het arbeidsaanbod, het sparen en de investeringen. Terloops zal ook aandacht worden besteed aan de impact van andere instrumenten van economisch beleid dan belastingen.

II. Belastingen en het arbeidsaanbod

Het macro-economisch arbeidsaanbod kan worden beschouwd als het totaal aantal werkuren dat de bevolking bereid is te presteren voor economische activiteiten. Het is gelijk aan het product van de participatiegraad (de actieve bevolking als een percentage van de totale bevolking) en het aantal gepresteerde uren. Beide veranderlijken worden beïnvloed door de fiscaliteit. Hoe een inkomstenbelasting het arbeidsaanbod beïnvloedt, verklaren we met behulp van figuur 4.4.

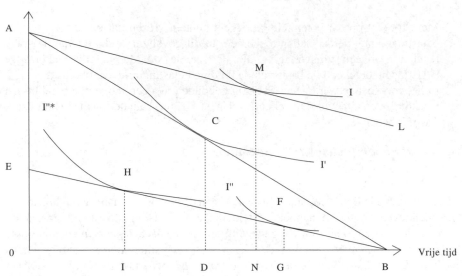

Figuur 4.4. : Belastingen en het arbeidsaanbod.

De gevolgen van het heffen van een inkomstenbelasting moeten opgesplitst worden in een inkomens- en een substitutie-effect. Het eerste effect stimuleert het arbeidsaanbod : economische agenten zullen trachten de inkomensdaling te compenseren door meer te werken. Het substitutie-effect daarentegen beperkt het arbeidsaanbod daar vrije tijd goedkoper wordt door de daling van de vergoeding voor het presteren van arbeidsuren. Het totale effect op het arbeidsaanbod valt dan ook niet te voorspellen op a priori gronden.

De initiële budgetbeperking is de rechte AB. De helling van deze rechte is het brutoloon. De maximale vrije tijd wordt genoten in punt B; het inkomen is dan evenwel 0. Het inkomen is maximaal wanneer alle beschikbare uren wordt gewerkt. Welk punt op de budgetlijn AB wordt gekozen zal afhangen van de persoonlijke afweging tussen vrije tijd en inkomen. Dit wordt weergegeven door een nutsfunctie die zal worden gemaximaliseerd wanneer een indifferentiecurve de budgetlijn AB raakt. Dit gebeurt in punt C. Het aantal gepresteerde werkuren zal DB bedragen terwijl OD de genoten vrije tijd voorstelt.

Wordt nu een belasting opgelegd van AE/AO dan verschuift de budgetlijn naar EB; het evenwicht ligt nu op het raakpunt van indifferentiecurve I" en EB, namelijk punt F[38]. Het aantal gepresteerde uren arbeid daalt dus. Dit komt neer op een positieve relatie tussen het nettoloon en de gepresteerde arbeid. Men kan evenwel niet uitsluiten dat de indifferentiecurve eerder I''* is zodat het evenwicht in punt H komt te liggen. In dit

---

[38]   Is het belastingstelsel continu progressief dan zal de budgetlijn een kromme worden met een groter wordend verschil tussen AB en EB.

geval zou, t.o.v. punt C, het aantal gepresteerde arbeidsuren stijgen van DB naar IB zodat de aanbodcurve van arbeid negatief geheld zal zijn.

Om het voorgaande beleidsbruikbaar te maken, zou moeten worden gewerkt met de marginale, en niet met de gemiddelde belastingvoet. Aanbodeconomen onderlijnen het belang van deze marginale belastingvoet. Als regel stellen ze dat een verhoging van de marginale belastingvoet zal resulteren, macro-economisch beschouwd, in een kleinere arbeidsbereidheid omdat relatief meer mensen zullen ontmoedigd worden door de lagere nettovergoeding dan er zullen zijn die, om hun besteedbaar inkomen op peil te houden, bijkomende arbeidsuren zullen presteren. Tevens beklemtonen ze dat de progressiviteit van de belastingschalen in werkelijkheid wordt uitgehold door de veelvuldige fiscale voordelen (de zogenoemde fiscale uitgaven). Dit is dan ook de reden waarom ze voorstander zijn van de *vlaktaks*[39] ("flat tax"). In dit belastingstelsel zou een brutoinkomen belast worden tegen een laag tarief. Doordat geen belasting-voordelen worden toegekend kan het gemiddelde (= marginale) tarief laag worden gehouden. Voor België geven berekeningen aan dat een tarief van 25 procent wel haalbaar is[40]. Een tweede belangrijk voordeel dat de voorstanders van de vlaktaks naar voren schuiven is de grotere doorzichtigheid van het belastingstelsel. De huidige belastingvoordelen maken het stelsel immers bijzonder complex.

De voorgaande redenering blijft geldig wanneer we algemene wijzigingen in de indirecte belastingen beschouwen. De belangrijke beslissingsvariabele is immers het nettoloon en het maakt niets uit of dit nettoloon nu daalt door een verhoging van de belastingen dan wel door een verhoging van de prijzen[41]. Merk wel op dat het loonindexeringsstelsel van belang is. Zijn de lonen automatisch en volledig ge-indexeerd, samen met de inkomstenbelastingen[42], dan zal het nettoreëleloon niet veranderen door het verhogen van de indirecte belastingen of de accijnzen. Meestal bestaat deze "ideale" toestand niet. Bij een volledige indexering van de lonen, maar zonder geïndexeerde belastingschalen[43], zal een verhoging van de indirecte belastingen via de toegenomen inflatie resulteren in een lager nettoloon en dus een effect hebben op het arbeidsaanbod. Worden de indirecte belastingen op een selectieve wijze verhoogd dan leert een voorgaande paragraaf over optimale veranderingen in het belastingstelsel, dat de substitutie tussen het zwaarder belaste product en vrije tijd belangrijk wordt. Zo zal een hogere belasting op een product dat complementair is met arbeid (bijv. werkkledij of belasting op benzine) de arbeidsbereidheid meer drukken dan wanneer een neutraler product, zoals voeding, extra wordt belast. Een hogere

---

[39]   Zie Hall R. en Rabushka A. (1995). Ook "postkaart"-belastingaangifte genoemd.

[40]   Zie Vuchelen J. (1985).

[41]   Een verhoging van de invoerprijzen zal dus een vergelijkbaar effect hebben op het arbeidsaanbod als een verhoging van de indirecte belastingen.

[42]   Dit betekent dat de belastingschalen zo worden aangepast dat de belastingbetaler niet terechtkomt in hogere belastingschalen waar hogere marginale tarieven gelden, wanneer het inkomen enkel stijgt door een aanpassing aan hogere prijzen.

[43]   In België waren deze zeer tijdelijk, in het begin van de jaren negentig, bijna volledig geïndexeerd. Meestal bepaalt de regering in het begrotingsoverleg een zekere indexering van de lagere belastingschalen.

belasting op vrijetijdsgoederen zoals sportproducten of bioscopen[44], zal de "waarde" van vrije tijd drukken en zo de opportuniteitskost van bijkomende arbeid. Dit moet dan een positief effect hebben op de arbeidsbereidheid. Merk op dat het omgekeerde zich zal voordoen wanneer de overheid vrije tijd aantrekkelijker maakt via het aanleggen van recreatiedomeinen, het vergemakkelijken van vervoer naar vakantieplaatsen enz.

We kunnen hier bondig ingaan op de effecten van *inkomenstransfers*. Twee situaties kunnen worden onderscheiden. Nemen deze transfers toe met het inkomen (wanneer het gaat om belastingvoordelen zoals de aftrek voor levensverzekeringen of pensioen-sparen) dan verminderen deze de effectieve belastingdruk : de neerwaartse verschuiving van de budgetlijn vanuit de positie AB zal kleiner zijn. Worden de voordelen evenwel geïntroduceerd na de belastingverhoging dan zal de budgetlijn opwaarts verschuiven en kan de analyse betreffende het inkomens- en het substitutie-effect worden omgekeerd.

Dalen de transfers daarentegen met het inkomen, zoals meestal het geval is, dan zal in figuur 4.4. de initiële budgetlijn verschuiven van AB naar AL. Het evenwicht verschuift nu naar punt M. Als dit punt, zoals in de figuur, rechts ligt van punt C, dan zal door het uitbetalen van de transfers de arbeidsbereidheid dalen. In het andere geval zal de arbeidsbereidheid stijgen. De relatieve omvang van het inkomens- en het substitutie-effect bepaalt opnieuw het eindeffect.

IV. Belastingen en het sparen

Naast de arbeidsbereidheid is de beschikbare hoeveelheid kapitaal determinerend voor het bepalen van de productiecapaciteit. De uitbreiding van de kapitaalvoorraad vereist investeringen en dus spaarmiddelen. Via het spaargedrag heeft de fiscaliteit dus een invloed op de economische groei.

Het bevorderen van de economische groei via het verhogen van het sparen heeft wel als keerzijde dat dit gebeurt ten nadele van de huidige consumptie en dus de vraag. Het vinden van de juiste combinatie van huidige en toekomstige consumptie is een moeilijke aangelegenheid waarvan de studie niet direct behoort tot het domein van de openbare financiën. Hierom gaan we ook niet in op de determinanten van het spaargedrag. Wel kunnen we steunen op redelijk algemeen aanvaarde resultaten. Voor de duidelijkheid is het noodzakelijk om het onderscheid te maken tussen het sparen door de gezinnen en het sparen door de bedrijven.

Een eerste besluit uit empirisch onderzoek is dat de spaarquote van de gezinnen toeneemt met het inkomen. Bij een progressief inkomstenbelastingstelsel zal dus een groter deel van de belastingen van de hogere inkomens uit sparen komen. Een verhoging in de inkomstenbelasting zal dan ook een grotere negatieve impact hebben op het totale sparen van de gezinnen als dit de vorm aanneemt van een grotere progressiviteit dan wanneer alle belastingtarieven gelijkmatig worden verhoogd.

De fiscaliteit kan ook het gezinssparen beïnvloeden via de opbrengstvoet. Wijzigingen in de netto-opbrengstvoet hebben een inkomens- en een substitutie-effect. Het negatief

---

[44]   Zoals reeds werd opgemerkt vertekent het niet belasten van vrije tijd de keuze tussen arbeid en vrije tijd. Evident is het moeilijk om vrije tijd rechtstreeks te belasten. Onrechtstreeks kan men wel, via het belasten van complementaire goederen, toch vrije tijd in het belastingdomein introduceren. Door de verhoging van de vrije tijd kan men verwachten dat dit een belangrijke problematiek wordt in de toekomst.

inkomenseffect onstaat doordat een verhoging van de netto-opbrengst tot gevolg heeft dat minder moet worden gespaard om eenzelfde toekomstig bedrag te bereiken. Het substitutie-effect zal daarentegen het sparen aanmoedigen omdat de opbrengst van sparen verhoogt : consumeren wordt duurder. Welk effect domineert is een empirische vaststelling. De bekomen resultaten zijn evenwel niet eenduidig.

Merk bij het voorgaande wel op dat de netto-opbrengstvoet wordt bekomen na aftrek van de effectieve belastingvoet. Worden alle inkomsten geglobaliseerd, dan zal het relevante, marginale tarief dit uit de inkomstenbelastingen zijn. Dit laatste is in België slechts zelden het geval. In de realiteit wordt immers meestal slechts de roerende voorheffing (op inkomsten uit obligaties, kasbons, termijndeposito's en aandelen) betaald. Op vele andere inkomsten uit financiële beleggingen (rente op spaardeposito's, kapitaalwinsten van Bevak's en Bevek's enz.) wordt geen belasting afgedragen.

Het bedrijfssparen bestaat uit twee componenten, de afschrijvingen en de reserveringen van onverdeelde winsten. Een fiscaal stelsel dat versnelde afschrijvingen toelaat, zal de belastbare winst reduceren en zo de belastingen. Het bedrijfssparen wordt erdoor verhoogd, of juister uitgedrukt, verschoven doorheen de tijd. Tenzij voldoende wordt geïnvesteerd zal het effect op het bedrijfssparen dus slechts tijdelijk zijn.

Voor wat de onverdeelde winsten betreft, is het evident dat een hogere winstbelasting een nadelig effect zal hebben (zie afwenteling winstbelasting).

IV. Belastingen en investeringen

Verschillende benaderingen over het investeringsgedrag van bedrijven zijn in de literatuur beschikbaar. Het zou ons te ver leiden om de gevolgen van fiscaliteit hierin te situeren. Aanvaarden we evenwel dat bedrijven hun winsten pogen te maximaliseren, dan zullen de investeringen negatief reageren op een verlaging van de netto-opbrengstvoet die investeerders verwachten te zullen realiseren. Daar de vergoeding voor de aandeelhouders betaald wordt uit de nettowinst (dividenden) is de relevante fiscale veranderlijke de winstbelasting. Alles gelijkblijvend zal een verhoging van de winstbelasting dus resulteren in een lagere netto-opbrengstvoet wat de investeringen zal afremmen.

Merk nog een mogelijk onverwacht effect op van de winstbelasting op het investeringsgedrag : daar de rentabiliteit van investeringen niet verzekerd is, kan niet worden uitgesloten dat bedrijven verliezen lijden. Als deze fiscaal verrekenbaar zijn, kan men stellen dat de overheid en de bedrijven partners worden bij het realiseren van projecten waarbij de belastingvoet het aandeel van de overheid aan geeft. Bij een succesvolle investering zal de overheid via de winstbelasting mee participeren; in geval van verlies betaalt de overheid via de belasting een deel van het verlies aan het bedrijf. Een gevolg hiervan is dat het risico voor de aandeelhouder in dezelfde mate wordt verminderd. Dit kan hem stimuleren tot het nemen van bijkomende risico's, bijv. door meer te investeren in onderzoek en ontwikkeling wat de economische groei ten goede zal komen.

V. De Laffer-curve

De voorgaande benaderingen geven aan dat er geen systematisch negatieve gevolgen moeten uitgaan van een verhoging van de belastingtarieven. Evenwel is het ook duidelijk dat bij belastingtarieven van 100 procent niemand nog bereid zal zijn om enige belastbare activiteit te ontplooien. Bij een belastingvoet van 0 is er natuurlijk ook geen belastingopbrengst. Tussen deze twee extremen, die inhouden dat de overheid geen belastingopbrengst int, lijkt het aannemelijk dat er een belastingvoet bestaat die de belastingopbrengst maximaliseert. Dit wordt voorgesteld in de Laffer-curve, genoemd naar de Amerikaanse econoom die deze curve voor het eerst tekende (er wordt verteld op het servet in een restaurant). Deze omgekeerde parabool, zie figuur 4.5., geeft aan dat de belastingopbrengst bij lage tarieven verhoogt als deze tarieven toenemen; bij hogere tarieven gebeurt het omgekeerde. Men gaat er dus van uit dat bij tarieven lager dan M in de figuur, de positieve effecten verbonden aan hogere belastingvoeten het halen op de negatieve effecten. In punt M bereikt de belastingopbrengst een maximum. Zoals de voorgaande discussie aangeeft, gaat het om een langeretermijnrelatie tussen de belastingtarieven en de belastingopbrengst.

Belastingopbrengst

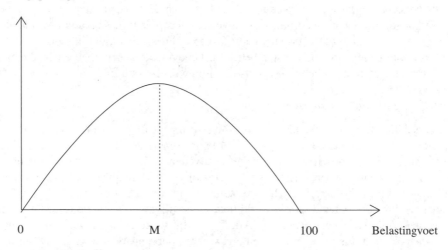

0   M   100   Belastingvoet

Figuur 4.5. : De Laffer-curve

Merk op dat het punt M niet overeen hoeft te komen met 50 procent : de Laffer-curve is niet noodzakelijk symmetrisch. Waar het punt M zich dan wel bevindt is niet meteen duidelijk, maar het politieke belang van de Laffer-curve in de jaren tachtig vloeide vooral voort uit de stelling van de aanbodeconomen dat de toenmalige druk van de belastingen zich rechts van punt M bevond, zodat het aangewezen was om de belastingdruk te beperken. Deze stelling vormde dan ook de basis van de belastingrevolte van de jaren tachtig die, vanuit Californië, de hele westerse wereld heeft overspoeld. Alhoewel de beweging vooral werd gesteund door politieke partijen die zich rechts van het centrum bevinden, bestaat de bedoeling er toch in om belastingopbrengst te verhogen en dus, bij constant tekort, de overheidsuitgaven. Deze incoherentie heeft de geloofwaardigheid van de aanbodeconomie negatief beïnvloed.

We merken ook op dat de overheid soms doelbewust een "te hoog" belastingtarief vaststelt, bijv. wanneer het gaat om schadelijke producten (bijv. tabak in het Verenigd Koninkrijk, alcohol in de Noord-Europese landen). Verder is het zo dat wellicht het subsitutie-effect minder omvangrijk is voor inkomensbelastingen dan voor bestedingsbelastingen, al is het maar omdat voor velen een daling van het inkomen geen realistisch alternatief is. Anderzijds kan niet worden ontkend dat van een verlaging van de inkomstenbelasting wel een stimulerend effect kan uitgaan.

e. Belastingontwijking en fraude[45]

Belastingontwijking en belastingfraude of -ontduiking worden dikwijls als synoniemen gebruikt, maar zijn toch totaal verschillend omdat belastingontwijking legaal is terwijl fraude strafbaar is.

Ruim gedefinieerd is belastingontwijking het wijzigen van de "normale" toestand zodat de af te dragen belasting wordt beperkt. Enkele voorbeelden illustreren dit :

- Het beleggen in kapitalisatiefondsen laat toe de roerende voorheffing te vermijden daar deze niet verschuldigd is op de kapitaalwinsten. Het betekent evenwel niet dat er geen belastingen zouden worden betaald. Zo is er wel een toetredingsbelasting.
- Het onderbrengen van professionele activiteiten in bedrijven houdt in dat geen inkomstenbelastingen, maar wel vennootschapsbelastingen worden betaald.
- Het verschuiven van activiteiten naar het buitenland heeft tot gevolg dat geen nationale, maar buitenlandse belastingen worden betaald.
- Het bijkomend vergoeden van werknemers onder de vorm van voordelen in natura (bijv. dienstwagen en maaltijdcheques) waarop geen socialezekerheidsbijdragen dienen te worden afgedragen.

Niettegenstaande belastingontwijking perfect wettelijk is, zullen velen dit afkeuren omdat voldoende kennis vereist is van het belastingstelsel om de leemtes, lacunes en openingen, te kunnen gebruiken. Dikwijls zijn de ontwijkingstechnieken dan ook, maar weggelegd voor de hogere-inkomensgroepen.

Belastingontduiking is onwettelijk daar er geen belasting wordt betaald. Dit gebeurt evenwel niet zonder risico's : de belastingdiensten kunnen de fraude ontdekken zodat, naast de belastingen, nog een bijkomende sanctie, namelijk een fiscale boete, moet worden betaald. Of een belastingbetaler zal frauderen, hangt dus van de omvang van het belastingvoordeel relatief tot de ingeschatte pakkans en boete. Formeler, als p de pakkans, T de ontdoken belasting, Y het inkomen en FB de fiscale boete is, zal worden ontdoken als :

$$p.U(Y - T - FB) + (1 - p). U(Y) > U(Y - T)$$

Wanneer de fraudeur wordt betrapt zal zijn besteedbaar inkomen $(Y - T - FB)$ bedragen met als nut $U(Y - T - FB)$. De kans dat dit gebeurt is p. Wordt hij niet betrapt dan bedraagt zijn besteedbaar inkomen Y met als nut $U(Y)$; de kans van deze mogelijkheid is gelijk aan (1-p). De belastingbetaler zal frauderen als hij verwacht dat hij er beter voorstaat door de belastingen niet te betalen en het risico te lopen van te worden "gepakt" dan door de belastingen wel te betalen.

De voorgaande uitdrukking toont duidelijk het belang aan van de pakkans, de ontdoken belasting en de boete : als de pakkans of de fiscale boete toeneemt of de ontdoken belasting daalt zal de fraude verminderen.

---

[45]   Voor een zeer toegankelijk overzicht van de theorie verwijzen we naar Cullis J. en Jones I. (1998), hoofdstuk 8.

Het bestrijden van de fiscale fraude is dus in principe vrij eenvoudig. In werkelijkheid heeft een verhoging van de fiscale boete slechts een klein effect op de fraude tenzij de boete bijzonder hoog oploopt[46]. Dit is evenwel slechts zelden het geval. Het belangrijkste beleidsinstrument tegen de fraude is dan ook het verhogen van de pakkans. Dit is mogelijk door het optimaliseren van de werking van de belastingadministraties, o.a. door het informatiseren van de diensten en door het verhogen van de controles.

Merken we nog op dat in de bovenstaande analyses ook de belastingmoraliteit van een land kan worden ingebracht door een systematische kost aan het frauderen te hechten : in het linker lid van voorgaande uitdrukking moet dan een bijkomende kost van het inkomen worden afgetrokken, bijv. GK (gewetenskost), zodat de besteedbare inkomens in beide situaties nu $(Y - T - FB - GK)$ en $(Y-GK)$ zijn.

De omvang van de fiscale fraude kennen we natuurlijk niet. We kunnen deze wel ramen alhoewel de foutenmarge toch wel groot is omdat het gaat om macro-economische benaderingen daar waar we duidelijk weten dat de fraude zich relatief sterk concentreert bij de vrije beroepen, de transacties op de tweede-handsmarkten (bijv. auto's, woningen) en de successierechten.

Belastingfraude is wellicht niet uit te sluiten, maar kan worden beperkt. De vraag kan worden gesteld of er geen andere mogelijkheden openstaan om toch iets te recupereren van de fraude uit het verleden zonder te vervallen in extreme controles. Fiscale amnestie is voor velen een mogelijkheid. Hiermee wordt meestal een situatie bedoeld waarbij het Ministerie van Financiën aan de frauders een eenmalige mogelijkheid biedt om vooralsnog hun belastingverplichtingen te voldoen. Om de frauders aan te sporen worden gewoonlijk voordelen geboden zoals de belofte van de administratie om geen verdere controle door te voeren en om lagere belastingen te heffen dan deze die werden ontdoken. Eventueel wordt aangekondigd dat de strijd tegen de fraude na afloop van de amnestie zal worden opgedreven zodat de pakkans toeneemt. Nadelig voor de fiscus is wel dat de burgers niet noodzakelijk geloof zullen hechten aan het eenmalig karakter : is dit niet het geval dan zou de amnestie wel "trouwe" belastingbetalers ertoe kunnen aanzetten om te frauderen zodat het effect op het fiscaal civisme averechts uitdraait.

Belangrijk lijkt ons of de belastingadministratie erin slaagt om het gedrag van de frauders te wijzigen. Is dit niet het geval dan zal fiscale amnestie enkel zorgen voor een eenmalige opbrengst, maar hiervoor moet een prijs worden betaald daar de trouwe belastingbetalers zich bedrogen zullen voelen. Een wijziging in het gedrag van de frauders lijkt enkel te verwachten wanneer de amnestie samen gaat met een drastische geloofwaardige hervorming van de administratie zodat de pakkans stijgt[47].

Verschillende landen en staten hebben in het verleden, onder een of andere vorm, een fiscale amnestie doorgevoerd en dit met wisselend succes.

Een duidelijke stelling kan moeilijk worden ingenomen omdat de problematiek ook een moraliteitsaspect vertoont : kan men aanvaarden dat wetten ongestraft werden

---

[46]   De boete kan ook subjectief zijn, bijv. door de sociale afkeuring van belastingfraude.

[47]   In België werd in 1984 een fiscale amnestiewet, toenertijd ook fiscale zekerheidswet, gestemd. Het succes was evenwel zeer beperkt. De modaliteiten waren dat de bedragen enkel in een beperkt aantal activa konden worden geïnvesteerd en dat een elfde werd belegd, voor een periode van vijf jaar, in renteloze schatkistbons.

overtreden ? Anderzijds is een beperkte belastingopbrengst beter dan geen. Waar ligt de balans ?

3. BESLUIT

Het bepalen van een optimaal belastingstelsel is zelfs vanuit een louter theoretische invalshoek moeilijk omdat er vele invalshoeken bestaan. Het is dan ook niet verbazend te moeten vaststellen dat de bestaande belastingstelsels weinig structuur en "lijn" vertonen. Buiten de afspiegeling van theoretische beschouwingen weerspiegelen deze stelsels immers ook de verschillende politieke invloeden, de belangen van drukkingsgroepen enz. Deze invloeden veranderen doorheen de tijd, maar blijven toch zeer lange tijd doorwerken (cfr. de fiscale behandeling van het inkomen van landbouwers). Dit betekent dat iedere poging om de belastingen te hervormen op veel tegenkanting zal botsen. Evenwel leert de ervaring van de jaren tachtig met de belastingrevolte in Californië dat buitenlandse voorbeelden meer en meer zullen moeten nagevolgd worden. De evolutie kan dan ook redelijk juist worden voorspeld : ieder stelsel zal doorzichtiger worden met lagere tarieven en een bredere basis. Aldus wordt het belastingstelsel economisch efficiënter daar minder scheeftrekkingen zullen ontstaan. Dit zal evenwel ten koste van andere doelstellingen gaan. We denken dan vooral aan de herverdeling, omdat de belastingschalen van de inkomstenbelastingen minder progressief zullen worden. Ook meer specifieke doelstellingen die via belastingaftrekken (fiscale uitgaven) werden nagestreefd, zullen wellicht moeten opgegeven worden. De nadruk zal meer op de economische en minder op de niet-economische doelstellingen en gevolgen van belastingen komen te liggen. Dit hoeft niet te betekenen dat de overheid deze doelstellingen opgeeft, maar wel dat andere instrumenten hiervoor zullen moeten gebruikt worden. De overheidsuitgaven (bijv. subsidies) komen hiervoor in aanmerking.

Literatuurlijst

BREAK G. (1974), "The incidence and economic effects of taxation" in Blinder A. en Solow R., Break G., Steiner O. en Netzer D., *The economics of public finance*, Washington : Brookings Institution, blz. 119-240.

CULLIS J. en JONES P. (1998), *Public finance and public choice*, Oxford : Oxford University Press, (tweede uitgave).

HAIG R. (1921), "The concept of income" in *The Federal Income Tax*, New York

HALL R. en RABUSHKA A. (1995), *The flat tax*, Stanford : Hoover Institution Press (tweede druk).

MOESEN W. en VAN ROMPUY V. (1991), *Handboek openbare financiën*, Leuven : Acco.

MUSGRAVE A. en MUSGRAVE P. (1989), *Public finance in theory and practice*, New York : McGraw-Hill, (vijfde uitgave).

SIMONS H. (1937), "The definition of income" in *Personal Income Taxation*, Chicago : University of Chicago Press.

RADEMAEKERS K. en VUCHELEN J. (1998), *De verdeling van het Belgisch gezinsvermogen*, CEMS-paper 335.

TIEBOUT C. (1956), "A pure theory of local government expenditures", *Journal of Political Economy*, 64, blz. 416-424.

VUCHELEN J. (1985), "De administratiekosten van de belastingen", in De Meyer L. en Flamant E., (red.) *Liber Amicorum Willy De Clercq*, Leuven : Peeters, blz. 347-371.

WOLFSON D. (1987), *Publieke sector en economische orde*, Groningen : Wolters-Noordhoff.

Trefwoorden en -zinnen van hoofdstuk 3

Afdeling financieringsbehoeften van de Hoge Raad van Financiën
Begroting
Begrotingsnormering
Begrotingssaldo bij volledige tewerkstelling
Begrotingstekort
Beleidscorrectie
Bruto te financieren saldo
Cyclisch begrotingsevenwicht
Cyclisch-neutrale of structurele budgetsaldo
Duisenbergnorm
Entiteit I
Entiteit II
Euro-Meesternorm
Europese gemiddelde
Financiële saldi
Financieringssaldo of -tekort
Fiscale impuls
Gewone en buitengewone begroting
Gouden of gulden regel
Groei- en stabiliteitspact
Intertemporele budgetbeperking
Maastrichtnormen
Meesternorm
Netto te financieren saldo
Nettofinancieringsbehoeften
Primair saldo en rentelasten
Primaire uitgaven
Reële nulgroei
Rentesneeuwbal
Saldo van de begrotingsverrichtingen
Samenwerkingsakkoorden
Schatkistverrichtingen
Structureel tekort
Structurele budgetruimte of Zijlstranorm
Verandering in de schuld

Hoofdstuk 3
OVERHEIDSTEKORTEN

1. INLEIDING

Overheidstekorten hebben de beleidsvoerders in de voorbije twintig jaar veel kopbrekens bezorgd. De economische groei in de jaren zestig zorgde voor voldoende belastinginkomsten om een uitdeinende overheidssector te financieren. Het uitbreken van de economische crisis in het midden van de jaren zeventig tastte niet alleen de groei aan, maar de vraag naar overheidsmiddelen nam ook fors toe. De landen die het snelst hebben beseft dat de overheidsuitgaven op een structurele wijze dienden te worden aangepast aan de nieuwe economische situatie, hebben ook de minste problemen gehad met een sterk oplopend tekort en dus overheidsschuld. De financieringsproblemen werden nog verergerd door de verhoogde rentetarieven. In dergelijke omgeving werd het tekort van de overheid dan ook snel een doelstelling i.p.v. instrument van economisch beleid. Voor België is dit sedert de toetreding tot de Europese Monetaire Unie minder het geval, maar het overheidstekort blijft, o.a. als gevolg van de hoge schuld en het stabiliteitspact, een belangrijke beleidsveranderlijke. Hierom is een discussie van de verschillende maatstaven van het tekort belangrijk. Bovendien kan men niet omheen de vraag of normen voor het tekort een bijdrage tot het saneren en/of tot het instandhouden van gesaneerde overheidsfinanciën kunnen leveren.

In deel 3 werd de opstelling van de begroting van de verschillende overheden behandeld. Deze heeft betrekking op de inkomsten en uitgaven van het komende jaar en weerspiegelt dan ook de waarschijnlijke evolutie van de economische toestand (groei, werkloosheid, rente enz.) en vele vooropgestelde beleidsbeslissingen. Hierom is het begrotingssaldo zeer informatief voor de economische agenten. Niets garandeert evenwel dat de voorspellingen bewaarheid zullen worden. De financieringstekorten daarentegen meten de uiteindelijke uitkomst. Deze saldi hebben dan ook een groter belang, o.a. voor het evalueren van het werkelijk gevoerde beleid. We verwijzen hier naar de Maastricht-criteria die de overheid, globaal bekeken, hebben verplicht om het tekort beneden 3 procent terug te dringen. Evenwel zijn verschillende definities voor het tekort mogelijk. Deze hebben telkens hun voor- en nadelen. Belangrijk is vooral te weten wat hun inhoud is. We starten, onder de hoofding boekhoudkundige saldi, met een verklaring van de gehanteerde saldi. Voor de duidelijkheid maken we een onderscheid tussen deze tekorten die worden berekend voor de globale overheid en de samenstellende entiteiten, en de saldi die enkel voor de federale overheid worden gepubliceerd. In de dagelijkse actualiteit wordt vooral aandacht besteed aan deze laatste tekorten. Dit is niet enkel te verklaren door de beschikbaarheid van cijfers, maar ook doordat dit tekort veruit de omvangrijkste component vormt van het macro-economisch overheidstekort.

De boekhoudkundige saldi worden opgesteld om aan verschillende statistische behoeften te voldoen. Het belangrijkste nadeel van deze grootheden is dat ze minder bruikbaar zijn in een economische analyse. Daalt het tekort omdat een rigoureus beleid werd gevoerd of omdat de conjunctuur verbetert ? Hierom werden verschillende aanpassingen aan de boekhoudkundige saldi voorgesteld. Deze bundelen we in de paragraaf "economische saldi". Vooraleer we hier aandacht aan besteden is het nuttig even in te gaan op de overgang van het begrotingstekort naar het financieringstekort.

2. VAN BEGROTINGSSALDO NAAR FINANCIERINGSTEKORT

Traditioneel Keynesiaans vormt de *begroting* het macro-economische beleidsinstrument van de openbare financiën. Dit wordt gesynthetiseerd in het *begrotingstekort of -saldo*. De parlementaire goedkeuring van de begroting houdt evenwel geen enkele waarborg in dat de vooropgestelde cijfers, gebaseerd op ramingen of voorspellingen, ook gerealiseerd zullen worden. Het gerealiseerde tekort zullen we in het algemeen aanduiden met de term "financieringssaldo". De afwijkingen tussen het begrotingssaldo en het *financieringssaldo of -tekort* kunnen aan een veelheid van factoren worden toegeschreven :

– Zo wordt bij de opstelling van de begroting in jaar (t-1) gebruik gemaakt van voor jaar t verwachte economische grootheden zoals de reële groei, de inflatie, de rentevoeten en de werkloosheid. Voorspellingsfouten in deze veranderlijken vormen een belangrijke verklaring voor de afwijking tussen het begrotingssaldo en het financieringstekort. Een lagere economische groei dan verwacht zal de belastinginkomsten drukken en de werkloosheidsuitgaven verhogen zodat kan worden verwacht dat het financieringstekort hoger zal uitvallen dan het begrotingssaldo. Hetzelfde geldt wanneer de rentevoeten hoger zijn dan deze die werden vooropgesteld. Tot de invoering van de Euro bepaalde vooral de Duitse rente de Belgische rente.

– Een tweede belangrijke verklaring is terug te vinden in de financiële vertaling van budgettaire beslissingen. Niet alle budgettaire beslissingen kunnen onmiddellijk worden uitgevoerd. Bovendien houdt de uitvoering niet in dat alle vooropgestelde betalingen zullen plaatsvinden. Ter illustratie zal de aanleg van een omvangrijk infrastructuurwerk gespreid zijn over verschillende jaren. De relatie overheidsbeslissing – uitvoering – financiering is dus niet eenduidig.

– Een derde mogelijke verklaring vloeit voort uit de moeilijkheid om de werkelijke kosten van een project te voorzien. We bedoelen hier niet dat onverwachte inflatie de werkingskosten kan verhogen (dit wordt in het eerste punt beschouwd), wel dat men bij de realisatie van projecten op onverwachte moeilijkheden botst die meeruitgaven vereisen. Dit kan het geval zijn voor investeringsprojecten, maar ook gelden voor andere initiatieven. Als voorbeeld kunnen we hier een nieuw administratief departement vermelden waar meer personeel nodig is dan initieel verwacht. Sommigen zullen evenwel argumenteren dat het niet gaat om onverwachte tegenvallers, maar dat de voorstanders van nieuwe projecten de kosten doelbewust onderschatten omdat dit de realisatiekansen van het project verhoogt.

De conclusie uit het bovenstaande is dat het begrotingssaldo slechts een ruwe benadering geeft van het financieringstekort van het volgende jaar. Afwijkingen kunnen omvangrijk zijn omdat de economische conjunctuur anders kan evolueren dan werd ingeschat.

3. BOEKHOUDKUNDIGE SALDI

3.1. De nettofinancieringsbehoeften

a. Van de globale overheid

De overheidssector functioneert binnen het Belgisch economisch stelsel. Daarom kunnen de overheidsrekeningen niet los worden gezien van het macro-economisch geheel. De nationale rekeningen, die jaarlijks door het Instituut van de Nationale Rekeningen worden gepubliceerd, geven een overzicht van het economisch gebeuren in België gedurende een bepaald jaar. Op basis van deze informatie wordt de macro-economische positie van de overheid duidelijk en wordt door middel van de saldi van de verschillende sectoren aangegeven hoe de overheid en de privé-sector met elkaar zijn verbonden. De methodologie is deze van het Europees Stelsel van Economische Rekeningen (ESER) en levert netto financieringsbehoeften op voor de overheid en de andere sectoren (vennootschappen, gezinnen en buitenland). Het verschil met de financiële saldi die we verder bespreken ligt in het feit dat de *nettofinancieringsbehoef-ten* de verrichtingen beschouwen op transactiebasis i.p.v. op kasbasis zodat schatkist-verrichtingen, kredieten, voorschotten, participaties of boekhoudkundige verschuiving-en worden uitgesloten. Ook worden de debudgetteringen en het tekort van de autonome parastatale instellingen en fondsen opgenomen. De verklaring hiervoor is dat de nationale rekeningen pogen het beslag weer te geven dat door de overheid op de beschikbare goederen en diensten wordt gelegd. Dit staat los van eventuele financie-ringen. Zo zal het uitstel van de betaling van leveringen van december naar januari van het daarop volgende jaar geen impact hebben op de nettofinancieringsbehoefte zoals deze gedefinieerd wordt volgens de nationale rekeningen, wel op het financiële tekort. De nettofinancieringsbehoeften kunnen dus niet beïnvloed worden door boekhoudkun-dige financieringsingrepen.

In tabel 4.9. geven we een overzicht van de nettofinancieringsbehoeften (of vermogens wanneer deze positief zijn) van de verschillende sectoren. We onderscheiden vier sectoren : de particulieren, de vennootschappen, de overheid en het buitenland. Daar de cijfers niet altijd volledig juist kunnen worden geraamd, zorgt een statistische aanpassing voor het evenwicht. Een belangrijk voordeel van deze benadering is de statistische coherentie : het totaal van de financieringsbehoeften of -vermogens van de particulieren, de vennootschappen en de overheid is gelijk aan het saldo van de lopende rekening van de betalingsbalans van België.

De financieringsbehoeften of -vermogens starten van het verschil tussen het beschikbaar inkomen en de consumptie. Dit zijn de brutobesparingen. Hierbij worden de ontvangen kapitaaloverdrachten geteld en worden de investeringen in mindering gebracht.

251

Tabel 4.9. : Nettofinancieringsbehoeften en -vermogens van de grote Belgische sectoren (in miljard BEF)

Sectoren	1990	1991	1992	1993	1994	1995	1996	1997	1998
Particulieren	351	581	639	807	630	650	522	470	416
Vennootschappen	– 3	–75	–57	17	49	37	71	118	117
Overheid	–355	–428	–503	–534	–376	–317	–255	–162	–118
Statistische aanpassing	41	–4	18	–60	–12	–29	–3	–12	–11
Totaal = saldo lopende rekening	34	74	97	230	291	341	335	415	404

Bron : Jaarverslag Nationale Bank, 1998, tabel IX.

Uit deze tabel blijkt dat vooral de overheid financieringsbehoeften (negatief cijfer) had en nog steeds, ondanks de daling, heeft. Op sporadische uitzonderingen na kunnen de andere sectoren, globaal bekeken, zichzelf financieren en bijdragen tot de financiering van de overheid. Evident wordt het belangrijkste financieringsoverschot gerealiseerd door de particulieren, maar ook de rekeningen van de bedrijven vertonen een steeds groeiend overschot. Het voorgaande verklaart het toenemend surplus op de lopende rekeningen. Merk nog op dat uit de tabel blijkt dat omvangrijke financieringsbehoeften van de overheid niet noodzakelijk hoeven te leiden tot een betalingsbalansprobleem. Enkel als de andere binnenlandse sectoren geen financieringsoverschot vertonen, zal in het buitenland moeten worden ontleend. Dit was in België het geval tot het midden van de jaren tachtig. Na 1985 volstonden, zoals opgemerkt, de financieringsvermogens van de particulieren om de behoeften van de andere sectoren te dekken. Er bleef zelfs financieringsvermogen van het buitenland over.

Belangrijk bij de voorgaande cijfers is dat deze gebaseerd zijn op een boekhoudkundig model. Wanneer een sector een financieringsbehoefte heeft zal dit, via één of ander kanaal, door een andere sector worden gedekt. Er is evenwel geen informatie beschikbaar over de werkelijke mechanismen (bijv. renteverhogingen of kredietopnamen) die zorgen voor het realiseren van deze financieringsstroom.

De opstelling van nationale rekeningen vraagt wel enige tijd o.a. omdat de rekeningen slechts kunnen worden afgesloten als alle statistieken zijn verwerkt. In de realiteit betekent dit dat slechts in april of mei nationale rekeningen over het voorbije jaar beschikbaar zijn. Hierom gaat meer aandacht uit naar voorlopige schattingen van de financieringsbehoeften en -vermogens die worden gepubliceerd door de Nationale Bank in haar jaarverslag. Dit verslag verschijnt midden februari.

Ook de Hoge Raad van Financiën en de Europese Commissie werken met de netto financieringsbehoeften bij het nagaan of de tekorten binnen de normen van het verdrag van Maastricht[48] en deze vastgelegd in het stabiliteitspact blijven, zodat men kan stellen dat het macro-economische overheidstekort dit is dat berekend wordt in de nationale rekeningen.

---

[48] Voordat de Maastrichtnormen het Belgische begrotingsbeleid bepaalden (d.i. voor 1992) werden de cijfers meestal uitgedrukt als percentage van het BNP i.p.v. het BBP zoals vandaag de gewoonte is.

b. Van de deelsectoren

Zoals voor de globale overheid stelt het Instituut voor de Nationale Rekeningen cijfers op over de financieringsbehoeften van de deelsectoren van de overheid en publiceert de Nationale Bank reeds in februari ramingen. De macro-economische financieringsbehoeften van de overheid worden opgesplitst in vier deelsectoren : de federale overheid, de gemeenschappen en gewesten, de lokale overheid en de sociale zekerheid. De federale overheid en de sociale zekerheid worden gegroepeerd in *"Entiteit I"*, de gemeenschappen en gewesten en de lokale overheden in *"Entiteit II"*. Deze indeling wordt ook gevolgd door de Hoge Raad van Financiën en is te verklaren door de vaststelling dat de federale politieke overheden een "controle" hebben over entiteit I; over entiteit II hebben ze geen controle.
De cijfers worden overgenomen in de tabel 4.10.

Tabel 4.10. : Nettofinancieringsbehoeften van de deelsectoren van de overheid (in miljard BEF)

	Entiteit I			Entiteit II			Totaal
	Federale overheid	Sociale zekerheid	Totaal	G & G[a]	Lokale overheid	Totaal	
1990	−370	31	−339	−27	11	−16	−355
1991	−370	−21	−390	−58	21	−38	−428
1992	−442	−7	−450	−68	14	−54	−503
1993	−463	−9	−472	−47	−15	−62	−534
1994	−375	53	−322	−53	−2	−55	−376
1995	−323	19	−304	−49	36	−13	−317
1996	−255	3	−253	−25	23	−2	−255
1997	−201	35	−166	−8	13	4	−162
1998	−157	39	−118	4	−4	0	−118

[a] Gemeenschappen en gewesten.
Bron : Jaarverslag Nationale Bank, 1998, tabel XI.

Vooral de federale overheid – en dus entiteit I – is, zoals gesteld, verantwoordelijk voor het tekort van de globale overheid. Dit komt omdat deze overheid de tekorten van de sociale zekerheid bijpast en omdat zowel de gemeenschappen en gewesten als de lokale overheden hun begrotingen dienen op te stellen rekening houdend met strakke budgettaire normen.

c. Het primaire saldo

Het tekort van de globale overheid, of van de deelsectoren, kan worden opgesplitst in een *primair saldo* en in *rentelasten*. De achtergrond van deze opsplitsing is dat de rentebetalingen eerder bepaald worden door de uitstaande schuld en dus door het in het verleden gevoerde beleid en door de rentevoet. Deze laatste veranderlijke wordt vooral bepaald door de gebeurtenissen op de internationale financiële markten zodat de Belgische overheid er weinig vat op heeft. Het primaire saldo geeft dus een beter beeld

253

van het gevoerde beleid dan het globale saldo. Het primaire saldo zal een overschot vertonen wanneer de belastingontvangsten groter zijn dan de overheidsuitgaven exclusief de rentelasten (=*primaire uitgaven*). In tabel 4.11. geven we het primaire saldo van de globale overheid.

Tabel 4.11. : Nettofinancieringsbehoefte globale overheid, primair saldo en rentelasten (in procenten BBP)

	Primair saldo	Rentelasten	Netto-financieringsbehoefte
1990	5,1	11,0	–5,9
1991	3,6	10,3	–6,7
1992	3,8	10,7	–6,9
1993	3,5	10,7	–7,2
1994	5,2	10,0	–4,8
1995	5,0	8,9	–3,9
1996	5,4	8,5	–3,1
1997	6,0	7,8	–1,9
1998	6,1	7,4	–1,3

Bron : Jaarverslagen Nationale Bank.

Uit de tabel blijkt dat de Belgische overheid reeds jaren een primair overschot heeft op haar rekeningen. Als we ervan uitgaan dat de rentelasten door de beleggers worden beschouwd als een normale vergoeding op het uitgeleende kapitaal en niet als een overheidsdienst, dan geeft een primair surplus de mate aan waarin de belastingbetalers "inleveren" voor de overheidsschuld onder de vorm van lagere overheidsdiensten. De belastingbetalers droegen immers in 1998 6,1 procent van het BBP meer af aan de overheid dan ze in ruil overheidsdiensten mochten ontvangen.

Merk wel op dat de afscheiding van de rentelasten van de nettofinancieringsbehoefte enigszins artificieel is. Zo zou de afschaffing van de rentebetalingen niet leiden tot een financieringsoverschot ter grootte van het primaire surplus. De reden is dat van rentelasten economische gevolgen uitgaan op het primaire saldo (o.a. omdat op rentelasten belastingen worden betaald zoals roerende voorheffing) waardoor het tekort met minder zal dalen dan de verlaging van de rentelasten.

Fundamenteler kan worden opgeworpen dat naast de rentelasten nog andere uitgaven essentieel gepredetermineerd zijn. Zo hangen de pensioenbetalingen af van de bijdragen uit het verleden, de werkloosheidsvergoedingen van de voorheen gepresteerde arbeid enz.

3.2. Financiële saldi

Verschillende saldi kunnen worden opgesteld op basis van louter financiële verrichting-en[49]. We maken hier een onderscheid tussen het netto te financieren saldo, het bruto te financieren saldo en de verandering in de schuld. Dit gebeurt evenwel enkel voor de federale overheid en de gemeenschappen en gewesten. Het voordeel van deze statistieken is dat ze maandelijks beschikbaar zijn. Daar informatie over de financie-ringsbehoeften slechts jaarlijks wordt gepubliceerd laten de *financiële saldi* toe om maandelijks een zeker beeld te bekomen van de evolutie van de toestand van de overheidsfinanciën. Dit beeld is zeker niet perfect, maar daar – zoals opgemerkt bij de bespreking van de financieringsbehoeften – vooral de federale overheid "verantwoorde-lijk" is voor het tekort van de overheid laten de financiële saldi toch toe om een aanvaardbare indruk van de evolutie te bekomen.

a. Het netto te financieren saldo

Alhoewel het *netto te financieren saldo* conceptueel het dichtst staat bij dat van de financieringsbehoeften, bestaan er toch belangrijke verschillen. Het netto te financieren saldo wordt opgesteld op kasbasis en niet op transactiebasis : de feitelijke kasontvang-sten en -uitgaven worden opgetekend zoals ze plaatsvinden en dit ongeacht het begrotingsjaar waarop ze betrekking hebben. In de volgende tabel geven we de componenten van het netto te financieren saldo van de federale overheid. De cijfers hebben betrekking op 1998.

Tabel 4.12. : Het netto te financieren saldo, 1998 (in miljard BEF)

Begrotingsresultaat		−122,3
Schatkistverrichtingen		
Derdengelden	32,0	
Kasverrichtingen	−27,3	
Uitgifteverschillen	4,5	
Delgingsverschillen	−0,8	
Totaal	8,5	
Netto te financieren saldo		−113,8

Bron : Conjunctuurnota, Ministerie van Financiën, Tabel III.C.2.

Het netto te financieren saldo[50] bestaat uit het *saldo van de begrotingsverrichtingen* : dit is het verschil tussen de ontvangsten en de uitgaven. Hierbij worden de *schatkistver-richtingen* geteld. Deze louter financiële verrichtingen omvatten de saldi van de derdengelden, de kasverrichtingen, de uitgifteverschillen en de delgingsverschillen. De derdengelden betreffen de inning van belastingen voor rekening van de Europese Unie of de lagere overheden zonder dat deze onmiddellijk aan de betreffende overheden

---

[49]   De meest relevante referentie is hier Blejer M. en Cheasty A. (1993).
[50]   Voor een uitvoerige toelichting verwijzen we naar Jacobs P. (1993).

worden overgemaakt. De kasverrichtingen weerspiegelen de rol van de schatkist als kassier en bankier van de overheid. Hierin worden dan ook voorschotten aan parastatale instellingen opgenomen. De uitgifteverschillen geven het verschil weer, inclusief emissiekosten, tussen de nominale waarde en de uitgifteprijs van obligaties; de delgingsverschillen weerspiegelen eenzelfde verschil op de eindvervaldag.

Het netto te financieren saldo geeft dus het saldo van de kasstromen in een bepaald jaar weer. De verschillen met de begrotingsverrichtingen kunnen belangrijk zijn, maar dit vloeit voort uit de loskoppeling van de financiering van de uitvoering van overheidsuitgaven en ontvangsten. In het netto te financieren saldo zijn derhalve de kredietverleningen, de voorschotten en de participaties wel opgenomen. Daarentegen worden de debudgetteringen en de voorfinancieringen niet opgenomen. Vooral de niet-opname van debudgetteringen werd in het verleden frequent politiek misbruikt. De techniek van debudgetteringen laat immers toe dat de overheid uitgaven doet zonder dat dit op het budget en dus in het tekort tot uiting komt. Weliswaar zullen deze debudgetteringen, die worden opgenomen in de gedebudgetteerde schuld, ooit moeten worden terugbetaald, maar dit zal dan door een volgende generatie van beleidsvoerders dienen te gebeuren.

Doordat de schatkistverrichtingen een veelheid van elementen omvatten die sterk kunnen schommelen is het moeilijk om het saldo van deze verrichtingen te voorzien. In het algemeen blijft dit saldo evenwel beperkt tot een 30 miljard BEF (positief of negatief).

Merken we nog op dat het saldo van de begrotingsverrichtingen kan opgesplitst worden in een saldo van de lopende verrichtingen (verschil tussen fiscale plus niet-fiscale lopende ontvangsten en lopende uitgaven) en het saldo van de kapitaalverrichtingen (verschil tussen de kapitaalontvangsten en de kapitaaluitgaven (hoofdzakelijk overheidsinvesteringen).

b. Het bruto te financieren saldo

In de uitdrukking "netto te financieren saldo" wijst "netto" erop dat de aflossing van de overheidsschuld niet wordt beschouwd. Telt men de aflossing of delging en de terugbetaling[51] van de geconsolideerde schuld bij het netto te financieren saldo, dan bekomt men het *bruto te financieren saldo*. Dit bedrag geeft het beroep aan van de federale overheid op de kapitaalmarkt. Ter verduidelijking moet onderlijnd worden dat de delging van kortetermijnschulden niet is opgenomen in het bruto te financieren totaal; zij worden beschouwd als van louter kas-technische aard. Dit is een overblijfsel van vroegere tijden toen men ervan uitging dat de kortetermijnschuld tijdelijk en uitzonderlijk, dus beperkt, diende te zijn.

---

[51] Wanneer geconsolideerde schulden volgens een bij uitgifte vastgestelde kalender worden terugbetaald, spreekt men van aflossingen. Terugbetalingen duiden de bedragen aan die op een andere wijze worden terugbetaald (bijv. op de eind- of tussentijdse vervaldag of, mits akkoord, op andere tijdstippen). OLO's worden terugbetaald, niet afgelost, omdat het om schulden gaat die, in principe, volledig op de eindvervaldag worden terugbetaald.

c. De verandering in de schuld

Theoretisch zou het tekort moeten overeenkomen met de verandering in de overheids-schuld. Het bovenstaande heeft reeds aangegeven dat "het" overheidstekort niet bestaat. Verschillende definities zijn mogelijk. Evenwel komt geen van de bovenstaande saldi overeen met de *verandering in de schuld*. De belangrijkste reden is dat de schuld kan veranderen zonder dat er geldbewegingen plaatsvinden omdat wijzigingen in de wisselkoersen de tegenwaarde in Belgische BEF van de schuld in vreemde valuta zal beïnvloeden. Tevens kan de schatkist meer middelen ontlenen dan noodzakelijk voor de financiering van de begrotingsverrichtingen en de hernieuwing van de schuld. Deze "overtollige" middelen worden belegd. Ook de overname van schulden door de federale overheid (bijv. van het Wegenfonds) en verrichtingen met het Internationaal Monetair Fonds kunnen een discrepantie tussen de schuldevolutie en het netto te financieren saldo verklaren.

Een laatste verklaring dateert van recentere datum. Vele Europese overheden gebruikten de opbrengst van privatiseringsoperaties om hun tekort te drukken en zo gemakkelijker de 3 procent Maastrichtnorm te realiseren. Om dit te verhinderen heeft de Europese Commissie geleidelijk de boekhoudkundige verwerking van eenmalige operaties aangepast. Deze kunnen nu enkel de schuld verlagen, maar niet het tekort. In België was vooral de "goudoperatie" van 1996 belangrijk toen de Centrale Bank 220 miljard BEF overmaakte aan de staat. Het bedrag had betrekking op gerealiseerde meerwaarden op de verkoop van goud.

Ter illustratie van het voorgaande : de Belgische overheidsschuld verhoogde tussen 1983 en 1997 met 5290,6 miljard BEF terwijl de gecumuleerde netto te financieren saldi "slechts" 4958,2 miljard BEF bedroegen.

4. ECONOMISCHE SALDI EN DE NORMERING VAN DE BEGROTING[52]

4.1. Inleiding

De boekhoudkundige saldi vertrekken van boekhoudkundige concepten om een saldo op te stellen dat aan een specifiek doel voldoet. Zo is het netto te financieren saldo van de federale overheid politiek erg belangrijk daar het maandelijks wordt gepubliceerd. Bovendien laat het, begin januari, een eerste ruwe appreciatie toe van het beleid dat in het voorgaande jaar werd gevoerd. Alle vermelde saldi hebben evenwel als nadeel dat ze economisch moeilijk interpreteerbaar zijn. Een stijgend tekort duidt bij een verzwakkende conjunctuur immers niet noodzakelijk op een expansieve budgettaire politiek. Een oplopend tekort hoeft dus niet op een probleem te wijzen, maar het tekort kan natuurlijk niet blijven verhogen. Ergens ligt een grens. Hetzelfde geldt voor de uitgaven en de belastingontvangsten. Het betreft hier de problematiek van de *begrotingsnormering*. De term kan iets misleidend lijken daar de aandacht uitgaat naar de rekeningen, nauwelijks of niet naar de begrotingen zelf, maar de doelstelling is dat het gevoerde beleid moet worden beoordeeld.

---

[52] We verwijzen naar Schockaert D. (1996) en Stevers T. (1993) voor een bespreking van budgettaire normen.

Begrotingsnormen laten de beleidsvoerders toe om de evolutie van het tekort nauwgezet te evalueren om aldus, indien nodig, tijdig in te grijpen. M.a.w., normen vervullen een kompasfunctie en vormen zo een budgettair referentiepunt. Ze zijn derhalve zeer belangrijk voor het behoud van gezonde staatsfinanciën. Evident bieden stabiele begrotingsnormen en het eerbiedingen van deze normen grote voordelen : de economische agenten zullen het overheidsbeleid zeer geloofwaardig vinden en derhalve gemakkelijker geneigd zijn om zich op langere termijn te binden (meer investeringen), zullen geen of minder inflatie vrezen (lagere rentevoeten), zullen minder belastingver-hogingen verwachten, vrezen minder devaluaties enz.

Vele normen werden door onderzoekers ontwikkeld. Nog meer normen werden in de beleidsvoering gehanteerd. Om deze reden bespreken we niet alleen de duidelijk theoretisch gefundeerde normen, maar ook deze die in de Belgische beleidsvoering werden gebruikt. We splitsen de normen wel op in deze die een "historisch" belang hebben en deze die vandaag worden gehanteerd. Bij dit alles mogen we toch niet vergeten dat zeer frequent ook geen enkele norm wordt gehanteerd. Dit houdt de stelling in dat de omvang van het tekort zonder veel economische betekenis is. Dergelijke beleidshouding is natuurlijk enkel te verdedigen in situaties van zeer lage tekorten.

4.2. De "historische" normen

a. De gouden of gulden regel

In zijn extreme vorm is de *gouden of gulden regel* de oudste begrotingsnorm : het beleid moet streven naar een jaarlijks evenwicht op de overheidsrekeningen. Ieder tekort wordt afgewezen zodat iedere uitgave onmiddellijk met belastinggelden moet worden gefinancierd. Deze norm hoort thuis in een klassieke denkwereld waar volledige tewerkstelling heerst. Overheidsuitgaven, consumptieve zowel als investe-ringen, verdringen dan de privé-uitgaven en tasten de groei aan.

De neo-klassiekers hebben de stelling betreffende het niet-productieve karakter van de overheidsuitgaven afgezwakt : zij aanvaarden dat overheidsinvesteringen wel economisch en sociaal productief zijn zodat ze met spaargelden kunnen worden gefinancierd. Dit is ook de moderne interpretatie van de gouden of gulden financie-ringsregel. Deze regel houdt dus in dat het tekort de investeringen van de overheid niet mag overtreffen. Een logisch gevolg is dat de belastingheffing zo moet worden vastgesteld dat de opbrengst de consumptieve uitgaven plus de schuldaflossing dekt. Een discretionair stabilisatiebeleid wordt dus afgewezen. Dit is, gegeven de scepsis tegenover het stabilisatiebeleid, niet dramatisch. Erger is dat de richtlijnen resulteren in een procyclische overheidsinterventie en wel omdat het eerbiedigen van de norm bij een verslechterende conjunctuur – en dus dalende belastingontvangsten – enkel kan worden bereikt door een verhoging van de belastingtarieven en/of een verlaging van de overheidsuitgaven. Dit zal de conjunctuur zeker niet verbeteren. Men beschouwt dus een procyclisch beleid als minder schadelijk dan een tekort.

Tot 1975 werd in België de begroting opgesplitst in een *gewone en in een buitengewo-ne begroting*. Men kan stellen dat de begroting dus werd opgesteld "in de sfeer" van de gulden financieringsregel. De gewone begroting bevatte de lopende transacties en de terugbetaling van de schuld; de buitengewone begroting de kapitaaluitgaven. Het streefdoel was een evenwicht op de gewone begroting wat dus inhield – doordat de terugbetaling van de schuld als een lopende uitgave werd beschouwd – dat ook de schuld zou worden gestabiliseerd. In werkelijkheid was de gewone begroting evenwel zelden of nooit in evenwicht.

Merken we hier nog op dat het eerbiedigen van de gulden financieringsregel inhoudt dat het nettoactief van de overheid, ook omschreven als het overheidsvermogen, wordt gestabiliseerd. De activa zullen immers stijgen met de omvang van de investering terwijl de passiva toenemen met de schuld zodat het verschil constant blijft.

b.   Het cyclisch begrotingsevenwicht

Het *cyclisch begrotingsevenwicht* poogt de voordelen van het traditionele Keynesianisme (begrotingstekort is niet echt relevant) en de klassieken (een begrotingstekort is onaanvaardbaar) te combineren. Een cyclisch begrotingsevenwicht houdt in dat de begroting over de conjunctuurcyclus in evenwicht dient te zijn. Op langere termijn bekomt men aldus het klassieke resultaat van geen overheidsschuld; op korte termijn vermijdt men het procyclische karakter van het jaarlijks begrotingsevenwicht doordat in recessies een beroep kan worden gedaan op het in hoogconjunctuur opgebouwde surplus. Een zeker stabilisatiebeleid is dus volgens het cyclisch begrotingsevenwicht wel toelaatbaar, maar dit is beperkt daar een tekort niet groter mag zijn dan het bedrag dat in de volgende expansiefase van de cyclus kan worden weggewerkt.

In de twee voorgaande benaderingen wordt het waargenomen tekort op de overheidsrekeningen vergeleken met een vooropgestelde norm. Dit waargenomen tekort wordt niet aangepast. In de volgende benaderingen wordt het waargenomen begrotingstekort wel "bewerkt" om te worden vergeleken met een begrotingsnorm.

c.   Het begrotingssaldo bij volledige tewerkstelling[53]

Het *begrotingssaldo bij volledige tewerkstelling* is vooral in de Verenigde Staten populair. De benadering "verbetert" het waargenomen tekort voor de vaststelling dat de economie zich niet in een toestand van volledige tewerkstelling bevindt. De bedoeling is dus het bekomen van een tekort dat neutraal is t.o.v. de conjunctuur om zo het gevoerde beleid beter tot uiting te laten komen. Zowel de belastingontvangsten als de overheidsuitgaven worden gecorrigeerd voor de afwijking van volledige tewerkstelling. De correcties vereisen wel een reeks hypothesen :
–   Welk is de omvang van het BNP bij volledige tewerkstelling ?
–   Welk is de elasticiteit van de belastingontvangsten t.o.v. het BNP ?
–   Welk is het werkloosheidspeil dat geldt bij volledige tewerkstelling ?
–   Welk is de elasticiteit van de overheidsuitgaven t.o.v. afwijkingen van volledige werkloosheid ?

---

[53]   Voor een overzicht van deze en de volgende twee normen verwijzen we naar Heller P., Haas R. en Mansur A. (1986), Blejer M. en Cheasty A. (1991) en Moesen W. en Van Rompuy V. (1991, blz. 242-268).

Men stelt vast dat discussies omtrent de aanpassingen niet kunnen worden uitgesloten. Deze twistpunten verergerden na het uitbreken van de economische crisis in het midden van de jaren zeventig omdat werken met het concept van volledige tewerkstelling nog moeilijker werd dan voorheen het geval was.

Vanuit een begrotingsnormeringsstandpunt zal men stellen dat een begroting conjunctureel neutraal is wanneer het volledige tewerkstellingstekort gelijk is aan 0. Dit houdt dus in dat, indien de conjunctuur zich op een volledig tewerkstellingspunt zou hebben bevonden, er geen tekort of overschot zou zijn waargenomen op de overheidsrekeningen. Vanuit een beleidsstandpunt zal een wijziging in het volledige tewerkstellingstekort naar een groter overschot of een kleiner tekort dus als restrictief worden geïnterpreteerd.

d. De structurele budgetruimte

De benadering van de *structurele budgetruimte of Zijlstranorm*, werd in de jaren zestig in Nederland ontwikkeld. De bedoeling is vooral het beslag van de overheid op de economie te controleren. Hierom wordt gestreefd naar een constante verhouding tussen de overheidsuitgaven en het inkomen. Dit zal evenwel, op middellange termijn, enkel kunnen worden gerealiseerd wanneer de uitgaven niet sneller toenemen dan de belastingen. De middellangetermijn toename van de belastingen is de structurele budgetruimte.

e. Het cyclisch-neutrale of structurele budgetsaldo

De begrotingsnorm van het *cyclisch-neutrale of structurele budgetsaldo* werd vooral in Duitsland uitgewerkt, maar is later ook toegepast door internationale instellingen zoals de Oeso, het IMF en de Europese Commissie. De bedoeling ligt, zoals voor de andere normen, in het omschrijven van een neutrale budgettaire politiek op middellange termijn. Hiertoe wordt het tekort opgesplitst in een cyclisch neutraal budgetsaldo (de som van een basisjaartekort en een cyclische afwijking) en een fiscale beleidscorrectie. Het basisjaar wordt zo gekozen dat kan worden aangenomen dat er volledige tewerkstelling heerste zonder spanningen langs de vraagzijde. De regel voor de uitgaven houdt in dat deze cyclisch-neutraal evolueren als ze gelijkmatig met de potentiële groei toenemen. Voor de belastingontvangsten geldt de cyclische neutraliteit als ze evolueren met het feitelijke inkomen. Door te werken met het feitelijke, en niet met het potentiële inkomen voor de belastingontvangsten wordt vermeden dat cyclische neutraliteit in recessieperiodes zou inhouden dat de belastingvoeten moeten verhogen om de gevolgen van een dalend inkomen te compenseren.

De voorgaande methodologie wordt op twee verschillende wijzen toegepast om het beleid te evalueren. Ten eerste wordt de *beleidscorrectie* afgetrokken van het waargenomen tekort. Dit levert een cyclisch-neutraal tekort op dat door de Oeso en het IMF wordt omschreven als *structureel tekort*[54]. Dit tekort kan worden geëvalueerd. Is het te omvangrijk ? Kan het worden gefinancierd ? Strookt het met vooraf vastgestelde doelstellingen ? enz. Een tweede invalshoek legt daarentegen de nadruk op de beleidscorrectie en meer bepaald de verandering hierin. Dit wordt aangeduid als de

---

[54] Strikt beschouwd is dit niet volledig juist. (zie Heller P., Haas R. en Mansur A. (1986), blz. 30).

fiscale impuls omdat het de verandering in het fiscale beleid aangeeft. Een positief teken voor de fiscale impuls duidt op een expansiever beleid.

De vermelde internationale instellingen publiceren geregeld cijfers betreffende structurele tekorten, beleidscorrecties en fiscale impulsen[55]. Hierbij moet nauwlettend worden voor ogen gehouden dat de methodologie, alhoewel niet drastisch verschillend, toch niet identiek is zodat de cijfers zullen verschillen. Merk ook op dat de terminologie zelden overeenkomt. Tenslotte wijzen we er op dat er geen standaardmethodologie bestaat voor de aanpassingen. Kleine veranderingen in het cijfermateriaal (bijv. statistische herzieningen) kunnen dan ook een belangrijk gevolg hebben op de verschillende maatstaven.

f. Het stoppen van het sneeuwbaleffect

Met de sterke toename van de intrestvoeten in het begin van de jaren tachtig werd het duidelijk dat de schuld een eigen dynamiek ontwikkelde. Deze verliep van bijkomende uitgaven ten gevolge van de crisis naar tekorten en schuld. De financieringskost verhoogde evenwel door de stijging van de intrestvoeten zodat het tekort nogmaals steeg. Hierop dienden dan weer hoge intrestlasten te worden betaald. Uiteindelijk liep er een dynamiek van intrestlasten naar het tekort, de schuld en zo naar de intrestlasten. Deze dynamiek wordt omschreven als de *rentesneeuwbal*. Dit kunnen we aangeven door de schuld (S_t) te schrijven als de schuld in de voorgaande periode (S_{t-1}) plus het primaire tekort (D_t)[56] en de rentelasten ($i.S_{t-1}$) :

$$S_t = S_{t-1} + D_t + i. S_{t-1}$$

Delen we deze uitdrukking door het (nominale) inkomen (Y_t) en houden we er rekening meer dat $Y_t = Y_{t-1}(1 + g)$ met g de nominale groeivoet, dan bekomen we :

$$\frac{S_t}{Y_t} = \frac{D_t}{Y_t} + \frac{(1 + i)S_{t-1}}{(1 + g)Y_{t-1}}$$

Of :

$$s_t = d_t + \frac{(1 + i)}{(1 + g)} s_{t-1}$$

Als we overschakelen naar de wijziging in de schuldquote bekomen we :

$$s_t - s_{t-1} = d_t + \frac{(1 + i) - (1 + g)}{(1 + g)} s_{t-1}$$

Of :

$$s_t - s_{t-1} = d_t + \frac{(i + g)}{(1 + g)} s_{t-1}$$

---

[55] Voor België verwijzen we naar Savage R (1995).

[56] Merk voor de duidelijkheid op dat het primair tekort hier een positief teken heeft en een primair surplus een negatief.

261

Uit deze laatste uitdrukking volgt dat :
- Als i<g zal de schuldquote dalen tenzij het primair tekort te groot is.
- Als i>g zal de schuldquote stijgen tenzij dit wordt tenietgedaan door een voldoende groot primair overschot (d voldoende negatief). Bestaat er een primair tekort dan is het zeker dat de schuldquote zal verhogen.
- De voorwaarde voor een stabilisatie van de schuldquote ($s_t - s_{t-1} = 0$) is :

$$- d_t = \frac{i - g}{(1 + g)} \, s_{t-1}$$

Concreet houdt dit in dat wanneer i>g en s_{t-1}-1>0 er een primair overschot moet zijn op het overheidsbudget.

Vertaald naar begrotingsnormen houdt het stoppen van de rentesneeuwbal (i>g) dus in dat er een voldoende groot primair overschot moet bestaan. Dit betekent dat een voldoende deel van de rentelasten wordt gefinancierd uit belastinggelden en niet door het uitgeven van nieuwe schuld. Het gevolg is natuurlijk dat moet worden bespaard op de uitgaven of dat de belastingen moeten verhogen.

In vergelijking met andere normen is het stoppen van de rentesneeuwbal veel minder onder controle van de beleidsvoerders. De rentesneeuwbal kan gestopt worden door een rentedaling dan wel een stijging van de groei waarop de beleidsvoerders, op kortere termijn, weinig impact hebben. Wel is het zo dat bij een stijging van de rentevoeten en/of een daling van het inkomen de verantwoordelijkheid van de beleidsvoerders duidelijk wordt : zij dienen dan het primair saldo voldoende te verhogen om de rentesneeuwbal te stoppen. Evident is dat het gaat om een middellangetermijndoelstelling die niet jaarlijks moet worden gerealiseerd. Tenslotte moet worden opgemerkt dat het een norm betreft die uitsluitend nuttig is in perioden waarin de rentevoeten hoog en/of de groei laag is, dus in economisch-financiële crisisperioden. Eens de rentesneeuwbal gestopt moet derhalve worden overgeschakeld naar andere budgettaire normen[57].

g. Het eerbiedigen van de intertemporele budgetbeperking

Een variante op de rentesneeuwbalanalyse is de benadering die nagaat of de overheid in de toekomst aan de financiële last van de schuld kan voldoen. Technisch gesproken houdt dit de vraag in of aan de *intertemporele budgetbeperking* is voldaan. Concreet is dit het geval wanneer wordt verwacht dat de overheid niet op een permanente wijze zal dienen te ontlenen om de rentelasten te betalen. Men moet verwachten dat het primaire tekort ooit een overschot zal vertonen. Deze benadering leidt tot de regel dat de groeivoet van de schuld kleiner moet zijn dan de rente. Als gevolg hiervan kan een systematisch stijgende schuldquote (een instabiele situatie volgens de sneeuwbalbenadering) toch geloofwaardig zijn. De praktische relevantie is dat het constant houden van het totale tekort wel houdbaar is, terwijl het stabiliseren van het primaire tekort dit niet is omdat de schuld dan te sterk toeneemt.

---

[57]   Voor een kritisch onderzoek van de rentesneeuwbal als budgettaire norm verwijzen we naar Vuchelen J. (1988) en (1990), blz. 277-285.

h. Pragmatische begrotingsnormen

Buiten de gouden regel vereisen de vermelde begrotingsnormen toch wel enkele evaluaties zoals de bepaling van de potentiële groei, de stand van de conjunctuur enz. Vanuit een politiek beleidsstandpunt zijn ze dan ook vatbaar voor discussie, politiek weinig overtuigend en zeker achteraf moeilijk bruikbaar wanneer men een snelle evaluatie wenst van het gevoerde beleid. Hierom werden enkele meer bruikbare normen of streefdoelen vooropgesteld. Deze hebben dikwijls ook betrekking op het peil van de belastingdruk of de uitgavenquote en worden hierom soms omschreven als niveaunormen.

I. De Duisenbergnorm

De *Duisenbergnorm* werd in Nederland in het midden van de jaren zeventig geïntroduceerd. De toenmalige minister van Financiën Duisenberg stelde dat de stijging van de globale belastingdruk diende te worden beperkt tot 1 procent per jaar. Een stabiel overheidstekort vereist dan dat ook de toename van de uitgavendruk beperkt blijft tot 1 procent per jaar.

II. De reële nulgroei

Op het einde van de jaren zeventig, na het verlaten van de begrotingsopsplitsing in gewone en buitengewone uitgaven, werd gezocht naar nieuwe normen. Deze dienden "rekening te houden" met de crisis. Zo werd gesteld dat de niet-crisisgebonden uitgaven enkel konden stijgen met de inflatie wat dus een *reële nulgroei* inhoudt. Voor de crisisgebonden uitgaven werd geen norm opgelegd.

III. Het Europese gemiddelde

De voorgaande inflatienorm bleek niet toepasbaar omdat er te veel regeringswissels plaatsvonden. Hierom stelde de Belgische regering in het begin van de jaren tachtig als streefdoel het reduceren van het tekort tot het *Europese gemiddelde* voorop. Dit streefdoel werd regelmatig evenwel ook omschreven als het 7 procent doel. De nieuwigheid t.o.v. voorgaande normen was dat er werd gewezen op de beperkte binnenlandse financieringsmogelijkheden. Immers diende een omvangrijk deel van het tekort in het begin van de jaren tachtig gefinancierd te worden door buitenlands krediet. Een 7-procenttekort zou, volgens de beleidsvoerders, wel een volledige binnenlandse financiering toelaten.

IV. Stabilisatie van het tekort

Bij de vorming van de regering Martens VIII in mei 1988 werd een dubbele norm vooropgesteld, namelijk de reële nulgroei en de stabilisatie van het tekort. De combinatie van beide doelstellingen had vooral tot doel om de bereikte budgettaire resultaten te behouden.

4.3. Actuele beleidsnormen

a. De Maastrichtnorm

Het Verdrag van Maastricht formuleerde de doelstelling om een Europese Monetaire Unie te creëren ten laatste begin 1999. Hierbij werden ook toetredingscriteria vooropgesteld. Voor wat de openbare financiën betreft hadden deze betrekking op het tekort en de schuld. Voor het tekort was het streefdoel maximaal 3 procent; voor de schuld was het percentage 60. Nieuw voor de Belgische beleidsvoerders was dat de *Maastrichtnormen* geen "eigen" keuze vormden waarvan vrij gemakkelijk kon worden afgeweken. De Belgische ervaring uit de jaren zeventig en tachtig was immers dat normen niet al te strikt dienden te worden opgevat en dat de schending van een vooropgestelde norm vooral het signaal vormde om een nieuwe norm te zoeken. Dit was niet meer mogelijk met de Maastrichtnormen. Bovendien – en ook nieuw voor België – hadden ze betrekking hadden op de middellange termijn. Dit langeretermijn-denken was zeer ongebruikelijk voor de Belgische beleidsvoerders. Ook was er een belangrijke sanctie voorzien bij niet-naleving : geen toetreding tot de Economische en Monetaire Unie. Dit maakte de Maastrichtnormen toch wel bijzonder. Hierop hebben de beleidsvoerders gereageerd met het ontwikkelen van een convergentieplan. Dit plan kon niet "in alle vrijheid" worden opgesteld omdat het moest worden goedgekeurd door de Europese instanties. Vooral twee moeilijkheden dienden te worden opgelost. Ten eerste vielen er verkiezingen midden in de looptijd van het convergentieplan (in 1995). Door het belang van het realiseren van de Maastrichtnormen heeft geen partij zich uitdrukkelijk afgezet tegen het convergentieplan. Moeilijker was het "verdelen" van de noodzakelijke inspanningen over de samenstellende sectoren van de overheid. Hiertoe werd de *Afdeling Financieringsbehoeften van de Hoge Raad van Financiën* ingeschakeld. Deze afdeling werd in 1989 opgericht naar aanleiding van de staatshervorming. Haar opdracht bestaat in het "bewaken" van het tekort van de verschillende sectoren van de overheid om aldus het globale tekort onder controle te houden. *Samenwerkings-akkoorden* tussen de federale overheid en de gemeenschappen en gewesten (in 1996 verlengd tot eind 1999) legden een maximaal tekort voor de gemeenschappen en gewesten op.

Merken we nog op dat aan het schuldcriterium weinig aandacht werd besteed. Snel na de ondertekening van het Verdrag van Maastricht werd immers duidelijk dat het schuldcriterium zeer soepel zou worden toegepast : een beweging in de richting van 60 procent zou, als aan het tekortcriterium werd voldaan, als voldoende worden beschouwd.

b. Het stabiliteitspact

Eens duidelijk werd dat de EMU zou worden gerealiseerd, heeft vooral Duitsland aangedrongen op post-Maastrichtnormen en dit om te vermijden dat landen al te weinig of geen aandacht meer zouden besteden aan hun begrotingstekort. Door het verdwijnen van de wisselkoersen valt immers ook een belangrijke sanctie op excessieve tekorten weg. Vooral Duitsland vreesde dat de kleinere landen in de verleiding zouden kunnen komen om hun openbare financiën te laten verkommeren wat, op termijn, de stabiliteit van de EMU zou kunnen ondergraven. Hierom werd het *groei- en stabilisatiespact* opgesteld dat in werking trad op 1 januari 1999. Het vertrekpunt van dit pact is dat de landen op middellange termijn een tekort moeten nastreven dat ongeveer in evenwicht is of een licht surplus vertoont. Dit laatste geldt voor de landen met een hoge schuld, dus België, en houdt concreet een surplus van ongeveer 1 procent van het BBP in. De bedoeling is te vermijden dat het tekort groter zou worden dan 3 procent bij een verslechtering van de conjunctuur. Praktisch bevat het stabiliteitspact twee belangrijke componenten.

Ten eerste moeten de lidstaten voor 1 maart van ieder jaar, beginnend in 1999, een zogenoemd stabilisatieprogramma bekendmaken aan de Europese Commissie. Dit programma moet vier aspecten van het beleid verduidelijken :

1. De middellangetermijndoelstellingen voor het budgettair beleid. Dit omvat de verwachtingen voor het tekort en de schuldquote voor de komende drie jaar. Ideaal is de begroting ongeveer in evenwicht.
2. De waarden van de economische veranderlijken die het voorgaande bepalen zoals groei en inflatie.
3. De noodzakelijke maatregelen die zullen toelaten dat het vooropgestelde tekort wordt gerealiseerd.
4. Een analyse van hoe veranderingen in de voornaamste economische variabelen de budgettaire uitkomsten zouden wijzigen.

Op dit stabilisatieprogramma reageert de Commissie en de raad van regeringsleiders. Bijsturingen kunnen volgen.

De tweede component van het stabiliteitspact heeft betrekking op het vermijden van excessieve tekorten. De evaluatie vindt plaats op basis van de begrotingen, de gerealiseerde tekorten en de overheidsschuld waarover ieder land voor 1 maart en 1 september verslag uitbrengt. Excessief of buitensporig wordt omschreven als begrotingen en tekorten 3 procent van het BBP overtreffen en/of de schuldquote 60 procent overstijgt tenzij er buitengewone omstandigheden heersen. De uitzonderlijke omstandigheden worden nauwkeurig bepaald, nl. een daling van het BBP met meer dan 2 procent; bij een daling van het BBP tussen 0,75 en 2 procent bepaalt de raad van regeringsleiders een standpunt. Is het tekort buitensporig dan wordt eerst tweemaal bij het betrokken land aangedrongen op maatregelen om de toestand te verhelpen. Slechts als dit niet gebeurt, kunnen na herhaalde waarschuwingen sancties worden opgelegd door de raad van regeringsleiders. Deze houden het aanleggen van een deposito van 0,2 procent van het BBP plus 0,1 procent van het BBP per procentpunt dat het tekort de 3 procent overtreft; het maximum bedraagt 0,5 procent van het BBP. Blijft het tekort buitensporig dan wordt nogmaals een sanctie opgelegd, maar dan enkel ten bedrage van 0,1 procent van het BBP per procentpunt dat het tekort de 3 procent overtreft. Daar ook in het tweede jaar de sanctie maximaal 0,5 procent van het BBP bedraagt moet een land in twee opeenvolgende jaren een tekort van 8 procent kennen om de maximale sanctie op te lopen.

Wordt in een derde jaar nog een buitensporig tekort vastgesteld, dan wordt het oorspronkelijke deposito omgezet in een definitieve geldboete. Tevens wordt een nieuw deposito opgelegd.

Merk op dat er in het stabiliteitspact geen onderscheid wordt gemaakt tussen primaire en andere uitgaven : de norm heeft alleen betrekking op het globale tekort.

Voor België stuit de toepassing van het stabiliteitspact op een institutionele moeilijkheid daar de federale overheid de verantwoordelijkheid voor de naleving draagt terwijl het tekort betrekking heeft op de globale overheid. Het zal er dus op aan komen om de andere sectoren van de overheid, vooral de gemeenschappen en gewesten, in een voldoende strak budgettair harnas te laten lopen. In het algemeen blijft het evenwel een open vraag of de vooropgestelde sancties voldoende streng zijn om de landen aan te zetten om een orthodox budgettair beleid te voeren.

c. De gemeenschappen en gewesten

De voorgaande normen werden systematisch toegepast op de globale dan wel de federale overheid, nauwelijks of niet op andere overheden. Dit valt o.a. te verklaren doordat vele normen een macro-economische invalshoek hebben wat, doordat de deelstaten geen bevoegdheid hebben voor het stabilisatiebeleid, inhoudt dat er geen nood is aan een pro-cyclisch tekort. Dit verhindert niet dat normen ook nuttig zijn voor deelgebieden of deelsectoren. De bedoeling van de normen bestaat er dan in om te vermijden dat het financieel beleid van de deelstaten dit van de federale overheid dwarsboomt. Hierom hebben de gemeenschappen en gewesten ook begrotingsnormen ontwikkeld. Deze zijn afgeleid uit een doelstelling betreffende de verhouding tussen hun schuld en hun ontvangsten. Dit alles werd opgesteld in het kader van het convergentieplan dat België moest toelaten om maximaal te voldoen aan de criteria van het Verdrag van Maastricht en zo te laten toetreden tot de Europese Monetaire Unie. De strakke budgettaire normen werden opgelegd in samenspraak tussen de federale overheid en de gemeenschappen en gewesten. De coördinatie werd verzorgd door de Afdeling Financieringsbehoeften van de Hoge Raad van Financiën.

I. De Franse Gemeenschap, het Waals Gewest en het Hoofdstedelijk Gewest Brussel

De Franse Gemeenschap, het Waals Gewest en het Hoofdstedelijk Gewest Brussel gaan uit van een stabilisatie van de verhouding tussen de schuld en de totale ontvangsten op het 2000-peil wat, bij benadering een stabilisatie rond het huidige peil inhoudt. Dit bedroeg in 1997 53 procent voor de Franse gemeenschap, 129 procent voor het Waals gewest en 163 procent voor het hoofdstedelijk gewest Brussel. Dit zijn, zoals we verder zullen zien, hoge cijfers als we ze vergelijken met deze voor Vlaanderen. Dit roept vragen op bij de toekomstige financiële stabiliteit in de vermelde gemeenschappen en gewesten.

II. Vlaamse norm : de Meester- en Euro-Meesternorm

De initiële norm van de Vlaamse overheid werd opgesteld door minister De Meester en wordt dan ook aangeduid met Meesternorm; de herwerkte versie van toepassing vanaf 1999 wordt omschreven als de Euro-Meesternorm omdat deze eerder kadert binnen het stabiliteitspact en de werking van de Europese Monetaire Unie.

De *Meesternorm* is een dubbele norm : voor het saldo zoals vooropgesteld door de Hoge Raad van Financiën en voor de verbintenissen[58] van de primaire uitgaven. Beide normen zijn afgeleid uit de doelstelling van stabilisatie van de schuld-ontvangsten verhouding in 2010. De keuze van deze datum biedt het voordeel dat wordt rekening gehouden met de overgang naar het definitieve financieringsmechanisme voor de gemeenschappen en gewesten in 2000. Aldus kon het uitgavenbeleid worden afgestemd op de lange termijn verwachting van de inkomsten. Dit moet een zeer duurzaam beleid toelaten.

De Meesternorm hield een geleidelijke daling van het tekort in na 1993 om in 1998 een begrotingsevenwicht te bereiken. Nadien zouden de gecumuleerde surplussen moeten resulteren in een stabilisatie van de schuld-ontvangstenverhouding in 2010 op 20 procent. Tot hiertoe werden de voorgestelde cijfers niet alleen gerealiseerd, maar zelfs overtroffen.

De tweede norm betreft de uitgaven. Doordat de toekomstige economische vooruitzichten jaarlijks wijzigen kunnen de normen ook jaarlijks marginaal veranderen. Evenwel heeft de Vlaamse regering haar norm (1,2 procent reële groei van de verbintenissen van de primaire uitgaven tot het tekort is weggewerkt[59]) ingeschreven in het regeerakkoord van 1995. De norm wordt per uitgavenpost toegepast zodat voor posten die sneller toenemen elders een compensatie moet worden gezocht.

De gunstige ervaringen met de Meesternorm en de nood aan een langtermijn budgettair referentiepunt hebben minister De Meester ertoe aangezet om de bestaande norm aan te passen in een *Euro-Meesternorm*. Deze heeft als bedoeling om over de komende 17 jaar[60] zowel de schuldverhouding maximaal te stabiliseren als de groeivoet van de uitgaven. Op basis van de gegevens voor 1998 en realistische verwachtingen voor de toekomst, is het cijfers voor de uitgavengroei vastgesteld op 1,7 procent per jaar. Jaarlijks vindt er een aanpassing plaats aan de gerealiseerde cijfers, maar de tijdshorizon blijft 17 jaar. Zoals opgemerkt, wordt op deze wijze rekening gehouden met de overgang naar het definitieve financieringsmechanisme van de gemeenschappen en gewesten. Deze overgang reduceert de groei van de beschikbare middelen zeer sterk namelijk van ongeveer 4 procent tot iets meer dan 1 procent.

4.4. Besluit betreffende begrotingsnormen

Vele begrotingsnormen werden in de loop der jaren ontwikkeld en gehanteerd door de beleidsverantwoordelijken, ook in België. Door de inwerkingtreding van het stabiliteitspact hebben deze verantwoordelijken vandaag minder nood aan een globale norm tenzij deze strakker en financieel orthodoxer zou zijn dan wat het stabiliteitspact voorschrijft. Daar het stabiliteitspact niets stelt betreffende de belastingdruk of de uitgavenquote blijven er mogelijkheden om normen voor deze veranderlijken te ontwikkelen. Bij het overlopen van bovenstaande lijst, valt het evenwel op dat dergelijke normen nauwelijks of niet bestaan. Dit is niet verwonderlijk daar,

---

[58]   De verbintenissen zijn ruimer dan de uitgaven daar niet alle verbintenissen snel aanleiding geven tot kasuitgaven (cfr. investeringen).

[59]   Dis is in overeenstemming met een reële groei van 1,6 procent voor de primaire uitgaven.

[60]   Deze periode is ingegeven door het feit dat de eerste norm ook betrekking had op een periode van 17 jaar, namelijk 1993-2010.

beleidsmatig, normen veelal tot doel hebben om als doelstelling te dienen in perioden van sterk stijgende en/of hoge tekorten en zich dus vooral richten op het tekort. Wanneer de overheidsfinanciën relatief gezond zijn is er minder behoefte aan budgettaire normen. De beleidsverantwoordelijken zullen dan ook weinig interesse hebben voor dergelijke normen.

Het gebruik van normen in budgettair moeilijke perioden houdt een belangrijk risico in omdat de normen meestal louter financieel bepaald zullen zijn. De noodzakelijk, budgettaire ingrepen om aan de normen te voldoen kunnen dan evenwel bijzonder nefaste gevolgen hebben op de reële sector van de economie. Men zal stellen dat het primaire tekort moet dalen (of het overschot vergroten) als door een daling van het inkomen de rentesneeuwbal gaat rollen. Evident zal deze restrictieve beleidsaanpassing het inkomen verder verlagen en zo het probleem vergroten.

Het voorgaande neemt evenwel niet weg dat bepaalde normen, zoals de impuls-analyse waarbij het saldo wordt opgesplitst in een structureel deel en een conjunctuurdeel, bijzonder bruikbaar blijven voor een ex-post-analyse van het gevoerde begrotingsbeleid.

Onderlijnen we dat er geen verwarring mag bestaan betreffende het gebruik van normen. Deze geven aan of het gevoerde beleid in overeenstemming is met bepaalde vooropgestelde doelstellingen. Dusdanig geeft het voldoen aan een norm geen legitimiteit aan het overheidsoptreden dat binnen de normen valt. Zo is het niet juist te stellen dat het stoppen van de rentesneeuwbal een synoniem is voor het saneren van de overheidsfinanciën. Een stabiele schuldquote is een noodzakelijke, maar geen voldoende voorwaarde om te kunnen spreken van gesaneerde overheidsfinanciën.

Buiten een beleidsgebruik van budgettaire normen is er ook een academische interesse. De meest interessante norm, het cyclisch-neutraal of structureel tekort dat frequent wordt gehanteerd door internationale instellingen, is relatief complex om toe te passen en gevoelig voor kleine aanpassingen in de cijfers en/of de hypothesen.

5. BESLUIT

In dit hoofdstuk werd aangegeven dat "het" overheidstekort als dusdanig niet bestaat. Verschillende definities kunnen worden vooropgesteld, maar dit hoeft geen probleem te stellen als men zich maar bewust is van de definitieverschillen.

De boekhoudkundige saldi laten geen duidelijke evaluatie toe van het gevoerde beleid. Hiertoe zijn normen noodzakelijk. De doelstellingen van deze normen kunnen sterk verschillen, maar de beleidservaring lijkt toch aan te geven dat ze nuttig zijn om een aftakeling van een financiële toestand recht te zetten. Of ze vermijden dat het tekort ontspoort, is afhankelijk van de beleidsreactie. Toch lijkt dit de benadering te zijn die wordt gevolgd bij de Europese monetaire integratie.

Wel moet worden onderlijnd dat alle voorgaande maatstaven niet voldoen aan één of meerdere van de volgende elementaire bedrijfseconomische, boekhoudkundige principes :

– De verlopen intresten worden niet systematisch als een uitgave beschouwd.
– De hogere rentebetalingen die voortvloeien uit inflatie worden als een uitgave geboekt. De inflatiepremie is evenwel geen "echte" vergoeding voor de belegger :

het is een compensatie voor het geleden koopkrachtverlies[61]. Correcties hebben wel als nadeel dat het bekomen tekort zeer sterk fluctueert omdat de inflatie van jaar tot jaar nogal erratisch evolueert.

- Waardeveranderingen worden niet opgenomen zodat geen enkele maatstaf een goede benadering geeft van de verandering in de vermogenspositie van de overheid. We denken dan aan afschrijvingen op het overheidskapitaal, de gevolgen van wisselkoersveranderingen op de waarde van buitenlandse activa (bijv. ambassades), de herwaardering van financiële participaties, de waardeverandering van uitstaande schuld bij wijzigingen in de rentevoeten enz.

- De opbrengsten van privatiseringen werden frequent als een inkomst geboekt waardoor ze beschikbaar werden om overheidsuitgaven te financieren. Dit is onverdedigbaar daar de verkoop het overheidsvermogen (= overheidsbezit min overheidsschuld) ongewijzigd zou moeten laten. Dit kan bereikt worden door met de opbrengst van de privatiseringen schuld af te lossen. Bovendien kan dit leiden tot verkeerde conclusies met betrekking tot de financiële toestand. Hiertegen kan worden ingebracht dat de overheidsinvesteringen, in tegenstelling tot wat voor bedrijven geldt, volledig bij aankoop in rekening worden gebracht. Eenzelfde procedure bij een verkoop van activa lijkt dan niet onlogisch.

- Bepaalde ontvangsten in de sociale zekerheid worden geboekt zonder rekening te houden met de hieraan gekoppelde verbintenissen (bijv. in de gezondheidszorg, de pensioenen enz.).

- De meeste statistische reeksen worden op jaarbasis berekend. Dit resulteert in twee problemen :
  a. De politieke manipulatie van cijfers kan niet worden uitgesloten. Zo hebben de Maastrichtnormen in vele landen de overheden ertoe aangezet om aan "creatief boekhouden" te doen. Ontvangsten werden artificieel verhoogd en uitgaven verlaagd. Dit gebeurde ten koste van de tekorten in de komende jaren.
  b. De langeretermijnproblemen van de overheidsfinanciën worden onvoldoende benadrukt. Het betreft hier de houdbaarheid van het overheidsbeleid. Eenvoudig geschetst, wordt getracht de vraag te beantwoorden of het huidige beleid ten eeuwige dage kan worden voortgezet ? Zitten de uitgaven en de ontvangsten op een tijdspad dat in de toekomst de overheid niet in financiële problemen brengt ?

De bovenvermelde tekortkomingen moeten niet resulteren in een volledig afwijzen van de traditionele maatstaven van het overheidstekort. Iedere definitie van overheidstekort voldoet aan welbepaalde criteria. Hierom is het noodzakelijk om duidelijk voor ogen te houden wat men statistisch wenst te benaderen (financieringsbehoeften, verandering in de schuld, tussenkomst van de overheid op de kapitaalmarkt, fiscale impulsen enz.)

---

[61]   Merk op dat een aanvaardbare inflatiecorrectie kan worden bekomen door het verminderen van een tekort met het product van de inflatievoet en de uitstaande schuld. Let wel op het feit dat het hier om een benadering gaat van het inflatievoordeel van de overheid omdat de relevante schuld in constante prijzen moet worden uitgedrukt. Ter verduidelijking zou een permanente inflatie van 10 procent anders na 10 jaar de schuld volledig hebben weggewerkt. In de werkelijkheid zal de reële waarde van de schuld na tien jaar gelijk zijn aan $1/(1+0,1)^{10} = 0,386$.

om zo de meest aangewezen reeks te kunnen kiezen. Maar zelfs dan is voorzichtigheid geboden met name wanneer cijfers tussen landen worden vergeleken. Het hoeft dan ook geen verbazing te wekken dat de Europese Commissie poogt om het traditionele overheidstekort in alle lidstaten op dezelfde wijze te meten.

Literatuurlijst

BLEJER M. en CHEASTY A. (1991), "The measurement of fiscal deficits : analytical and methodological Issues", *Journal of Economic Literature*, 29, December, 1644-1678.

BLEJER M. en CHEASTY A. (red., 1993), *How to measure the fiscal deficit*, Washington : International Monetary Fund.

HELLER P., HAAS R. en MANSUR A. (1986), *A review of the fiscal impulse measure*, Occasional paper 44, International Monetary Fund.

HOGE RAAD VAN FINANCIËN, *Financieringsbehoeften van de overheid*, jaarverslagen.

JACOBS P. (1993), "De nationale schatkisttoestand – situering in het algemeen budgettair kader en methodologische aspecten", Documentatieblad Ministerie van Financiën, nr. 1, blz. 3-303.

KUIPERS R. en POSTMA J. (1992), *De Rijksbegroting in perspectief*, Leiden/Antwerpen : Stenfert Kroese.

MUSGRAVE A. en MUSGRAVE P. (1989), *Public finance in theory and practice*, New York : McGraw-Hill, (vijfde uitgave).

OESO, *Etudes économiques de l'OCDE*, Belgique-Luxembourg, Février 1988.

SAVAGE R. (1995), "Rétrospective budgétaire et implulsions discrétionnaires au niveau de l'ensemble des Pouvoirs Publics Belges (1970-94) et de ses Différents Sous-Secteurs (1991-94)", Documentatieblad Ministerie van Financiën, nr. 4, blz. 83-326.

SCHOCKAERT D. (1996), "Typologie en functies van begrotingsnormen", Documentatieblad Ministerie van Financiën, nr. 5, blz. 217-262.

STEVERS T. (1993), *De begrotingsnorm van het Rijk*, Amsterdam, North-Holland.

VUCHELEN J. (1988), "Het sneeuwbaleffect en de sanering van de Belgische Openbare Financiën", Cahiers Economiques de Bruxelles, nr. 119, blz. 293-318.

VUCHELEN J. (1990), *Hebben de Belgische overheidsfinanciën nog een toekomst ?*, Antwerpen : Tijd N.V.

Trefwoorden en -zinnen van hoofdstuk 4

Belastingharmonisatie
Belastinguitvoer
Bestemmingsprincipe
Dubbele belastingheffing
Equivalentieprincipe
Exclusieve, concurrerende, supplementaire en overgedragen belastingen
Fiscaal federalisme
Fiscale autonomie
Geloofwaardigheid van het fiscale beleid
Internationale samenwerking of fiscale concurrentie
Mobiele en minder mobiele belastingbasissen
Mobiliteit van de goederen- en dienstenstroom en van de productiefactoren
kapitaal en arbeid

Hoofdstuk 4
BELASTINGHEFFING IN EEN FEDERALE EN INTERNATIONALE CONTEXT

In dit hoofdstuk behandelen we de problematiek van belastingheffing in een federale en in een internationale context. De economische theorie uit de voorgaande hoofdstukken leert ons dat aan belastingverlagingen positieve effecten kunnen verbonden zijn die resulteren in een uitbreiding van de belastbare basis. Een deel hiervan is evenwel afkomstig uit andere landen of gewesten omdat de belastingbasissen geografisch mobiel zijn : economische agenten trachten immers de te betalen belastingen te beperken door uit te wijken naar gewesten of landen met de laagste belastingen. De "verliezers" kunnen dit evenwel niet aanvaarden en ook hun belastingen verlagen. Deze reactie, waarop opnieuw kan worden gereageerd, kan leiden tot een bitse fiscale concurrentiestrijd. Is de eindbalans van deze concurrentie voor iedereen voordelig of moet eerder worden gestreefd naar een zekere fiscale samenwerking ? Dit is een belangrijke, maar moeilijk te beantwoorden vraag. In dit hoofdstuk geven we eerst een algemene discussie van de problemen rond fiscale concurrentie en fiscale samenwerking. Hierna wordt achtereenvolgens ingegaan op de belastingheffing in een federale en in een internationale context.

1. INLEIDING

De internationalisering treft niet alleen bedrijven. Ook overheden ondergaan deze trend. Zo wordt de beslissingsvrijheid van de federale overheden systematisch aangetast doordat over de belangrijkste beleidsbeslissingen internationaal overleg wordt gepleegd. Dit verloopt via internationale instellingen zoals de Oeso en het IMF. Voor de EU-leden is er bijkomend het overleg dat binnen de Europese Commissie wordt gevoerd en dit van de EU-regeringsleiders. Merk wel op dat het om overleg gaat zodat, in principe, iedere autoriteit over de volledige beslissingsvrijheid blijft beschikken, maar daar het overleg toch als bedoeling heeft het beleid in zekere mate te coördineren zal het beleid in sommige landen toch worden bijgestuurd.

Het voorgaande geldt voor het globale macro-economische beleid. Voor bepaalde segmenten van dit beleid hebben de overheden reeds bijzonder veel bevoegdheden afgestaan. We verwijzen hieromtrent naar de monetaire politiek en de oprichting van de Europese Centrale Bank. Voor de fiscale politiek is de situatie minder extreem : zolang het tekort voldoet aan de bepalingen van het stabiliteitspact kunnen de overheden "vrij" de omvang bepalen. Voor het belastingbeleid beschikken de verschillende EU-leden over een grote formele vrijheid : enkel de BTW-tarieven moeten binnen vastgelegde grenzen liggen.

"Het buitenland" legt dus weinig of geen bindende grenzen op aan het beleid. De internationalisatie waarover sprake vloeit veel meer voort uit de toegenomen *mobiliteit van de goederen- en dienstenstroom en van de productiefactoren kapitaal en arbeid.* Het is deze mobiliteit die de bewegingsvrijheid van de overheden bij het hanteren van beleidsinstrumenten beperkt. Zeer concreet zullen de beleidsvoerders bij het vaststellen van de roerende voorheffing rekening houden met een mogelijke kapitaalvlucht. Daar niet alle landen in dezelfde mate onderhevig zijn aan de vermelde internationalisatie, zullen sommige landen zwaarder worden getroffen dan andere.

Een cruciale beleidsvraag voor vele overheden is dan ook de houding die tegenover de internationalisatie moet worden aangenomen. Vertaald naar de fiscaliteit : moet er geopteerd worden voor een vorm van *internationale samenwerking* dan wel voor *fiscale concurrentie ?*

Aan de voorgaande problematiek van internationalisatie moet worden toegevoegd dat in een aantal landen, waaronder België, de bevoegdheden van de federale overheden verder worden uitgehold door de regionalisering van een aantal bevoegdheden. Zo bestaat er in ons land een luide roep op een doorgedreven fiscale autonomie. Ook hier stelt zich het probleem van samenwerking dan wel concurrentie.

Er werd reeds opgemerkt dat mobiliteit een belangrijke determinant vormt in de samenwerking-concurrentie discussie. Mobiliteit is evenwel geen statisch gegeven : zeker door de verbetering van de communicatiemogelijkheden is in het algemeen de mobiliteit toegenomen. Evenwel is de feitelijke en niet de theoretische mobiliteit belangrijk. Het is slechts in de mate dat beleggers hun gelden effectief naar het buitenland overhevelen dat kapitaalmobiliteit relevant is voor de beleidsvoerders.

Daar de keuzemogelijkheid tussen samenwerking of concurrentie centraal ligt in zowel de internationalisatie als de regionalisatietendens, starten we met een algemene discussie hieromtrent. Nadien bespreken we dan de belastingheffing in een federale staatsstructuur en in een internationale context.

2. BELASTINGCONCURRENTIE OF SAMENWERKING ?

Bij fiscale concurrentie tussen overheden wordt gedacht aan een sterke strijd van opeenvolgende tariefverlagingen waar de belastingbetalers enkel baat bij hebben. Fiscale samenwerking roept dan mogelijk het beeld op van overheden die trachten de belastingtarieven maximaal te verhogen. Aldus is de keuze tussen fiscale samenwerking dan wel concurrentie toch wel extreem gesteld. In werkelijkheid wordt gezocht naar de optimale combinatie om te genieten van zowel de voordelen van de samenwerking als van deze van de concurrentie zonder de nadelen te moeten ondergaan.

Voor de duidelijkheid van hetgeen volgt moeten we vermelden dat er impliciet in de discussie over fiscale samenwerking en concurrentie van wordt uitgegaan dat de belastingen aan de bron worden gegeven : banken innen de belastingen op intresten, werkgevers deze op arbeid enz. Het verplaatsen van de belastingbasis houdt dan ook een verandering van het fiscale tarief in.

Tegenover de bronheffing staat de residentieheffing. Hierbij wordt belasting geheven op de woonplaats. Het verschuiven van de belastbare basis (bijv. beleggen in Luxemburg) houdt dan geen verandering van de fiscaliteit in zolang de woonplaats behouden blijft.

Het toepassen van het residentieprincipe vereist, bij internationale bewegingen, een uitwisseling van informatie om fraude tegen te gaan.

Samenwerking tussen overheden op het vlak van fiscaliteit kan verschillende vormen aannemen. Zo kunnen ze streven naar een volledige gelijkheid van de fiscaliteit. Dergelijke beweging is evenwel uitzonderlijk en alleen zinvol wanneer het uiteindelijk streefdoel het samengaan van de verschillende overheden is. Meestal wordt met samenwerking harmonisatie ofwel coördinatie bedoeld. Harmonisatie houdt een beweging naar fiscale gelijkheid in zonder deze evenwel te bereiken; beperkte verschillen zullen blijven bestaan. Coördinatie gaat minder ver en behelst in essentie overleg betreffende fiscale wijzigingen met als doel het vermijden van de meest schadelijke gevolgen van fiscale concurrentie. Buiten harmonisatie en coördinatie kan men nog lossere vormen van internationale samenwerking onderscheiden zoals coöperatie en consultatie. Het gaat hier in hoofdzaak om de uitwisseling van informatie tussen landen te bevorderen zonder dat er evenwel de bedoeling bestaat om de verschillende beleidsopties zelf rechtstreeks op elkaar af te stemmen. Merken we op dat een land niet kan ontsnappen aan het maken van een keuze : het niet actief meewerken aan een internationale samenwerking houdt automatisch in dat het land zich isoleert met belastingconcurrentie als gevolg.

De samenwerking kan betrekking hebben op één of meerdere determinanten van de fiscaliteit, namelijk de tarieven, de grondslag of de vrijstellingen.

De keuze tussen samenwerking of concurrentie op het vlak van fiscaliteit vloeit voort uit het afwegen van de voor- en nadelen verbonden aan beide mogelijkheden. We zetten deze op een rij :

–   Theoretische modellen omtrent belastingconcurrentie en -samenwerking worden frequent in een "spelvorm" gegoten en dit om met terugkoppelingseffecten rekening te kunnen houden. Het gaat hier om de reactie van land A op een fiscale wijziging in land B, waarop land B dan opnieuw reageert enz. Dergelijke modellen resulteren meestal in een opbod van de fiscale concurrentie met een laag tarief, eventueel een volledige vrijstelling als eindresultaat. In de realiteit neemt fiscale concurrentie zelden of nooit deze extreme vorm aan. De moeilijkheid bestaat er dan ook in om in te schatten hoever de andere overheden een fiscale afbouw zullen aanvaarden zonder hierop te reageren.

- Een belangrijk voordeel van fiscale concurrentie is dat het beleid geen rekening dient te houden met de opinie van andere overheden en dus, in principe, volledig op de "eigen noden" kan worden afgestemd. Bij samenwerking moet een compromis worden gesloten met de andere landen : ook zij moeten een voordeel zien in een samenwerking. Als de preferenties van de belastingbetalers tussen de landen verschillen, zal samenwerking resulteren in een welvaartsverlies.
- De gevolgen van fiscale concurrentie op de belastingopbrengst zullen afhangen van de gevoeligheden van de belastingbasis t.o.v. tariefverschillen. Wenst een land een strak fiscaal herverdelingsbeleid te voeren via hoge kapitaalbelastingen dan zal dit enkel mogelijk zijn wanneer de belastingbetalers hun kapitaal niet overbrengen naar het buitenland. In werkelijkheid verschilt de mobiliteit tussen de belastingbasissen. Kapitaal is zeer mobiel, arbeid veel minder[62] omdat hieraan bijkomende kosten (verhuis, andere vriendenkring, andere taal, andere werkkring enz.) zijn verbonden. Bedrijfskapitaal is op korte termijn weinig mobiel; op de lange termijn is de mobiliteit evenwel groot. Dit laatste maakt duidelijk dat ook een onderscheid tussen korte- en langetermijnmobiliteit moet worden gemaakt. Op langere termijn is de mobiliteit meestal veel groter dan op kortere termijn.

Samengevat biedt fiscale concurrentie het voordeel dat het de overheden aanspoort tot het voeren van een beleid van lage belastingvoeten en dan vooral op deze belastingbasissen die "vluchtig zijn".

- Als overheden een vaste omvang voor de belastingopbrengsten wensen te realiseren, zullen ze de tendens naar lage belastingvoeten op *mobiele basissen* moeten compenseren door een verhoging van de belastingtarieven op *immobiele of minder mobiele basissen*[63]. Het gaat hier dan meestal om de belasting op arbeid en op onroerende goederen. Hierbij moet dan wel voor ogen worden gehouden dat een belastingverhoging op arbeid resulteert, via een toename van de arbeidskosten, in een verslechtering van de concurrentiepositie en dus een verhoging van de werkloosheidsuitgaven. Dit is een nefast effect van fiscale concurrentie op de welvaartsstaat, omdat het uiteindelijk bijzonder moeilijk zal zijn om de socialezekerheidsuitgaven niet te verlagen. Doorgedreven fiscale concurrentie kan dus inhouden dat de overheid de doelstellingen i.v.m. herverdeling moet herzien. Men kan dus niet uitsluiten dat wanneer fiscale concurrentie extreme vormen aanneemt, landen deze activiteiten zullen afstoten die het overheidsbudget belasten. Het meest voor de handliggend zijn de tegemoetkomingen aan minderbedeelden. Deze zullen dan elders op zoek moeten gaan naar overlevingsmiddelen. Het gaat hier, we onderlijnen het, om een extreme situatie die zich wellicht niet zal voordoen, maar een zekere tendens in die richting kan niet worden uitgesloten[64].

---

[62]   Arbeidsmobiliteit wordt ook omschreven als "stem met voeten".

[63]   De theorie over optimale belastingen leert ons dat dit ook kan resulteren in welvaartsverliezen omdat de extra-lasten meer verhogen door de hogere belastingen dan ze dalen door de belastingverlaging.

[64]   Het kan evenwel ook niet worden uitgesloten dat migranten deze landen opzoeken die bijzonder vrijgevig zijn. Is de mobiliteit zeer groot dan kunnen deze landen verplicht worden om ofwel hun grenzen te sluiten ofwel de tegemoetkomingen aan buitenlanders te verminderen als dit wettelijk kan dan wel de uitkeringen voor iedereen te beperken.

Samengevat zal het voor een land niet mogelijk zijn om de inkomensverdeling van de mobiele productiefactoren te laten afwijken van deze in buurlanden; iedere actie op de inkomensverdeling zal dus via de immobiele inkomens moeten verlopen, maar dit kan tot welvaartsverliezen lijden.

– Een belangrijke vraag is of de belastingbetalers rekening houden met de gevolgen van hun gedrag op de belastingopbrengst en derhalve op de overheidsuitgaven. Stellen de belastingbetalers overheidsuitgaven op prijs en realiseren ze zich dat een eventuele daling van de fiscale opbrengsten het aanbod van overheidsdiensten zal beperken, dan zullen verschillen in de fiscale druk weinig of geen effect hebben. Wanneer evenwel het *equivalentieprincipe* niet geldt, zullen de belastingbetalers "vrijbuiten"; enkel en alleen rekening houden met het fiscale voordeel waardoor fiscale concurrentie kan ontaarden.

– Fiscale samenwerking veronderstelt dat de beleidsvoerders de afwezigheid van fiscale concurrentie niet "misbruiken" voor louter politieke doelstellingen. Zo kan men in de "public choice" traditie argumenteren dat de overheden de belastingtarieven al te hoog zullen vaststellen wat ook resulteert in welvaartsverliezen. De verantwoording is dat ze aldus belastingmiddelen kunnen genereren om persoonlijke doelstellingen na te streven zoals het verhogen van hun herverkiezingskans, het opvoeren van de tewerkstelling in de openbare sector, het realiseren van ideologische doelstellingen enz. Belastingconcurrentie vermijdt dergelijke scheeftrekkingen.

– In situaties waarin de belastingbetaler over weinig mogelijkheden beschikt om de lokalisatie van de belastingbasis op kortere termijn te beïnvloeden (bijv. langeretermijnbeleggingen in illiquide activa, bedrijfsinvesteringen) zal rekening worden gehouden met de *geloofwaardigheid van het fiscale beleid*. Hiermee wordt bedoeld dat de belastingbetaler niet enkel het huidige belastingtarief zal beschouwen, maar ook de mogelijkheid dat de overheid, eens zijn investering voltooid, de tarieven zal verhogen omdat hij toch niet kan reageren via het verplaatsen van de belastingbasis. Concreet houdt dit argument in dat overheden wel een hoger belastingtarief kunnen vaststellen zolang dit geloofwaardig is. Omgekeerd zullen lagere tarieven op relatief immobiele grondslagen niet noodzakelijk zeer succesvol zijn als tezelfdertijd deze tarieven ongeloofwaardig zijn voor de belastingbetaler.

Het voorgaande geeft een aantal argumenten waaruit moet blijken dat een algemene, zeer agressieve fiscale concurrentie weinig waarschijnlijk is. Wel kan men niet uitsluiten dat een beperkte concurrentie zal worden gevoerd zoals de Belgische ervaring met de roerende voorheffing aangeeft : deze is wellicht lager dan wat de overheid als optimaal beschouwt om de kapitaalvlucht naar Luxemburg te beperken.

3. BELASTINGHEFFING IN EEN FEDERALE STAATSSTRUCTUUR

3.1. Inleiding

De theorie omtrent belastingheffing in een federale staatsstructuur of het *fiscaal federalisme* tracht een antwoord te geven op de vraag welke deelsector van de overheid het best bevoegd is voor beslissingen omtrent publieke goederen en het innen van de belastingen die de financiering van deze goederen moet verzekeren. Deze bepaling maakt duidelijk dat de discussie van de belastingheffing in een federale staatsstructuur niet los kan worden gezien van de uitgaven die worden gefinancierd met de opbrengst. Globaal beschouwd is het belangrijkste voordeel van het decentraliseren van de fiscale beslissingsbevoegdheden dat de besluitvorming dichter bij de burger komt te staan. Het belangrijkste nadeel is het gevaar voor fiscale concurrentie.

We herhalen hier kort de belastingvormen die in hoofdstuk 1 werden onderscheiden en relevant zijn in een federale staat :

- *Exclusieve belastingen* : de overheid die normeert, namelijk de tarieven, de grondslag, de eventuele vrijstellingen en de inningmodaliteiten bepaalt, beschikt over de volledige belastingopbrengst. Een mogelijk probleem vormt de inning omdat de administratieve kosten een flink deel van de opbrengst kunnen opslorpen. Exclusieve belastingen drukken bij uitstek de fiscale autonomie van overheden uit.
- *Concurrerende belastingen* : de federale overheid normeert, maar andere overheden kunnen dezelfde belastingbasis gebruiken. Eventueel int de federale overheid en stort het aandeel van de lagere overheden door.
- *Supplementaire belastingen* : hier heffen lagere overheden een belasting op de federale belasting onder de vorm van opcentiemen. Dit is in België het geval bij de inkomstenbelasting waar de gemeenten opcentiemen op de federale belasting opleggen.
- *Overgedragen, samengevoegde of gedeelde belastingen* : hier wordt het geheel of een gedeelte van de geïnde belastingen doorgestort aan een andere overheid. Merk wel op dat de normeringsbevoegdheid geheel of gedeeltelijk bij de gewesten kan liggen. Zo bepaalt in België de federale overheid de heffingsgrondslag van de successierechten en de onroerende voorheffing terwijl de aanslagvoeten en de vrijstellingen worden vastgesteld door de gewesten. Daarentegen is de volledige normeringsbevoegdheid nationaal voor de registratierechten, de verkeersbelasting[65] en de milieutaksen.

In hoofdstuk 1 werd ingegaan op de feitelijke verdeling van de verschillende belastingen in België. Hier spitsen we ons eerder toe op de problemen die met hun vaststelling te maken hebben.

---

[65] In werkelijkheid wordt van de verkeersbelasting niets en van de registratierechten slechts 41 procent overgeheveld naar de gewesten.

3.2. Lokale belastingen

Met de term "lokale belastingen" zullen we alle belastingen aanduiden die niet bestemd zijn voor het financieren van de uitgaven van de federale overheid. Hoofdzakelijk gaat het om de belastinginkomsten van de gemeenschappen en gewesten en de gemeenten. Het belang van de discussie ligt evenwel grotendeels bij de belastingen bestemd voor de financiering van de uitgaven van de gemeenschappen en gewesten. Dit komt omdat in België de belastingheffing door de andere overheden (provincies, gemeenten) beperkt is en er bovendien weinig of geen voorstellen bestaan om hier drastisch aan te sleutelen. Dit geldt evenwel niet voor de financiering van de gemeenschappen en gewesten. Na de staatshervorming van het einde van de jaren tachtig valt de roep om meer *fiscale autonomie* (= grotere fiscale bevoegdheid voor de gemeenschappen en gewesten) immers bijna dagelijks te horen.

In de discussie van de overheidsuitgaven werd reeds aandacht besteed aan de problematiek van het fiscaal federalisme. Hierbij wordt vertrokken van het equivalentieprincipe waarbij er een overeenstemming bestaat tussen de belasting die aan een overheid wordt betaald en de publieke goederen die deze overheid aanbiedt. Evident zal aan een federale overheid ook belastingen moeten worden afgedragen die dienen om activiteiten van "algemeen nut" te financieren zoals het stabiliseren van de economie. Houdt dit dan in dat fiscale autonomie aan de lagere overheden kan worden gegeven in de mate dat het aanbod van publieke goederen ook kan worden gedecentraliseerd ? Het antwoord hierop is dubbelzinnig. Fiscaal federalisme stelt wel dat de betaling moet aansluiten bij het aanbod van publieke goederen, maar er wordt niets zeer specifiek gesteld over welke belastingen hiervoor moeten worden gebruikt. De financiering van identificeerbare publieke goederen zal kunnen gebeuren via een directe aanrekening, maar men kan moeilijk argumenteren dat het hierom gaat wanneer gesproken wordt over fiscale autonomie. Dit stelt dus de vraag naar de te regionaliseren fiscale normering. De vermelde opsplitsing van de belastingen illustreert dat veel mogelijk is. Zo kan de normering volledig worden geregionaliseerd of kan slechts een deel (bepaling grondslag, tarieven of inning) worden geregionaliseerd. De keuze die hier wordt gemaakt hangt af van economische variabelen.

In de literatuur van fiscaal federalisme wordt aanvaard dat federale uitgaven best worden gefinancierd met belastingen die een brede basis hebben. Dit vloeit voort uit de vaststelling dat federale uitgaven aan iedereen ten goede komen zodat een brede financieringsbasis de beste waarborgen biedt dat iedereen op een "rechtvaardige wijze" bijdraagt tot hun financiering. Aldus kan een federale inkomsten- en omzet- of BTW-belasting worden verantwoord. Evenwel geeft het voorgaande geen uitsluitsel over de mogelijkheden om lokaal supplementaire belastingen te heffen.

Voor een algemene discussie rond de problemen van het regionaliseren van belastingen verwijzen we naar het vorige punt : ook voor de regionale fiscaliteit stelt zich het keuzeprobleem tussen fiscale concurrentie of samenwerking. Of de concurrentie nu plaatsvindt tussen regio's dan wel tussen landen verandert niets aan de waarde van de aangehaalde argumenten. Wel dient te worden vermeld dat er in de werkelijkheid op twee niveaus concurrentie zal worden gevoerd. Zo zullen de regio's zich beconcurreren, maar zal dit alles plaatsvinden in een land dat zelf onderhevig is aan buitenlandse fiscale concurrentie. De keuze van de geregionaliseerde materie zal bepalen welke concurrentie zal domineren.

In het algemeen blijft het zo dat de mobiliteit van productiefactoren een cruciale determinant vormt van de regionale fiscaliteit. Deze mobiliteit hangt natuurlijk niet alleen af van de fiscaliteit, maar is er toch een belangrijke determinant van. Zo zal een taalgrens een rem op de mobiliteit plaatsen : alles gelijk blijvend, zal de mobiliteit in België kleiner zijn dan in landen zonder "taalgrens" zoals Nederland. Evenwel zal een lagere fiscaliteit in Wallonië de mobiliteit naar dit gewest stimuleren.

Naast de reeds vermelde, eerder algemene problemen betreffende fiscale concurrentie of samenwerking wensen we hieronder nog enkele meer specifiek regionale problemen te behandelen.

– Louter budgettair-economisch bekeken, moet iedere regio natuurlijk zorgen voor een evenwicht tussen ontvangsten en uitgaven. Dit beperkt een algemene belastingconcurrentie, maar sluit concurrentie ook niet uit voor zeer specifieke belastingen.

– Verschillen in fiscale voorkeuren tussen gewesten vormen een dikwijls gehoord argument om te pleiten voor een regionale fiscaliteit. Dit kadert in de allocatietaak van de overheid. Het kan gaan om een verschil in de evaluatie van de gevolgen van fiscaliteit (bijv. het effect op de groei) of om een verschil in de doelstellingen van de overheidsinterventie en dus de omvang van de overheidsuitgaven. Dit laatste kunnen we illustreren aan de hand van verschillen in het belang dat wordt gehecht aan de verdelingsaspecten. Indien inwoners van een gewest meer bekommerd zijn dan deze van de andere gewesten om de verdeling van het inkomen, dan zullen ze pleiten om meer gebruik te kunnen maken van fiscale herverdelingsinstrumenten met name de inkomstenbelasting : de tarieven zullen gemiddeld hoger liggen en progressiever zijn. Een deel van de inwoners, vooral deze met een hoog inkomen, kan dit niet op prijs stellen en zal derhalve emigreren; belastingbetalers van andere gewesten kunnen evenwel aangetrokken worden door het beleid. Dit "lost" gedeeltelijk het probleem van de inkomensongelijkheid op, maar de hogere inkomensgenieters die "blijven" zullen de indruk hebben dat het beleid hen onrechtmatig hard behandelt. Potentiële inwoners met een hoog inkomen zullen worden afgeschrikt. Globaal beschouwd kan men dus verwachten dat de belastingopbrengst negatief zal beïnvloed worden. Dit is de "marktreactie", via mobiliteit, op fiscale verschillen; ze beperkt de fiscale bewegingsruimte van de beleidsvoerders. Evenwel blijkt ook dat niet iedere verandering in de belastingen moet worden geïnterpreteerd als de start van een fiscale concurrentieslag.

Merk op dat het uitgangspunt van het voorgaande, het equivalentieprincipe, niet al te strikt moet worden opgevat : van belang is dat er een verschil bestaat tussen de belastingtarieven toegepast door de gewesten. Het gebruik dat wordt gemaakt van de belastingopbrengsten is enkel relevant indien de belastingbetaler de band met de uitgaven ziet en aan deze uitgaven belang hecht. Geldt dit equivalentieprincipe dan zullen hogere belastingtarieven deze inwoners afschrikken die geen belang hechten aan de doelstellingen die worden bereikt met de opbrengst, maar zullen wel inwoners aantrekken die bereid zijn te betalen voor de aangeboden overheidsdiensten. In de ideale wereld zal iedereen dan leven in deze gemeenschap waarvan de overheid de diensten aanbiedt en de doelstellingen nastreeft waar de inwoners bereid zijn om voor te betalen. Dit is de Tieboutwereld (1956) waarover een ruime literatuur bestaat. In het algemeen wordt aangenomen, ondanks vele kritieken, dat de Tieboutwereld beter toepasbaar is op de problematiek van lokale belastingen dan op internationale belastingen omdat bij lokale belastingen de woonplaats nog steeds een dominerende invloed uitoefent. Internationaal gaat het meestal om de belasting op kapitalen die veel mobieler zijn dan mensen.

– De mate waarin beleidsvoerders belastingen wensen te "exporteren" kan een belangrijke determinant van de regionale fiscaliteit zijn. *Belastinguitvoer* ontstaat wanneer niet-inwoners geheel of gedeeltelijk de last van de belastingen dragen. Voor beleidsvoerders is de verleiding groot om de tegenstand tegen belastingver-hogingen maximaal te beperken door er zorg voor te dragen dat de belasting vooral wordt gedragen door niet-inwoners. Of dergelijke doelstelling met succes kan worden nagestreefd, hangt in de eerste plaats af van de grootte van de lokale overheid : hoe kleiner, hoe gemakkelijker belastinguitvoer. Verder zijn er geen algemene regels en moet naar de concrete belasting worden gekeken. Zo zal de belasting op een dienst verleent door een lokaal bedrijf veelal niet kunnen afgewenteld worden in de prijs tenzij de lokale producent over een bijzonder sterke marktpositie beschikt. Is het bedrijf in handen van niet-inwoners dan is er toch belastinguitvoer mogelijk doordat de winsten zullen dalen door de belasting. Algemener zal een belasting op een duurzaam en immobiel goed (bijv. onroerende goederen) worden gekapitaliseerd in de prijs : deze zal dalen omdat beleggers een ongewijzigde netto-opbrengst wensen. Een belasting vermindert de netto-inkomens zodat een daling van de netto-opbrengst enkel kan worden verhinderd door een daling van de marktwaarde van het goed. In de mate dus dat dergelijke activa in bezit zijn van niet-woners zal er belastinguitvoer plaatsvinden. Zo kan ook worden verwacht dat een belasting op tweede verblijven veelal door de niet-inwoners zal worden gedragen. Wel hierbij de bemerking dat dergelijke belasting op langere termijn de aantrekkelijkheid van investeringen in de gemeenschap beperkt. Bovendien zullen inwoners ook nadelen ondervinden van de prijsdaling omdat zij toch in zekere mate ook eigenaar zijn.

– *Belastingharmonisatie* binnen een federale staat is, in principe, gemakkelijker te organiseren dan tussen landen omdat er een federale overheid aanwezig is met ruime bevoegdheden. Deze kan niet alleen zorg dragen voor de coördinatie, maar ook instaan voor een minimale fiscale uniformiteit zoals een analoge bepaling van de belastingbasis of het beperken van de tariefverschillen. Deze algemene argumentatie is evenwel vooral geldig wanneer de federatie vele regio's bevat. In de Belgische situatie met twee gewesten kan de federale overheid moeilijk de rol van scheidsrechter vervullen omdat dit automatisch inhoudt dat er "partij wordt gekozen". Hierom houdt meer fiscale autonomie het risico in dat de gewesten een te grote bevoegdheid krijgen waardoor ze economisch uiteen groeien wat het gevaar van een volledige splitsing inhoudt.

– Belastingconcurrentie tussen de regio's houdt verschillen in tussen tarieven, vrijstellingen en/of grondslagen. Concreet betekent dit dat het moeilijk zal zijn om de belasting die onderhevig is aan concurrentie, federaal te blijven innen. Daar mogelijkerwijze de inningskosten van de regio's groter zullen zijn dan wanneer de federale overheid zou kunnen overgaan tot een inning (o.a. omdat er geen voordelen van schaal meer bestaan), zal de netto-opbrengst van de belastingen worden beperkt. Bovendien zullen de belastingbetalers zich ook moeten informeren over de belastingverschillen.

De voorgaande bespreking geeft geen uitsluitsel over de belastingen die aan de regio's kunnen worden toevertrouwd. Musgrave A. en Musgrave P. (1989) doen wel, als er drie niveaus worden onderscheiden, een voorstel dat we weergegeven in tabel 4.13.

Tabel 4.13. : Toewijzing van belastingbevoegdheden

Federaal niveau	Midden niveau	Lokaal niveau
– Progressieve inkomstenbelastingen – Vennootschapsbelasting – Successierechten – Belastingen op grondstoffen	– Inkomstenbelasting op inwoners – Inkomstenbelasting op productie-factoren die de inwoners bezitten of waarvan het inkomen gegenereerd wordt in het gewest – Verkoopsbelasting	– Onroerende belastingen – Belasting op looninkomen van inwoners – Aanrekenen van overheids-diensten

Bron : Musgrave A. en Musgrave P. (1989), blz. 470.

Bij het beschouwen van deze tabel moet voor ogen worden gehouden dat het niet gaat om de verplichting om successierechten te heffen op federaal niveau. Veel zal afhangen van de grootte van het "midden" en het "lokaal" niveau. Bovendien moet in een Belgische context de tabel eerder terughoudend worden toegepast omdat het "lokale" niveau (gemeenten) zeer klein is. De algemene vaststelling uit de tabel is evenwel dat vooral belastingen moeten worden geregionaliseerd waarvan wijzigingen weinig directe invloed hebben op de productie en economische stromen. Evenwel is het ook duidelijk dat het volledig vermijden van belastingconcurrentie niet mogelijk is wanneer een zekere belastingbevoegdheid aan de lagere besturen wordt gegeven. Deze bevoegdheden beperken tot een klein aantal belastingen zou kunnen inhouden dat de belastingtarieven al te hoog oplopen. Aan zulk "onevenwicht" in de belastingen zijn ook, zoals opgemerkt in hoofdstuk 2, welvaartskosten verbonden : de extra-last stijgt immers meer dan proportioneel. Concreet zal derhalve moeten gezocht worden naar dit peil van belastingconcurrentie dat stimulerend werkt zonder dat de cohesie van de federatie in gevaar wordt gebracht.

Specifiek voor België is ook het beperkt aantal gewesten. Dit houdt in dat expliciet moet worden rekening gehouden met de reacties van het andere gewest. Dit heeft tot gevolg dat bij iedere fiscale verandering snel wordt geredeneerd vanuit de hypothese dat het gaat om een "nulsom-spel" waarbij het voordeel van een gewest ten nadele gaat van het andere gewest. Theoretisch vormt dit een ideale situatie om speltheorieën uit te testen. Of de politieke realiteit dit toelaat en of dit bevorderlijk is voor de cohesie van de Belgische federatie kan evenwel worden betwijfeld. Een verdere fiscale regionalisering, geformuleerd in de term fiscale autonomie, moet dus een zeer labiel evenwicht zoeken tussen het inhoudelijk invullen van de regionale fiscaliteit en het vermijden van extreme fiscale concurrentie. Van belastingharmonisatie kan niet te veel worden verwacht daar de vraag naar fiscale autonomie per definitie uitgaat van verschillen in fiscale voorkeuren.

Voor de verdere uitbreiding van de fiscale bevoegdheden van de gemeenschappen en gewesten bestaan verschillende scenario's[66]. Minimaal is een volledige toewijzing van de huidige regionale belastingen (successierechten, verkeersbelasting, belasting op

---

[66]   Zie bijv. Van Rompuy V. (1998) en Vanderveeren C. en Vuchelen J. (1998) voor een overzicht.

spelen, onroerende voorheffing enz.). Veelal is het de bedoeling om het belang van de "eigen" fiscaliteit sterk op te voeren en dus om dit van de dotaties evenredig te verminderen. De voorstellen betreffen het geheel of gedeeltelijk regionaliseren van de tarieven van de personenbelasting (eventueel via op- of afcentiemen) en deze op de vennootschapswinsten; de BTW zou federaal blijven. Sommige voorstellen wensen ook de bevoegdheden betreffende de belastinggrondslag en de vrijstellingen te regionaliseren. Of een federale inning mogelijk blijft, is niet duidelijk. Voorstellen betreffende het regionaliseren van bepaalde sociale uitgaven zoals de kinderbijslag en de gezondheidszorg bestaan ook, maar het is ook hier niet duidelijk of de bijdragen in dit regionaliseringsproces zullen betrokken worden.

4. BELASTINGHEFFING IN EEN INTERNATIONALE CONTEXT

4.1. Inleiding

De internationalisatie van het economisch gebeuren heeft tot gevolg dat overheden bij het bepalen van hun belastingbeleid meer en meer met de buitenlandse fiscaliteit moeten rekening houden. De mobiliteit van goederen en diensten en van productiefactoren is een belangrijke beperking geworden. In deze zin is belastingheffing in een internationale context vergelijkbaar met deze in een federale context. Wel kan men enkele verschillen opmerken :
- Belastingstelsels verschillen dikwijls vrij fundamenteel tussen landen; binnen een federatie is dit niet het geval.
- De verschillen tussen belastingtarieven zijn belangrijker internationaal dan in een federatie.
- Internationaal bestaan er altijd "fiscale paradijzen" of "fiscale vrijbuiters"; in een federatie vormen ze eerder uitzonderingen (bijv. Knokke-Heist op het vlak van de gemeentelijke opcentiemen).
- Expliciete solidariteitsmechanismen (bijv. een jaarlijkse transfer wanneer het BBP per hoofd beneden een afgesproken drempel valt) bestaan nagenoeg niet op internationaal niveau.
- De economische verwevenheid binnen een federatie is gewoonlijk veel groter dan deze tussen landen; de mobiliteit van vooral de productiefactor arbeid is groter.
- Binnen een federatie houdt de federale staat meestal de fiscale concurrentie in toom. Dergelijke "regulerende" autoriteit bestaat niet op internationaal niveau, tenzij, in beperkte mate, binnen de EU.
- De incentieves van de landen om belastingen te harmoniseren liggen duidelijk lager dan om dit binnen een land te realiseren.
- Bepaalde effecten van belastingverschillen, zoals de mobiliteit van productiefactoren, kunnen binnen een land als minder schadelijk worden ervaren dan wanneer hetzelfde tussen landen gebeurt omdat in het laatste geval geen compensatie via solidariteitsmechanismen kan spelen. Dit zal het geval zijn wanneer er vele deelstaten zijn zodat de "verliezers" en de "winnaars" niet duidelijk aanwijsbaar zijn.

Samengevat kan worden gesteld dat de fiscale problemen in een internationale context vrij gelijk zijn aan deze in een federale context, behalve dat fiscale concurrentie wellicht moeilijker te beperken valt.

4.2. Problemen rond belastingheffing in een internationale context

De belastingbasis betreft de inkomsten van zowel arbeid als kapitaal dat aan buitenlanders toevloeit en de goederenstroom met het buitenland, namelijk de in- en uitvoer. We maken een onderscheid tussen beide.

a. Belasting van buitenlands inkomen[67]

Buitenlands inkomen is inkomen dat wordt verdiend in een ander land dan dit waar de belastingbetaler verblijft. Het kan gaan om inkomen uit arbeid (bijv. een tijdelijk verblijf in het buitenland) of om inkomen uit buitenlandse beleggingen. Hier stellen zich verschillende problemen die moeilijk op een eenduidige wijze zijn op te lossen.
–   In vele gevallen vindt in een internationale context een dubbele belastingheffing plaats. Dit vloeit voort uit het feit dat de meeste landen een bronbelasting heffen als voorschot op de finaal te betalen belasting die uitgaat van het residentieprincipe. Bestaat er dus een verschil tussen het land waar het inkomen wordt verdiend en het land waar de belastingbetaler verblijft, dan vindt er een *dubbele belastingheffing* plaats. Enkel via belastingverdragen kan deze dubbele heffing worden vermeden. Maar welke belasting moet worden afgeschaft ? Evident is dat als enkel de binnenlandse belasting wordt betaald, de fiscaliteit geen impact zal hebben op de beslissing om in het buitenland activiteiten te ondernemen. Vanuit economisch standpunt is dit optimaal : fiscale verschillen beïnvloeden de economische beslissingen en dus de welvaart niet. Wordt daarentegen de binnenlandse belasting afgeschaft dan bestaat het gevaar dat aan "fiscal shopping" wordt gedaan. Is dit aanvaardbaar ?
Als er geen expliciete belastingverdragen bestaan, wordt frequent de buitenlandse belasting als een belastingkrediet beschouwd. Dit betekent dat deze belasting kan worden afgetrokken van de binnenlands te betalen belasting; een terugave van teveel betaalde belasting is evenwel niet mogelijk.
In het voorgaande wordt stilzwijgend verondersteld dat de inwoners en buitenlanders op eenzelfde voet worden behandeld, dat de fiscale wetgeving geen onderscheid tussen hen maakt. Dit is meestal niet het geval omdat fiscale concurrentie landen ertoe aanzet om buitenlanders een voordeliger fiscaal statuut te geven. De logica is vrij eenvoudig : in de mate dat buitenlanders ingaan op het stelsel houdt het een netto winst in voor het betrokken land en dit zonder dat de belastingopbrengst van inwoners negatief wordt beïnvloed. Het voorbeeld bij uitstek vormen de kapitaalinkomsten die toevloeien aan buitenlanders. In vele landen, o.a. België, Luxemburg en Nederland, is bepaald dat deze inkomsten

---

[67]   Het genereren van een inkomen vereist eerst een mobiliteit van de productiefactoren. Waarom deze migreerden onderzoeken we hier niet omdat dit behoort tot het studiedomein van de internationale economie. Wel herhalen we dat fiscaliteit één van de determinanten, eventueel de belangrijkste, kan zijn.

belastingvrij worden uitbetaald; de ontvangers moeten zich enkel schikken naar de fiscale wetgeving van toepassing in hun land. Indien het fiscaal civisme laag is, zoals in België, ligt het voor de hand dat de inkomsten belastingvrij zullen blijven. Dit verklaart het voordelige Belgische stelsel van belasting van inkomens uit kapitalen : verhoogt de roerende voorheffing al te veel dan zullen beleggers deze ontwijken via beleggingen in Nederland en Luxemburg.

In werkelijkheid is het via deze speciale fiscale statuten van buitenlanders dat fiscale concurrentie wordt gevoerd. Extreem kan dit er toe leiden dat Belgen in Luxemburg beleggen, Nederlanders in België en Luxemburgers in Nederland. Het welvaartsverlies ligt voor de hand.

Tussen de meeste landen van de EU werden belastingverdragen afgesloten. Dit houdt dan wel in dat, ondanks pogingen op het vlak van de harmonisatie van de belastingen van roerende inkomsten[68], de EU weinig of niets heeft gerealiseerd op het vlak van inkomstenbelasting.

Voor de vennootschapsbelasting geldt meestal hetzelfde als voor de inkomstenbelasting.

Moeilijk en weinig overzichtelijk blijft het probleem van de socialezekerheidsbijdragen.

– De keuze van de belasting die van toepassing blijft (vorige opmerking) is ook belangrijk vanuit een rechtvaardigheidsinvalshoek. Wordt de buitenlandse belasting afgeschaft dan wordt geen belasting betaald in het land waar het inkomen werd verdiend. Is dit rechtvaardig tegenover de belastingbetalers van dit land ? Evenwel als geen nationale belasting wordt betaald, zal het principe van horizontale gelijkheid worden geschonden als de buitenlandse belasting lager uitvalt dan wat op eenzelfde inkomen in het binnenland aan belastingen zou zijn betaald.

– Efficiëntieoverwegingen mogen niet over het hoofd worden gezien. Daar de locatie van productiefactoren wordt beïnvloed door de fiscaliteit bestaat er een mogelijk efficiëntieverlies als het hoger netto rendement enkel voortvloeit uit een lagere fiscaliteit. Een hoger brutorendement kan teniet worden gedaan door een hogere fiscaliteit zodat niet noodzakelijk zal worden geïnvesteerd waar het brutorendement het hoogst is. De moeilijkheid is dus om de belastingen van buitenlands inkomen zo te organiseren dat de efficiëntie op wereldvlak niet wordt verstoord.

b. Belastingen en de goederen- en dienstenstromen met het buitenland

In principe gaat het hier om tarieven waarvan de analyse thuishoort in de theorie van de internationale handel. Binnen douane-unies en gemeenschappelijke markten worden op de goederen en dienstenstromen tussen de leden geen belastingen geheven. Daar de interne belastingtarieven verschillen stelt zich toch de vraag naar de impact van deze verschillen op de handelstromen. Het algemene principe binnen de EU is dat verschillen in binnenlandse belastingen de goederen- en dienstenstromen tussen de leden niet mag verstoren. Verstoren betekent wel degelijk dat de verschillen de handel

---

[68] Het traditionele voorstel behelst een veralgemeende bronheffing (roerende voorheffing) van 15 of 20 procent. Luxemburg en het Verenigd Koninkrijk verwerpen dit omdat hun financiële sector hieronder zou lijden.

niet mogen bevorderen dan wel afremmen. De verklaring is dat dergelijke handel, louter gebaseerd op het uitbuiten van fiscale verschillen, welvaartsvernietigend werkt. Concreet wordt dit binnen de EU bereikt door toepassing van het *bestemmingsprincipe*[69] : goederen en diensten dienen te worden belast waar ze worden geconsumeerd tegen het daar geldende tarief en dit onafhankelijk van het feit of het om lokaal dan wel ingevoerde goederen en diensten gaat. Tot 1992 werd dit bereikt via grenscontroles : uitvoer was belastingvrij terwijl invoer werd belast. De creatie van de interne markt en de hieraan gekoppelde afschaffing van de grenscontrole maakte een wijziging in het stelsel onvermijdelijk. Het huidige stelsel is een overgangsstelsel waarbij de uitvoerder het BTW-nummer van zijn cliënt aanduidt op zijn documenten; de invoerder betaalt dan BTW aan zijn administratie. Het stelsel is evenwel gevoelig voor fraude en deze wordt in de hand gewerkt door tariefverschillen. Het normale BTW-tarief tussen de EU-leden varieert tussen 12 procent in Spanje en 23 procent in Ierland. Voldoende ruimte om een lucratieve handel op te zetten.

Om de discussie van het belasten van internationale goederen- en dienstenstromen te vervolledigen, moeten we nog drie punten opmerken.

– Bij het beschouwen van de mogelijke gevolgen van fiscaliteit voor multinationale bedrijven moet rekening worden gehouden met de mogelijkheid van het gebruik van verrekenprijzen ("transfer prices") tussen buitenlandse filialen om de winst naar het land te verschuiven waar de belasting het laagst is. Praktisch is dit eenvoudig mogelijk door een aanpassing van de prijzen die de filialen van multinaltionale bedrijven elkaar aanrekenen op de interne goederen- en dienstenstromen.

– De belasting van goederen- en dienstenstromen kan een gevolg hebben op de mobiliteit van productiefactoren. Om een invoerheffing te vermijden kan een producent beslissen om de productie te verplaatsen naar het betreffende land. Hier treedt een welvaartsverlies op op wereldvlak op daar de directe investering niet zou hebben plaatsgevonden zonder de belasting op de invoer. Anders uitgedrukt, de superieure rentabiliteit van de investering is het gevolg van het omzeilen van de invoerbelasting.

– Belastingafwenteling (cfr. hoofdstuk 2) moet ook hier worden beschouwd. Bij een belasting op de invoer is de redenering analoog aan deze die geldt voor een lokale producent : wordt de wereldmarkt gekenmerkt door een monopoliesituatie dan zal de belasting gedeeltelijk worden gedragen door de buitenlandse producent; is de wereldmarkt volledig concurrerend dan zal de binnenlandse prijs stijgen met de belasting en dragen de inwoners de volledige last.

De vraag is of het strookt met de rechtvaardigheid tussen landen dat de last van een belasting geheel of gedeeltelijk wordt afgewenteld op buitenlanders.

5. BESLUIT

De theorie betreffende belastingheffing heeft de afgelopen jaren geleidelijk een dubbele wijziging ondergaan. Ten eerste is er de toenemende invloed van buitenlandse belastingen. Zelfs grotere landen ontsnappen hier niet meer aan. Kleinere landen

---

[69] Merk voor de duidelijkheid op dat binnenlands geproduceerde en geconsumeerde goederen worden belast volgens het oorsprongprincipe : de belasting wordt geheven op de plaats van productie.

ondervinden reeds lang de invloed van nabije fiscale paradijzen : Luxemburg is reeds geruime tijd een probleem voor iedere Belgische Minister van Financiën. De trend naar toenemende fiscale concurrentie kan evenwel niet echt worden afgeremd. Internationale fiscale coördinatie, vooral binnen de EU, zal moeten verhinderen dat deze concurrentie ontaardt en zodoende een neerwaartse spiraal start van lagere belastingopbrengsten naar lagere tarieven om belastinggrondslagen aan te trekken en zo naar een verdere verlaging van de opbrengst. Dergelijke spiraal zou de financiering van de uitgaven verbonden aan de welvaartsstaat ernstig in gevaar brengen. Het voorgaande is des te belangrijker omdat herverdelingsdoelstellingen niet meer of nauwelijks zullen kunnen worden gerealiseerd door het hanteren van fiscale instrumenten.

Naast de trend naar internationalisatie bestaat in een aantal landen (o.a. België en Spanje) een vraag naar een ruimere fiscale, regionale bevoegdheid van de deelstaten. Dit is niet in tegenstelling met de internationalisatiebeweging daar de regionalisering toelaat om de fiscaliteit beter te laten aansluiten bij de lokale voorkeuren wat de invloed van fiscale concurrentie kan beperken. De vraag naar fiscale autonomie is zeker in België duidelijk aanwezig. De invulling ervan kan evenwel enige tijd in beslag nemen omdat ze de Belgische staatsstructuur niet in gevaar mag brengen.

Literatuurlijst

BOON A. (1989), Gemeenschappen en Gewesten : bevoegdheden en financiering, Documentatieblad Ministerie van Financiën, nr. 5, blz. 51-166.

BACHETTA P. en SPINOZA P. (1995), "Information sharing and tax competition among governments", *Journal of International Economics*, 39.

DE CROMBRUGGHE A. en TULKENS H. (1990), "On Pareto improving commodity tax changes under fiscal competition", *Journal of Public Economics*, 41, blz. 335-350.

DE CALLATAŸ E. (red.) (1998), Les finances des Régions et des communautés en Belgique, Reflets et Perspectives, 2.

EDWARDS J. en KEEN M. (1996), "Tax competition and Leviathan", *European Economic Review*, 40, blz. 113-134.

FREY B. en EICHENBERGER R. (1996), "To harmonize or to compete ? That's not the question", *Journal of Public Economics*, 60, blz. 335-349.

GÉRARD M. en HADHIRI M. (1993), "Concurrence fiscale, financement du non-marchand et distribution des revenus", *Cahiers Economiques de Bruxelles*, 140, blz. 449-488.

GIOVANNINI A. en HINES J. (1992), "Capital flight and tax competition : are there viable solutions to both problems ?", in Giovannini A. en Mayer C. (red.), *European financial integration*, Cambridge : Cambridge University Press, blz. 172-210.

KANBUR R. en KEEN M. (1993), "Jeux sans frontières : tax competition and tax coordination when countries differ in size", *American Economic Review*, 83, blz. 877-892.

MINTZ J. en TULKENS H. (1986), "Commodity tax competition between member states of a federation : equilibrium and efficiency", *Journal of Public Economics*, 29, blz. 133-172.

MUSGRAVE A. en MUSGRAVE P. (1989), *Public finance in theory and practice*, New York : McGraw-Hill, (vijfde uitgave).

TIEBOUT, C. (1956), "A pure theory of local government expenditures", *Journal of Political Economy*, 64, blz. 416-423.

VAN ROMPUY V., (1998), "Fiscale autonomie van deelstaten van een federatie – met een toepassing op België", Documentatieblad Ministerie van Financiën, 3, blz. 43-71.

VANDERVEEREN C., VAN ROMPUY P., HEREMANS D. en HEYLEN E. (1987), *De economische en monetaire unie in de Belgische staatshervorming*, Antwerpen : Maklu.

VANDERVEEREN C. en VUCHELEN J. (red.), (1998), *Een Vlaamse fiscaliteit binnen een economische en monetaire unie*, Antwerpen : Intersentia.

VAN ROMPUY P. (1990), *Vlaanderen op een kruispunt, Rapport van de club van Leuven*, Tielt : Lannoo.

Trefwoorden en -zinnen van hoofdstuk 5

Aanpassing van het aanbod van schuldtitels aan de vraag
Bankconsortium
Beperken van de intrestlasten
Consolidatie
"Crowding-out"
Directe en indirecte schuld
Duurzaamheid of tijdsconsistentie van het beleid
Geconsolideerde en vlottende schuld
Gedebudgetteerde schuld
Gewaarborgde schuld
Houderschap van de schuld
Inflatie
Ingrepen in de schuld
Kapitaalbelasting
"Koekoeks" of verdringingseffect
Kwaliteit van de financiering van het tekort
Lasten van overheidsschuld
Lineaire obligaties
Markthouders (primary dealers)
Monetaire financiering
Ontwikkeling van de geld- en kapitaalmarkten
Optimaal schuldpeil
Rentelasten
Ricardiaans equivalentietheorema
Rijksschuld
Schatkistcertificaten
Schuld in Belgische frank en in vreemde valuta
Schuld van de gemeenschappen en gewesten
Schuld van de gezamenlijke overheid
Schuld van de lagere overheden
Schuld van de sociale zekerheid
Schuldbeheer
Schuldconversie
Schuldherschikking
Schuldquote
Schuldverwerping
Stabiliseren van de belastingtarieven
Volksleningen en de staatsbons
X/N-rekeningen

Hoofdstuk 5
DE OVERHEIDSSCHULD

De oplopende tekorten van de tweede helft van de jaren zeventig en de eerste helft van de jaren tachtig, hebben geleid tot een bijzonder hoge overheidsschuld. In België zal het nog tot 2013 duren vooraleer de schuldquote het peil van 60 procent zal bereiken. Voor de duidelijkheid, de schuldquote bedroeg 40 procent in 1974. De vraag waarom de beleidsvoerders de schuld hebben laten oplopen, kan alleen worden beantwoord door te zoeken naar redenen waarom een verhoging van het tekort zo frequent werd verkozen boven het doorvoeren van besparingen. Alhoewel het moeilijk of zelfs onmogelijk is om te stellen wat het optimale peil voor de schuld is, zijn er aan een te omvangrijke overheidsschuld toch wel nadelen verbonden. Zo zal een te groot deel van de toename van de ontvangsten dienen gebruikt te worden om de rentelasten te betalen, worden de overheidsfinanciën zeer gevoelig voor renteschokken, moet de overheid systematisch saneren en de belastingen verhogen, kunnen de beleggers zich afkeren van de schuld waardoor de rente verhoogt enz. Voor België komen er de toekomstige pensioensproblemen bij : na 2010 zullen de pensioenuitkeringen sterk toenemen zodat het wenselijk is de schuld te beperken omdat dan, als het noodzakelijk zou zijn, een deel van de pensioenen kan worden gefinancierd door het verhogen van de schuld.

Door het strakke saneringsbeleid als gevolg van de toetredingscriteria tot de Europese Monetaire Unie (het Verdrag van Maastricht) en de daling van de rentevoeten stelt de overheidsschuld in de meeste Europese landen vandaag minder problemen. Dit belet niet dat van deze schuld een permanente dreiging blijft uitgaat indien de rentevoeten opnieuw structureel zouden verhogen of indien de conjunctuur sterk zou verslechteren.

1. INLEIDING

Eens de overheid een beslissing heeft genomen omtrent haar uitgaven, moeten deze ook worden gefinancierd. Fundamenteel kan dit enkel door belastingheffing : deze kan plaatsvinden op het ogenblik dat de uitgave gebeurt of naar de toekomst worden verschoven door het aangaan van tekorten en het opstapelen van schulden. Over belastingheffingen hebben we het uitgebreid gehad in de voorgaande hoofdstukken. De vraag die zich hier stelt is naar de gevolgen verbonden aan het financieren van tekorten en dus van de schuld. Traditioneel wordt deze probleemstelling geformuleerd als : "Legt de schuld een last op de huidige en de komende generaties ?"

In het algemeen wordt weinig of geen onderscheid gemaakt tussen tekort- en schuldfinanciering. Dit verhindert niet dat het beschouwen van de financiering van het tekort interessante inzichten kan opleveren en wel omdat de financiering van het tekort overeenkomt met een bijkomende vraag naar financiële middelen van de overheid; bij de financiering van de schuld gaat het in essentie om een herfinanciering : de vraag van de overheid naar financiële middelen verhoogt niet. Zo kan de financiering van een tekort moeilijker verlopen dan de herfinanciering van een bestaande schuld in perioden van financiële spanningen omdat beleggers weigerachtig kunnen staan tegenover het aanhouden van meer obligaties. Deze moeilijkheden komen tot uiting in de *kwaliteit van de financiering van het tekort* (meer ontleningen in buitenlandse valuta en meer monetaire financiering).

We herhalen hier nog dat de schuld enkel de uitstaande financiële verplichtingen van de overheid weergeeft. Zoals opgemerkt in hoofdstuk 3 kan het peil van de schuld veranderen zonder dat er aan schuldemissie werd gedaan, omdat wisselkoersen wijzigen wat zal resulteren in een aanpassing van de schuld in vreemde valuta.

We starten dit hoofdstuk met een bespreking van theorieën omtrent het optimaal schuldpeil. Hierna gaan we in op de evolutie van de openbare schuld in een aantal Europese landen. De Belgische situatie wordt nadien uitvoerig behandeld. Daarna behandelen we de effecten verbonden aan de financiering van overheidstekorten. Dit vormt de overgang naar een paragraaf waar de invloed van het bestaan van een hoge schuld aan bod komt. In een laatste deel besteden we aandacht aan mogelijke toekomstige evoluties.

2. HET OPTIMALE SCHULDPEIL

2.1. Inleiding

Bij het beschouwen van het overheidstekort werd aandacht besteed aan begrotingsnormen. Impliciet houden deze een visie in op het optimale schuldpeil. Dit peil kan zowel in nominale termen als relatief t.o.v. het inkomen worden beschouwd. Deze "onrechtstreekse" theorieën over de overheidsschuld behandelen we eerst. Hierna gaan we in op meer expliciete theorieën over het optimaal schuldpeil. Dit zijn benaderingen waar het schuldpeil een expliciete functie vervult.

2.2. Van tekortnormering naar optimale schuld

De in hoofdstuk 3 beschouwde normen voor het overheidstekort resulteren in een visie op het *optimale schuldpeil*. Deze overgang verduidelijken we hieronder. We starten echter wel met de situatie waarin geen normen werden vooropgesteld.

– Bij afwezigheid van enige norm omtrent het tekort en dus de schuld, gaat men uit van de stelling dat de voordelen verbonden aan schommelingen in de schuld niet opwegen tegen de nadelen van het vermijden van deze schommelingen. Dit is een typisch Keynesiaanse houding die voortvloeit uit de stabilisatiedoelstelling van de overheid : bij neergaande conjunctuur moet de overheid het tekort en dus de schuld laten oplopen via de automatische stabilisatoren om aldus de omvang van de recessie te beperken. Is dit onvoldoende, dan kan de overheid discretionair tussenkomen met belastingverlagingen en uitgavenverhogingen die het tekort en de schuld bijkomend zullen verhogen.

Het is duidelijk dat deze visie enkel verdedigbaar is wanneer het tekort en de schuld beperkt en trendmatig stabiel zijn. Dit was het geval in de loop van de jaren zestig.

– De gouden of gulden regel. Het volgen van deze regel houdt in dat de schuld enkel kan stijgen door het financieren van overheidsinvesteringen. Evenwel stelt de regel ook dat een terugbetaling later weinig problemen oplevert door de stijging van de economische groei. Dit betekent dat de schuld later opnieuw wordt afgebouwd. Ultiem zou de optimale schuld hier constant zijn of licht stijgen.

– Het cyclisch begrotingsevenwicht. Evident zal de optimale overheidsschuld over de cyclus evolueren met het tekort maar trendmatig zal de schuld constant zijn.

– Het begrotingssaldo bij volledige tewerkstelling. Indien de streefwaarde voor dit tekort 0 is, zal de optimale schuld trendmatig stijgen met de mate waarin volledige tewerkstelling niet wordt gerealiseerd : de schuld zal immers steeds stijgen of, in het beste geval bij volledige tewerkstelling, constant blijven. Is de streefwaarde voor het begrotingssaldo bij volledige tewerkstelling voldoende positief dan kan de schuld, trendmatig, constant blijven.

– De structurele budgetruimte wenst de verhouding overheidsuitgaven – inkomen te stabiliseren. Daar er geen verwijzing wordt gemaakt naar het tekort of het schuldpeil, kan hier niets worden gesteld over het optimale schuldpeil.

– Het cyclisch-neutrale of structurele budgetsaldo. Indien wordt gestreefd naar een nulsaldo voor het cyclisch-neutrale saldo geldt hier hetzelfde als wat werd gesteld voor het cyclisch begrotingsevenwicht, namelijk dat de schuld trendmatig zal verhogen.

– Het stoppen van het sneeuwbaleffect. Hier wordt geen expliciete doelstelling voor het tekort geformuleerd zodat het schuldpeil onbepaald is. Wel moet de stijging beperkt blijven door de stabiliteitsvoorwaarde. Merk wel op dat deze voorwaarde niets zegt over het niveau van de schuld : de stabilisatie kan zowel bij een hoog als bij een laag schuldpeil gebeuren.

– Het eerbiedigen van de intertemporele budgetbeperking. Niets concreet wordt over het schuldpeil gesteld : de intertemporele budgetbeperking kan geëerbiedigd worden bij vele schuldniveaus.

– Pragmatische begrotingsnormen. Van de beschouwde normen verwijst enkel de stabilisatie van het tekort uitdrukkelijk naar het tekort en de schuld. Evenwel is het duidelijk dat de bedoeling van deze normen er vooral in bestaat om op korte termijn een financiële ontsporing af te wenden. Als langeretermijndoelstelling zijn deze normen niet bruikbaar. Het heeft dan ook niet veel zin om de relatie met de "optimale schuld" te leggen.

– De Maastrichtnorm verwijst uitdrukkelijk naar het tekort en de schuld. Evenwel kan men argumenteren dat de bedoeling er vooral in bestaat om te zorgen voor een zekere convergentie tussen de landen, niet om te stellen dat de normen de optimale waarden zijn voor het tekort en de schuld.

– Het stabiliteitspact stelt dat moet gestreefd worden naar een evenwicht op de begroting. Dit houdt dus een stabilisatie van het optimale schuldpeil in.

– De gemeenschappen en gewesten stellen uitdrukkelijk een norm voor de schuld voorop. Voor de Franse gemeenschap, het Waalse en het Brusselse gewest is de doelstelling om de verhouding tussen de schuld en de ontvangsten op het peil bereikt in het jaar 2000 te stabiliseren. Het Vlaamse Gewest hanteert nu de "Euromeesternorm" waarbij wordt gestreefd naar een stabiele verhouding tussen de schuld en de ontvangsten over een tijdshorizont van 17 jaar. Voor meer uitleg over deze normen verwijzen we naar hoofdstuk 3 waar de tekortnormeringen werden besproken.

2.3. Optimale schuldtheorieën

Buiten de reeds vermelde benadering die voorhoudt dat er geen optimaal peil voor de overheidsschuld bestaat, onderscheiden we twee theorieën namelijk deze die de schuld ziet als een instrument om het sparen te beïnvloeden en de theorie die voorhoudt dat de overheidsschuld moet gehanteerd worden om toe te laten dat de belastingtarieven stabiel zijn doorheen de tijd.

– Overheidsschuld en sparen

Vooral in de Amerikaanse literatuur is aandacht besteed aan de wijze waarop de overheidsschuld zou kunnen gehanteerd worden om het sparen, dat er bijzonder laag is, te bevorderen. De redenering is dat het belasten van de kapitaalinkomsten de opbrengst van het sparen al te zeer drukt zodat er te weinig wordt gespaard. Dit zou dan moeten gecompenseerd worden door het sparen van de overheid te verhogen via een verlaging van de overheidsschuld. Dit zou moeten gerealiseerd worden door belastingverhogingen. Daar de gezinnen een deel van deze belastingen zullen financieren met reducties in de consumptie, zal dit beleid resulteren, macro-economisch beschouwd, in een hoger sparen.

– Het *stabiliseren van de belastingtarieven* ("tax smoothing") werd vooropgesteld door Barro R. (1979). De redenering is dat de welvaartsverliezen van de extra last van belastingen kunnen worden beperkt door de tarieven zo constant mogelijk te houden. Een bedrag overheidsuitgaven dat constant wordt gehouden, dient dus te worden gefinancierd door een vast belastingtarief. Daar in werkelijkheid de overheidsuitgaven moeilijk te voorspellen vallen, moet het belastingtarief zo worden vastgesteld dat de huidige waarde van de toekomstige overheidsuitgaven gelijk is aan de huidige waarde van de toekomstige belastingen. Het overheidstekort is dan het verschil tussen de overheidsuitgaven en het bedrag dat de overheid aan belastingen ontvangt : het overheidstekort absorbeert dus tijdelijke mee- of tegenvallers van de belastingopbrengst. De overheidsschuld zal stijgen en dalen met dit verschil maar op langere termijn zal de schuld verwaarloosbaar klein zijn. De belastingtarieven zullen slechts worden aangepast wanneer er een wijziging optreedt in de huidige waarde van de toekomstige overheidsuitgaven.

3. DE INTERNATIONALE DIMENSIE

In tabel 4.14. geven we cijfers voor de schuldquote in de Europese Unie en in Canada, Japan en de Verenigde Staten. Om over maximaal vergelijkbare cijfers te beschikken maken we gebruik, voor de landen van de Europese Unie, van informatie gepubliceerd door de Europese Commissie. Een aantal cijfers ontbreekt omdat een aantal landen slechts lid werden van de Europese unie na 1970, omdat definitieverschillen niet overbrugbaar bleken en omdat in het verleden de Europese Commissie al te weinig aandacht heeft besteed aan de schuld. Dit veranderde met de ondertekening van het Verdrag van Maastricht eind 1991. De tabel geeft duidelijk aan waarom : in de meeste Europese landen was de schuldquote immers bijzonder sterk gestegen als gevolg van de economische crisis. De bekommernis om de spiraal van oplopende tekorten – hogere schuld te stoppen was dan ook terecht. Men stelt toch vast dat sommige landen het beduidend slechter of beter doen dan de andere. Bij de landen met een relatief hoge overheidsschuld spant België de kroon, gevolgd door Italië en Griekenland. Alle andere landen hebben een schuldquote die beneden de 100 procent ligt. Merk nog het uitzonderlijk lage cijfer voor Luxemburg op. Ook Finland en Zweden hadden tot het begin van de jaren negentig een relatief lage schuld. Merk nog op dat de laatste jaren de overheidsschuld in Japan sterk verhoogde.

4. DE BELGISCHE OVERHEIDSSCHULD

4.1. De omvang

De schuld van de gezamenlijke overheid omvat de schuld van de federale overheid, de gemeenschappen en gewesten, de lagere overheid en van de sociale zekerheid. Zowel de directe als de gedebudgetteerde schuld wordt in aanmerking genomen. Doordat bepaalde overheden verplichtingen tegenover en vorderingen op elkaar bezitten kan niet worden overgegaan tot een eenvoudige som van de schuld van de verschillende deelsectoren van de overheid. Evident maakt de schuld van de federale overheid veruit het belangrijkste deel uit van de totale schuld. Over deze schuld is ook het meeste informatie beschikbaar. Hierom zullen we starten met een overzicht van de schuld van de gezamenlijke overheid. Nadien zullen we informatie verschaffen over de schuldpositie van de deelsectoren; verder houden we ons hoofdzakelijk bezig met de federale overheid.

a. Schuld van de gezamenlijke overheid

In tabel 4.15. geven we de *schuld van de gezamenlijke overheid*. Het is dit concept van schuld dat wordt gebruikt door de Europese Commissie (evaluatie Maastrichtnormen en stabiliteitspact).

Tabel 4.14. : Overheidsschuld in de landen van de Europese Unie (in procenten van het BBP)

	1970	1975	1980	1985	1990	1995	1997	1998
België	64,0	58,3	77,1	120,2	125,7	131,0	121,9	117,2
Denemarken	n.b.	6,7	37,6	70,4	59,7	73,1	64,1	58,8
Duitsland	18,6	24,8	31,7	41,7	43,8	58,3	61,5	61,3
Finland	15,6	6,9	11,8	16,5	14,5	58,1	55,1	52,9
Frankrijk	n.b.	n.b.	20,1	31,0	35,5	52,7	58,1	58,3
Griekenland	17,6	18,5	23,8	51,6	90,1	110,1	109,5	108,7
Ierland	50,0	59,4	70,3	102,4	96,0	80,9	63,4	53,3
Italië	38,0	57,6	58,1	82,3	98,0	124,2	121,6	118,8
Luxemburg	25,4	16,4	12,5	13,0	4,7	5,9	6,7	7,1
Nederland	n.b.	41,6	46,9	71,5	79,1	79,2	71,4	68,6
Oostenrijk	18,9	23,4	36,6	49,8	57,9	69,2	64,3	64,0
Portugal	n.b.	20,5	31,6	60,5	65,3	65,9	61,5	57,4
Spanje	15,6	12,8	17,5	43,7	44,8	65,6	68,9	67,7
Verenigd Koninkrijk	80,7	62,9	54,6	54,0	35,6	53,9	53,5	51,5
Zweden	30,1	30,0	41,0	63,8	43,5	78,0	76,9	74,0
Canada	52,1	42,7	43,3	63,1	71,5	97,6	93,8	89,2
Japan	10,9	20,7	49,6	65,3	62,6	77,8	87,1	96,5
Verenigde Staten	41,5	39,9	37,0	49,5	55,5	63,1	61,5	60,3

Bron : Europese Commissie en Oeso.

Uit de bovenstaande tabel blijkt duidelijk dat de schuld sterk is gestegen na 1980 (gedetailleerde cijfers voor vroegere jaren zijn niet beschikbaar). Volgens de Maastricht-definitie bedroeg de Belgische schuld eind 1997 10.108,4 miljard BEF. Het gaat dan over de geconsolideerde nettoschuld d.w.z. na aftrek van de financiële activa. Merk wel op dat de cijfers uit de voorgaande tabel verschillen van deze die de Europese Commissie hanteert. De verklaring hiervoor is onduidelijk maar we onderlijnen dat de afbakening van een Maastrichtdefinitie voor het tekort en de schuld in verschillende stadia is verlopen zodat er een aantal reeksen bestaan waarvan de opstellers aangeven dat ze overeenkomen met de Maastrichtdefinities. Enige voorzichtigheid is hier geboden.

We stellen in de tabel ook vast dat nagenoeg 80 procent van de schuld op lange termijn is en wordt uitgedrukt in Belgische frank. Sedert 1985 is de schuld in vreemde valuta constant (wel was er een stijging in 1995 maar deze is nadien weggewerkt) zodat vandaag deze schuld slechts 10 procent van het totaal uitmaakt tegenover het dubbele in 1985.

Tabel 4.15. : Schuld van de gezamenlijke overheid, 1980-1997 (in miljard BEF)

| | In vreemde valuta | In BEF | | | Bruto-schuld | Bij overheid aangehouden fin. activ | Geconsolideerde bruto-schuld | Andere fin. activa | Netto schuld |
		Ten hoogste 1 j	Meer dan 1	Totaal					
1980	159,5	563,4	2.071,3	2.634,7	2.794,2	88,6	2.705,6	317,1	2.388,5
1985	1.088,0	1.215,5	3.603,9	4.819,4	5.907,4	97,5	5.809,9	488,5	5.321,4
1990	1.134,5	1.984,3	5.269,1	7.249,4	8.383,9	162,3	8.221,6	625,4	7.596,2
1995	1.085,3	1.805,0	7.940,4	9.745,4	10.830,8	276,0	10.554,7	564,9	9.989,8
1996	734,1	1.990,5	8.193,9	10.184,3	10.918,5	391,6	10.526,9	514,2	10.012,7
1997	768,5	2013,1	8.258,0	10.271,5	11.040,0	466,6	10.573,4	465,1	10.108,4

Bron : Conjunctuurnota, Ministerie van Financiën, Tabel III.D.17.

b. Schuld van de deelsectoren

Omtrent de schulden van twee deelsectoren, namelijk de federale overheid en de gemeenschappen en gewesten, kunnen we meer details geven; over de schuld van de sociale zekerheid en de lokale besturen zijn evenwel geen goede tijdreeksen beschikbaar. Eerst geven we in de volgende tabel de *Rijksschuld* (som van de directe en indirecte schuld van de federale overheid) en de directe schuld van de gemeenschappen en gewesten weer. In tabel 4.17. komt de gedebudgetteerde schuld aan bod. We herhalen dat het gaat om brutocijfers die pas met de schulden van de lokale overheden en de sociale zekerheid kunnen worden geaggregeerd nadat correcties hebben plaatsgevonden.

Veruit de belangrijkste component van de schuld van de gezamenlijke overheid is de Rijksschuld[70] van de federale overheid. Deze schuld dient om het begrotingstekort te financieren. We stellen een zeer sterke stijging van de Rijksschuld vast, vooral na 1980 : afgerond is deze vermenigvuldigd met vijf. Ter vervollediging merken we op dat de schuld in 1960 "slechts" 406 miljard BEF beliep. T.o.v. het BBP, dit is de *schuldquote*, is er een daling van 72 procent in 1960 tot een minimum van 40 procent in 1974 om nadien sterk te stijgen tot een maximum van 125 procent in 1993. Nadien is er opnieuw een daling opgetreden. Eind 1997 bedroeg de schuldquote 116,7 procent. De *schuld van de gemeenschappen en gewesten* vloeit hoofdzakelijk voort uit de staatshervorming van 1988-1989. De overgedragen uitgavenbevoegdheden waren groter dan de overgedragen belastingen zodat een deel van de uitgaven diende te worden gefinancierd met leningen. De annuïteiten hiervan vallen ten laste van de staat; deze overgangsregeling loopt af in 2000.

---

[70] De staatsschuld is de Rijksschuld plus de gedebudgetteerde schuld.

De gemeenschappen en gewesten beschikken over een ontleningsbevoegdheid die enkel wordt beperkt door :
- De goedkeuring van de minister van Financiën.
- In geval van budgettaire ontsporing kan de afdeling Financieringsbehoeften van de Hoge Raad van Financiën voor ten hoogste twee jaar adviseren om de ontleningsbevoegdheid op te schorten.
- Daar de leningen niet gewaarborgd worden door de federale overheid is het steeds mogelijk dat de financiële markten bij twijfel omtrent de terugbetalingscapaciteit, weigeren om leningen op te nemen.

Op langere termijn wordt gestreefd naar een "neutraliteit" van de gemeenschaps- en gewestfinanciën. Dit zou bereikt worden bij een stabilisatie van de verhouding schuld-ontvangsten tegen het jaar 2000 (2010 voor Vlaanderen) en een constante groei van de uitgaven zonder rentelast. Aldus wordt gepoogd de uitgaven te laten aansluiten bij het verloop van de ontvangsten.

Het grootste deel van de *schuld van de lagere overheden* werd aangegaan door de gemeenten. Hiernaast zijn er ook de schulden van de provincies en OCMW's. Vooral steden hebben in het begin van de jaren tachtig schulden opgestapeld. Dit probleem werd evenwel "gestabiliseerd" door een consolidatie in 1983. Hierbij werd een deel van de schuld overgenomen door de federale overheid "in ruil" voor een budgettair evenwicht tegen het einde van de jaren tachtig. De schuld van de lokale overheden is hoofdzakelijk ondergebracht bij het Gemeentekrediet. Goede tijdreeksen van de lokale schuld die alle deelsectoren dekken zijn niet beschikbaar. Wel publiceert het Gemeentekrediet in zijn jaarverslag gegevens omtrent de bruto- en de nettoschuld (= bruto schuld na aftrek van de financiële activa).

Hieruit blijkt dat de brutoschuld eind 1996 635,1 miljard BEF beliep wat slechts 38,0 miljard BEF meer is dan eind 1992. De nettoschuld bedroeg 496,4 miljard BEF of 16,7 miljard BEF meer dan eind 1992. Sedert het midden van de jaren tachtig is er geen noemenswaardige evolutie in deze schuld.

Ook voor de *schuld van de sociale zekerheid* zijn geen exacte cijfers beschikbaar. Wel kan men voor een redelijke benadering terugvallen op de statistieken van de gewaarborgde schuld van de federale overheid[71]. De omvang van de schuld van de sociale zekerheid blijft beperkt en vertoont geen stijgende trend. Per eindejaar schommelde deze schuld de laatste jaren tussen 60 en 90 miljard BEF. Vergeten we bij de interpretatie toch niet dat de federale overheid omvangrijke tegemoetkomingen geeft aan de sociale zekerheid.

De tweede component van de schuld van de gezamenlijke overheid heeft betrekking op de gedebudgetteerde schuld[72]. Enkel de federale overheid en de gemeenschappen en gewesten hebben een *gedebudgetteerde schuld*. Deze schuld biedt het "voordeel" dat

---

[71] Conjunctuurnota, Ministerie van Financiën, tabel III.D.14, kolom 9.

[72] De gedebudgetteerde schuld verschilt van de indirecte schuld omdat deze laatste schuld wel vervat zit in de Rijksschuld, de gedebudgetteerde schuld niet, en andere overheidsinstellingen ze hebben aangegaan. Voor de indirecte schuld gaat het om het Wegenfonds en de Dienst voor de Scheepvaart, voor de gedebudgetteerde schuld om de Nationale Delcrederedienst, de Vlaamse Vervoersmaatschappij, de VRTN enz. In beide gevallen draagt de betreffende overheid evenwel de volledige financiële last.

aldus de last van bepaalde uitgaven kan worden gespreid volgens de financiële lasten (rentelast en aflossing kapitaal). In een alternatief scenario had de overheid onmiddellijk de volledige budgettaire last moeten dragen van de uitgaven die met de gedebudgetteerde schuld werden gefinancierd. Dit zou hebben geleid tot hogere uitgaven en dus ook tot een hoger tekort.

Tabel 4.16. : Schuld van de federale overheid en de gemeenschappen en gewesten (in miljard BEF)

	Rijksschuld	Gemeenschappen en gewesten[a]
1970	621,8	n.b.
1975	928,8	n.b.
1980	1.956,8	n.b.
1985	4914,6	n.b.
1990	7.224,6	n.b.
1995	9.520,8	288,4
1996	9.528,5	355,7
1997	9.763,4	351,8
1998	9.711,0	n.b.

[a] Directe schuld
Bron : Conjunctuurnota, Ministerie van Financiën, tabellen III.D.2.1 en III.D.17.1 - III.E.4.1.

In tabel 4.17. geven we de gedebudgetteerde schuld van de federale overheid en de gemeenschappen en gewesten. Het betreft schulden van instellingen die bij de federale overheid of de gemeenschappen en gewesten aanleunen zoals de Nationale Delcrederedienst, de Vlaamse Vervoersmaatschappij enz. Een belangrijk deel van de gedebudgetteerde schuld van de federale overheid kwam tot stand als tegemoetkomingen aan de lagere overheden en als steun aan de nationale sectoren (staal, holglas, textiel, scheepsbouw en steenkoolmijnen). Deze schulden werden in 1993 overgenomen in de Rijksschuld. Nieuwe schulden werden aangegaan ten gunste van Sabena, de Nationale Delcrederedienst, het Nationaal Instituut voor Landbouwkrediet en het Centraal Bureau voor Hypothecair Krediet. Niettegenstaande deze nieuwe schuldvorming blijft de gedebudgetteerde schuld ten laste van de federale overheid relatief beperkt.

Bij de regionalisering in 1988 werd een deel van de federale gedebudgetteerde schuld overgeheveld naar de gemeenschappen en gewesten. Sedertdien is het peil van deze schuld evenwel weinig veranderd. Het grootste deel zit bij de Vlaamse gemeenschap (40 à 45 procent) en het Waals gewest (ongeveer 35 procent). Het gaat hoofdzakelijk om schuld aangegaan in het kader van de socialehuisvestingspolitiek. Merk hierbij wel op dat tegenover deze schulden activa staan, namelijk de woningen die met de schulden werden gebouwd. Deze activa zullen in de toekomst ontvangsten genereren waaruit de schulden kunnen gedelgd worden. In nettotermen is de schuld dus veel lager dan uit de statistieken blijkt.

Tabel 4.17. : De gedebudgetteerde schuld (in miljard BEF)

	Van de federale overheid	Van de gemeenschappen en gewesten[a]
1975	171,0	n.b.
1980	268,6	n.b.
1985	171,3	n.b.
1990	346,8	448,4
1995	76,4	461,5
1996	72,5	436,7
1997	69,7	426,5
1998	66,9	n.b.

[a] Indirecte schuld.
Bron : Conjunctuurnota, Ministerie van Financiën, tabellen III.D.12.2 - III.E.4.1

4.2. Samenstelling

Daar de Rijksschuld veruit de belangrijkste component van de schuld vormt, beperken we ons verder tot de bespreking van deze schuld. De Rijksschuld kan op velerlei manieren worden opgesplitst. De indelingen overlappen elkaar :

– De *directe en indirecte schuld*. De directe schuld wordt aangegaan ter financiering van het tekort. De indirecte schuld wordt uitgegeven door openbare instellingen (veelal het Wegenfonds) voor de financiering van de eigen behoeften, maar de financiële lasten vallen ten laste van de federale overheid. Door de regionalisering van de bevoegdheden worden geen nieuwe leningen meer uitgegeven.

– De *gewaarborgde schuld*. Het betreft schuld van openbare bedrijven of instellingen die door de overheid werd gewaarborgd. Deze schuld behoort niet tot de eigenlijke overheidsschuld. De schuld zal enkel een last voor de overheid betekenen wanneer de schuldenaar niet aan zijn verplichtingen kan voldoen en de schuldeiser dan bij de overheid aanklopt.

– *Geconsolideerde en vlottende schuld*. De vlottende schuld heeft een looptijd beneden de vijf jaar en omvat de kortetermijnschuld (tot 1 jaar) en de middellang-etermijnschuld (1 tot jaar). De geconsolideerde schuld heeft bij uitgifte een looptijd die vijf jaar overtreft. De vlottende schuld en de OLO's (zie verder) worden volledig op de eindvervaldag terugbetaald. De geconsolideerde schuld wordt geleidelijk terugbetaald.

De vlottende schuld omvat de schatkistcertificaten en de gelden die het publiek bij de Postcheque aanhoudt.

Het aandeel van de geconsolideerde schuld heeft de neiging om te dalen wanneer een overheid financieringsmoeilijkheden kent en wel omdat beleggers dan huiverig staan tegenover de langetermijnobligaties. In België verliep dit ook zo : de geconsolideerde schuld beliep in het midden van de jaren tachtig slechts 65 procent; te vergelijken met 85 procent tien jaar vroeger. Vandaag aanvaardt men een "optimaal" aandeel voor de geconsolideerde schuld van 75 à 80 procent. Optimaliteit combineert de hogere kost met de zekerheid van de kost. De schatkist heeft dan ook sedert 1985 getracht om te consolideren en dus de gemiddelde looptijd van de schuld te verlengen door systematisch meer geconsolideerde schuld uit te geven.

– *Monetaire financiering.* Met monetaire financiering wordt de geldschepping bedoeld die dient om de overheidsschuld te financieren. In België werden hiervoor twee kanalen gebruikt. Enerzijds de kredieten van de Nationale Bank aan de schatkist (rechtstreeks en onrechtstreeks via het Rentenfonds) en anderzijds de ontleningen in buitenlandse valuta die werden afgestaan aan de Nationale Bank. Midden 1993 werd de kredietlijn van de schatkist bij de Nationale Bank volledig afgeschaft.

– *Schuld in Belgische frank en in vreemde valuta.* Op het einde van de jaren zeventig was de schuld in vreemde valuta verwaarloosbaar[73]. Nadien is deze schuld sterk verhoogd. De verklaring voor deze evolutie is terug te brengen tot drie belangrijke elementen. Ten eerste is er de financiering van het betalingsbalanstekort. De internationale reserves van de Nationale Bank waren onvoldoende groot om de tekorten te financieren. Bovendien diende de Nationale Bank geregeld tussen te komen op de wisselmarkt om de Belgische frank te ondersteunen. De vreemde valuta die de schatkist ontleende waren dan ook welkom. Dusdanig kan men stellen dat de ontleningen in vreemde valuta de uitdrukking vormde van de beleidscoördinatie tussen monetaire en fiscale politiek. Ten tweede overtroffen de overheidstekorten de financieringsmogelijkheden van de Belgische geld- en kapitaalmarkten. Deze mogelijkheden kunnen natuurlijk uitgebreid worden door renteverhogingen zodat het wellicht juister is te stellen dat de beleidsvoerders renteverhogingen ongepast vonden en hierom verkozen in vreemde valuta te ontlenen. Tenslotte was de rente op de buitenlandse schuld, in de mate dat in "sterke" valuta werd ontleend, lager dan de Belgische rente. Het verschil komt overeen met een mogelijke depreciatie van de frank. Men kan de overheden niet verwijten dat ze niet geloofden in een verdere depreciatie van de frank en dus opteerden om te ontlenen tegen de laagste kost, in vreemde valuta. Na 1984 is de schuld in vreemde valuta gestabiliseerd op enkele uitschieters na die verband hielden met spanningen op de wisselmarkt.

– *Houderschap van de schuld.* Traditioneel wordt de Belgische overheidsschuld gekenmerkt door een grote graad van intermediatie. Dit betekent dat financiële instellingen een belangrijk gedeelte van de schuld aanhouden. Anders uitgedrukt, de gezinnen houden rechtstreeks slechts een kleine fractie van de schuld aan. Alhoewel juiste statistieken ontbreken neemt men aan dat de gezinnen slechts 10 à 15 procent van de schuld rechtstreeks in bezit hebben. Het overige deel van de schuld uitgedrukt in Belgische frank is in handen van Belgische en buitenlandse financiële instellingen. Bij deze laatste instellingen nemen deze uit Luxemburg een belangrijke plaats in daar ze in totaal wel 15 procent van de overheidsschuld aanhouden. Dit financieren ze natuurlijk met de beleggingen van Belgen. De interesse van andere buitenlandse instellingen is beperkt en schommelend (rond de 3 procent van de totale schuld).

---

[73] Frequent wordt deze ook aangeduid als buitenlandse schuld, maar dit is niet noodzakelijk juist daar de schuld in vreemde valuta in bezit kan zijn van Belgische beleggers (bijv. banken).

4.3. Rentelasten

Speciale aandacht moet besteed worden aan de *rentelasten* omdat deze zorgen voor de dynamiek in de openbare financiën. Dit is de beruchte rentesneeuwbal. Hiervoor verwijzen we naar hoofdstuk 3. Hier beperken we ons tot een bespreking van de evolutie van de rentelasten op de federale schuld. Deze schuld maakt, zoals opgemerkt, het grootste deel uit van de Belgische overheidsschuld. De evolutie van deze rentelasten kan men in de volgend tabel aflezen. Om het belang van de bedragen te verduidelijken hebben we de cijfers ook uitgedrukt als percentage van het BBP, de totale uitgaven van de federale overheid, de totale ontvangsten en het tekort.

Tabel 4.18. : Rentelasten op de federale overheidsschuld

		Als percentage			
	Rentelasten (in miljard BEF)	BBP	Totale uitgaven	Totale ontvangsten	Tekort
1970	30,8	2,4	9,0	10,8	126,8
1975	51,8	2,3	6,9	8,7	47,2
1980	155,3	4,4	12,0	15,5	52,3
1985	434,3	9,0	22,8	31,1	71,9
1990	586,5	9,0	39,5	56,1	149,1
1995	654,2	8,1	39,8	46,8	225,6
1996	629,2	7,6	38,2	44,9	259,1
1997	609,1	7,0	37,6	42,2	296,4
1998	607,6	6,8	35,5	40,2	533,9

Bron : Conjunctuurnota, Ministerie van Financiën, tabellen III.D.10.1.

In deze tabel valt onmiddellijk de scherpe toename op van de rentelasten. Deze weerspiegelen niet alleen de stijging van de schuld maar ook de stijging van de rentevoeten. Zelfs t.o.v. de uitgaven en de ontvangsten stegen de rentelasten zeer sterk : vandaag vertegenwoordigen ze bijna 40 procent van de uitgaven en 45 procent van de totale belastingopbrengst. Wel moet bij het beschouwen van de evolutie van deze cijfers rekening worden gehouden met de staatshervorming van 1989. Hierdoor werd een deel van de uitgaven en ontvangsten getransfereerd naar de gemeenschappen en gewesten.

Vooral het gewicht in de ontvangsten en uitgaven is belangrijk omdat de rentelasten slechts onrechtstreeks, namelijk via het reduceren van het tekort en zo het schuldpeil, kunnen beïnvloed worden. Alles voor de rest gelijkblijvend, gaat een groter gewicht van de rentelasten in de totale uitgaven samen met een toename van de invloed van externe niet-controleerbare elementen op de uitgaven en dus op de begroting.

De rentelasten zijn vandaag substantieel groter dan het tekort. Dit is niets anders dan de vaststelling dat het primair saldo positief is. Het vormt de boekhoudkundige uitdrukking van een te hoge schuld waarop veel rente dient te worden betaald.

Bij rentelasten moet speciaal worden gewezen op de intrestbetalingen op de schuld in buitenlandse valuta. Rentelasten op de schuld uitgedrukt in Belgische frank zijn een transfer tussen Belgen zodat, als we abstractie maken van de gevolgen van belastingheffing, de globale koopkracht constant blijft. Voor schuld in buitenlandse valuta ligt dit anders daar de genieters van de betalingen zich in het buitenland bevinden. Bovendien moet voor het evalueren van de kost van de buitenlandse leningen niet alleen de intrestlast in rekening worden gebracht maar ook de wisselkoersveranderingen die deze lasten kunnen verhogen of verminderen.

Samengevat illustreert de tabel duidelijk de beperking die de rentelasten betekenen voor de formulering van het beleid. De bestedingsmarge van de beleidsvoerders wordt er zeer sterk door beperkt. Dusdanig wordt geïllustreerd dat de rentesneeuwbal niet alleen een financieel concept is maar ook dagelijkse politieke consequenties heeft.

5. HET SCHULDBEHEER[74]

5.1. Inleiding

Het beroep dat de overheid in een bepaalde periode op de kapitaalmarkt doet dient natuurlijk om de financiële behoeften van de overheid te dekken. Deze hebben twee bronnen : de financiering van het begrotingstekort (= financiering schuldstijging) en de herfinanciering van een deel van de uitstaande schuld. De herfinanciering vloeit voort uit het feit dat uitstaande schuld vervalt of dat de overheid uitstaande schuldtitels terugkoopt. *Schuldbeheer* betreft nu de vaststelling van de karakteristieken van de nieuw uitgegeven schuldtitels. Aldus poogt de schatkist een optimale samenstelling van de uitstaande schuld te bekomen. De karakteristieken van de schuld waaromtrent de schatkist een beslissing moet nemen betreffen :
– Monetaire financiering : ontlening bij de Centrale Bank of op de kapitaalmarkt ?
– De looptijd : kort, middellang of langlopend ?
– De valuta : Belgische frank of vreemde valuta ?
– Houderschap : wordt het een plaatsing bij de particuliere belegger of bij een financiële instelling in binnen- of buitenland ?
– Aflossing : met of zonder tussentijdse vervaldagen, met vervroegde opvragingsclausules (een "call") of met verlengingsmogelijkheden voor de belegger (een "put") ?
– Hoogte en samenstelling rendement : hoogte van de coupon (rente) en agio of disagio bij emissie of terugbetaling ?
– Bepaling emissieprijs : vast of via tenderstelsel ?
– Plaatsing : openbare of onderhandse plaatsing; voorwaarden en plaatsingsperiode ?
– Andere aspecten : binding van terugbetaling aan prijspeil van de consumptie (indexering), aan goudprijs, aan Ecu, lotenlening, fiscale behandeling intresten, voordelige successierechten enz.

Een aantal van bovenstaande karakteristieken van de overheidsschuld spreken voor zich. Op de anderen gaan we hieronder in. We gebruiken hiervoor de Belgische situatie. Wel behandelen we eerst de mogelijke doelstellingen van het schuldbeheer.

---

[74]   Overzichten van de betreffende literatuur vindt men bijv. bij Moesen W. (1976), Oeso (1982), Goudswaard K. (1988) en Oeso (1993).

5.2. Doelstellingen van het schuldbeheer

In een ver verleden werd gedacht dat schuldbeheer een wezenlijke bijdrage kon leveren aan het macro-economisch beleid. Deze bijdrage zou vooral liggen in de mogelijkheid om door het wijzigingen van de korte-langetermijn schuldverhouding de termijnstructuur van de intrestvoeten te beïnvloeden. Zo werd gedacht dat relatief meer obligatieschuld zou resulteren in een hogere obligatierente wat, via de dalende marktwaarde van de obligaties, een gunstig vermogenseffect zou hebben in een hoogconjunctuur. Hieraan wordt vandaag niet veel geloof meer gehecht. Men kan terecht argumenteren dat de doelstellingen van het schuldbeheer op het vlak van de schuld zelf liggen. Wel zal men er voor waken dat de acties van de schatkist niet de doelstellingen van de monetaire overheden doorkruisen.

Een vlot financieren van de schuld is een primaire doelstelling. Onze belangstelling gaat evenwel uit naar meer economische doelstellingen. Het relatieve belang van ieder van deze doelstellingen wordt bepaald door de hoogte van de schuld. De mogelijke doelstellingen zijn :

– Het *beperken van de intrestlasten*. Duidelijk gaat het om een langeretermijndoelstelling waarbij niet alleen het niveau van de rentelasten, maar ook hun stabiliteit speelt. De overheid moet de voordelen van de gewoonlijk lagere kortetermijnrentevoeten afwegen tegen de hogere volatiliteit, de mogelijke stijgingen van de rentevoeten en de risico's verbonden aan de frequente herfinancieringen. Dit resulteert gewoonlijk in een aandeel van 2/3 of 3/4 voor langeretermijnschuld in de totale schuld.

Onder deze doelstelling kan ook het beperken van het wisselkoersrisico op de schuld in buitenlandse valuta worden ondergebracht.

– *Aanpassing van het aanbod van schuldtitels aan de vraag*. Hier vertrekt de overheid van de vaststelling dat beleggers bepaalde voorkeuren hebben. Door het aanbieden van de gepaste instrumenten kan de overheid een maximale hoeveelheid gelden opnemen tegen de minste kost.

– *Ontwikkeling van de geld- en kapitaalmarkten*. Daar de overheid frequent een belangrijke zoniet de belangrijkste interveniant op de geld- en kapitaalmarkt is, heeft het financieringsbeleid van de schatkist een determinerende impact op de structuur en ontwikkeling van deze markten. Zo kan de schatkist financiële innovaties stimuleren door er zelf te introduceren[75], kunnen stroeve bepalingen worden geschrapt, kunnen ouderwetse gewoonten worden doorbroken enz. De Belgische overheid heeft in dit verband de laatste tien jaar een zeer actieve rol gespeeld[76]. We vermelden de afschaffing van het bankconsortium en de introductie van het tenderstelsel, de verlaging van commissies op de plaatsing van obligaties, de ontwikkeling van liquide secundaire markten enz.

Het is wel zo dat deze doelstelling binnen de EMU minder belangrijk is.

---

[75] Voor een overzicht van wat in het midden van de jaren tachtig haalbaar werd geacht, verwijzen we naar Tijdschrift voor Bank- en Financiewezen (1985).

[76] Voor een overzicht zie Van Reeth D. en Vanhorebeeck F. (1996) en verschillende publicaties in het Documentatieblad van het Ministerie van Financiën.

5.3. Instrumenten

Om de doelstellingen van het schuldbeheer te realiseren beschikt de schatkist slechts over het instrument van de emissie van nieuwe schuld. Oordeelt men dat via een normale herfinanciering van de schuld en de financiering van de schuldaangroei de beoogde doelstellingen al te traag worden gerealiseerd, dan kan de schatkist de herfinanciering verhogen, en dus de aanpassingen versnellen door uitstaande schulden terug te kopen op de secundaire markt. Dit laatste gebeurt in België niet systematisch zodat we deze mogelijkheid niet verder bespreken. Praktisch zal de schatkist dus trachten via de totale opname van middelen op de kapitaalmarkt (ter dekking van het tekort plus de normale herfinanciering) pogen om de doelstellingen van het schuldbeheer te realiseren. De financieringsinstrumenten splitsen we voor de duidelijkheid op in obligaties en schatkistcertificaten. We beperken ons wel tot een discussie van de financieringsinstrumenten van de schuld uitgedrukt in Belgische frank en wel omdat de financieringsinstrumenten van de schuld in vreemde valuta bijzonder complex kunnen zijn, weinig systematiek vertonen (omdat niet altijd in dezelfde munt wordt ontleend), sterk inspelen op marktopportuniteiten en ook omdat deze schuld relatief minder belangrijk wordt. Men kan bovendien stellen dat de doelstelling van het beheer van de schuld in buitenlandse valuta "beperkt" is tot het minimaliseren van de financiële lasten (rente plus wisselkoersrisico)[77].

a. De markt van overheidsobligaties

Tot de creatie van de OLO's (afkorting van obligation linéaire-lineaire obligatie) in mei 1989 functioneerde het *bankconsortium*. Dit kartel van banken onderhandelde met de minister van Financiën over de emissievoorwaarden van een obligatielening. In ruil voor een commissievergoeding verzekerden de banken de minister van een vaste opname (vooraf afgesproken bedrag). Dit stelsel bood het voordeel dat de minister "zeker" was van het bedrag dat de emissie zou opleveren; evenwel neemt men in het algemeen aan dat de rente al te hoog opliep wat de kritiek opleverde dat banken al te gemakkelijk winsten maakten op de rug van de zieke staatsfinanciën.

Op het einde van de jaren tachtig werden andere beperkingen van het stelsel evenwel ook duidelijk. Zo was het bankconsortium niet aangepast om een ruime verspreiding van Belgische overheidsfondsen in het buitenland te waarborgen. Bovendien werkt de emissie van schuldtitels in andere landen anders zodat de Belgische kapitaalmarkt de reputatie van "ouderwets" kreeg. Om derhalve in te spelen op een verdere internationalisering van de kapitaalmarkten werd beslist om het stelsel te verlaten en over te gaan naar een nieuwe emissievorm. Dit werd gekoppeld aan de introductie van de OLO's. Daar het hier om een product gaat voor professionele beleggers diende ook de emissie naar de "kleine" particuliere belegger te worden aangepast. We behandelen beide marktsegmenten afzonderlijk.

– De markt van de lineaire obligaties

---

[77] Dat dit moeilijk en risicovol is verklaart de "swap-affaire" waarbij kwam vast te staan dat de schatkist risicovolle operaties had uitgevoerd die met een verlies van verschillende miljarden zouden kunnen worden afgesloten.

De OLO's of *lineaire obligaties* zijn langetermijnobligaties die in gedematerialiseerde (geen gedrukte) obligaties worden uitgegeven in lijnen. Iedere lijn heeft een welbepaalde specificatie (coupon en vervaldag). De schatkist beslist maandelijks over de "lijnen" die zullen worden uitgegeven. De uitgegeven OLO's zijn volledig samenvoegbaar bij de reeds uitstaande bedragen (hierop wijst de term "lineair"). Het voordeel hiervan is dat van iedere lijn een ruim bedrag circuleert zodat de liquiditeit op de secundaire markt verzekerd is.

De uitgifte vindt plaats de laatste maandag van iedere maand. De uitgiftetechniek is deze van de veiling waarbij zowel prijzen als hoeveelheden worden meegedeeld aan de schatkist. De minister van Financiën beslist over de laagste prijs die zal worden aanvaard. Het veilingsysteem is van het Amerikaanse type waarbij de prijs wordt betaald die werd geboden. Het alternatief is het Nederlandse type van veiling waarbij iedereen eenzelfde prijs betaald, namelijk de laagste die werd aanvaard.

De dag na de aanbesteding volgt er voor de *markthouders* (primary dealers) een niet-competitieve ronde. De prijs die hier wordt toegepast is een gewogen gemiddelde van de prijzen van de voorgaande dag; het bedrag dat kan worden opgenomen is het rekenkundig gemiddelde van de bedragen die aan de primary dealer in de vier voorgaande veilingen werden toegewezen.

In ruil voor het voorgaande voordeel[78] moeten primary dealers de secundaire markt organiseren en activeren. Dit houdt in dat ze permanent aan- en verkoopkoersen dienen bekend te maken; het maximale verschil tussen beide is begrensd tot 25 basispunten (0,25 procent). Iedere primary dealer moet minimaal 1,5 procent van de omzet verzorgen (3 procent samen met de schatkistcertificaten).

De secundaire markt werd echt bijzonder actief na het creëren van een schermenmarkt of buitenbeursmarkt eind januari 1991.

Het voordeel voor de schatkist zit hem in de lagere rente : geen bankconsortium meer, meer concurrentie bij de aanbesteding en een liquidere secundaire markt waardoor de liquiditeitspremie daalt.

Vermelden we toch nog enkele interessante aspecten die sedert de introductie van de OLO's werden toegevoegd :

– De *X/N-rekeningen* werden in mei 1994 ingevoerd. Het zijn effectenrekeningen die beheerd worden door de Nationale Bank. De aanleiding van deze introductie is dat men aan particuliere beleggers ook de mogelijkheid wou geven om OLO's aan te kopen. De X-rekeningen zijn bestemd voor beleggers die vrijgesteld zijn van roerende voorheffing, de N-rekeningen voor beleggers die onderworpen zijn aan de roerende voorheffing.

– Een markt van "futures" werkt sedert 1991 als onderdeel van Belfox. Dergelijke contracten verhogen de aantrekkelijkheid van overheidsfondsen daar, via het afsluiten van future-contracten, risico's kunnen worden beheerst.

– Sedert oktober 1992 kunnen OLO's ook "gestript" worden. Dit betekent het scheiden van de mantel (hoofdsom) van de coupons. Slechts een beperkt aantal lijnen kunnen gestript worden. Deze techniek biedt het voordeel dat de mantel een nul-coupon obligatie wordt, namelijk een obligatie die geen tussentijdse intresten

---

[78]   Een ander voordeel is dat de primary dealers samen over een kredietlijn van 5 miljard BEF bij de Nationale Bank beschikken.

oplevert en dus geen herbeleggingsrisico draagt. De coupons kunnen afzonderlijk worden verhandeld.

– In 1994 werd een OLO met veranderlijke rente op de markt gebracht. De rente wordt ieder kwartaal aangepast aan deze op de interbankenmarkt (EURIBOR).

– Eind 1997 werden ook OLO's in Franse frank en Duitse mark uitgegeven om buitenlandse beleggers "vertrouwd" te maken met de Belgische emissietechnieken.

De meest volledige informatiebron betreffende de OLO's (en de schuld) is het Jaarverslag over de staatsschuld.

Eind 1997 bedroeg het uitstaande bedrag OLO's 5.323,7 miljard BEF

– De markt van de particuliere beleggers : *de volksleningen en de staatsbons.*

Bij de introductie van de OLO's in 1989 werd meteen de vraag gesteld hoe de particuliere beleggers in staatsfondsen zouden kunnen worden geïnteresserd. Dit werd een acuut probleem toen de roerende voorheffing in maart 1990 werd verlaagd van 25 naar 10 procent : hoe kon de schatkist ook voordeel halen uit het verbeterde beleggings-klimaat ? Hiertoe werden volks- of Philippeleningen[79] uitgegeven. Deze leningen worden verdeeld door de financiële instellingen (sedert 1997 door een beperkt aantal) maar er is geen vaste overname. De instellingen werken op commissie. Het aantal emissies per jaar is beperkt tot maximaal vier. Merk ook op dat de leningen afwijken van vorige leningen omdat er keuzemogelijkheden voor de beleggers worden voorzien : als ze geen gebruik maken van tussentijdse uitstapmogelijkheden ontvangen ze een hogere rente (d.i. de "put").

Na verloop van tijd bleek dat de volksleningen niet meer optimaal inspeelden op de behoeften van de beleggers. Bovendien kochten institutionelen geregeld deze leningen wat niet direct de bedoeling was. Tenslotte wou de minister van Financiën ook het distributiesysteem wijzigen en de commissies laten aansluiten bij reëel gepresteerde diensten. De staatsbons pogen aan de voorgaande doelstellingen tegemoet te komen. Staatsbons zijn overheidsobligaties voorbehouden aan natuurlijke personen. Momenteel bestaan er drie types : een staatsbon op vijf jaar verlengbaar tot zeven jaar, de staatsbon 3/5/7 met herzienbare en gewaarborgde minimumrente en de bon op 5 jaar met jaarlijks herziening van de rente. De staatsbons worden in maart, juni, september en december uitgegeven. De verdeling werd, na aanbesteding, toegewezen aan een reeks financiële instellingen; deze lijst kan ieder jaar worden herzien. Het commissieloon is dit percentage dat iedere instelling bij de aanbesteding heeft voorgesteld.

In 1996 werden voor 44,6 miljard BEF staatsbons geplaatst; in 1997 voor 47,7 miljard BEF en in 1998 voor 64,3 miljard BEF.

b. De markt van schatkistcertificaten

Ook de plaatsing van *schatkistcertificaten* en de werking van de secundaire markt van deze certificaten is drastisch veranderd in het begin van de jaren negentig. Deze verandering was ingegeven door de bekommernis om het Belgisch monetair beleid meer te laten aansluiten op dat van andere Europese landen. De start van de interne markt en de discussie rond monetaire integratie waren niet vreemd aan de voorgaande beweging.

---

[79] Genoemd naar de minister van Financiën, Philippe Maystadt.

Tot de hervorming werd het grootste deel van de schatkistcertificaten "op maat" uitgegeven. Dit hield in dat de belegger (enkel Belgische en Luxemburgse financiële instellingen konden certificaten kopen) het bedrag en de looptijd bepaalde. Dergelijke "tailored" emissies verhinderen de ontwikkeling van een secundaire markt. Dat deze emissievorm zich ontwikkelde ondanks de aanwezigheid van "standaard"-certificaten (1, 3, 6, 9 en 12 maand certificaten en 4 maand certificaten van het Rentenfonds) is een logisch gevolg van de benarde financiële toestand van de schatkist : op ieder aanbod van geldmiddelen diende te worden ingegaan. Een onaangenaam gevolg voor de schatkist was evenwel dat de financiële instellingen al hun liquiditeitsproblemen afwentelden op de schatkist, door het niet hernieuwen van vervallen certificaten. Dit verplichtte de schatkist om soms belangrijke bedragen te ontlenen bij de Nationale Bank. Vanuit een monetair politiek standpunt bood het bestaande stelsel wel voordelen omdat de Nationale Bank de rente op certificaten kon vaststellen en aldus de marktrente kon beïnvloeden.

De vernieuwingen op de markt van de certifikaten hielden het standaardiseren in (enkel nog 3, 6 en 12 maand certificaten), het openstellen voor een ruimere groep beleggers (alle bedrijven die onderworpen zijn aan de vennootschapsbelasting en, via X/N-rekeningen, zelfs particuliere beleggers) en het bepalen van een marktconforme rente via een veilingtechniek. Door het enorme uitstaande bedrag van certificaten (bijna 2000 miljard BEF) werd wel voor een wekelijkse veiling op te nemen gekozen daar anders de op te nemen bedragen al te omvangrijk werden.

De emissietechniek zelf is vergelijkbaar met deze die geldt voor de OLO's, namelijk het Amerikaans veilingstelsel in een competitieve ronde gevolgd door een niet-competitieve toekenning voorbehouden voor de markthouders. Kleine verschillen zijn dat de veilingen op dinsdag plaatsvinden en dat een rente en niet een prijs wordt geboden. Ook schatkistcertificaten zijn gedematerialiseerd.

De markthouders of primary dealers zijn vooral belangrijk voor de organisatie van de secundaire markt. Deze zijn verplicht aan- en verkoopkoersen te afficheren.

Concreet heeft de hervorming weinig of geen gevolg gehad op het volume uitstaande schatkistcertificaten : sedert de hervormingen schommelt het uitstaande bedrag tussen 1700 en 2200 miljard BEF. Daar de totale schuld is blijven toenemen, hebben de certificaten vandaag een kleiner belang in de totale schuld dan jaren terug. Dit is evenwel de vertaling van het schuldbeheer dat gestreefd heeft naar een verlenging van de gemiddelde looptijd van de schuld. Merk nog op dat wijzigingen in de marktrente op certificaten vrij snel doorwerken op de intrestlasten op de schuld.

De buitenlandse interesse voor schatkistcertificaten blijft wel beperkt tot minder dan 5 procent.

5.4. Evaluatie

Het schuldbeheer heeft sedert het einde van de jaren tachtig een lange weg afgelegd en een belangrijke bijdrage geleverd tot de verlaging van de rentelasten. Dit becijferen is evenwel bijzonder moeilijk. Merken we echter wel op dat door het betere algemeen beleid en de daling van het tekort, het renteverschil met Duitsland verwaarloosbaar is geworden. Voorheen schommelde dit tussen de 50 en 100 basispunten en liep in het begin van de jaren tachtig zelfs op tot veel meer.

Men kan dus stellen dat het schuldbeleid zijn doelstellingen heeft kunnen realiseren dankzij de gunstige economische en financiële omgeving : het consolideren van de schuld, wellicht de belangrijkste doelstelling naast het beperken van de rentelasten, was enkel mogelijk doordat de beleggers opnieuw voldoende vertrouwen kregen in de langetermijnkredietwaardigheid van de overheid[80]. Dit illustreert dat schuldbeheer geen doelstellingen kan realiseren die niet in overeenstemming zijn met het globale beleid voor de overheidsfinanciën.

6. DE GEVOLGEN VAN SCHULDVORMING

6.1. De last van de overheidsschuld[81]

a. De Keynesiaanse visie

De vraag naar de gevolgen van de overheidsschuld werd lange tijd geformuleerd als de vraag naar de *last van de overheidsschuld* voor de volgende generaties. De meest extreme standpunten werden hieromtrent verkondigd. Zo vinden de Keynesianen dat de schuld geen last legt op het nageslacht omdat de schuld terzelfder tijd verplichtingen en vorderingen voorstelt (de belasting noodzakelijk voor de terugbetaling van de schuld wordt betaald door diegenen die de schuld aanhouden zodat er alleen een vestzak/broekzak-operatie zou plaatsvinden), omdat de productiemiddelen vandaag worden gebruikt, of omdat de toekomstige groei kan vergroten zodat de terugbetaling van de schuld geen problemen zal stellen.

b. De neoklassieke visie

Eenzelfde besluit als de Keynesianen, maar dan om andere redenen, trekken de aanhangers van de neoklassieke school. De redenering is dat de belastingbetalers verondersteld worden te weten dat schulden niets anders voorstellen dan uitstel van belastingheffing. Aangezien ze bekommerd zijn om de welvaart en het welzijn van het nageslacht zullen ze deze geen last verbonden aan de overheidsschuld wensen op te leggen en dus een groter vermogen doorgeven waaruit dan de schuld kan worden terugbetaald. Concreet zou dit inhouden dat een tekort wordt gefinancierd door bijkomende besparingen die dan gebruikt worden om de overheidsschuld aan te kopen. Volgens deze benadering zijn de effecten van een tekort dus analoog aan deze van een belastingverhoging op dit verschil na dat de gelden niet onmiddellijk worden afgedragen aan de overheid maar worden belegd in overheidsobligaties. Alternatief meten enkel de overheidsuitgaven, en niet de belastingheffing, de juiste omvang van de fiscale kost van de overheidsinterventie.

Deze visie wordt omschreven als het *Ricardiaans equivalentietheorema* daar het voor het eerst werd geformuleerd door Ricardo; het was evenwel Barro die de theorie in 1974 populariseerde en er de theoretische onderbouw aan gaf. Het bewijs van het

---

[80] Dit vertrouwen was weggevloeid op het einde van de jaren zeventig en het begin van de jaren tachtig. Hierdoor kon de schatkist onvoldoende middelen ontlenen op de geld- en kapitaalmarkt zodat bij de Nationale Bank en in het buitenland bijkomend krediet diende te worden gezocht.

[81] Een ruim Nederlandstalig overzicht van de discussie vindt men bij Stevers T. (1988).

theorema vereist wel een aantal vrij restrictieve veronderstellingen zoals het bestaan van hoofdelijke belastingen (een vast bedrag belasting te betalen door iedere belastingbetaler), een oneindige tijdshorizont van de economische agenten, perfecte kapitaalmarkten enz. Hoewel de redenering theoretisch zeer aantrekkelijk is, moet toch worden betwijfeld of schuld en belastingen wel volledig equivalent zijn. Dat er een zekere vooruitziendheid bestaat bij de economische agenten kan natuurlijk niet worden ontkend maar of deze zover gaat dat het overheidstekort volledig zou worden gecompenseerd door bijkomende besparingen, kan toch worden betwijfeld. Ook empirische studies gaan in deze richting. Voor België schat het IMF (1990, blz. 6) deze compensatie op de helft. Finaal gesproken kan men zich immers ook de vraag stellen waarom schulden bestaan wanneer ze toch equivalent zijn aan belastingen.

Anderen, eerder aanhangers van de klassieken, argumenteren daarentegen dat de schuld wel degelijk een last oplegt daar de komende generaties moeten zorgen voor de terugbetaling van de schuld : de financiering van de schuld vandaag leidt tot lagere besparingen en investeringen van de privé-sector omdat de illusie wordt gewekt dat we rijker zijn dan in werkelijkheid het geval is. Het gevolg hiervan is dat de toekomstige productiemogelijkheden worden beperkt (het nageslacht erft minder kapitaalgoederen waardoor ook het reële loon in de toekomst relatief zal dalen).

c. Pragmatische benadering

De middenposities worden ingenomen door economen die stellen dat het gebruik dat gemaakt wordt van de ontleende middelen van cruciaal belang is : ontleningen voor productieve investeringen leggen veel minder of geen last op de komende generaties; ontleningen om lopende overheidsuitgaven te financieren leggen wel een last op. Dit houdt dan ook in dat een terugbetaling van schulden enkel de kapitaalvoorraad zal vergroten wanneer dit gebeurt door een vermindering van de huidige overheidsconsumptie. Keynes zelf, in tegenstelling tot zijn "volgers", bepleitte steeds dat vooral openbare investeringen dienden te worden gefinancierd met schulden. Het pragmatisch standpunt is dat een beperkte schuld voordelen oplevert maar toch het gevaar van ontsporingen inhoudt.

d. Bespreking

Het gehanteerde model waarbinnen wordt geredeneerd is zeer belangrijk. Aanvaardt men het klassieke model waarbij systematisch volledige tewerkstelling bestaat dan verdringen hogere overheidsuitgaven de privé-uitgaven. Bij een financiering door belastingheffing gebeurt dit vandaag; een financiering door schuldemissie stelt deze verdringing uit. De aanhangers van de Keynesiaanse denkrichting redeneren evenwel in een model waar geen volledige tewerkstelling bestaat. Van extra overheidsuitgaven (bijv. gefinancierd door de emissie van schuld) kan dan – maar de hieromtrent bestaande twijfels hebben we hiervoor reeds geformuleerd – een stimulerend effect uitgaan op de groei waardoor de terugbetaling van de schuld wordt vergemakkelijkt. Mogelijke negatieve gevolgen verbonden aan schuldemissies worden over het hoofd gezien of geminimaliseerd. Enkel ontleningen in het buitenland worden afgekeurd omdat deze inhouden dat bij het betalen van de intresten en de aflossingen geldmiddelen naar het buitenland vloeien.

De terugbetaling van de buitenlandse schuld en dus de inlevering, kan op een dubbele wijze verlopen. Ten eerste zal, onder een stelsel van vaste wisselkoersen, de lopende rekening een overschot moeten vertonen om aan de Nationale Bank toe te laten vreemde valuta te kopen op de wisselmarkt. Vervolgens zal de Schatkist bijkomend intern moeten ontlenen zodat de vreemde valuta bij de Nationale Bank kunnen aangekocht worden (dit leidt dan tot een omzetting van buitenlandse in binnenlandse schuld zonder dat de totale schuld verandert). Een tweede mogelijkheid is een bijkomende verhoging van de belasting en (of) vermindering van de uitgaven. Aldus zou, door de terugbetaling van de buitenlandse schuld, de totale schuld afnemen.

Er kan zeker niet worden ontkend dat de schuld, wanneer deze te omvangrijk wordt, ten minste de bewegingsvrijheid van de komende generaties beperkt. Zij moeten immers zorgen dat de rentelasten worden betaald en dat de terugbetaling verzekerd is. Vanuit een macro-economisch standpunt gaat het dan wel om transfers maar niemand kan ontkennen dat de belastingheffing die hiervoor noodzakelijk is, negatieve gevolgen heeft. De juiste benadering bestaat in het vergelijken met een alternatief, een situatie met een lagere schuld. Boekhoudkundig gaat de vestzak/broekzak-redenering dus op, economisch niet. Men zou kunnen stellen dat wanneer de schuld noch bij de emissie een last zou opleggen omdat deze vrijwillig wordt gekocht en noch bij de terugbetaling omdat het om een transfer zou gaan, aan overheidsschulden geen effecten verbonden zijn. Waarom worden dan niet alle overheidsuitgaven zo gefinancierd ?

Door een schuld naar de toekomst door te schuiven, legt men deze generaties onmiskenbaar een aantal verplichtingen op. Dat deze verzacht worden wanneer terzelfder tijd een vermogen wordt doorgegeven (wegen, participaties in bedrijven, infrastructuur, havens enz.) is juist, maar dit belet niet dat de vraag moet worden gesteld of deze generaties, wanneer ze de keuze hadden, aldus een deel van hun inkomen zouden hebben besteed. Evenwel kan men ervan uitgaan dat wanneer de schuld beperkt en kleiner is dan het doorgegeven vermogen er weinig economische problemen kunnen zijn, eventueel wel ethische.

Vanuit een praktische invalshoek valt de toestand waarbij de huidige generatie ontleent om lopende uitgaven te financieren onmiskenbaar af te keuren : dan soupeert men vandaag op kosten van de komende generaties. Zo bedroegen de overheidsinvesteringen in België in de jaren zeventig een 4 à 5 procent van het BBP terwijl het tekort ongeveer 1 procent hoger lag. Deze nog aanvaardbare situatie verslechterde in de loop van de jaren tachtig door het oplopen van het tekort en het beperken van de investeringen tot 1,3 procent van het BBP. In de loop van de jaren negentig verbeterde de toestand maar dan enkel en alleen door de vermindering van het tekort.

Het voorgaande kan nog op een alternatieve wijze worden geïllustreerd, namelijk door de schuldpositie van de overheid te vergelijken met de activa. Indien enkel schulden worden aangegaan om investeringen te financieren zal het verschil tussen activa en schulden (het netto-actief) weinig of niet veranderen. Een probleem is evenwel dat de activapositie van de overheid, d.i. de waarde van alles wat de overheid bezit gaande van wegen, gebouwen tot ambassades in het buitenland, slechts op zeer ongeregelde tijdstippen wordt geraamd. Eind 1986 bedroeg de waarde van het actief van de overheid ongeveer 4.000 miljard BEF te vergelijken met een schuld van ongeveer 5.400 miljard BEF; eind 1992[82] was de waarde van het overheidsbezit opgelopen tot een 4.750

---

[82]   Zie Commissie voor de Inventaris van het Vermogen van de Staat (1996) en (1998).

miljard BEF te plaatsen tegenover een globale schuld van 10.100 miljard BEF. Eind 1995[83] bedroeg de waarde van het staatsactief 4.872 miljard BEF tegenover een schuld van 11.328 miljard BEF. Hieruit blijkt duidelijk dat de overheid een negatieve nettofinanciële waarde heeft en dat dit negatief saldo, ondanks de beperkte aangroei van de schulden, blijft oplopen.

Ter informatie moet worden onderlijnd dat het voorgaande geldt voor de gehele overheid. Bij een opsplitsing blijkt evenwel dat enkel de federale overheid een negatief netto vermogen bezit (2.681 miljard BEF activa tegenover 10.683 miljard BEF schulden). De deelgebieden hebben een positief netto actief van in totaal 1.547 miljard BEF waarvan 808 miljard BEF voor Vlaanderen.

Natuurlijk is voorzichtigheid m.b.t. de bepaling van investeringen noodzakelijk, maar de voorgaande cijfers laten toch toe te stellen dat de Belgische overheid in ruime mate heeft ontleend om lopende uitgaven te financieren. Volledig valt dit evenwel niet af te keuren daar de vraag kan worden gesteld of de gevolgen van een plotse economische crisis enkel en alleen moeten worden gedragen door de huidige generatie. Enige spreiding van deze gevolgen in de tijd, dus ook op de komende generaties, kan worden verdedigd als men ervan uitgaat dat het niet om een structurele crisis gaat. België heeft evenwel duidelijk dit verdedigbaar niveau van schuldstijging overtroffen : 15 jaar na het uitbreken van de crisis kan dit argument niet meer worden gehanteerd om tekorten en een oplopende schuld te verantwoorden. Bovendien is de daling van het tekort ook het resultaat van beperkingen op het vlak van de overheidsinvesteringen. Vanuit een lastenbenadering zal dan worden betwijfeld of de last van de schuld wel vermindert.

Een meer pragmatische en meestal gevolgde visie houdt voor dat aan de financiering van tekorten en de overheidsschuld toch gevolgen verbonden zijn voor het economisch stelsel. Of deze belangrijk zijn of niet, tijdelijk of permanent, vormt echter een twistpunt. Veel hangt evenwel af van de stand van de conjunctuur, de omvang van de schuld, de hoogte van het tekort, de financieringswijze en het gebruik dat van de ontleende middelen wordt gemaakt.

Om de discussie duidelijk te houden bundelen we de gevolgen in deze twee groepen op de kapitaalmarkt en deze op het beleid.

6.2. Gevolgen op de kapitaalmarkt

De "traditionele", pragmatische benadering wijst op een aantal negatieve effecten van een schuldverhoging op de kapitaalmarkt. Deze verlopen hoofdzakelijk via hogere rentevoeten en een ruimere monetaire financiering :

– Het beperkte aanbod op de kapitaalmarkt kan vereisen dat een aantal ontleners uit de markt wordt geprijsd (*"crowding-out"*). Dit wordt ook omschreven als financiële verdringing. Daar de elasticiteit van de vraag naar geldmiddelen door de overheid bijzonder klein is, moeten privé-ontleners verdrongen worden. Dit houdt in dat de te financieren activiteiten geen doorgang vinden. Het kan dan gaan om investeringen door de gezinnen of door de bedrijven.

– De verhoging van de risicopremie als vergoeding voor de toegenomen onzekerheid rond de toekomstige belastingheffing, inflatie, devaluaties enz. en eventuele "ingrepen in de schuld", verhoogt de rentevoeten. Dit zal de financiële toestand van

---

[83]   Zie Commissie voor de Inventaris van het Vermogen van de Staat (1998).

de overheid verder verslechteren wat uiteindelijk de kans doet toenemen dat ingrepen zullen plaatsvinden.
- Een verhoging in de inflatie, de verwachte inflatie, veranderingen of verwachte veranderingen in de wisselkoers doen de inflatiepremie in de rentevoeten toenemen.
- Hogere tekorten gaan meestal samen met een toegenomen monetaire financiering. In landen met een vast wisselkoersstelsel wordt de opbrengst van de leningen in buitenlandse valuta aan de Centrale Bank afgestaan. Hierdoor gaat het ook om monetaire financiering. Het gevolg van een grotere monetaire financiering is een stijging van de verwachte inflatie en dus van de rentevoet.

De omvang van de hierboven geschetste effecten is a priori moeilijk vast te stellen. Wel lijken volgende elementen een relatief groot belang te hebben :
- De geloofwaardigheid van het beleid. Indien de tekorten als tijdelijk en exceptioneel worden ervaren, zullen er weinig negatieve effecten van uitgaan op het vertrouwen van de beleggers. Er zullen dan ook geen financieringsproblemen ontstaan zodat het effect op de rente eerder beperkt zal zijn. Omgekeerd zal zelfs een relatief klein tekort moeilijk financierbaar blijken als beleggers vrezen dat dit de start vormt van een lange reeks hoge tekorten. De geloofwaardigheid van het beleid wordt aangegeven door de mate waarin beleggers geloven dat in de toekomst de financiële middelen noodzakelijk voor de betaling van de rente en de terugbetaling van de schuld beschikbaar zullen zijn.
- De oorsprong van het tekort. Beleggers, vooral buitenlandse, zullen minder zwaar tillen aan een omvangrijk tekort wanneer hiertegenover belangrijke overheidsinvesteringen staan. Omgekeerd kunnen zelfs lage tekorten, die dienen om consumptieve uitgaven te financieren, tot problemen leiden.
- De algemeen economische toestand. Evident is dat in een crisissituatie de beleggers minder zullen geneigd zijn om zich te binden op langere termijn.

Het kan hier nuttig zijn om de econometrische schattingsresultaten van de Oeso weer te geven. Op basis van regressieresultaten wordt gesteld dat de verhoging in de Belgische rente tussen 1979 en 1983 voor een derde het gevolg zou zijn van de verhoging in de overheidsuitgaven en van het belang van de financieringsnoden van de overheid t.o.v. de privé-besparingen; twee derden zou het resultaat zijn van inflatie en de evolutie van de buitenlandse rente. Van de daling tussen 1983 en 1986 zou een kwart, of ongeveer 1 procent, de weerspiegeling vormen van een verbetering in de openbare financiën (Oeso (1988), blz. 28). In het 1989-overzicht wordt dit laatste effect geschat op een derde van de daling over de periode 1983-1987 voor wat de korteter-mijnrente betreft; voor de langetermijnrente zou het effect verwaarloosbaar zijn.

Samengevat gaan van oplopende schulden belangrijke gevolgen uit op de functionering van de kapitaalmarkt. Initieel volstaan rentetoenamen om het groeiend wantrouwen van de beleggers te overbruggen. Blijft de schuldquote evenwel stijgen dan zullen alternatieve technieken moeten worden gebruikt om dit wantrouwen te overkomen zoals schuldverkorting, fiscale voordelen enz. Dit alles resulteert in een daling van de kwaliteit van voornamelijk de langetermijnschuld.

6.3. Invloed op het beleid.

De gevolgen die van een hoge schuld uitgaan op het beleid houden verband met de beperking die wordt opgelegd op de beleidsinstrumenten :

– Een belangrijk gevolg van een oplopende schuld is het *"koekoeks-" of verdringingseffect* op het vlak van de begroting. Een oplopende schuld leidt onvermijdelijk tot oplopende rentelasten. Deze zullen worden gefinancierd door een combinatie van stijgende belastingen, hoger tekort en besparingen op andere uitgaven. De belastingdruk en de tekorten kunnen niet blijven toenemen als de schuld blijft verhogen. Daarom zullen steeds meer uitgaven worden weggedrukt en dit wordt omschreven als koekoeks- of verdringingseffect.

– Zo zullen de beleidvoerders er rekening moeten mee houden dat de financiële toestand zeer kwetsbaar is daar renteschokken zware financieringsproblemen zullen stellen. Het overheidsbudget wordt met name meer rentegevoelig.

– Zo zullen beleidsvoerders minder risico's nemen. Een selectieve relance of een vermindering van de socialezekerheidsbijdragen die het tekort zou kunnen verhogen is onmogelijk. Extreem zal geen beleid meer kunnen gevoerd worden omdat alleen nog voor de onvermijdbare uitgaven financiële middelen beschikbaar zullen zijn.

– Beleidsvoerders zullen systematisch de herfinanciering van de schuld moeten voor ogen houden. De schuld is immers geen constante massa, maar een heterogeen geheel dat met een grote regelmaat moet geherfinancierd worden.

– Beleidsvoerders kunnen een tolerantere houding aannemen tegenover inflatie omdat deze de reële waarde van de schuld verlaagt.

– Renteverhogingen kunnen minder aantrekkelijk zijn als stabilisatie-instrument omdat de financiële impact op de rentelasten te groot is. Aldus ontstaan conflicten tussen de monetaire en de fiscale politiek.

– De aanwezigheid van een omvangrijke schuld in vreemde valuta noopt tot een restrictiever beleid omdat vreemde valuta moeten "verdiend" worden via een surplus op de lopende rekening om de rente op deze schuld te betalen en om het kapitaal af te lossen.

– Vanuit een louter politiek standpunt moet rekening worden gehouden met het feit dat een hoge schuld gewoonlijk samengaat met een hoog primair overschot, wat inhoudt dat belastingbetalers meer belastingen betalen dan ze overheidsdiensten in ruil ontvangen. Dit kan hun bereidheid tot het betalen van belastingen aantasten. Ook komen de rentelasten overeen met een omvangrijke geldstroom van de belastingbetalers naar de houders van de overheidsschuld. Deze inkomensherverdeling leidt niet noodzakelijk tot een lagere inkomensongelijkheid omdat, via de financiële instellingen, de intresten worden uitgekeerd als vergoeding op spaardeposito's en kasbons[84].

---

[84] Voor een poging om de gevolgen van de overheidsschuld op de inkomensverdeling te becijferen verwijzen we naar Rademaekers K. en Vuchelen J. (1995).

6.4. Ingrepen in de schuld

a. Inleiding

Het traditionele beleid t.a.v. een hoge schuldenberg bestaat in het stopzetten van de aangroei om zo, na verloop van tijd, de schuldquote te verminderen. Dit komt tot uiting in het streefdoel "stabiliseren van de rentesneeuwbal". Evenwel daalt het schuldpeil dan niet. De historische ervaring geeft aan dat overheden het noodzakelijk geduld niet altijd kunnen opbrengen en de schuld zelf pogen te beperken door *"ingrepen in de schuld"*[85]. Van D. Hume is de stelling : "Either the nation must destroy public credit, or public credit will destroy the nation" (blz. 102). Dit geeft aan dat in de achttiende eeuw de problemen rond de omvang van de schuld en de ervaringen met ingrepen in de schuld vrij talrijk waren. De integratie van de financiële markten maakt vandaag dergelijke ingrepen weinig waarschijnlijk. In België werden toch nog voorstellen geformuleerd om in de schuld in te grijpen. Hierom blijft een studie van de mogelijke schuldingrepen toch belangrijk.

Schematisch gesteld kan men de ingrepen in de schuld opsplitsen in markt- en niet-marktconforme ingrepen. Hoewel dit onderscheid niet altijd zeer strak kan worden volgehouden, zullen we ervan uitgaan dat een marktconforme ingreep niet direct de schuld of de financiële activa aantast; niet-marktconforme ingrepen hebben daarentegen wel als oogmerk om rechtstreeks op de uitstaande schuld in te werken. Het relatief arbitraire karakter van deze opsplitsing kan worden geïllustreerd met behulp van een inflatoire politiek. Dit rangschikken we bij de marktconforme oplossingen omdat niet direct wordt ingegrepen in de overheidsschuld. Ook kan worden geargumenteerd dat de beleggers de vrijheid behouden om ten alle tijde hun overheidsobligaties te verkopen. Wel tast inflatie de reële waarde van de schuld aan zodat het toch gaat, weze het onrechtstreeks, om een ingreep in het schuldpeil.

b. Marktconforme oplossingen

Een mogelijkheid die aan de rand staat van wat we hier behandelen, is het opleggen van een *kapitaalbelasting* waarvan de opbrengst zou toelaten om ineens een belangrijk deel van de schuld terug te betalen. Dit gebeurde in een aantal landen na de Eerste Wereldoorlog maar niet in Groot-Brittannië, ondanks het pleidooi van Keynes en het feit dat de schuldquote in het begin van de jaren dertig opliep tot 170 procent. Deze belastingheffing is theoretisch aantrekkelijk omdat andere belastingverhogingen worden vermeden die hogere economische kosten inhouden. De vraag is evenwel of een dergelijke belasting vandaag zou worden aanvaard. Na een oorlog weet iedereen wat de oorsprong van de schuld was; vandaag is dit in veel mindere mate het geval zodat het gevoel meer overheerst dat de belastingbetaler moet opdraaien voor de fouten van de beleidsvoerders. Bovendien vormt de huidige internationale kapitaalmobiliteit een niet onbelangrijke beperking op het gebruik van dergelijk instrument.

De tweede marktconforme oplossing voor de schuld is *inflatie*. Dit vormt trouwens een vrij traditionele oplossing omdat inflatie een belastingheffing is op financiële beleggingen, dus ook op overheidsobligaties. De opbrengst van deze belasting komt ten

---

[85]   Zie Vuchelen J. (1990), blz. 358-370.

goede aan de schuldenaars omdat zij hun schulden kunnen terugbetalen in gedevalueerd geld. Daar de overheid een van de grootste schuldenaars is, heeft zij ruime baat bij een inflatoire politiek. De overheid kan inflatie creëren door het "openen van de geldkraan" of door te devalueren.

Het klassieke voorbeeld waarbij de schuld werd weggewerkt via een inflatoir beleid is Duitsland na de Eerste Wereldoorlog. Eind 1922 bedroeg de reële waarde van de schuld nog slecht 5 procent van het peil van begin 1919. De echte explosie van de inflatie diende dan nog te volgen in 1923.

Of inflatie op langere termijn de schuld kan beperken, hangt af van verschillende elementen. Ten eerste moet er een primair surplus zijn zodat de uitgavenstijging kleiner zal zijn dan deze in de belastingen. Zowel de uitgaven als de ontvangsten zijn immers in een ruime mate geïndexeerd. Bovendien moet de inflatie onverwacht zijn. Verwachten beleggers dat in de toekomst een inflatoire politiek zou kunnen worden gevoerd, dan zullen ze een compensatie eisen voor het verwachte koopkrachtverlies van hun beleggingen onder de vorm van een hogere rente. Hierdoor stijgen de rentelasten, het tekort en zo de schuld. Wat dan gewonnen wordt door de hogere inflatie op het vlak van de schuld, wordt verloren door de bijkomende rentelasten. De koppeling marktrente-rentelasten wordt natuurlijk wel bepaald door de gemiddelde looptijd van de schuld : hoe korter deze is, hoe sneller renteverhogingen doorwerken op de rentelasten.

Blijft de inflatie beperkt dan zijn de voordelen op het vlak van de schuld ook beperkt maar bestaat steeds het gevaar dat de inflatie versnelt tot een hyperinflatie die belangrijke economische kosten inhoudt. Hiermee houden beleggers rekening zodat ze de risicopremie zullen verhogen.

Anderzijds vormt inflatie wel één van de weinige belastingen die de zwarte en grijze economische activiteiten treft.

c. Niet-marktconforme oplossingen

Het verleden geeft voldoende voorbeelden waarin politieke verantwoordelijken zich op een of andere niet-marktconforme wijze ontdaan hebben van de schulderfenis.

Niet-marktconforme oplossingen hebben als karakteristiek dat ze direct het schuldpeil aanpakken. Gerangschikt in een stijgende orde van ingrepen onderscheiden we een schuldherschikking, een schuldconversie, een schuldconsolidatie en een schuldverwerping of -ontkenning.

De ingrepen kunnen betrekking hebben op de gehele schuld of een gedeelte hiervan; de rente kan al of niet worden verminderd.

Een *schuldherschikking* wordt onderhandeld tussen de kredietgevers en -nemers en houdt meestal in dat de terugbetaling van de schuld in de tijd wordt herschikt dat de schuld omgezet wordt in een schuld met een langere looptijd.

Dit sluit nauw aan bij een *schuldconversie* die inhoudt dat van financieel instrument wordt veranderd. Een voorbeeld zijn kortetermijn-schatkistcertificaten die worden omgezet in obligaties.

Een *consolidatie*[86] is een schuldconversie waarbij de looptijd wordt verlengd zonder dat wordt overgegaan naar een ander instrument. Schuldconsolidatie gekoppeld aan een rentevermindering of zelfs enkel en alleen een rentevermindering is de klassieke schuldingreep. Merk evenwel op dat deze ingreep in het verleden niet systematisch werd beschouwd als een afwentelen van de financiële problemen op de schuldeisers. Zo trad een schuldconsolidatie waarbij de rente werd verminderd, ook op nadat de kredietwaardigheid van de overheid verbeterde. De ingreep vormde dan een aanpassing van de rentebetalingen aan de betere kredietwaardigheid.

Belangrijk is wel dat, in principe, de beleggers relatief vrij zijn om te participeren in herschikkingen of conversies. Vandaar zijn het geen echte niet-marktconforme operaties. Wel wordt gewoonlijk enige druk uitgeoefend door de verhandelbaarheid van de oude schuldtitels te beperken. Het is om deze reden dat beleggers dergelijke ingrepen niet op prijs stellen.

Een *schuldverwerping* is de ultieme ingreep omdat de overheid weigert om het geheel of een gedeelte van haar schulden te erkennen. De geschiedenis geeft vele voorbeelden van dergelijke ingrepen.

Ook hier kan een kapitaal- of vermogensbelasting worden beschouwd daar ingrepen in de schuld equivalent zijn aan een belasting op overheidstitels; een speciale, eenmalige kapitaalbelasting heeft wel een bredere basis omdat alle activa worden getroffen. De opbrengst hiervan wordt gebruikt om schulden af te lossen.

d. Enkele historische ervaringen

Men zou een volumineus boek kunnen vullen met alle ingrepen in de overheidsschuld die in vele landen in het verre en recente verleden hebben plaatsgevonden. Ingrepen in de schuld vormen misschien niet direct de uiting van een staatsbankroet maar ze geven zeker aan dat de beleidsvoerders soms de politieke kost van een traditioneel sanerings- beleid hoger hebben ingeschat dan de kost van ingrepen in de schuld. Zo werd in de vorige eeuw herhaaldelijk de rente op Belgisch staatspapier verlaagd. In 1935 vond veruit de belangrijkste ingreep in de Belgische staatsschuld plaats toen de overheid de uitstaande obligatieschuld converteerde in een schuld met een rente van 4 procent; wel werd een kapitaalpremie variërend tussen 5 en 12,5 procent toegekend. De conversie was niet verplicht maar de niet-omgezette stukken konden niet meer verhandeld worden op de beurs.

Merk wel op dat door de ingrepen het schuldpeil nooit daalde. De bedoeling was het reduceren van de rentelasten en het verlengen van de looptijd. Vereenvoudigd gesteld, waren dit ingrepen die de liquiditeit verbeterden, niet de solvabiliteit.

De bovenstaande ingrepen hadden betrekking op de binnenlandse schuld. Maatregelen met betrekking tot de buitenlandse schuld werden enkel genomen in overleg met de buitenlandse crediteur. Dit gebeurde in 1925 (kwijtschelding schuld door Verenigde Staten) en in 1931 (uitstel van rentebetaling op de Amerikaanse schuld).

In het buitenland vonden vele uiteenlopende ingrepen plaats[87].

---

[86] Enige verwarring kan ontstaan doordat een verlenging van de looptijd van de schuld ook wordt aangeduid met het consolideren van de schuld. Aandacht voor de context waarin "consolidatie" of "consolideren" wordt gebruikt, is dan ook nodig.

[87] Zie Vuchelen J. (1990), blz. 364-365 voor een overzicht.

e. Voor- en nadelen van de ingrepen

Men kan moeilijk voorhouden dat de beleidsvoerders zo cynisch zijn dat ze eerst de schuld laten oplopen en deze dan verwerpen via een inflatoir beleid of door niet-marktconforme ingrepen. In feite ontstaan de ingrepen in de schuld omdat het beleid niet *duurzaam of tijdsconsistent* is; maatregelen worden plots aantrekkelijk daar waar ze dit voorheen niet waren. Schuldingrepen worden zeker verworpen voor de schuld is opgebouwd omdat anders schuldemissies onmogelijk zouden zijn. Na het opstapelen van schulden liggen de zaken anders : de schuld biedt, eens ze bestaat, weinig voordelen en bezit het nadeel dat er rente op moet worden betaald en dat ze moet terugbetaald worden. Vanuit een louter politiek standpunt zullen ingrepen in de schuld derhalve plaatsvinden wanneer de kost hiervan beperkter is dan de kost verbonden aan het heffen van belastingen en het drukken van de uitgaven. De politieke aantrekkelijkheid neemt toe wanneer het primaire tekort een surplus wordt omdat dan de rentelasten niet meer volledig gefinancierd worden door ontleningen : er moeten bijkomende middelen worden gegenereerd door het verminderen van de uitgaven en het verhogen van de belastingen. A priori kan men stellen dat de kansen op niet-marktconforme oplossingen toenemen met de hoogte van de schuldquote, de omvang van de buitenlandse schuld en de concentratie van het houderschap.

Tegen ingrepen in de schuld wordt ingebracht dat dit ethisch niet verantwoord is omdat de overheid een contractuele verbintenis verbreekt. Hiertegen kan worden opgemerkt dat de overheid dit permanent doet door belastingen te verhogen of uitgaven te verminderen en dit ondanks gedane beloften (cfr. de in regeringsverklaringen opgenomen beloften dat de belastingen niet zullen verhogen). Belangrijk in dit verband is de opmerking van Buchanan J. (1987) dat moet gekeken worden naar het gebruik dat van de gelden is gemaakt. Weerspiegelt dit openbare investeringen dan geeft men aan de komende generaties, naast de verplichting tot het heffen van belastingen om de schuld terug te betalen, toch een kapitaal in de plaats. Buchanan stelt evenwel dat wanneer wordt ontleend om consumptieve uitgaven te financieren, de vraag moet worden gesteld of de huidige generatie het recht heeft om haar welzijn te verhogen ten koste van de komende generaties. Ingrepen op het vlak van de schuld vallen dan ook, steeds volgens Buchanan, te verdedigen daar hierdoor de last wordt gelegd op de generatie die geniet van de overheidsuitgaven. De ingrepen vormen een alternatieve belastingheffing ter financiering van de uitgaven, namelijk een heffing die enkel de bezitters van de schuld treft. Evident is wel dat de redenering micro-economisch moeilijk verdedigbaar is (de genieters van de overheidsuitgaven zijn niet noodzakelijk de beleggers in overheidsschuld) tenzij ingrepen op het vlak van de schuld konden worden verwacht omdat dan de rente zal zijn verhoogd met een risicopremie.

De argumentatie van Buchanan kan worden veralgemeend door te stellen dat er situaties kunnen zijn waarin de ingrepen "verschoonbaar" zijn, wanneer een ongewone omstandigheid zich voordoet zoals een nederlaag in een oorlog. De verschoningsgrond ontstaat uit de vaststelling dat de beleggers bij voorbaat rekening hielden met deze omstandigheid : de schuld werd aangegaan om een oorlog te financieren die kan verloren worden. Of deze argumentatie vandaag van toepassing is, kan worden betwijfeld tenzij misschien na een politiek zeer troebele periode waarbij aanvaard wordt dat de nieuwe beleidsverantwoordelijken niet moeten opgezadeld worden met de fouten van hun voorgangers. De breuk met het voorgaande beleid is dan zo spectaculair dat

318

aanvaard wordt dat ook de verbintenissen van de voorgangers niet moeten gerespecteerd worden. Vanuit een politiek standpunt moet ermee rekening worden gehouden dat de ingrepen in de binnenlandse schuld, vooral wanneer het houderschap sterk geconcentreerd is, aantrekkelijk kan zijn wanneer de houders behoren tot de politieke tegenstrevers. Voor buitenlandse schuld geldt evenwel het omgekeerde : dat een ingreep aantrekkelijker is wanneer deze schuld ruim verspreid is omdat dan de organisatie van het "verzet" moeilijker is.

Economisch bekeken is een objectieve analyse van de voor- en nadelen van ingrepen in de schuld vrij moeilijk omdat een waarde moet worden gehecht aan het verbreken van contractuele verplichtingen. Zoals aangegeven ligt dit zelfs niet voor de hand vanuit een politiek standpunt omdat rekening kan worden gehouden met het gebruik dat van het geld werd gemaakt of met de omstandigheden waarin de schuldaccumulatie gebeurde.

Een reden voor de moeilijkheid is of dit verbreken van contracten door de burgers zal worden beschouwd als een eenmalige ingreep die beperkt blijft tot de schuld of dat ze vrezen dat nog andere drastische maatregelen zullen plaatsvinden. Bepalend hiervoor is de omvang van de ingrepen. Zijn deze beperkt dan zullen ze wellicht de financiële problemen van de schatkist niet oplossen zodat bijkomende maatregelen vereist zijn. De ingrepen in de schuld kunnen dan ook pasmunt zijn voor deze maatregelen, namelijk alibi's om te stellen dat iedereen inlevert. In dit geval zullen beleggers niet alleen reageren als beleggers maar ook als belastingbetalers en genieters van overheidsdiensten. De economische reacties zullen omvangrijker zijn. Dit houdt dan in dat als beperkte ingrepen in de schuld plaatsvinden en beschouwd dienen te worden als onderdeel van een globaal pakket ter sanering van de overheidsfinanciën, dit pakket in zijn globaliteit moet doorgevoerd worden, liefst op een onverwacht moment om verwachtingseffecten maximaal te vermijden. In dit verband gelden dezelfde regels als voor een devaluatie. Zijn de ingrepen in de schuld voldoende groot dan zijn wellicht geen bijkomende ingrepen nodig.

Een tweede probleem is welke invloed van de ingrepen zal uitgaan op de reputatie van de overheid en dus op haar mogelijkheid tot het financieren van komende tekorten. Opnieuw kan verwacht worden dat beperkte ingrepen hier problemen zullen stellen omdat, als de financiële problemen niet opgelost werden, beleggers een herhaling zullen vrezen. Stellen dat ingrepen op het vlak van de schuld het voor de schatkist onmogelijk maken om nog te ontlenen, gaat derhalve enkel op wanneer de ingrepen beperkt zijn : dan zijn de financiële problemen immers niet opgelost en wordt bovendien aan de beleggers de informatie gegeven dat de overheid niet "vies" is van, weliswaar beperkte, ingrepen. Herhalingen lijken dan, juist omdat de ingrepen beperkt waren, voor de hand te liggen.

Merken we in verband met de gevolgen van ingrepen in de schuld op de kredietwaardigheid nog op dat het verleden voldoende bewijst dat staten nooit hun kredietwaardigheid volledig voor een lange tijd verliezen : een drastische ingreep in de schuld verhoogt immers de solvabiliteit van de overheid.

Fundamenteel blijft evenwel de vraag of een ingreep in de schuld iets verandert. Men kan immers niet voorbij aan de vaststelling dat de financiële problemen het resultaat vormen van een uitgavenbeleid dat niet in overeenstemming was met het belastingbeleid. Schept men niet juist door de ingrepen in de schuld financiële ruimte om te hervallen ? Verschillende voorstellen voor ingrepen in België werden geformuleerd[88] maar zeker nu België lid is van de EMU lijken de kansen op een ingreep nihil te zijn.

7. BESLUIT

Het oplopen van de overheidsschuld na het uitbarsten van de economische crisis in het midden van de jaren zeventig heeft de interesse rond de gevolgen van overheidsschuld gestimuleerd. Zeker beleidsmatig is de overtuiging alom aanwezig dat een hoge overheidsschuld het voeren van een aangepast economisch beleid onmogelijk maakt, zoniet sterk bemoeilijkt. De oplopende rentelasten die de andere uitgaven verdringen, zijn wellicht de verklaring bij uitstek voor deze houding.

Theoretisch zullen weinigen vandaag nog durven stellen dat oplopende schulden alle financiële problemen kunnen opvangen. Eventueel zal een pragmatisch standpunt worden aangenomen waarbij een zekere schuldfinanciering in conjunctureel moeilijke perioden wordt verdedigd. De impact van schuldopbouw op de geloofwaardigheid van het beleid is een belangrijk nieuw inzicht. Evenzeer moet het Barro-equivalentietheorema worden vermeld.

Voor België heeft de oplopende schuld eerst geleid tot een zeer behoudsgezinde beleidsreactie : de schuld diende te worden gefinancierd zodat iedere financiële innovatie werd afgewezen daar dit een potentiële bron voor schokken op de kapitaalmarkt vormde. Als gevolg hiervan ontstond een belangrijke kloof tussen de Belgische en de internationale financiële markten. Door de financiële innovaties van het begin van de jaren negentig heeft men deze kloof gelukkig kunnen dichten. De oprichting van de EMU en de hieraan gekoppelde verregaande financiële integratie van de markten zal toelaten dat België "opgaat" in een grote, efficiënte Europese kapitaalmarkt. Dit is noodzakelijk om van de voordelen van de EMU te genieten.

In een studie van de schuldevolutie gedurende de jaren negentig zal zeer zeker bijzonder veel aandacht worden besteed aan de criteria van Maastricht. Men moet toegeven dat deze criteria er de Belgische regering heeft toe aangezet om sneller te saneren en om de schuld sneller af te bouwen. Het stabiliteitspact zet deze beweging verder.

Merken we tot slot op dat de cijfers omtrent de overheidschuld slechts een relatieve waarde bezitten. Zo omvatten ze de nettopensioenrechten niet.

Literatuurlijst

BARRO R. (1974), "Are government bonds net wealth ?", *Journal of Political Economy*, November, 1095-1117.

BARRO R. (1979), "On the determination of the public debt", *Journal of Political Economy*, October, blz. 940-971.

---

[88] Zie Vuchelen J. (1990 blz. 368-369) voor een overzicht van schuldingrepen en Rademaekers K. en Vuchelen J. (1996) voor een overzicht van fiscale "oplossingen".

BUCHANAN J. (1987), "The ethics of debt default", in Buchanan, J., Rowley C. en Tollison R., (red.) *Deficits*, Oxford : Basil Blackwell, blz. 361-373.

BUFFEL L. (1996), "De overheidsschuld in perspectief", in J. Vanneste en Van Reeth D., (red.) *Openbare Financiën 3*, STOHO, Brussel : Studiecentrum Open Hoger Onderwijs, blz. 94-123.

Commissie voor de Inventaris van het Vermogen van de Staat, (1996), "Geconsolideerde balans van de Federale Staat op het einde van 1992", Documentatieblad Ministerie van Financiën, nr. 6, blz. 33-128.

Commissie voor de Inventaris van het Vermogen van de Staat, (1998), "Geconsolideerde balans van de Federale Staat op het einde van 1995", Ministerie van Financiën.

GOUDSWAARD K. (1988), *Doelstellingen en effecten van de schuldpolitiek*, Amsterdam, NIBE-publicatiereeks nr. 64.

Hoge Raad van Financiën, *Financieringsbehoeften van de overheid*, jaarverslagen.

HUME D. (1970), "Of taxes" in *Writings on Economics*, Wisconsin, University of wisconsin Press.

Kredietbank (1992), "Schuldbeheer en de Schatkist", *Weekberichten*, 15 mei.

Kredietbank (1994), "De Belgische overheidsschuld", *Weekberichten*, 20 mei.

MOESEN W. (1975), *Het beheer van de staatsschuld en de termijnstructuur van de intrestvoeten met een toepassing voor België*, Leuven :Vander.

MOESEN W. en VAN ROMPUY V. (1991), *Handboek openbare financiën*, Leuven : Acco.

MUSGRAVE A. en MUSGRAVE P. (1989), *Public finance in theory and practice*, New York : McGraw-Hill, (vijfde uitgave).

OESO (1982), *Government debt management*, Volume I en Volume II, Parijs.

OESO (1988), *Etudes economiques de l'OCDE, Belgique-Luxembourg*, Février, Parijs.

OESO (1993), *Government securities and debt management in the 1990s*, Parijs.

RADEMAEKERS K. en VUCHELEN J. (1995), "De inkomensverdeling van intresten op de overheidsschuld", Documentatieblad Ministerie van Financiën, maart-april, blz. 231-260.

RADEMAEKERS K. en VUCHELEN J. (1995), "De inkomensverdeling en mogelijk fiscale "oplossingen" voor de overheidsschuld", Documentatieblad Ministerie van Financiën, januari-februari, blz. 151-177.

Schatkist, Jaarverslagen Staatsschuld (ook gepubliceerd in het Documentatieblad, Ministerie van Financiën).

Schatkist (1998), The financial products of the Belgian treasury, september, jaarlijks bijgewerkt.

STEVERS T. (1988), *De openbare financiën in de volkshuishouding, deel 3, Schuldtheorie*, Leiden/Antwerpen, Stenfert Kroese.

Tijdschrift voor Bank- en Financiewezen (1985), Financiële innovatie en financiering van de overheidsschuld in België, November.

VAN REETH D. en VANHOREBEEK F. (1996), "Het vernieuwde schuldbeheer van de federale overheid" in Vanneste J. en Van Reeth D., *Openbare Financiën 3*, STOHO, Brussel : Studiecentrum Open Hoger Onderwijs, blz. 124-152.

VUCHELEN J. (1980), "De financiering van overheidsdeficits", Documentatieblad Ministerie van Financiën, november, blz. 129-192.

VUCHELEN J. (1988), "Het sneeuwbaleffect en de sanering van de Belgische openbare financiën", *Cahiers Economiques de Bruxelles*, nr. 119, blz. 293-318.

VUCHELEN J. (1990), *Hebben de Belgische overheidsfinanciën nog een toekomst ?*, Antwerpen : Tijd N.V.

VUCHELEN J. (1993), *De staatsschuld, Leuven* : Davidsfonds.

WOLFSON D. (1987), *Publieke sector en economische orde*, Groningen : Wolters-Noordhoff.

DEEL 5 : DE UITGAVEN

De uitgaven zijn een belangrijk instrument dat de overheid ter beschikking staat bij het uitoefenen van haar opdrachten op het vlak van allocatie, herverdeling en stabilisatie. Dit deel behandelt de diverse aspecten van deze uitgaven.

In een eerste hoofdstuk worden de uitgaven geanalyseerd. Een statistische benadering laat toe een aantal belangrijke concepten te behandelen zoals het onderscheid tussen lopende uitgaven en kapitaaluitgaven, de economische en functionele hergroepering van de uitgaven, het onderscheid tussen bestedingen en overdrachten.

In het tweede hoofdstuk wordt het fenomeen van de stijgende overheidsuitgaven onder de loep genomen. Deze stijgende uitgaven zijn een uiting van de ook op andere vlakken (reglementering, tewerkstelling, belastingdruk, enz.) steeds toenemende overheidsbemoeienis die zich sinds ettelijke decennia, maar vooral na de Tweede Wereldoorlog manifesteert.

Het derde hoofdstuk behandelt de technieken die er zijn om de uitgaven te "managen". Een aantal budgetteringstechnieken komt aan bod waar er vooral aandacht wordt besteed aan de kosten-batenanalyse.

Trefwoorden en -zinnen van hoofdstuk 1

Economische en functionele hergroepering van de uitgaven
Entiteit I
Entiteit II
Federale, centrale, regionale, lokale overheid
Kapitaalbestedingen
Lopende bestedingen
Overdrachtsuitgaven
Overheidsuitgaven en nationale rekeningen
Toegewezen en niet-toegewezen uitgaven
Verplichte en niet-verplichte uitgaven

Hoofdstuk 1
ANALYSE VAN DE OVERHEIDSUITGAVEN

In deel 3 hebben we reeds kennis gemaakt met de overheidsuitgaven, maar dan als onderdeel van de jaarlijkse begrotingsprocedures op de diverse overheidsniveaus. In dit hoofdstuk bespreken we de uitgaven zoals ze zich werkelijk hebben voorgedaan en dat vanuit een economische invalshoek.

Er zijn verschillende invalshoeken om deze analyse van de overheidsuitgaven te maken : men kan ze in de tijd bekijken, per overheidsniveau of per type (waarbij dan nog verschillende criteria kunnen worden gehanteerd). We starten met de plaats van de overheidsuitgaven in de economie, meer bepaald in de nationale rekeningen.

1. DE OVERHEIDSUITGAVEN IN DE NATIONALE REKENINGEN

Binnen de nationale rekeningen is de overheid een huishouding, een sector. De overheid krijgt derhalve een rekening van ontvangsten en uitgaven, net zoals de gezinnen en de bedrijven.

De *overheid* wordt daarbij in *haar ruimste betekenis* beschouwd : het betreft de centrale overheid, de gemeenschappen en gewesten, de lokale overheden en de sociale zekerheid.

In de context van de nationale boekhouding is het belangrijk een onderscheid te maken tussen de bestedingen en de overdrachtsuitgaven. De bestedingen zijn uitgaven die beslag leggen op goederen en diensten. Tegenover de uitgaven door de overheid staat een tegenprestatie van de ontvanger : hij/zij levert arbeid of een product.

De bestedingen kunnen zowel een lopend als een kapitaalkarakter hebben.

Lopende bestedingen hebben meestal een recurrent karakter : bijvoorbeeld lonen en wedden of aankopen van verbruiksgoederen. Ze worden tot de overheidsconsumptie gerekend. Deze overheidsconsumptie bedroeg in 1998 1.290 miljard BEF, ongeveer een zevende van het bruto nationaal product, dat toen 9.246 miljard BEF bedroeg (zie tabel 5.1.).

De *kapitaalbestedingen* zijn uitgaven in de kapitaal- en vermogenssfeer. Het betreft vooral investeringen (wegen, gronden, gebouwen, machines, enz.). In de nationale boekhouding komen ze onder de noemer van de overheidsinvesteringen te staan. Ze waren in 1998 goed voor 125 miljard BEF.

De *overdrachtsuitgaven* zijn uitgaven waar geen tegenprestatie tegenover staat. Ook hier kan het om lopende dan wel kapitaaloverdrachten gaan. De eerste zijn de belangrijkste en betreffen vooral de socialezekerheidsuitkeringen. De lopende overdrachten aan particulieren waren in 1998 goed voor een bedrag van 2.174 miljard BEF.

De subsidies aan bedrijven worden ondergebracht bij de lopende overdrachten aan de bedrijven en bedroegen in 1998 148 miljard BEF. De overdrachten aan het buitenland (o.a. ontwikkelingshulp) liepen in dat jaar op tot 158 miljard BEF.

Tabel 5.1 : De overheidsuitgaven in de nationale rekeningen

Overheidsuitgaven 1998	in miljard BEF	in % van het BNP
Overheidsconsumptie	1.290	14,0
Overheidsinvesteringen	125	1,4
Lopende overdrachten aan		
* particulieren	2.174	23,5
* bedrijven	148	1,6
* buitenland	158	1,7
Totaal	3.895	42,1
BNP	9246	

Bron : Jaarverslag NBB, 1998 (het betreft ramingen)

2. DE UITGAVEN PER OVERHEIDSNIVEAU

We geven een idee van het absoluut en relatief belang van de uitgaven van de diverse overheidsniveaus : federaal, gewestelijk en lokaal (zie tabel 5.2.)

Deze voorstelling vereist al onmiddellijk de bepaling van een gemeenschappelijk referentiepunt. We kiezen daarvoor het federaal niveau omdat dit, historisch bekeken, kwantitatief het belangrijkste uitgavenniveau is.

Het federaal niveau bestaat strikt genomen uit twee onderdelen : de federale overheid en de sociale zekerheid. Men spreekt ook van *Entiteit I*. De uitgaven op dit niveau bedroegen in 1996 32,5 % van het BBP of 2.699 miljard BEF, waarvan 1.071 miljard door de overheid en 1.628 miljard door de sociale zekerheid werd uitgegeven. Bemerk dat deze cijfers geconsolideerd zijn. Dit betekent dat met de uitgaven die de federale overheid doet ten voordele van de sociale zekerheid (overdrachtsuitgaven dus) en van andere overheden geen rekening wordt gehouden.

Er wordt verder ook geen rekening gehouden met de terugbetaling (777 miljard BEF; 9,6 % van het BBP) van en de rentelasten (705 miljard BEF; 8,5 % van het BBP) op de overheidsschuld. De uitgaven uitgezuiverd voor deze terugbetaling en de rentelast, noemt men de primaire uitgaven.

Ook de cijfers van de gemeenschappen en de gewesten zijn geconsolideerd. Ze nemen aldus 11,4 % van het BBP op of 947 miljard BEF.

Verder nemen de lokale overheden (gemeenten, OCMW's, provincies) 5,6 % van de overheidsuitgaven uitgedrukt in het BBP voor hun rekening.

Samen vormen gemeenschappen, gewesten en lokale overheden *Entiteit II*.

De optelling van deze cijfers geeft een indruk van het *overheidsbeslag* op de economie : inclusief rentelasten en terugbetaling van de overheidsschuld beliep dit percentage 49,5 % van het BBP in 1996.

Tabel 2 : De overheidsuitgaven per niveau (exclusief rentelasten en schuldaflossing)

in miljard BEF, 1996	Uitgaven	% van het Belgisch BBP
lokale overheden	465	5,6
gemeenschappen e.a.	947	11,4
federale overheid	1.071	12,9
sociale zekerheid	1.628	19,9
Totaal	4.111	49,5

Bron : NBB, Jaarverslag 1997

Bij het bekijken van de evolutie van de uitgaven van de overheid in de tijd valt vooral de geweldige, relatieve en absolute toename op. Dit is een vaststelling die trouwens voor alle geïndustrialiseerde landen geldt (zie tabel 5.8.). Dit fenomeen is dan ook het voorwerp van heel wat theorieën. Deze theorieën die de groei van de overheidsector proberen te verklaren worden besproken in hoofdstuk 2.

Vooral voor de federale overheid zijn veel cijfergegevens voorhanden. Vooraleer deze statistieken te behandelen in de volgende paragraaf, kijken we eerst even naar enkele fragmentarische gegevens voor de gezamenlijke overheid zoals die binnen de nationale rekeningen kunnen gevonden worden (zie ook paragraaf 1). In tabel 5.3. vinden we de overheidsconsumptie en de overheidsinvesteringen sinds 1953, het begin van de nationale rekeningen in België.

Tabel 5.3 : Uitgaven van de overheid volgens de nationale rekeningen (in miljard BEF)

	overheidsconsumptie	overheidsinvesteringen	overdrachten van de overheid
1953	52	7	
1960	72	14	
1970	175	50	260
1980	644	143	958
1990	918	84	1.765
1995	1.182	116	2.252
1996	1.205	100	2.342
1997	1.252	120	2.400
1998	1290	125	2480

Bron : tot 1990 NBB, Economische statistieken (CD-rom); na 1990 NBB, Jaarverslag 1998

Uit deze tabel blijkt opnieuw de sterke toename van de uitgaven.

3. DE UITGAVEN VAN DE FEDERALE OVERHEID

Zoals gezegd zijn de meeste statistieken beschikbaar voor de federale overheid. Voor een beter begrip worden best eerst een aantal concepten uitgelegd.

Zo gaat het over de uitgaven van de federale overheid. Dit betekent hier de uitgaven op het niveau van de nationale regering. De uitgaven in het kader van de sociale zekerheid zijn niet inbegrepen, enkel de overdrachten van het federaal niveau aan de sociale zekerheid maken er deel van uit. In de loop der jaren zijn er een aantal naamsveranderingen geweest. Tot aan de staatshervorming van 1980 sprak men van de "centrale overheid", van 1980 tot 1988 van de "staat" en sinds 1989 van de federale overheid. De staatshervormingen laten overigens een duidelijke invloed merken op de evolutie van de uitgaven van de federale overheid. Vooral die van 1988 doet de uitgaven van de federale overheid sterk dalen. Zij worden uiteraard gecompenseerd door de verhoogde uitgaven van de gemeenschappen en de gewesten.

De *economische hergroepering van de uitgaven* (zie ook deel 3) maakt deel uit van de economische hergroepering van de begrotingsverrichtingen. Vooral het onderscheid tussen lopende uitgaven en kapitaaluitgaven springt daarbij in het oog (cfr. supra).

In de *functionele hergroepering van de uitgaven* (zie ook deel 3) worden dezelfde uitgaven van de federale overheid door het Ministerie van Financiën nog eens op een andere wijze onderverdeeld. Daarbij staat de functionaliteit van de desbetreffende uitgaven voorop : algemeen bestuur, landsverdediging, openbare orde en veiligheid, verkeerswezen, landbouw, onderwijs, sociale voorzieningen, enz.

Bemerk dat de functionele afdeling zoals gemaakt door het Ministerie van Financiën afwijkt van de functionele Beneluxclassificatie (zie hoofdstuk 2 van deel 3).

3.1. Tendensen in de uitgaven volgens de economische hergroepering

De lopende uitgaven maken het leeuwendeel uit van de uitgaven (zie tabellen 5.4. en 5.5.). Dit was zo in 1950 (ca. 78 % van de uitgaven) en is momenteel nog altijd zo (ca. 67 % van de uitgaven in 1998). In percentage van het BNP ging het om resp. 16,60 % en 19,70 %. Er was een piek van 37,62 % van het BNP in 1985, daarna was er door de regionalisering een terugval.

Binnen de lopende uitgaven zijn vooral drie typen uitgaven van belang. In de eerste plaats zijn er de lonen en sociale lasten van het overheidspersoneel. Door de regionalisering en het verminderen van de aanwervingen bij de overheid is er hier een zekere stabilisatie opgetreden. De rente op de overheidsschuld kende een spectaculaire toename tot 1990, toen 10 % van het BNP aan intresten opging. Met de begrotingsinspanningen die in de jaren negentig werden geleverd is dit percentage in 1998 teruggevallen tot 7,0 %. Het derde uitgaventype is de overdracht aan de sociale zekerheid. Deze bereikte vooral in de jaren tachtig een hoogtepunt om sindsdien, eveneens als gevolg van de budgettaire saneringen te dalen naar een grote 4 % van het BNP in 1998.

Tabel 5.4 : Uitgaven van de federale overheid volgens de economische hergroepering (in miljard BEF)[1]

	1950	1960	1970	1980	1985	1990	1995	1998init.
Lopende uitgaven	56,2	118	289,7	1.154,9	1.770,8	1.485,6	1.701,3	1.792,4
waarvan								
* lonen en sociale lasten	13,1	26,5	61,4	201,1	253,6	204,7	259,5	287,7
* rente overheidsschuld	6,7	14,1	34,4	169	447,2	643,1	661,8	637,4
inkomensoverdrachten aan de sociale zekerheid	8,3	15,6	37,4	240,3	328,7	271	339,7	365,9
Kapitaaluitgaven	13,1	19,6	52,3	181,7	317,2	90,6	65,9	64,2
waarvan								
* investeringen	3,6	7,1	35	73,8	67,5	22,9	13,9	15,1
Aflossingen op de schuld	2,2	10,1	51,8	91,8	94,6	99,2	432,7	831,8
Totaal der uitgaven	71,5	147,8	393,8	1.428,4	2.182,6	1.675,4	2.200	2.685,4

[1] Inclusief overdrachten aan andere overheden en rentelasten
Bron : Documentatieblad en Conjunctuurnota Ministerie van Financiën (diverse nummers)

De kapitaaluitgaven namen in 1950 3,87 % van het BNP in. Dit percentage steeg tot halfweg de jaren tachtig tot 6,74 % en viel in de tweede helft van de jaren tachtig sterk terug, niet enkel door de regionalisering van een investeringsintensieve sector als verkeer, maar ook doordat de opeenvolgende besparingen in de eerste plaats gezocht werden bij de kapitaaluitgaven. Daarin nemen de overheidsinvesteringen een belangrijke plaats in.

De aflossingen op de overheidsschuld, uitgedrukt in het BNP, fluctueerden in de afgelopen vijftig jaar nogal sterk : van 0,65 % in 1950 over 4,01 % in 1970 en 1,55 % in 1990 tot 9,14 % in 1998. Deze uitgaven zijn afhankelijk van de voorheen gevoerde budgetsaldopolitiek en van de looptijden van de aangegane schulden.

3.2. Tendensen in de uitgaven volgens de functionele hergroepering

Bij het bekijken van tabellen 5.6. en 5.7. moet er terdege rekening mee gehouden worden dat de staatshervormingen de cijfers sterk beïnvloeden, voornamelijk voor de cijfers vanaf 1990. Zo werd onderwijs, verkeerswezen, huisvesting en ruimtelijke ordening grotendeels geregionaliseerd, evenals een stuk van volksgezondheid. Voor de functie landbouw mag niet worden vergeten dat dit een bevoegdheidsdomein is dat grotendeels verschoven is naar het Europese niveau.

De drie categorieën die de traditionele "nachtwakerstaat"-functies behelsen, zijnde algemeen bestuur, landsverdediging en openbare orde en veiligheid, zijn over de periode 1950 en 1995 relatief gezien minder belangrijk geworden. Hun aandeel in het BNP daalde van 6,40 % in 1950 tot 4,80 % in 1995.

Verkeer, handel en nijverheid vormen samen de drie economische categorieën. Zij waren bij aanvang minder belangrijk (2,80 % van het BNP in 1950) en namen in 1995 nog minder van het BNP in, namelijk 2,10 %.

Tabel 5.5. : Uitgaven van de federale overheid volgens de economische hergroepering (in % van BNP)[1]

	1950	1960	1970	1980	1985	1990	1995	1998init.
Lopende uitgaven	16,60	20,65	22,43	33,46	37,62	23,20	21,30	19,70
waarvan								
* lonen en sociale lasten	3,87	4,64	4,75	5,83	5,39	3,20	3,25	3,16
* rente overheidsschuld	1,98	2,47	2,66	4,90	9,50	10,04	8,28	7,01
inkomensoverdrachten aan de sociale zekerheid	2,45	2,73	2,90	6,96	6,98	4,23	4,25	4,02
Kapitaaluitgaven	3,87	3,43	4,05	5,26	6,74	1,41	0,82	0,67
waarvan								
* investeringen	1,06	1,24	2,71	2,14	1,43	0,36	0,17	0,17
Aflossingen op de schuld	0,65	1,77	4,01	2,66	2,01	1,55	5,42	9,14
Totaal der uitgaven	21,12	25,86	30,48	41,38	46,37	26,16	27,54	29,52

[1] Inclusief overdrachten aan andere overheden en rentelasten
Bron : Documentatieblad en conjunctuurnota Ministerie van Financiën (diverse nummers)

Tabel 5.6 : Uitgaven van de federale overheid volgens de functionele hergroepering (in miljard BEF)

		1950	1960	1970	1980	1990	1995init.
1.	Algemeen bestuur, buitenlandse betrekkingen en ontwikkelingshulp	10,4	15,3	24,2	67,3	101,8	173,5
2.	Landsverdediging	9,2	20	33,2	99,5	130,5	127,6
3.	Openbare orde en veiligheid	2,1	3,4	9,5	28,5	50,1	76,1
4.	Verkeerswezen	7,6	15	59,3	201	158,7	112,8
5.	Handel en nijverheid	1,4	3,6	12,3	29,5	47,5	37,8
6.	Landbouw	0,5	3,1	15,5	12,8	13,8	12,6
7.	Onderwijs, cultuur en recreatie	7,6	25,2	73	262,5	66,1	89,7
8.	Sociale voorzieningen en volksgezondheid	17,3	30,4	63,9	333,9	403,4	513,5
9.	Volkshuisvesting en ruimtelijke ordening	1,7	2,5	4,7	13,8	0,5	1,5
0.	Niet toe te rekenen (aflossingen niet inbegrepen)	11,6	19,5	47,2	287,8	608,8	663,9
Totaal		69,4	138	342,8	1.336,6	1.581,2	1.809

Bron : Documentatieblad en conjunctuurnota Ministerie van Financiën (diverse nummers)

De "sociale" categorieën onderwijs, sociale voorzieningen en volkshuisvesting namen reeds in 1950 een grote hap uit de uitgaven (7,90 % van het BNP) en kenden sindsdien een grote toename, tot zelfs 17,80 % in 1980. Nadien is deze toename niet bepaald stil gevallen, maar ze kan niet meer uit deze tabel die de centraleoverheidsuitgaven betreft, gehaald worden.

Tabel 5.7. : Uitgaven van de federale overheid volgens de functionele hergroepering (in % van BNP)

		1950	1960	1970	1980	1990	1995init.
1.	Algemeen bestuur, buitenlandse betrekkingen en ontwikkelingshulp	3,10	2,70	1,90	2,00	1,60	2,20
2.	Landsverdediging	2,70	3,50	2,60	2,90	2,10	1,60
3.	Openbare orde en veiligheid	0,60	0,60	0,70	0,80	0,80	1,00
4.	Verkeerswezen	2,20	2,60	4,60	5,90	2,50	1,40
5.	Handel en nijverheid	0,40	0,60	0,90	0,90	0,70	0,50
6.	Landbouw	0,20	0,60	1,20	0,40	0,20	0,20
7.	Onderwijs, cultuur en recreatie	2,30	4,40	5,70	7,70	1,00	1,10
8.	Sociale voorzieningen en volksgezondheid	5,10	5,30	4,90	9,70	6,40	6,40
9.	Volkshuisvesting en ruimtelijke ordening	0,50	0,40	0,40	0,40	0,00	0,00
0.	Niet toe te rekenen (aflossingen niet inbegrepen)	3,40	3,40	3,70	8,40	9,60	8,30
Totaal		20,50	24,10	26,60	39,10	24,90	22,70

Bron : Documentatieblad Ministerie van Financiën (diverse nummers)

4. DE UITGAVEN VAN EUROPA

Een eerste opdeling van de EU-uitgaven is die in *verplichte en niet-verplichte uitgaven*. De verplichte uitgaven komen voort uit de verdragen, zoals de prijsondersteuningsmaatregelen in de landbouw en bepaalde vormen van hulp aan lidstaten en ontwikkelingslanden. Ze dienen prioritair om zaken te financieren die door de verdragen zijn aangeduid. De niet-verplichte uitgaven betreffen uitgaven in beleidsdomeinen zoals de structuurfondsen, energie en administratie. Ongeveer 85 %van de uitgaven is verplicht. Het onderscheid is vooral van belang voor de machtsverdeling tussen Raad en Parlement. De invloed van het Parlement is veel groter voor de niet-verplichte dan voor de verplichte uitgaven.

Er moet verder een onderscheid gemaakt worden tussen de vastleggingskredieten en de betalingskredieten. Vastleggingskredieten geven aan hoeveel verbintenissen men voor de volgende jaren kan aangaan. Betalingskredieten slaan op werkelijk te betalen bedragen.

Tabel 5.8 : De EU-uitgaven (1998)

Uitgaven	Bedrag (in miljard ecu)	in %
Landbouwuitgaven (garantie)	40,9	45
Structurele uitgaven	33,7	37
Opleiding	0,8	0,9
Energie en milieu	0,2	0,2
Consumenten, interne markt, TEN	1,1	1,2
Onderzoek en ontwikkeling	3,5	3,8
Samenw. met m.o.l.[1] en derde landen	6,0	6,6
Veiligheids- en buitenlands beleid	0,1	0,0
Terugbetalingen, e.a.	0,4	0,5
Administratieve uitgaven	4,4	4,8
Totaal	91,0	

[1] minder ontwikkelde landen
Bron : Europese Commissie

Een andere onderverdeling van de uitgaven is die tussen *toegewezen en niet-toegewezen uitgaven*. De toegewezen uitgaven komen ten gunste van de lidstaten. De niet-toegewezen uitgaven betreffen begunstigden buiten de EU en administratiekosten. Vergeleken met nationale begrotingen wordt de EU-begroting gekenmerkt door het grote aandeel van de beleidsuitgaven. De werkingskosten vertegenwoordigen niet meer dan 5 % van het totaal. Bijna 90 % van de uitgaven is bestemd voor economische, sociale en regionale tussenkomsten in de lidstaten of in de derde wereld. Afgezien van de uitgaven voor landbouwgarantie en bepaalde kredieten voor onderzoek gebeuren die uitgaven meestal onder gedeelde kosten. Dit betekent dat de EU een gedeelte van de uitgaven, die gedaan worden in het kader van programma's en projecten ingediend door de lidstaten of door openbare of particuliere organisaties, subsidieert.

De belangrijkste uitgavenposten zijn de garantie-uitgaven in de landbouw en de structuurfondsen. De kosten van de garantie-uitgaven, dus het financiële aspect van de gemeenschappelijke landbouwpolitiek, zijn gestegen van ca. 5 miljard ecu in 1975 tot ca. 41 miljard ecu in 1998. In 1975 maakten deze uitgaven nog ca. 70 % uit van de totale uitgaven, in 1998 was dit percentage gedaald tot ca. 45 %.

De fakkel wordt daarbij overgenomen door de structuurfondsen. Na een eerste verdubbeling tegen 1992, en een tweede verdubbeling tegen 1995, maakten ze in 1998 37 % van de uitgaven uit.

5. DE UITGAVEN VAN GEMEENSCHAPPEN EN GEWESTEN

Naar aanleiding van de verschillende regionaliseringen die ons land gekend heeft, zijn heel wat bevoegdheden verschoven naar het niveau van de gemeenschappen en gewesten. Vooral de communautaire ronde van 1988 heeft op het vlak van de uitgaven heel wat verschuivingen meegebracht. Het INR en de NBB geven dan ook slechts statistieken vanaf 1989.

Tabel 5.9. : De uitgaven van de gemeenschappen en gewesten (in miljard BEF)

	1989		1997	
Lopende uitgaven exclusief rentelasten	546,8		826,5	
* Werkelijke bezoldigingen		209,7		333,9
* Lopende netto-aankopen van goederen en diensten		49,9		75,2
* Lopende overdrachten aan particulieren		72,3		172,2
* Subsidies aan bedrijven		41,4		62,2
* Lopende overdrachten aan het buitenland		0,0		0,6
* Lopende overdrachten aan de andere overheden		173,4		218,4
Rentelasten	4,9		24,7	
Kapitaaluitgaven	48,0		127,8	
* Bruto-investeringen		10,8		39,9
* Overige kapitaaluitgaven		24,4		64,7
* Kapitaaloverdrachten aan de andere overheden		12,7		23,3
Totale uitgaven	599,6		1015,1	

Bron : Instituut voor de Nationale Rekeningen, Nationale Bank van België, Statistisch Tijdschrift van de NBB, (1998-IV)

Op basis van – niet meteen met de cijfers van tabel te vergelijken – begrotingscijfers, verzameld door het Ministerie van Financiën, kan vastgesteld worden dat vooral de Vlaamse Gemeenschap in deze categorie uitgaven belangrijk is : 561 miljard BEF in 1997. De Franse Gemeenschap was goed voor 237,6 miljard BEF, het Waalse Gewest voor 177,9 miljard BEF en het Brusselse Hoofdstedelijke Gewest 60,1 miljard BEF. Voortgaande op de begrotingscijfers van de Vlaamse regering voor 1999 gaat het grootste stuk van de uitgaven naar onderwijs (41,8 %van de betalingskredieten). Verder zijn nog belangrijk de uitgaven voor de lokale besturen (10,1 %), de welzijnsuitgaven (9,0 %) en de uitgaven voor openbare werken en verkeer (8,1 %).

6. DE UITGAVEN VAN DE LOKALE OVERHEDEN

In de nationale rekeningen (ESER, nieuwe versie) wordt onder lokale overheden verstaan de provincies, de gemeenten, de OCMW's, de intercommunales, de

333

kerkfabrieken en de polders en wateringen. De gemeenten zijn er, uitgedrukt in termen van uitgaven, het belangrijkste onderdeel van.

Tabel 5.10. : De uitgaven van de lokale overheden (in miljard BEF)

	1987		1997	
Lopende uitgaven exclusief rentelasten	263,0		417,0	
* Werkelijke bezoldigingen		175,9		287,3
* Lopende netto-aankopen van goederen en diensten		21,7		28,5
* Lopende overdrachten aan particulieren		57,7		91,5
* Subsidies aan bedrijven		5,9		6,0
* Lopende overdrachten aan het buitenland		0,0		0,0
* Lopende overdrachten aan de andere overheden		1,7		3,7
Rentelasten	56,9		39,6	
Kapitaaluitgaven	46,3		73,0	
* Bruto-investeringen		42,6		68,3
* Overige kapitaaluitgaven		3,3		4,7
* Kapitaaloverdrachten aan de andere overheden		0,5		0,1
Totale uitgaven	366,2		529,8	

Bron : INR, NBB (Statistisch Tijdschrift van de NBB (1998-IV)

Tabel 5.10. geeft weer dat het in 1997 ging om een bedrag van 530 miljard BEF. Zoals gezegd nemen de gemeenten het grootste stuk van die uitgaven (ca. tweederde) voor hun rekening. Zoals reeds gebleken is in deel 3 vallen de gemeentelijke uitgaven uiteen in de gewone en de buitengewone uitgaven.

De gewone uitgaven kunnen net als de federale uitgaven zowel vanuit economisch als vanuit functioneel standpunt worden bekeken.
Bij de economische classificatie worden de uitgaven uitgesplitst in personeelskosten, werkingskosten, overdrachten en schulduitgaven (rente en aflossing). De personeelskosten nemen in de Vlaamse gemeenten bijna de helft van de gewone uitgaven voor hun rekening (zie tabel 5.11.).

Tabel 5.11. : Gemeentelijke uitgaven in Vlaanderen volgens economische groepen (1996)

	in miljard BEF	in %
personeel	107,4	47,1
werkingskosten	43,6	19,1
overdrachten	34,0	15,0
schulduitgaven	42,8	18,8
totaal	227,8	100

Bron : http ://aba.ewbl.vlaanderen.be/gemprov/gem.financiën/evol9098.htm

De belangrijkste functionele uitgavencategorieën zijn terug te vinden in tabel 5.12.

Tabel 5.12 : De belangrijkste functionele uitgavenposten van de Vlaamse gemeenten (in % van het totaal, – begrotingscyclus 1998)

Verkeer, wegen, waterlopen	13,9
Volksontwikkeling en kunst	11,0
Justitie en politie	9,4
Sociale zekerheid en bijstand	9,0

Bron : http :/aba.ewbl.vlaanderen.be/gemprov/gem.financiën/evol9098.htm

Interessant als het om gemeentelijke uitgaven gaat is te kijken naar het verband tussen de uitgaven per inwoner en de omvang van de gemeenten in kwestie. Dan blijkt dat – in Vlaanderen althans – de grotere gemeenten meer uitgeven dan de kleinere. De gemiddelde (gewone) uitgaven per inwoner bedroegen in 1998 38.523 BEF, in de drie grootste Vlaamse steden Antwerpen, Gent en Brugge beliepen diezelfde uitgaven resp. 84.220 BEF, 78.765 BEF en 49.188 BEF.

De belangrijkste oorzaken hiervan zijn de centrumfunctie van de grote steden, het gegeven dat zij meer economische taken (bijv. industrieterreinen) hebben en de suburbanisering waardoor burgers gaan wonen buiten de stad, maar toch nog van de stedelijke voorzieningen gebruik maken[1].

Naast de gewone dienst is er de buitengewone dienst met de investeringen. De evolutie van de gemeentelijke investeringen in de Vlaamse gemeenten is te vinden in tabel 5.13.

Aanleg en onderhoud zijn de belangrijkste investeringsposten. Opvallend is dat in het vooruitzicht van de gemeentelijke verkiezingen van 1988 en 1994 de investeringsuitgaven een sterke toename kenden[2].

Tabel 5.13. : Investeringen van de Vlaamse gemeenten (in miljard BEF)

1990	25,3
1991	29,2
1992	38,2
1993	39,3
1994	37,4
1995	31,8
1996	35,3

Bron : http ://www.vlaanderen.be/ned/sites/binnenland/binnenland_f.htm

---

[1]   KB-Weekberichten (1996), p. 2.
[2]   De gemeentefinanciën, art. cit., p. 7.

Tabel 5.14. : Totale overheidsuitgaven als % van nominale BBP

	1970	1975	1980	1985	1990	1995	1997e	1998e	1999e
België	41,5	50,5	57,0	60,4	53,2	53,5	51,9	51,0	50,4
Denemarken	41,1	46,0	53,6	56,8	57,4	60,3	59,4	57,6	56,5
Duitsland	38,5	48,6	48,0	47,2	45,3	50,1	48,2	47,5	47,2
Finland	30,5	38,4	39,4	45,0	46,8	58,3	54,4	52,2	50,3
Frankrijk	38,1	43,8	46,6	52,7	50,6	54,7	54,4	54,1	53,2
Griekenland	..	..	27,3	39,8	48,2	48,3	42,8	41,5	41,1
Ierland	35,7	44,7	48,0	51,0	39,5	37,2	33,4	31,6	29,9
Italië	32,7	40,5	42,9	51,7	54,3	53,3	51,0	49,9	49,4
Luxemburg	30,1	44,2	50,4	46,2	..	..	44,5	44,5	44,0
Nederland	41,8	50,5	56,7	58,0	55,2	52,9	50,0	48,3	47,9
Oostenrijk	38,2	44,9	47,8	50,9	50,2	55,1	51,4	51,5	51,7
Portugal	19,6	27,0	..	43,5	40,1	43,8	43,1	42,8	42,0
Spanje	21,6	24,6	32,9	42,2	43,9	46,7	43,3	42,9	42,4
Ver. Koninkrijk	36,8	44,5	43,1	44,1	43,4	45,6	42,2	41,3	41,8
Zweden	43,7	49,3	61,6	64,9	60,7	67,0	63,7	61,8	60,7
Canada	34,1	39,2	39,6	46,0	46,7	46,5	42,4	41,4	40,7
Japan	19,0	26,8	32,0	31,6	31,3	35,6	35,9	36,1	36,4
United States	30,0	32,8	31,4	32,9	32,8	32,9	32,0	31,8	31,8

e Ramingen en schattingen.
Bron : EU-landen : Europese Commissie; overige landen : Economic Outlook n°62, december 1997 en Economic Outlook n°64, december 1998; OECD, Analytical Databank, OECD

7. VERGELIJKING IN EEN INTERNATIONALE CONTEXT

In tabel 5.14. kan men bekijken hoe de overheidsuitgaven uitgedrukt in percentage van het BBP in diverse OESO-landen door de tijd heen, meer bepaald vanaf 1970, zijn geëvolueerd. Volgende punten vallen daarbij op :
– het hoge startniveau in 1970 van België, nl. 41,5 %, samen met enkele andere kleine landen zoals Nederland (41,5 %) en Zweden (43,7 %); de grotere landen Frankrijk, Duitsland en het Verenigd Koninkrijk volgden toen met een percentage van resp. 38,1 %, 32,5 % en 36,8 %; de VS haalden toen 30 % en Japan 19 %.
– alle landen zien hun uitgavenquote toenemen tussen 1970 en 1995, ongeacht de startposities waartussen grote verschillen vast te stellen zijn.

- tegen 1995 zijn de Skandinavische landen de koplopers geworden : Zweden met 67 %, Denemarken met 60,3 % en Finland met 58,3 %; België volgt als vierde met 53,2 %.
- 1995 blijkt het hoogtepunt te zijn van de uitgavenquote; de voorspellingen van de EU en de OESO voor de rest van de eeuw geven quasi overal dalende cijfers te zien; is de overheidsinterventie, kwantitatief bekeken, tegen haar plafond gestoten ?

8. BESLUIT

In dit hoofdstuk werd geprobeerd een overzicht te geven van de verschillende aspecten verbonden aan de overheidsuitgaven. Deze uitgaven werden bekeken vanuit de overheidsniveaus waarop ze gebeuren. De verschillende typen onderverdelingen werder bekeken, met name de economische herverdeling en de functionele. Er werd getracht om zoveel mogelijk de evolutie in de tijd aan te geven. Tenslotte werd ook het internationale perspectief aangehouden door een vergelijking van de evolutie in de overheidsuitgaven in een aantal EU-landen en andere economische grootheden.

Literatuurlijst

Instituut voor de Nationale Rekeningen (1998), Nationale rekeningen 1997.

KB-Weekberichten (1996), De gemeentefinanciën, jaargang 51, nr 13, 26 april.

Ministerie van Financiën, Documentatieblad en Conjunctuurnota, diverse nummers

Nationale Bank van België, Statistisch tijdschrift, diverse nummers

Nationale Bank van België (1998), Verslag 1997

Trefwoorden en -zinnen van hoofdstuk 2

De Wet van Wagner
De plateautheorie van Peacock and Wiseman
De ziekte van Baumol
De omvang van de overheid en fiscale illusie
De omvang van de overheid en de rol van de kiezers
De omvang van de overheid en de rol van de politici
De omvang van de overheid en de rol van de ambtenaren
De omvang van de overheid en de rol van de belangengroepen

Hoofdstuk 2
VERKLARINGEN VOOR DE HOOGTE EN DE STRUCTUUR VAN DE UITGAVEN

Het fenomeen van de stijgende overheidsuitgaven heeft reeds heel wat intellectuele aandacht getrokken, met als gevolg een boekenkast vol met verklaringen en theorieën (zie bijv. Larkey P., Stolp C. en Winer M. (1981)). Twee grote scheidingslijnen kunnen bij het overlopen van deze literatuur worden getrokken.

De eerste is die tussen de traditionele theorieën en de "politiek bewuste" theorieën. In de eerste soort is de overheid een passieve uitvoerder van de wensen van de kiezers. De politieke theorieën maken gebruik van de inzichten van de public choice en kennen de politieke besluitvormers een actieve en expliciete rol toe bij de totstandkoming en dus ook bij de groei in de overheidsuitgaven.

De tweede scheidingslijn is die tussen de vraaggedetermineerde en de aanbodgedetermineerde verklaringen, waarbij vraag en aanbod hier slaan op collectieve voorzieningen.

1. DE TRADITIONELE VERKLARINGEN VOOR DE GROEI IN DE OVERHEIDSUITGAVEN

Achtereenvolgens behandelen we de "Wet van Wagner", de plateautheorie, de "ziekte van Baumol", de bevolkingsgroei en de fiscale illusie. Met uitzondering van de theorie van Baumol leggen al deze benaderingen het gewicht op de vraag naar collectieve goederen.

1.1. De Wet van Wagner

De meest bekende van de traditionele theorieën en ook de oudste is de *Wet van Wagner* ("Gesetz der wachsende Staatsausgaben", Wagner A. (1983)) die stelde dat met de ontwikkeling van de moderne industriële maatschappij ook de overheidssector zou toenemen. Wagner situeert die toename van het overheidsingrijpen op drie gebieden : orde en veiligheid, welzijn en productie. Hij was van mening dat vooral in de eerste sector het overheidsingrijpen gevoelig zou toenemen : de economische ontwikkeling veroorzaakt intensere contacten tussen individuen en groepen. Dat brengt een ingewikkelder rechtssysteem mee en dus meer kans op conflicten en misdrijven. Preventie en beteugeling ervan zijn weggelegd voor de staat.

Deze notie van *complementariteit tussen private en collectieve behoeften* vinden wij ook bij andere auteurs terug. Zo bijvoorbeeld bij Musgrave A. en Musgrave P. (1989) die stellen dat naarmate het inkomen stijgt, de consumenten relatief meer overheidsvoorzieningen wensen. Bekende voorbeelden hiervan zijn de nood aan meer autowegen, samengaand met het door de welvaartsstijging mogelijke gemaakte grotere wagenpark, en de nood aan beter onderwijs, aangepast aan de verbeterende technologie. Veel van deze complementaire goederen hebben positieve externe effecten, zodat men overheidstussenkomst gerechtvaardigd vindt.

1.2. De plateautheorie

Eveneens bekend is de theorie van het *"displacement effect"* of de *"plateautheorie"*, naar voren gebracht door Peacock A. en Wiseman J. (1967) in hun studie over de groei van de overheidsuitgaven in het Verenigd Koninkrijk. Volgens deze theorie wordt de groei van de uitgaven gekarakteriseerd door sprongen. De verhouding tussen uitgaven en nationaal product blijft praktisch constant of neemt lichtjes toe als gevolg van de ruimte geschapen door de progressiviteit van de belastingen in samenhang met de economische groei, om dan plots, als gevolg van een uitzonderlijke gebeurtenis, waarbij vooral aan oorlog wordt gedacht, maar ook aan sociale en economische crises, omhoog te schieten. Als de uitzonderlijke gebeurtenis voorbij is, dalen de uitgaven niet naar het vroegere niveau, maar blijven op hetzelfde peil tot er een nieuwe crisis uitbreekt. Het niet terug inkrimpen van de uitgaven is toe te schrijven aan het feit dat de bevolking gewoon is geraakt aan de met de grotere uitgaven gepaard gaande hogere belastingen. In de plaats van oorlogsuitgaven komen dan door het publiek meer gewenste collectieve voorzieningen.

1.3. De "ziekte" van Baumol

Een interessant licht op de evolutie van de overheidsuitgaven wordt geworpen door de stellingen van respectievelijk Baumol W. (1967) en Beck M. (1981). Volgens Baumol is er sprake van een *onevenwichtige groei van de private en de publieke sector* in de economie. Doordat de arbeidsintensiviteit veel groter is in de publieke sector blijft de productiviteit daar achter. Het loonpeil evenwel is hetzelfde of evolueert in dezelfde mate als in de private sector. Wil men dezelfde verhouding tussen de reële output van de publieke en de private sector behouden, dan is het onvermijdelijke gevolg daarvan dat de uitgaven in de publieke sector relatief moeten toenemen. De groei van de overheidsuitgaven in termen van het nationaal product is dus te verklaren door de relatieve groei van de kosten in de publieke sector. Het relatief niveau van de reële voorzieningen heeft daar niets mee te maken en kan zelfs afnemen.

Deze theorie wordt als volgt formeel voorgesteld. Er wordt verondersteld dat de economie verdeeld is in twee sectoren : de collectieve sector L_1 met een constante arbeidsproductiviteit en de privé-sector L_2 waarin de productie per man-uur groeit tegen een vaste groeivoet r.

De waarde van de productie in de twee sectoren (Y_{1t} en Y_{2t}) op tijdstip t kan dan als volgt worden geformuleerd :

$$Y_{1t} = aL_{1t}$$
$$Y_{2t} = bL_{2t}e^{rt}$$

waarin L_{1t} en L_{2t} de hoeveelheden arbeid en a en b constanten voorstellen. De lonen per man-uur in de twee sectoren worden gelijk verondersteld. Dit loon W groeit mee met de productiviteit in sector 2 :

$$W_t = We^{rt}$$

De kost per eenheid output (C_1 resp. C_2) is dan gelijk aan

$C_1 = W_t L_{1t}/Y_{1t}$
$C_2 = W_t L_{2t}/Y_{2t}$

Deze laatste twee vergelijkingen kunnen met het oog op de drie eerste vergelijkingen als volgt worden herschreven :

$C_1 = We^{rt}L_{1t}/Y_{1t} = We^{rt}/a$
$C_2 = We^{rt}L_{2t}/bL_{2t}e^{rt} = W/b$

Dit beduidt dat in de overheidssector de kost per producteenheid steeds maar toeneemt, terwijl ze in de privé-sector constant blijft. Veronderstelt men dat de prijzen in de respectieve sectoren proportioneel zijn met de kosten, dan stijgt in de gegeven omstandigheden de prijs van de overheidsoutput terwijl de prijs in de privé-sector constant blijft. Minder strikt geïnterpreteerd (bijvoorbeeld als de lonen toch sterker stijgen dan de productiviteit) betekent dit toch een stijgende relatieve prijs per eenheid overheidsoutput.

Door deze stijgende relatieve prijs voor de overheidsoutput mag men verwachten dat de vraag naar overheidsoutput afneemt. De mate van afnemen is afhankelijk van de prijselasticiteit van de vraag naar overheidsgoederen. Daarnaast moet ook rekening gehouden worden met de toename van deze vraag als gevolg van stijgende inkomens, waarbij dus de inkomenselasticiteit een rol speelt (de Wet van Wagner dus).

Ook deze factor kan geformaliseerd worden. Spann R. (1977) gaat uit van de volgende vraagfunctie naar collectieve voorzieningen :

$$Y_1/N = A(P_1/P_2)^\eta (X/P_2)^\delta \qquad (1)$$

met Y_1 de vraag naar collectieve voorzieningen
      X het nominaal inkomen per capita
      P_1/P de relatieve prijs van de collectieve output
      η de prijselasticiteit van de vraag naar collectieve output
      δ de inkomenselasticiteit
      N de bevolkingsomvang (constant verondersteld)
      A een constante

Aangezien zowel P_1/P_2 als X/P_2 toenemen tegen een groeivoet r, zal de gevraagde output per capita als volgt variëren :

$$dY_{1t} = r(\delta + \eta) \qquad (2)$$

De variatie in de gevraagde hoeveelheid collectieve voorzieningen per capita zal positief zijn als de inkomenselasticiteit δ (die posititief is) groter is dan de absolute waarde van de (negatieve) prijselasticiteit.

De term $r(\delta + \eta)$ is trouwens tevens de groeivoet van het aandeel van de overheidsuitgaven in het BNP. Dit aandeel kan immers voorgesteld worden door L_1/N, aangezien arbeid de enige productiefactor is in dit model. Door vergelijking 2 in vergelijking 1 te integreren, krijgen we :

341

$$L_1/N = A/a(P_1/P_2)^\eta(X/P_2)^\delta$$

De groeivoet daarvan is ook $r(\delta+\eta)$.

Men kan verder ook de verhouding tussen de overheidsoutput en de output van de privé-sector bekijken (Y_1/Y_2) :

$$Y_{1t}/Y_{2t} = aL_1/bL_2e^{rt}$$

Wil men deze verhouding constant houden dan moet L_1 steeds meer toenemen ten koste van de tewerkstelling in de privé sector. Daardoor stijgt het aandeel van de overheids-uitgaven in het BNP.

Dit laatste is wat Beck M. (1981) vaststelde bij de studie van de evolutie van de overheid in een aantal geïndustrialiseerde landen. Kernpunt van zijn benadering is de overweging dat prijs- en kostenontwikkelingen in de publieke sector afwijken van die in de privé-sector. Wanneer de groei van de overheidsuitgaven (Beck beperkt zich tot de lopende uitgaven) gecorrigeerd wordt met de passende deflator, blijkt die groei in sommige landen omgeslagen te zijn in een daling van het overheidsaandeel in de economie.

1.4. De bevolkingsgroei

Een andere veel geciteerde factor is de *bevolkingsgroei*. Deze zou een hoger niveau van bepaalde overheidsdiensten (bijv. landsverdediging, brandweer, politiebescherming) noodzakelijk maken. In feite is dat in strijd met wat een echt collectief goed zou moeten zijn : de marginale kost van een additionele gebruiker is er per definitie gelijk aan 0. Veel van de overheidsdienstverleningen zijn echter geen pure collectieve goederen zodat er wel een effect van een verandering in de bevolking kan zijn. Er wordt daarbij vooral gedacht aan congestie die samengaat met een grotere bevolkingsdichtheid.

Ook de *bevolkingsstructuur* kan een rol spelen. Sommigen wijzen op de veroudering van de bevolking. Deze kan inderdaad gevolgen hebben voor een aantal sociale voorzieningen zoals pensioenen en ziekenzorg. Ook variaties aan het andere eind van het leeftijdsspectrum kunnen belangrijk zijn, denken we maar aan de uitgaven voor kinderbijslagen en voor onderwijs. Men merkt echter wel op dat veroudering van de bevolking enerzijds en een lager geboortencijfer anderzijds tegengestelde effecten hebben op de overheidsuitgaven, zodat ze elkaar tot op zekere hoogte neutraliseren.

1.5. Fiscale illusie

Vragers naar publieke voorzieningen neigen ertoe de *impliciete belastingprijs* van deze goederen te *onderschatten*[3]. Er zijn verschillende verklaringen hiervoor. Een eerste is dat er informatiekosten verbonden zijn aan het doorgronden van het belastingsysteem. Vooral de impact van indirecte belastingen is niet altijd erg zichtbaar. Een tweede verklaring is dat het tijdstip waarop via het belastingsysteem of via schuldfinanciering voor de publieke goederen wordt betaald, niet altijd duidelijk is. In het geval van lokale publieke voorzieningen in België worden de opcentiemen op de inkomstenbelasting en

---

[3]   Henrekson M. (1990), blz. 138.

op de onroerende voorheffing met redelijk wat vertraging aan de lokale overheden doorgestort. Bij de schuldfinanciering is de band tussen voorzieningen en de belastingen die in de toekomst de schuld moeten aflossen nog losser. In de derde plaats zorgt een complex belastingsysteem ervoor dat een individuele burger moeilijk zicht krijgt op zijn/haar totale fiscale druk.

Fiscale illusie wordt bovendien negatief beïnvloed door de inflatie, tenminste voor zover er geen indexatie van de belastingschalen plaatsvindt en het belastingsysteem een progressief karakter heeft. Als dan de prijzen van de publieke voorzieningen gelijk oplopen met de inflatie, dan ontstaat er – bijna automatisch – meer ruimte voor uitgaven.

2. POLITIEKE VERKLARINGEN

In de voorgaande theorieën wordt er geen rekening gehouden met het politieke proces waarlangs de al dan niet bestaande vraag naar meer overheidsuitgaven vanwege de consumenten-kiezers in realiteit wordt omgezet. Doet men dit wel, dan kan men zowel aan de *vraagzijde als aan de aanbodzijde van het politieke proces* gaan kijken. De vraagzijde komt in beeld door de kiezers en de belangengroepen in de analyse te betrekken. De aanbodzijde richt de blik op politici, partijen en ambtenaren.

2.1. De kiezers

Breton A. (1974) introduceert de kiezers en geeft daarmee een verdere verklaring van de plateautheorie van Peacock A. en Wiseman J. (1967). Volgens hem zijn de crisisperioden van Peacock en Wiseman eveneens tijden waarin de individuen onderworpen zijn aan een grotere dwang vanwege de overheid. Dit maakt dat zij gemakkelijker zullen deelnemen aan het politieke proces; de relatieve kosten van deelname zijn lager, omdat bij succesvolle participatie de vermindering van de dwang groter zal zijn. Na afloop van de crisisperiode leidt de grotere participatie tot een hogere vraag naar collectieve voorzieningen zodat de belastingtarieven op het crisisniveau moeten blijven.

Naast de theorie van Breton zijn er nog een ganse reeks theorieën die een beroep doen op het *theorema van de mediaankiezer*. Ze hebben alle gemeen dat ze gebaseerd zijn op verregaande veronderstellingen : de kiezers beslissen rechtstreeks, er is slechts keuze tussen twee alternatieven binnen een beleidsgebied, terwijl de preferenties van de kiezers op andere gebieden geen invloed hebben, er is volledige informatie, enz. De redenering achter de meest interessante van deze theorieën (Meltzer A. en Richard S. (1978), zie ook de Tocqueville (1835)) gaat als volgt. Extreem simplifiërend gesteld zijn er een heleboel mensen met een laag inkomen tegenover een gering aantal met een hoog inkomen. De collectieve goederen, die door de overheidsuitgaven gefinancierd worden, hebben voor iedereen hetzelfde nut. De belastingen die daarvoor moeten geheven worden, worden echter vooral door de hoge inkomens betaald. De *"belasting-prijs" van de collectieve goederen* is dus voor de lage inkomens lager dan voor de hogere inkomens. De lage inkomens zijn genoeg in aantal om in een meerderheidsstelsel steeds de hoge inkomens te kunnen verslaan. Door zo te werk te gaan kunnen de lage inkomens de hoge inkomens laten opdraaien voor de uitbreiding van de collectieve sector. Door de toegenomen democratisering in de twintigste eeuw (overgang naar algemeen stemrecht, afschaffing van de cijns, registratiebewegingen, enz.) is het inkomen van de mediaankiezer steeds lager komen te liggen t.o.v. het gemiddelde inkomen, zodat dit een plausibele verklaring lijkt. Hoe groter dus de inkomensongelijkheid tussen de kiezers, hoe groter de collectieve sector.

Een gevolg van een uitdijende collectieve sector is echter dat de inkomensverdeling minder ongelijk wordt. Deze vaststelling inspireerde Peltzman (1980) tot de stelling dat juist een *toenemende inkomensnivellering* leidt tot een grotere overheidssector. Hij gaat er daarbij vanuit dat elke overheidsuitgave neerkomt op een herverdeling, het collectievegoedkarakter van een groot pak uitgaven zet hij bewust aan de kant. Het ontstaan van een omvangrijke, steeds mondiger wordende middenklasse – het gevolg van de minder grote inkomensongelijkheid – zorgde voor uitgebreide herverdelingsprogramma's naar die klasse en daardoor nam de overheidssector een steeds grotere uitbreiding.

2.2. De politici

De literatuur over de invloed van politici op de overheidsuitgaven concentreert zich hoofdzakelijk rond drie aspecten : de kenmerken van het besluitvormingssysteem, het electoralisme waaraan de politici ten prooi zouden zijn en de ideologische voorkeuren van de politici.

Wat betreft het eerste aspect zijn er een aantal studies die uitgaande van één of ander kenmerk van het politiek systeem de groei van de overheidsuitgaven proberen te verklaren. Eén van die fenomenen is de *stemmenruil* (logrolling). Door koppeling van dossiers kunnen voorstellen worden goedgekeurd waarvoor elk afzonderlijk geen meerderheid bestond. Op die manier wordt het overheidsingrijpen omvangrijker dan gewenst en aangezien overheidsingrijpen in vele gevallen ook overheidsuitgaven veronderstelt, stijgen ook deze.

Een ander fenomeen is dat van het *incrementalisme.* Volgens deze theorie is een begroting gebaseerd op de begroting van het voorgaande jaar. De agenda van de politici is te beperkt en te druk bezet om alle uitgavencategorieën telkens opnieuw ten gronde te bespreken en op hun nut te evalueren. Er wordt enkel gediscussieerd over toe- en afnames, en dan nog vooral over toenames.

Het tweede aspect is het *electoralisme* van de politici. De begroting, en meer bepaald de uitgavenzijde, is een instrument dat politici kunnen gebruiken om de economie in de electoraal gewenste richting te krijgen. Een opbod van partijen in verkiezingsperioden met een stijging van de overheidsuitgaven is niet denkbeeldig. Hoe onstabieler bovendien een democratie, in termen van hoe meer verkiezingen er nodig zijn, hoe hoger de mogelijkheden voor het electoraal opbod met de gevolgen van dien voor de overheidsuitgaven.

De *ideologische voorkeuren* van de politici is het derde aspect dat hier aan bod komt. Aangezien politici gegroepeerd zijn in politieke partijen, gaat het om de ideologie van partijen. Men simplifieert de zaken daarbij zodanig dat men enkel een linkse en een rechtse ideologie overhoudt. Kenmerkend voor de linkse ideologie is dat ze verondersteld wordt een ruime tussenkomst van de overheid in de economie voor te staan, terwijl de rechtse ideologie de staat zoveel mogelijk uit het economisch leven zou wensen te weren. Daaruit volgt de veronderstelling dat linkse regeringen de uitgaven meer zullen verhogen dan rechtse regeringen. Hoe meer en hoe langer er dus linkse regeringen zijn in een land hoe hoger de uitgaven daar zouden moeten liggen.

2.3. De ambtenaren

Ook de ambtenaren blijken door sommigen als de oorzaak van de overheidsgroei te worden aangezien. Bekend is hier het werk van Niskanen W. (1971). De essentie van deze theorie, waarrond zich een ganse literatuur heeft ontsponnen, is dat het vermeende streven van de overheidsbureaucraten naar persoonlijke macht, prestige en voldoening wordt betaald door steeds grotere budgetten. De bron van hun invloed is het informatiemonopolie waarover zij beschikken. Zij staan tegenover de politici die vragers zijn naar hun output. Deze zijn onvoldoende geïnformeerd over de werkelijke kosten van de voorzieningen en zouden dan ook argeloos overdreven budgetten goedkeuren.

2.4. De belangengroepen

Belangengroepen worden dikwijls een belangrijke rol toebedeeld in het verklaren van de groei van de overheidsuitgaven. Verschillende benaderingen zijn mogelijk.

Een eerste is die van Mueller D. en Murrell P. (1986). Zij argumenteren dat meer pressiegroepen (of grotere pressie) alleen niet volstaan om een groei van de uitgaven te krijgen. Die pressie kan immers ook gericht zijn op belastingvoordelen en vermindering van de uitgaven. Als de overheid enkel zuiver collectieve collectieve goederen (voor gans de bevolking) en privé-goederen levert, dan kan worden bewezen dat verhoogde druk niet a priori tot verhoogde uitgaven leidt. De uitgaven stijgen alleen als de belangengroep probeert een bepaald soort goed van de overheid te bekomen, namelijk een goed dat collectief van aard is, maar dan enkel voor de leden van de groep, zoals een dam die enkel nut heeft voor de bewoners van de streek.

Mueller D. en Murrell P. (1986) redeneren dan verder dat er een groei optreedt in de relatieve omvang van de overheidssector als de invloed van de pressiegroepen in een samenleving toeneemt. Die toenemende invloed zou dan veroorzaakt worden door een toename in het aantal pressiegroepen. Mueller en Murrell nemen immers aan dat zowel het aantal groepen dat lobbyt voor zuiver collectieve en privé-goederen als het aantal groepen dat voor geografisch beperkte collectieve goederen lobbyt toeneemt. Terwijl de druk van het eerste soort dus geen systematisch effect heeft op de omvang van de overheid, is dit wel het geval voor de tweede soort groepen.

Een andere invalshoek, die ook een diepere wortel heeft in de economische weten-schap, is gebaseerd op de inzichten van Mancur Olson. Olson M. (1965) onderzocht de voorwaarden die moeten vervuld zijn wil een aantal mensen met hetzelfde belang zich daadwerkelijk in een groep organiseren. Dit gebeurt niet zo maar automatisch. Het bestaan van een gemeenschappelijk belang alleen volstaat niet. Het is immers niet in het belang van een individu om zich zo maar bij een belangengroep aan te sluiten. Dit komt omdat de diensten die de groep eventueel kan leveren, het karakter hebben van collectieve goederen. Free-ridergedrag is dus mogelijk.

Daarmee is het probleem nochtans alleen maar verlegd naar de vraag : hoe komt het dat er toch belangengroepen bestaan ? Dat komt volgens Olson omdat zij gebruik maken van zogenaamde "selective incentives", die zowel positief als negatief kunnen zijn. Voorbeelden van *positieve selectieve stimulansen* zijn vakbondspremies, prijsreducties voor leden; *negatieve stimulansen* zijn bijvoorbeeld van overheidswege gedwongen lidmaatschap, dreiging met geweld, enz.

Een uitzondering op de regel vormen de kleine groepen; deze zijn meestal wel te organiseren zonder dat er selectieve stimulansen nodig zijn. In kleine groepen heeft free-ridergedrag immers wel gevolgen voor het betrokken individu. Juist omdat het over een beperkte groep gaat is de bijdrage in de kosten van het organiseren en beheren van de pressiegroep een substantieel deel van de totale kosten. Valt zijn bijdrage weg dan vermindert de kwaliteit en/of de levering van het collectief goed in kwestie.

Uiteindelijk is de stelling dus dat groepen die gebruik kunnen maken van selectieve stimulansen en kleine groepen gemakkelijker en sneller zullen worden georganiseerd dan andere. Heel wat belangen blijven ongeorganiseerd en zijn dus in het nadeel bij de wel georganiseerde belangen. Aldus wordt het politiek systeem gekenmerkt door onevenwichtigheid.

Een andere interpretatie luidt als volgt : de "verliezers" bij beleidsmaatregelen (bijv. de belastingbetalers bij een belastingverhoging) reageren niet, hun verlies is te klein om er kosten voor op te lopen, het loont de moeite niet zich erover te informeren en nog minder om een pressiegroep te organiseren om tegendruk uit te oefenen.

Het verlies is te klein omdat het gespreid is over een groot aantal verliezers. Het daartegenover staande voordeel is echter geconcentreerd bij een kleine groep "winnaars" (bijv. de begunstigden van de met de extra belastingen gefinancierde uitgaven) die dus uitermate gemotiveerd zijn om het voordeel langs de politieke besluitvorming te bekomen. Daartoe oefenen ze druk uit op de verantwoordelijke politici.

Gesteld tegenover een ongelijke druk en rekening houdend met de voor een voortzetting van de politieke carrière vereiste van electoraal succes, hebben deze politici het moeilijk om aan de druk van de "winnaars" te weerstaan.

Toegepast op de openbare uitgaven levert dat het volgende beeld op (Lee D. 1987, p. 300 e.v.) :

Aan de uitgavenkant hebben we te maken met een ganse pleïade aan belangengroepen die erop uit zijn een voordeel in de wacht te slepen. Zij lobbyen bij de verantwoordelijke politici en kleden hun zaak zo in dat met het inwilligen van hun wensen ook het algemeen belang gediend is. Die groepen maken gemakkelijk te identificeren kiezers uit, wiens stemmen de politici in kwestie kunnen gebruiken.

Aan de ontvangstenzijde tekent zich een ander beeld af. Daar worden de kosten van het gegeven voordeel omgeslagen over de omvangrijke en anonieme groep van belastingbetalers. De bijkomende last per belastingbetaler is daardoor verwaarloosbaar klein. De belastingbetalers hebben er dan ook weinig belang bij tegen de uitgavenverhoging annex belastingverhoging te gaan ageren. Op die manier gaan de overheidsuitgaven steeds omhoog.

3.   BESLUIT

In dit hoofdstuk werd de analyse gemaakt van het fenomeen van de sterk gestegen overheidsuitgaven in de meeste westerse landen – vooral in de periode na de Tweede Wereldoorlog. Daarbij werd zowel aandacht besteed aan de klassieke verklaringen, zoals de wet van Wagner, de "ziekte van Baumol" en de plateautheorie, als aan meer moderne theorieën die eerder de rol van de politieke besluitvorming belichten. Deze theorieën komen voort uit de public-choiceschool.

Literatuurlijst

BAUMOL W. (1967), "Macro-economics of unbalanced growth : the anatomy of urban crisis", *American Economic Review*, 57, blz. 415-426.

BECK M. (1981), *Government spending : trends and issues*, New York : Praeger Publishers.

BRETON A. (1974), *The economic theory of representative government*, London : MacMillan.

DE TOCQUEVILLE A. (1835), *Democracy in America*, New York : Mentor Books (1956).

GEMMELL N. (ed.) (1993), *The growth of the public sector. Theories and international evidence*, Aldershot : Edward Elgar.

HENREKSON M. (1990), *An economic analysis of Swedish government expenditure*, Gothenburg : Trade Union Institute for Economic Research.

LARKEY P., STOLP C. en VINER M. (1981), "Theorizing about the growth of government : a research assessment", *Journal of Public Policy*, I, 2, blz. 157-220.

LEE D.(1987), "Deficits, political myopia and the asymmetric dynamics of taxing and spending", in Buchanan J.M., Rowley C.K. en Tollison R.D., *Deficits*, Oxford : Basil Blackwell.

MELTZER A. en RICHARD S. (1978), "Why government grows (and grows) in a democracy", *Public Interest*, blz. 111-118.

MUELLER D. en MURRELL P. (1986), "Interest groups and the size of government", *Public Choice*, 41(3), blz. 125-146.

MUSGRAVE A. en MUSGRAVE P. (1989). *Public finance in theory and practice*, New York : McGraw-Hill (vijfde uitgave).

NISKANEN W. (1971), *Bureacracy and representative government*, Chicago : University of Chicago Press.

OLSON M. (1965), *The logic of collective action*, Harvard : Harvard University Press.

PEACOCK A. en WISEMAN J. (1967), *The growth of public expenditure in the United Kingdom 1890-1955*, London : Allen en Unwin.

PELTZMAN S. (1980), "The growth of government", *Journal of Law and Economics*, 23(2), blz. 209-287.

ROWLEY C. (1987), "The legacy of Keynes : from the General Theory to generalized budget deficits", in Buchanan J., Rowley C. en Tollison R., *Deficits*, Oxford : Basil Blackwell.

SPANN R. (1977), "The macro-economics of unbalanced growth and the expanding public sector. Some simple tests of a model of government growth", *Journal of Public Economics*, 8, blz. 397-404.

VUCHELEN J. (1990), *Hebben de Belgische overheidsfinanciën nog een toekomst ?*, Antwerpen : De Financieel Economische Tijd.

WAGNER A. (1893), *Grundlegung der politischen ökonomie*, Leipzig : C.F. Winter.

Trefwoorden en -zinnen van hoofdstuk 3

Sociaal-economische kosten-batenanalyse
Pareto-criterium
Het compensatieprincipe
Directe en indirecte kosten en baten
Meetbare en onmeetbare kosten en baten
Reële en financiële kosten en baten
Schaduwprijzen
De sociale discontovoet
De netto-actuele waarde
De opbrengstratio
Planning Programming Budgeting System
Management by Objectives
Zero-Based Budgeting

Hoofdstuk 3
BUDGETTERINGSTECHNIEKEN

1. INLEIDING

In deel 4 werd reeds uiteengezet op basis van welke criteria en normen men tot een bepaald uitgaven- en ontvangstenpeil en het daarmee samenhangende begrotingssaldo komt. Dit was een eerder macro-economische benadering, waarbij het uitgavenniveau samen gezien wordt met het ontvangstenpeil en het saldo.

In dit hoofdstuk gaan we, meer bepaald voor de uitgaven, na hoe de samenstelling ervan kan worden benaderd. Daarmee zakken we af van het macro-niveau naar het meso- en het micro-niveau (zie tabel 5.16.).

Op het meso-niveau situeren we technieken als Planning Programming Budgeting System (PPBS), Zero-Based Budgeting (ZBB), e.a. Het betreft methoden om te bepalen voor welke doeleinden uitgaven worden gedaan. Op het micro-niveau gaat het vooral om de sociaal-economische kosten-batenanalyse. Dit is in hoofdzaak een methode om projecten financieel te beoordelen en alternatieve projecten tegenover elkaar af te wegen.

Tabel 5.16. : Budgettering op micro-, meso- en macro-niveau

macro-niveau = niveau van de macro-economische evenwichten	begrotingsnormering
meso-niveau = niveau van de begroting	budgetteringstechnieken
micro-niveau = niveau van de individuele programma's	sociaal-economische kosten-batenanalyse

2. DE SOCIAAL-ECONOMISCHE KOSTEN-BATENANALYSE

2.1. Situering

Kosten-batenanalyse houdt in dat voor een project zowel de kosten als de baten in geld worden uitgedrukt en tegenover elkaar worden afgewogen.

De *sociaal-economische kosten-batenanalyse* (SEKB) heeft haar wortels in de welvaartseconomie, en meer bepaald in het *Pareto-criterium*[4]. Dit criterium stelt dat situatie x te verkiezen valt boven situatie y, indien tenminste één lid van de gemeenschap er beter aan toe is in situatie x boven situatie y, terwijl alle andere leden minstens even goed af zijn.

In deze vorm kan het Pareto-criterium moeilijk gehanteerd worden : bij elk nieuw project of programma zijn er naast winnaars bijna onvermijdelijk ook verliezers. Vandaar dat men geprobeerd heeft het Pareto-criterium te operationaliseren door de

---

[4] Dit Pareto-criterium moet onderscheiden worden van het reeds eerder ter sprake gekomen Pareto-optimum.

351

toepassing van het *compensatieprincipe*. Men gaat er dan van uit dat, als de winnaars bij een bepaald project de verliezers compenseren of zouden kunnen compenseren en toch nog beter af zijn dan voorheen, aan het Pareto-criterium voldaan is. De feitelijke compensatie zal in de realiteit zelden plaats grijpen. Niettemin wordt ook dan het Pareto-criterium, aangevuld met het compensatieprincipe als valabel beschouwd : "een project is sociaal voordelig indien de som van al de baten voor de winnaars de som van al de kosten voor de verliezers overtreft, ongeacht het individu dat de baten ontvangt of de kosten draagt"[5].

Het spreekt vanzelf dat de toepassing van dit criterium de inkomensverdeling beïnvloedt. Die beïnvloeding is moeilijk te meten en te beoordelen. Daarom is deze meting eerder van secundaire aard en wordt ze meestal afzonderlijk gehouden van de op efficiëntie gesteunde kosten-batenanalyse[6].

2.2. De soorten kosten en baten

De terminologie ("sociaal-economische" kosten-batenanalyse) wijst er al op dat er niet enkel rekening mag en moet worden gehouden met de direct in geld uitdrukbare kosten en baten van een project. Door het gegeven dat het gaat om projecten die door de overheid gefinancierd en al dan niet uitgevoerd worden, zal de notie van collectieve goederen nooit ver uit de buurt zijn. Dit zorgt er al voor dat marktprijzen niet altijd voorhanden zijn.

Om hierop een klaardere visie te krijgen, is het belangrijk een onderscheid te maken tussen directe en indirecte kosten en baten, tussen meetbare en niet-meetbare kosten en baten en tussen reële en financiële kosten en baten.

Directe kosten en baten zijn onmiddellijk verbonden met het project. Ze vloeien voort uit de primaire doelstellingen van het project in kwestie. De *indirecte effecten* zijn niet onmiddellijk bedoeld, maar treden niettemin op. Zo is het onmiddellijk, direct effect van een nieuwe autoweg dat er meer transport kan plaats vinden. Een indirect effect daarvan zou kunnen zijn dat een stuk bos of waardevol natuurgebied moet verdwijnen, waarmee gezegd is dat externe effecten tot de indirecte gevolgen moeten worden gerekend.

Effecten die zonder problemen in geld kunnen worden gewaardeerd, omdat er marktprijzen voor bestaan, noemt men *meetbare effecten*. Waar dit minder goed mogelijk is, spreekt men van *onmeetbare effecten*. In sommige gevallen kan men dan proberen om met schaduwprijzen toch tot een kwantificeerbaar effect te komen.

Schaduwprijzen zijn hypothetische prijzen. Ze kunnen zowel nodig zijn bij de meetbare als bij de onmeetbare efecten. In het eerste geval is er wel een marktprijs, maar in een aantal gevallen wijkt deze marktprijs af van de prijs die zou gelden bij Pareto-efficiëntie : bij onvolkomenheden in de markten van goederen en productiefactoren, bij niet-constante schaaleffecten, bij interferentie van belastingen en subsidies, enz. Vertrekkende van deze marktprijzen en door het simuleren van perfecte marktsituaties komt men in de SEKB-analyse tot schaduwprijzen.

Bij de *onmeetbare effecten* heeft men zelfs die (imperfecte) marktprijzen niet als startpunt. Dit is het geval bij collectieve voorzieningen en bij externe effecten (zie

---

[5]   Vertonghen R. en Van Rompuy V. (1986), blz. 31.
[6]   Vertonghen R. en Van Rompuy V. (1986), blz. 33.

supra), maar ook waar het gaat om het inschatten van de waarde van mensenlevens, of de impact op de gezondheidstoestand.

Bij zuiver collectieve goederen loopt de SEKB meestal stuk op het vrijbuitersfenomeen : men kan de waardering die individuen hechten aan dergelijke voorzieningen moeilijk achterhalen. Bij onzuivere collectieve goederen is er wel een mogelijkheid. Additionele consumptie van deze goederen (bijv. openbaar vervoer) leidt immers tot congestiekosten. Men probeert dan de baten te ramen die een capaciteitstoename van het goed of de dienst in kwestie zou veroorzaken.. Ook hier moet er evenwel rekening mee gehouden worden dat individuen hun ware preferenties niet kenbaar maken.

Ook de bepaling van de waarde van een mensenleven (nodig voor een SEKB van bijv. middenbermvangrails op autosnelwegen of van investeringen in de gezondheidszorg) stelt problemen. Vele pogingen zijn hier reeds ondernomen, bijvoorbeeld via het schatten van het outputverlies door vervroegd overlijden, of door de bereidwilligheid tot het betalen voor extra veiligheid bij individuen na te gaan[7].

Over het algemeen kan men stellen dat de vele theoretische pogingen om schaduwprijzen te berekenen bij onmeetbare kosten en baten "verre van operationeel" zijn[8].

Een niet onbelangrijk onderscheid is dat tussen reële of technische versus financiële of afgeleide kosten, c.q. baten.

De *reële kosten en baten* worden ervaren door de eindgebruikers van het project in kwestie en vertegenwoordigen voor de gemeenschap een echte (netto-) verandering in de welvaart : de toename van de landbouwopbrengst ten gevolge van een irrigatieproject, de bouwkosten van een autosnelweg- of HST-project.

De *financiële kosten en baten* hebben betrekking op de zuivere financiële gevolgen van een project voor producenten en consumenten en zijn het resultaat van veranderingen in relatieve prijzen : hogere lonen voor de werknemers bij de aannemingsbedrijven betrokken bij de projecten, een eigendom dat in waarde stijgt door een project. De financiële kosten en baten zijn niet netto, ze worden elders gecompenseerd : de hogere werknemerslonen gaan ten koste van lagere lonen elders of van hogere belastingen nodig om het project in kwestie te financieren.

2.3. De sociale discontovoet

Projecten, zowel in de sociaal-economische als in de private sfeer, hebben een tijdsaspect. Zowel het optreden van de kosten als van de baten is in de tijd gespreid. Het is een algemeen gekend economisch principe dat men bedragen, zij het m.b.t. kosten, zij het m.b.t. baten, slechts kan vergelijken voor zover ze teruggebracht zijn tot hetzelfde tijdstip. Deze actualisering behoeft een rentevoet, die in het geval van SEKB de *sociale discontovoet* wordt genoemd.

Deze sociale discontovoet zou in principe voor de gehele gemeenschap moeten uitdrukken wat de voorkeur is ten aanzien van de keuze tussen huidige en toekomstige consumptie, m.a.w. tussen huidige consumptie en de investeringen die in de toekomst de consumptie kunnen verhogen.

Er bestaat geen eensgezindheid over de concrete invulling van de sociale discontovoet. Dikwijls kiest men voor de rente op overheidsobligaties, die de tijdsvoorkeur van

---

[7]   Cullis J. en Jones P. (1998).

[8]   Vertonghen R. en Van Rompuy (1986), blz. 76.

individuen weergeeft tussen huidige en toekomstige consumptie. Die individuele preferenties van de betrokken beleggers hoeven evenwel niet samen te vallen met de preferenties van de maatschappij. De gemeenschap kan bij monde van de overheid, die de sociale discontovoet kiest, een langere termijn beschouwen dan de individuele beleggers en de belangen van toekomstige generaties een groter gewicht geven. Dit uit zich in het gebruik van een discontovoet die lager is dan de rente op overheidsobligaties.

De hoogte van de gekozen sociale discontovoet beïnvloedt de resultaten van de SEKB aanzienlijk. Vandaar dat dikwijls met verschillende voeten wordt gewerkt.

2.4. De beslissingsregels

Heeft men een idee van de sociale kosten en baten en heeft men keuzes gemaakt omtrent de sociale discontovoet, dan moet nog uitgemaakt worden of een project wordt uitgevoerd en, indien er meerdere zijn, welke projecten er uitgevoerd worden en welke niet.

Meerdere criteria zijn voorhanden. De Brucker e.a. bespreken er een vijftal waarvan zij er twee verkiezen (de andere blijken geen aangewezen criteria voor SEKB) : de netto-actuele waarde en de opbrengstratio[9].

a. De netto-actuele waarde

Deze gekende regel actualiseert aan de hand van de gekozen sociale discontovoet zowel de baten als de kosten :

$$NAW = \Sigma \; \frac{B_t - K_t}{(1 + i)^n}$$

met NAW = netto-actuele waarde
     B_t = sociale baten op tijdstip t
     K_t = sociale kosten op tijdstip t
     i = sociale discontovoet
     n = looptijd van het project

Een project is wenselijk als de NAW positief is. De NAW is dus een geschikt instrument voor situaties waarin slechts over één project moet worden beslist.

b. De opbrengstratio

De opbrengstratio OR geeft de verhouding weer van de NAW t.o.v. de initiële investeringskost IK_0 :

OR $= NAW/IK_0$

---

[9] De Brucker K., Verbeke A. en Winkelmans W. (1998), blz. 175 e.v.

Dit is een ratio die kan gebruikt worden als er bij budgetbeperking tussen verschillende projecten moet worden gekozen. De voorhanden zijnde projecten worden dan naar dalende OR gerangschikt. Er worden projecten uitgevoerd tot de budgettaire middelen zijn uitgeput.

3. BUDGETTERINGSTECHNIEKEN

De behoefte aan systematiek in de overheidsuitgaven resulteerde in de loop van de 19de eeuw in de bekende grondregels waaraan een budget moet voldoen : annualiteit, eenheid, enz. (cfr. Caiden N. (1978), blz. 54). Deze regels zorgden voor orde, duidelijkheid en democratische controle m.b.t. overheidsbudgetten.

Naarmate, in de naoorlogse periode, de overheidssector uitdeinde, groeide ook de behoefte aan budgetteringssystemen die gebruikt konden worden voor management-doeleinden : de klassieke budgetten lieten niet toe de efficiëntie van overheidsuitgaven na te gaan.

Over de plas probeerde men vanaf de jaren zestig aan deze behoefte tegemoet te komen door het invoeren van het *Planning Programming Budgeting System* (PPBS). In essentie ging het daarbij om een herklassificering van budgetitems,die meestal enkel kostensoorten betroffen, in zogenaamde programma's die relevant waren voor het beleid. Het voorbeeld van de VS vond navolging in de westerse wereld, in zuivere of aangepaste vorm.

Omdat de resultaten niet waren wat men verwacht had, werden nog andere systemen ontwikkeld zoals *Management by Objectives* (MBO) en *Zero-Based Budgeting* (ZBB). Ook deze technieken ontgoochelden in de praktijk en werden één na één afgevoerd. De noodzaak tot sanering van de overheidsfinanciën in het laatste kwart van deze eeuw doorheen gans de westerse wereld was immers meer gebaat met de systemen van begrotingsnormering op macro-niveau (zie hoofdstuk 3 van deel 4). Niettemin zijn van PPBS, MBO enz. toch denkbeelden en inzichten blijven hangen die het nuttig maken deze systemen kort te behandelen. Ook wat ze specifiek voor de Belgische budgettering betekenen wordt daarom kort bekeken.

3.1. Het Planning Programming Budgeting System (PPBS)

In de jaren zestig voerde de Amerikaanse overheid het PPB-systeem in[10]. Uitgangspunt van het systeem was een grondige analyse van de doelstellingen van het beleid, resulterend in een programmastructuur (de "programming"). Daarin worden de alternatieven bestudeerd die tot de tot programma's gekristalliseerde doelstellingen kunnen leiden. Daarmee samen gaat een *meerjarenplanning* in de vorm van een geleidelijk opschuivende meerjarenbegroting (de "budgeting"), waarin elke beslissing en de kosten ervan voor verschillende jaren in de toekomst worden aangeduid (de "planning"). Tenslotte is er controle, evaluatie en terugkoppeling ingebouwd.

In figuur 5.1. ziet men de verschillende onderdelen van de PPBS.

---

[10]   Matthijs H. (1996), blz. 36.

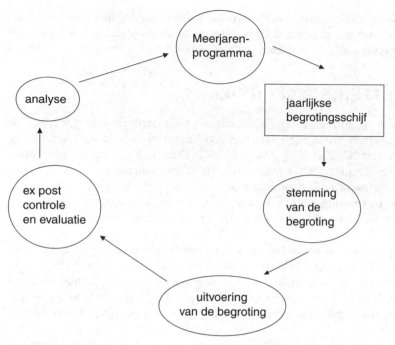

Figuur 5.1. : PPBS

3.2. Management by Objectives (MBO)

Omdat PPBS niet tot merkbare veranderingen in de besluitvorming en de budgettering leidde, voerde de Amerikaanse president Nixon het Management by Objectives (MBO) systeem in[11].

In dit systeem moet bij het vaststellen van de doelstellingen een onderscheid worden gemaakt tussen onmiddellijk te realiseren objectieven (*prioriteiten*) en de uit te stellen objectieven (*posterioriteiten*). Het scheiden van prioriteiten en posterioriteiten moet gebeuren d.m.v. een beoordelingsapparaat. De allocatie van de beschikbare middelen gebeurt dan aan de hand van criteria waarmee de resultaten van de activiteiten worden geëvalueerd.

3.3. Zero-Based Budgeting (ZBB)

President Carter verving in 1976 MBO door het Zero Base Budgeting systeem (ZBB) dat eerder al in de privé-sector zijn nut had bewezen[12]. ZBB was een reactie op de budgettaire praktijk van het incrementalisme. Bij het incrementalisme vertrok men van de cijfers van de vorige periode om in de huidige periode te budgetteren, met als gevolg dat slechts marginale veranderingen in bestaande uitgaven plaats grepen. Bij ZBB

---

[11] Matthijs H. (1996), blz. 37.
[12] Zie Driesen F.(1979).

vraagt men zich af of bestaande activiteiten wel efficiënt en effectief zijn en niet beter afgeschaft kunnen worden en eventueel vervangen door nieuwe activiteiten. Men vertrekt dus "van nul".

3.4. Budgetteringstechnieken in België

Op het einde van de jaren zestig, begin jaren zeventig heeft men in België geprobeerd een PPB-systeem in te voeren. Dit experiment moest evenwel worden stopgezet toen bleek dat het te ambitieus was (men verloor de greep op de vele data) en niet gedragen werd door de administraties die het systeem moesten invoeren en gebruiken[13].
In 1982 liep een poging om ZBB in te voeren eveneens faliekant af wegens onvoldoende voorbereiding. Men slaagde er vanaf datzelfde jaar wel in een soort *programmabegroting* te introduceren. Deze programmabegrotingen werden sinds de nieuwe wet op de Rijkscomptabiliteit van 29 juni 1989 definitief.
Deze activiteitenprogramma's komen tot stand door de hergroepering van bestaande begrotingsposten, waardoor er dus geen hergroepering langs de lijnen van een doelstellingenstructuur plaatsgreep. Er is bovendien ook weinig sprake van beleidsanalyse en evaluatie, noch van een koppeling aan een financiële meerjarenplanning[14].

4. BESLUIT

Overheden zijn voortdurend op zoek naar methoden en instrumenten om het uitgavenbeleid te verbeteren. Ten aanzien van concrete projecten is de techniek van de sociaal-economische kosten-batenanalyse ontwikkeld. Deze techniek helpt de overheid om uit te maken of een specifiek project haalbaar is, en om keuzes te maken tussen verschillende voorliggende projecten. Op het niveau van de begroting in haar geheel hebben verschillende technieken elkaar opgevolgd : PPBS, MBO en ZBB zijn bekende letterwoorden geworden.

Literatuurlijst

CAIDEN N. (1978), "Patterns of budgeting", *Public Administration Review*, 38 (6), blz. 539-544.

CULLIS J. en JONES P. (1992), *Public finance and public choice. Analytical perspectives*, London : McGraw-Hill.

DE BRUCKER K., VERBEKE A. en WINKELMANS, W. (1998), *Sociaal-economische evaluatie van overheidsinvesteringen in transportinfrastructuur*, Leuven-Apeldoorn : Garant.

DRIESEN F. (1979), *Zero base budgeting. Een nieuw management-, planning- en budgetteringsproces*, MIM.

---

[13] Zie Stienlet G. (1996), blz. 229.
[14] Stienlet G. (1996), blz. 231.

MATTHIJS H. (1996), *Overheidsbegrotingen*, Brugge : Die Keure.

STIENLET G. (1996), "Budgetteringstechnieken", Vanneste J. en Van Reeth D. (red.), *Openbare financiën, 1*, Brussel : STOHO, blz. 214-241.

VERTONGHEN R. en VAN ROMPUY V. (1986), *Sociaal-economische kosten-batenanalyse. Evaluatie van investeringsprojecten in de publieke sector*, Leuven : Acco (2de druk).

DEEL 6 : DE SOCIALE ZEKERHEID

Een specifiek onderdeel van de openbare financiën betreft de sociale zekerheid. Hoewel hier net zoals bij de begroting sprake is van ontvangsten en uitgaven en van incidenties daarvan op economische activiteiten, en men deze dus zou kunnen behandelen in de respectieve hoofdstukken, is het toch aangewezen ze als een afzonderlijke materie te behandelen.

In dit deel komen achtereenvolgens aan bod de oorsprong en geschiedenis van het systeem van de sociale zekerheid, de organisatie ervan, de economische gevolgen en de toekomst van de sociale zekerheid.

Trefwoorden en -zinnen van hoofdstuk 1

Weldadigheidsbureaus
Commissie voor Openbare Onderstand
Openbaar Centrum voor Maatschappelijk Welzijn
Plan Van Acker
Sociale zekerheid gebaseerd op solidariteit

Hoofdstuk 1
OORSPRONG EN GESCHIEDENIS VAN DE SOCIALE ZEKERHEID

De huidige sociale zekerheid is vrij recent van structuur en werking. Voor de Tweede Wereldoorlog was de sociale zekerheid inderdaad maar in minieme mate georganiseerd. De armenzorg was gebaseerd op de wetgeving van 1796 van de Franse bezetter. Daarin werd gesteld dat in elke gemeente een weldadigheidsbureau werd opgericht. De plaatselijke commissie van de burgerlijke godshuizen liet zich in met het beheer van de diverse instellingen waarin de armen werden opgevangen.

Pas in 1925 werd een publiek lokaal orgaan opgericht door de wetgever, namelijk : de "COO" (Commissie voor Openbare Onderstand). Daarmee werd de armenzorg toevertrouwd aan een nieuw onderdeel van de gemeenten.

In 1976 werd de regelgeving hieromtrent gemoderniseerd met de oprichting van de "OCMW's" (Openbare Centra voor Maatschappelijk Welzijn).

Tot 1880 werden de sociale noden opgevangen door private bijstand en private verzekeringen.

Rond de eeuwwisseling deed er zich een nieuwe vorm van solidariteit voor : de verplichte verzekering. De elementen van deze verzekering waren :
– Het verplicht karakter
– De financiering ervan door de werkgevers en de werknemers
– De staatstoelagen bij sommige vormen
– Geen selectie van de risico's
– Geen rigide verhouding tussen de bijdragen en de uitbetaalde prestaties

Ingevolge de zware depressie tussen de twee wereldoorlogen werd er werk gemaakt van nieuwe verzekeringsvormen.

Onder invloed van de Internationale Arbeidsorganisatie (IAO), de social security wet van de Amerikaanse president F.D. Roosevelt en het Britse socialezekerheidsplan van de liberale minister Beveridge, kwam men in België (1944) tot een groots plan aangaande een moderne sociale zekerheid. Dit gebeuren wordt in de geschiedenis als het plan "Van Acker" bestempeld. De auteurs Cloet en Verstraeten stellen dat de originaliteit van dit socialezekerheidsmodel steunt op de volgende elementen :
– Een volledige dekking van de gehele bevolking
– Alle sociale risico's worden gedekt
– De sociale zekerheid steunt op het solidariteitsmechanisme

Het stelsel is uitgebouwd op basis van een financieringsstelsel met bijdragen van de werknemers, de werkgevers en de staat.

Trefwoorden en -zinnen van hoofdstuk 2

Sociale parastatalen
Sociale bijdragen
Werkgeversbijdragen
Werknemersbijdragen
Uitbetalingsinstellingen

Hoofdstuk 2
SYSTEEM EN ORGANISATIE

De sociale zekerheid is naar administratieve structuur opgebouwd rond diverse pijlers :
– De diverse ministeries (Sociale Zaken, Pensioenen, enz.) bepalen het (politiek) beleid, bereiden de wetgeving strictu sensu voor, begeleiden de uitvoering ervan en staan in voor het administratief toezicht op de parastatalen
– De parastatalen van het type D zoals bedoeld in de wet van 16 maart 1954
– De private instellingen bij de uitvoering (bijv. ziekenkassen, vakbonden)

1. DE SOCIALE PARASTATALEN VAN DE INNING

De sociale parastatalen die bevoegd zijn voor de inning van de sociale rechten zijn :
– De Rijksdienst voor Sociale Zekerheid (RSZ) voor de werknemers
– De Rijksdienst voor Sociale Zekerheid van de Provinciale en Plaatselijke Overheidsbesturen (RSZPPO) voor de ambtenaren van de ondergeschikte besturen
– De Hulp- en Voorzorgskas der Zeevarenden (HVK)
– Het Nationaal Pensioenfonds voor Mijnwerkers (NPM)

Beide laatstgenoemde instellingen kennen een belangrijke terugval gegeven de afbouw van de koopvaardij en het mijnwezen in België. Deze laatstgenoemde instelling werd vanaf 31 maart 1996 zelfs opgeheven. De taken ervan werden verdeeld over twee andere sociale parastatalen.

De bijdragen voor de sociale zekerheid zijn afkomstig van de bijdragen van de werkgevers op het brutoloon, de bijdragen van de werknemers op het brutoloon en het tekort wordt gefinancierd door staatsbijdragen.
Daarnaast bestaat er ook nog een alternatieve vorm van financiering en dit via de energietaksen, de aanvullende crisisbijdrage, een deel van de verhoging van de accijnzen en de BTW.
Tabel 6.1. geeft een overzicht van de bruto- en de totale loonkost.

Tabel 6.1. : De loonkost

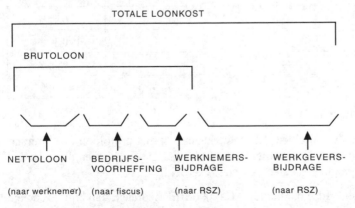

TOTALE LOONKOST

BRUTOLOON

| NETTOLOON | BEDRIJFS-VOORHEFFING | WERKNEMERS-BIJDRAGE | WERKGEVERS-BIJDRAGE |
| (naar werknemer) | (naar fiscus) | (naar RSZ) | (naar RSZ) |

Bron : Cloet M. en Verstraeten J. (1997)

Als loon wordt aldus beschouwd elk voordeel in geld of in geld waardeerbaar
- Dat de werkgever aan de werknemer toekent als tegenprestatie voor arbeid, verricht krachtens een arbeidsovereenkomst.
- Waarop de werknemer ingevolge zijn dienstbetrekking recht heeft, hetzij rechtstreeks, hetzij onrechtstreeks.

Dit begrip is door de jaren heen geëvolueerd tot een groot geheel van loonelementen waarop de sociale zekerheid een bijdrage kan heffen.
Er zijn ook loonelementen waarop geen bijdragen worden geheven :
- Bedrijfskosten en arbeidsgereedschap ten laste van de werkgever
- Maaltijden in het bedrijfsrestaurant
- Voordelen in natura
- Vergoedingen onder de vorm van maaltijdcheques wanneer aan strikte voorwaarden voldaan is

Tabel 6.2. geeft een procentuele weergave van de sociale bijdragen op het brutoloon voor ambtenaren en loontrekkenden. Ten aanzien van de zelfstandigen geldt er een volledig ander regime. Deze sociale bijdragen worden ook aangeduid als parafiscale bijdragen.

Tabel 6.2. : Sociale bijdragen

Sector	Werknemer	Werkgever
Pensioenen	7,5 %	8,86 %
Ziekte-uitkering	1,15 %	2,35 %
Geneeskundige verzorging	3,55 %	3,80 %
Werkloosheid	0,87 %	1,46 %
Gezinsvergoeding		7,00 %
Vakantie (alleen arbeiders)		15,50 %
Beroepsziekten		0,65 %
Arbeidsongevallen		0,30 %
Loonmatiging		7,48 %
TOTAAL	13,07 %	47,40 %

Bron : Sociale zekerheid, jaarverslag

Uit deze tabel kunnen we afleiden dat de werknemer op het brutoloon een bijdrage dient te doen aan de sociale zekerheid van 13,07 %. De werkgever dient op het brutoloon 47,4 % bij te dragen aan de sociale zekerheid.

In het veronderstellende idee dat het loon 100.000 BEF bedraagt, dan zijn de sociale bijdragen als volgt :
- totale loonkost = 147.400
- loon = 100.000

– werknemer	=	– 13.070
– belastbaar loon	=	86.930
– netto	=	± 52.000 (alleenstaande)

De hoge loonkost, de economische crisis en de noodzaak van een goede concurrentie-positie tegenover onze buurlanden heeft de regering ertoe aangezet om selectieve verminderingen door te voeren in de parafiscale lasten. Deze ingreep werd "Maribel" gedoopt.

De sociale bijdragen worden betaald aan één van de vier vermelde parastatalen voor de inning. In de private sector kan de werkgever een beroep doen op een gespecialiseerd sociaal secretariaat.

Deze parastatalen verdelen de ontvangsten, na aftrek van de administratiekosten, over de diverse uitvoeringsorganen.

In het stelsel van de zelfstandigen worden de inningsverrichtingen waargenomen door de socialeverzekeringsfondsen waarbij de zelfstandige of de zelfstandige helper zich vrijwillig aansluit. Vervolgens worden de specifieke bijdragen verdeeld over de respectieve uitvoeringsorganen.

2. DE UITGAVEN

De centrale uitvoeringsorganen die, in toepassing van de vigerende wetgevingen, elk een bepaalde regeling (tak) toepassen zijn de volgende :
– Het Rijksinstituut voor Ziekte en Invaliditeitsverzekering (RIZIV) voor de geneeskundige verzorging, ziekte en invaliditeit
– De Rijksdienst voor Arbeidsvoorziening (RVA) voor de werkloosheidsuitkeringen (de arbeidsbemiddeling en de beroepsopleiding werden geregionaliseerd)
– De Rijksdienst voor Kinderbijslag voor Werknemers (RKW) voor de gezinsbijdragen en bepaalde toelagen inzake kinderopvang en gezins- en bejaardenhulp
– De Rijksdienst voor Pensioenen (RVP)
– De Rijksdienst voor Jaarlijkse Vakantie (RJV) voor het vakantiegeld van arbeiders
– Het Fonds voor Arbeidsongevallen (FAO)
– Het Fonds voor Beroepsziekten (FBZ)

Ten aanzien van de zelfstandigen werd er een aparte instelling opgericht die de meeste uitkeringen van het stelsel verzorgt : de Rijksdienst voor Sociale Verzekeringen der Zelfstandigen (RSVZ). De personen tewerkgesteld in de overzeese gebieden doen een beroep op de Dienst Overzeese Sociale Zekerheid (DOSZ).

Deze diverse taken van de sociale zekerheid worden verder uitgevoerd door andere publiekrechtelijke en private instellingen.

Bijvoorbeeld :
– De werkloosheidsuitkeringen kunnen uitgekeerd worden door de HVW (Hulpkas Werkloosheidsvergoedingen), welk een publiek orgaan is, of één van de erkende vakbonden (ABVV, ACV, ACLVB).
– De verplichte aansluiting bij een ziekenkas heeft plichten (uw jaarlijkse bijdrage als verplichte verzekering) en rechten (terugbetaling medische voorschriften). Hier ook kan men kiezen tussen het publiek orgaan (HZIV : Hulpkas voor ziekte- en

invaliditeitsverzekeringen) of één der erkende private ziekenkassen (neutrale, socialistische, liberale, christelijke of onafhankelijke mutualiteit).

De sociale zekerheid wordt ook gecontroleerd en dit door het Rekenhof, de kruispunt-bank van de sociale zekerheid, de controledienst voor de ziekenfondsen en de landsbonden.

Trefwoorden en -zinnen van hoofdstuk 3

Het juridische verschil tussen werkgevers- en werknemersbijdragen
De economische gelijkenis tussen werkgevers- en werknemersbijdragen
Het verband tussen bijdragen en uitkeringen
De loonwig
Afwenteling van bijdragen op de werkgevers
De horizontale herverdeling door de sociale zekerheid
De stabilisatierol van de sociale zekerheid
Het verschil tussen een repartitie- en een kapitalisatiestelsel voor de pensioenen
Substitutie van arbeid door kapitaal als gevolg van socialezekerheidsbijdragen
Moral hazard
Het "aanbod creëert de vraag"-effect
Sociale fraude

Hoofdstuk 3
DE ECONOMISCHE GEVOLGEN VAN DE SOCIALE ZEKERHEID

De economische gevolgen van de sociale zekerheid vloeien direct voort uit de inkomsten en uitgaven van het stelsel. De gevolgen verbonden aan de inkomsten, de bijdragen, zijn vergelijkbaar met deze van een belasting op de opmerking na dat de band met de uitgaven veel nauwer is dan voor gewone belastingen. De uitgaven van de sociale zekerheid, d.w.z. de voordelen voor de genieters, hebben niet enkel betrekking op wat de genieters vandaag ontvangen maar ook op wat ze in de toekomst kunnen ontvangen. We onderzoeken dan ook eerst de gevolgen van de sociale zekerheid vanuit deze dubbele invalshoek. Hierna besteden we aandacht aan enkele bijkomende effecten van de sociale zekerheid.

1. DE GEVOLGEN VAN DE BIJDRAGEN AAN HET SOCIALEZEKERHEIDSSTELSEL

Er bestaan twee interessante karakteristieken van de socialezekerheidsbijdragen. Ten eerste, is er het onderscheid tussen *werkgevers- en werknemersbijdragen*. Is dit juridisch verschil ook economisch te onderkennen ? Ten tweede is het waarschijnlijk dat er voor de socialezekerheidsbijdragen een nauwere relatie wordt gelegd met de uitkeringen dan het geval is voor de andere belastingen. Deze band moet ook in de analyse worden betrokken. Vestigen we hier ook nog de aandacht op de omvang van de socialezekerheidsbijdragen namelijk. 15 à 16 procent van het BBP wat neerkomt op een derde van de totale fiscale druk. Dit percentage is stabiel sedert 1985.

De basisanalyse van de *afwenteling van socialezekerheidsbijdragen* werd gemaakt door Brittain (1972)[1]. In figuur 6.1. stelt A_1 de aanbodscurve van arbeid voor. Wanneer geen socialezekerheidsbijdragen worden geheven stelt V_1 de arbeidsvraag door ondernemingen voor. Het evenwicht ligt nu in punt K met een loonpeil van R en een tewerkstelling van W.

Bij de heffing van een werkgeversbijdrage zal de vraagcurve verschuiven naar V_2 : buiten het brutoloon moet immers nog een belasting (= verticaal verschil tussen V_1 en V_2) worden afgedragen. Het evenwicht verschuift naar punt L : het brutoloon stijgt van OR naar OF terwijl het nettoloon daalt van OR naar OS en de tewerkstelling van OW naar OY. Men stelt dus vast dat de last van de socialezekerheidsbijdragen wordt verdeeld tussen de werkgever en de werknemer. Hoe de verdeling juist gebeurt hangt af van de elasticiteiten van de respectieve curven. De analyse is volledig analoog aan deze van de afwenteling van indirecte belastingen. De opbrengst van de werknemersbijdrage bedraagt FSLZ.

Zoals geldt voor inkomstenbelastingen ontstaat er een verschil tussen de loonkost voor de ondernemer en wat de werknemer ontvangt. Het is deze *loonwig* die discussies veroorzaakt op beleidsvlak : zowel de werknemers als de werkgevers zijn ontevreden.

---

[1]   Zie ook Musgrave A. en Musgrave P. (1989), hoofdstuk 26.

Enerzijds vinden ze de loonkost te hoog maar anderzijds ontvangen de werknemers een te laag netto-inkomen.

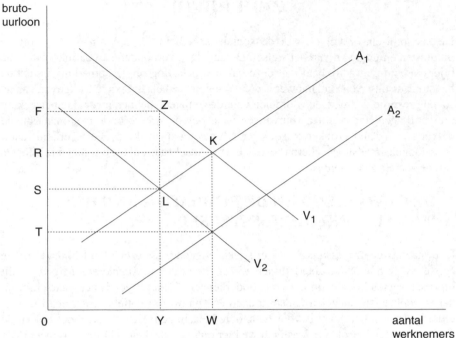
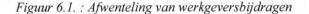

Figuur 6.1. : Afwenteling van werkgeversbijdragen

Men kan niet uitsluiten dat de werknemers de voordelen van de werkgeversbijdragen onderkennen, bijv. omdat het gaat om de opbouw van pensioenrechten of het financieren van het ziekteverzekeringsstelsel. In dit geval zullen de bijdragen van de werkgevers zich substitueren voor privé-uitgaven : zonder deze werkgeversbijdragen zouden de werknemers eenzelfde bedrag moeten uitgeven. In dit geval zal de aanbodscurve van arbeid verschuiven naar A_2 zodat het initiële evenwicht wordt behouden namelijk een loonkost voor de ondernemingen van OR en werkgelegenheid van OW. Wel zal het uurloon dat door de ondernemingen aan de arbeiders wordt uitbetaald dalen tot OT, maar daar hun bestedingen zullen dalen met RT is de totale vergoeding voor de gepresteerde arbeid niet veranderd. Cruciaal hier is dus dat de arbeiders de voordelen van de werkgeversbijdragen juist inschatten.

De analyse van een werknemersbijdrage is analoog aan de voorgaande. Als de werknemers de bijdrage als een zuivere belasting ervaren, zullen ze pogen om hun nettoloon constant te houden. De aanbodscurve verschuift dan naar A_3 in figuur 6.2. zodat het evenwicht in punt Z komt te liggen : de loonkost voor de bedrijven bedraagt OF terwijl het netto-uurloon OS bedraagt. Een deel van de werknemersbijdragen FR wordt gedragen door de werkgevers; het resterende deel RS door de werknemers. De opbrengst voor de sociale zekerheid bedraagt FZLS. Merk op dat de feitelijke verdeling afhangt van de relatieve elasticiteiten van de curves; de analyse verloopt opnieuw analoog aan deze van de indirecte belastingen.

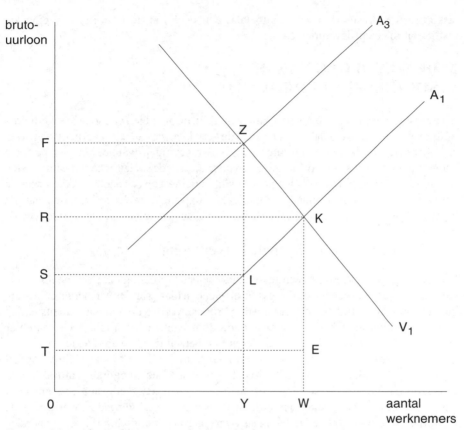

Figuur 6.2. : Afwenteling van werknemersbijdragen

Beschouwen de werknemers evenwel de bijdrage die ze afstaan aan de sociale zekerheid als een perfect substituut voor privé-uitgaven dan zal het evenwicht in punt K blijven : de loonkost voor de bedrijven blijft gelijk aan OR; het ontvangen netto-uurloon daalt van OR naar OT maar de werkgelegenheid verandert niet. De werknemer draagt in dit geval volledig de last van de socialezekerheidsbijdrage maar verbindt hieraan geen consequenties daar hij er van uitgaat dat deze loondaling wordt gecompenseerd door lagere privé-uitgaven.

Het voorgaande illustreert duidelijk dat het onderscheid tussen werkgevers en werknemersbijdragen volledig irrelevant is. Voor eenzelfde bijdragevoet zijn de tewerkstelling, de bruto-uurkost, het netto-uurloon en de opbrengst voor de sociale zekerheid gelijk. De juridische opsplitsing tussen werknemers en werkgeversbijdragen kan dan ook economisch niet worden onderbouwd. Hoe dan ook zal een deel van de bijdragen worden afgewenteld op de werkgevers daar de tewerkstelling – en dus de winst – zal dalen. Merk op dat de voorgaande analyse langeretermijnevenwichten vergelijkt. Op kortere termijn kan men niet uitsluiten dat de werkgevers een groter deel van de last dragen, bijv. omdat de verhoging in hun bijdragen niet onmiddellijk kan worden afgewenteld in lagere nettolonen. Ook de consumenten zullen een deel van de

371

last dragen daar, als de markt dit toelaat, een deel van de kostprijsverhoging zal resulteren in een prijsverhoging.

2. DE GEVOLGEN VAN DE SOCIALEZEKERHEIDSUITGAVEN

Bij het onderzoek in de voorgaande paragrafen van de gevolgen van socialezekerheids-bijdragen, werd reeds aandacht besteed aan de gevolgen van socialezekerheidsuitgaven. Zo blijven de bijdragen en de uitgaven zonder gevolgen wanneer er een perfecte substitutie bestaat tussen privé-uitgaven en deze die met de socialezekerheidsinkomsten worden gefinancierd. Dit zeer algemene besluit moet wel op een aantal vlakken worden genuanceerd. Er kunnen immers complicaties optreden, zowel ten aanzien van de herverdeling, als van de stabilisatie, de transfers, de pensioenen en de werkloosheid.

2.1. De sociale zekerheid en de herverdeling

Van de sociale zekerheid gaat een zekere inkomensherverdeling uit. Dit is de *inherente solidariteit* van het socialezekerheidsstelsel. Het kan hier gaan om een herverdeling ten gunste van hen die tijdelijk of permanent getroffen worden door een inkomensverlies wegens werkloosheid, beroepsongeval, ouderdom, ziekte of invaliditeit. Ook vindt er een herverdeling plaats via het financieren van bepaalde uitgaven (ziekte) en via het afhankelijk maken van bepaalde uitkeringen van de gezinstoestand (bijv. aantal kinderen). Niet iedereen ontvangt evenveel "voordelen" als hij bijdragen afdraagt, o.a. omdat hij meer of minder wordt getroffen door tegenslagen. Het gaat hier evenwel in hoofdzaak om een horizontale herverdeling tussen zieken en gezonden, werkenden en werklozen enz. Aan deze herverdeling zijn wel macro-economische effecten verbonden daar de marginale consumptiequote tussen de verschillende sociaal-economische groepen niet dezelfde is.
Een verticale herverdeling van de hogere naar de lagere inkomensgroepen is geen expliciete doelstelling alhoewel dergelijke herverdeling toch optreedt, bijv. bij het uitbetalen van werkloosheidsvergoedingen.

2.2. De sociale zekerheid en de stabilisatietaak van de overheid

Door de vermelde horizontale herverdeling vindt een *koopkrachttransfer* plaats waardoor de begunstigden hun consumptieve uitgaven niet al te veel moeten verminderen. Aldus dragen de socialezekerheidstransfers in belangrijke mate bij tot de werking van de automatische stabilisatoren waardoor conjunctuurschokken worden beperkt.

2.3. En de overheidstransfers ?

Een deel van de socialezekerheidsuitgaven, systematisch de laatste jaren tussen de 200 en de 250 miljard BEF, wordt gefinancierd door overheidstransfers. Daar deze gelden uit de globale belastingopbrengsten komen moet ook rekening worden gehouden met de economische gevolgen van deze belastingen.

2.4. En de pensioenen ?

De pensioenbijdragen nemen binnen de sociale zekerheid een speciale plaats in. Twee verschillende stelsels bestaan namelijk het *omslag- of repartitiestelsel* en het *kapitalisatiestelsel*. Bij het repartitiestelsel worden de huidige bijdragen gebruikt om de huidige gepensioneerden te betalen; in een kapitalisatiestelsel worden de huidige bijdragen belegd om later te worden uitgekeerd aan diegenen die de bijdrage hebben afgedragen.

Beide stelsels bieden voor- en nadelen. In een repartitiestelsel kunnen bij de start onmiddellijk pensioenen worden uitgekeerd die de bijdragen van de gepensioneerden ver overtreffen. Vanuit een herverdelingsinvalshoek is dit positief. Evenwel zijn deze gelden "weg" zodat eventueel bij latere problemen hierop geen beroep kan worden gedaan. Dit vormt dan ook een sleutelprobleem bij de overgang van een repartitie- naar een kapitalisatiestelsel : de generatie die de overgang doorvoert, zal een dubbele bijdrage moeten opbrengen, namelijk voor de op dat ogenblik gepensioneerden en voor het eigen pensioen later. De moeilijkheid verbonden aan een overgang vloeit voort uit het feit dat een repartitiestelsel herverdeelt van jongeren naar gepensioneerden (een *intergenerationele herverdeling*). In een kapitalisatiestelsel is dit niet het geval. De overgang naar een kapitalisatiestelsel is dan ook nagenoeg uitgesloten; eventueel kan wel gedacht worden aan een geleidelijke overgang via een gedeeltelijke privatisering. Het belangrijkste voordeel van een kapitalisatiestelsel bestaat in de ongevoeligheid t.o.v. demografische ontwikkelingen : iedereen ontvangt wat hij heeft bijgedragen. Repartitiestelsels hebben het hierom vandaag bijzonder moeilijk : de voorziene veroudering en de daling van het aantal geboorten maakt dat, bij een ongewijzigd beleid, de individuele pensioensrechten na het jaar 2010 niet meer gewaarborgd zijn. Vandaag overtreffen de impliciete verplichtingen van de uit te keren pensioenen de verwachte toekomstige bijdragen.

Een belangrijk discussiepunt blijft de invloed op het sparen en wel omdat de pensioenbijdragen kunnen worden beschouwd als een vorm van gedwongen sparen[2]. Zal dit een invloed hebben op het "vrije" sparen en dus op het macro-economische spaargedrag ? Hierbij moet rekening worden gehouden met de twee bestaande stelsels. Bij een kapitalisatiestelsel zijn de individuele rechten zeer duidelijk. Eventueel ontstaat er een perfecte substitutie met het "vrije" sparen, maar dit beïnvloedt het totale sparen en dus de investeringsmogelijkheden niet daar de accumulatie van pensioenreserves zorgt voor de compensatie. Onder een repartitiestelsel wordt er geen kapitaal gevormd waardoor de daling van het "vrije" sparen niet automatisch wordt gecompenseerd. Empirische studies bevestigen dit. Dit kan op lange termijn de reële groei beperken.

2.5. De gevolgen op de werkloosheid

Naast de reeds verduidelijkte negatieve gevolgen van socialezekerheidsbijdragen op de werkgelegenheid en dus op de werkloosheid, moet rekening worden gehouden met een aantal bijkomende gevolgen. Zo zullen de socialezekerheidsbijdragen de loonkost verhogen wat zal resulteren in een substitutie van arbeid door kapitaal. Ook zal het

---

[2]   Dat de overheid deze spaarvorm verplicht maakte, steunt op de veronderstelling dat de economische agenten te kortzichtig ageren en dus vrijwillig onvoeldoende zouden sparen voor hun "oude dag".

zwartwerk worden gestimuleerd wat zeker de tewerkstelling in de officiële sector zal beperken. Bovendien moet nog het gedrag van de actieven op de arbeidsmarkt in rekening worden gebracht. In werkelijkheid legt de overheid de individuele uitkeringen vast in functie van het vorige loon met een onder- en bovengrens. De verhouding vervangingsinkomen-loon beïnvloedt nu het gedrag van de actieven op de arbeidsmarkt. Zo is vastgesteld dat een hoge vervangingsverhouding niet bevorderlijk is om de werklozen aan te sporen tot het zoeken van werk omdat de opbrengst hiervan te klein is. Werklozen zullen dus langer werkloos blijven wat de totale werkloosheid verhoogt. De werkloosheidsuitkering laten dalen kan een oplossing bieden maar een zeker peil dient te worden behouden om de werklozen een redelijke levensstandaard toe te laten.

3. ANDERE GEVOLGEN VAN DE SOCIALE ZEKERHEID

Hier willen we de aandacht vestigen op enkele minder evidente effecten van een sociaalzekerheidsstelsel.

3.1. Moral hazard

Daar het "verzekeringselement" aanwezig blijft in de sociale zekerheid, moet rekening worden gehouden met een *"moreel risico"* (*"moral hazard"*). Dit ontstaat omdat de verzekerden minder aandacht kunnen schenken aan de risico's daar ze weten dat de gevolgen beperkt blijven dankzij het verzekeringsstelsel. Een voorbeeld is dat roken kan toenemen omdat de latere verzorgingskosten worden gedekt door de sociale zekerheid.

3.2. Overconsumptie van gezondheidszorgen

Doordat de directe kostprijs van de gezondheidszorg voor de consument beperkt blijft tot het kleine deel dat hij zelf draagt (remgeld), kan men verwachten dat de traditionele economische reactie zal plaatsvinden : de vraag naar gezondheidszorg zal stijgen. Dit is gedeeltelijk wat het beleid beoogde; evenwel kan men een excessieve consumptie niet uitsluiten. Evident speelt dit slechts in een beperkt aantal situaties : patiënten vragen niet meer operaties omdat ze slechts een beperkt deel van de kostprijs dragen. Wel kan men een hoger bezoek aan artsen, psychiaters, enz. verwachten.
De voorgaande tendens naar overconsumptie wordt in de hand gewerkt door het *"aanbod creëert de vraag"-effect*. Hiermee wordt bedoeld dat de aanbieders van gezondheidszorgen (artsen, verplegenden, enz.) geneigd zijn om de patiënt overbodige prestaties op te dringen. Dit is mogelijk omdat de kost voor de patiënt beperkt is en hij bovendien niet over de kennis beschikt om de analyse van de zorgverstrekker te controleren.

3.3. Sociale zekerheid en armoedebestrijding

De sociale zekerheid biedt het voordeel een financiële bestaanszekerheid te geven waardoor extreme armoede wordt vermeden. Het is een niet weg te denken onderdeel van een welvaartsstaat.

3.4. Conjuncturele invloeden

Het evenwicht van de sociale zekerheid is precair doordat de uitgaven en inkomsten van het "open-eind" type zijn, de overheid legt namelijk enkel de individuele bijdragen en uitkeringen vast, niet het globale budget. Iedere verandering in de conjunctuur zal een gevolg hebben op de tewerkstelling en de werkloosheid en dus op het tekort van de sociale zekerheid. Vanuit een stabilisatie-invalshoek (automatische stabilisatoren) is dit positief maar het bemoeilijkt een financiële planning.

3.5. Onrechtmatig gebruik

Een complex stelsel waar in vele situaties uitkeringen beschikbaar worden gesteld, gaat onvermijdelijk samen met een zekere fraude. In dit geval spreekt men van sociale fraude. De redeneringen die werden ontwikkeld over de fiscale fraude gelden hier evenzeer : de pakkans en/of de sanctie verhogen lijken de enige doeltreffende maatregelen op langere termijn.

Trefwoorden en -zinnen van hoofdstuk 4

De veroudering van de bevolking als bedreiging van de sociale zekerheid
De invloed van de internationalisering op de sociale zekerheid
De effectiviteit van de sociale zekerheid
De veranderingen in de gezinssamenstelling en de gevolgen voor de sociale zekerheid
De vergrijzing en de betaalbaarheid van de pensioenen
De efficiëntie van de sociale zekerheid
Het Matteüseffect en het politieke draagvlak van de sociale zekerheid
Sociale dumping als bedreiging van de sociale zekerheid
De inbreng van meer marktwerking
Het verbreden van de financieringsbasis
Het selectief maken van de uitkeringen

Hoofdstuk 4
DE TOEKOMST VAN DE SOCIALE ZEKERHEID

Als er over de toekomst van de sociale zekerheid wordt gesproken, gebeurt dat dikwijls in termen van bedreigingen. Meer bepaald wordt er gewezen op de demografische evolutie. Vooral de veroudering van de bevolking lijkt dan een bedreiging te zijn. Deze veroudering zou immers zowel een relatieve toename van de pensioenlast veroorzaken, omdat tegenover een toenemend aantal inactieven een dalend aantal actieven komt te staan, als een toename in de verzorgingskosten.

Deze evoluties, aangevuld met andere, moeten door de beleidsvoerders tijdig worden aangepakt om te vermijden dat de sociale zekerheid bankroet zou gaan.

Een belangrijke invalshoek op deze aanpak wordt geboden door het fenomeen van de *globalisering* van de economieën. De nationale beleidsvoerders zijn hoe langer hoe minder in staat om autonoom aan regelgeving op het sociale vlak te doen. Zij moeten meer en meer rekening houden met de aanpak van de sociale zekerheid in andere delen van de wereld. Heel pregnant wordt deze problematiek op het Europese vlak, waar de roep om een *sociaal Europa* steeds groter wordt. Niet minder pregnant is de discussie rond *sociale dumping* op wereldvlak.

De problematieken van het sociaal Europa en van de sociale dumping plaatsen de sociale zekerheid meteen ook in de ruimere context van de welvaartsstaat. Deze welvaartsstaat werd opgebouwd in de periode na de Tweede Wereldoorlog en is in de jaren tachtig en negentig als gevolg van de problemen in de overheidsfinanciën onder druk komen te staan.

Verwant met de problematiek van de globalisering en vooral belangrijk voor het Belgische geval is de voortschrijdende regionalisering van het beleid. Steeds meer bevoegdheden zijn met de verschillende Belgische staatshervormingen overgeheveld van het nationale naar het regionale niveau. Tot nog toe is dit niet gebeurd met de sociale zekerheid. Nochtans bestaat er vooral bij een aantal Vlaamse organisaties een vraag om ook de sociale zekerheid, of tenminste gedeelten ervan, te regionaliseren.

1. DE PROBLEMEN VAN DE SOCIALE ZEKERHEID

De sociale zekerheid kampt met een aantal problemen. Deze kunnen het best worden benaderd vanuit de ultieme doelstelling die de sociale zekerheid wordt verondersteld te bereiken, namelijk het zoveel mogelijk uitbannen van de armoede.

De mate waarin deze doelstelling wordt bereikt door het systeem van de sociale zekerheid, kan bekeken worden aan de hand van verschillende criteria. Economen gebruiken er meestal een tweetal, te weten de effectiviteit van de sociale zekerheid en de efficiëntie ervan. Verder wordt er aandacht besteed aan de problemen gesteld door de vergrijzing van de bevolking en aan de problematiek van het politieke draagvlak voor de sociale zekerheid. Tenslotte komen het internationale en het regionale perspectief aan bod.

1.1. De effectiviteit

De *effectiviteit van de sociale zekerheid* in de westerse landen botst tegen haar grenzen aan. Hoewel er over armoede, armoedegrenzen en de kwantificering daarvan fel kan gediscussieerd worden, blijkt het toch zo te zijn dat de armoedebestrijding door het socialezekerheidsstelsel ergens een natuurlijke grens heeft bereikt. In tabel 6.3. stelt men vast dat het aantal arme gezinnen in een aantal, qua systeem van sociale zekerheid, sterk uiteenlopende landen zoals het Verenigd Koninkrijk en Noorwegen, schommelt tussen 5,3 % en 8,2 %.

Tabel 6.3. : Effectiviteit van de sociale zekerheid

	% arme gezinnen	% reductie in aantal arme gezinnen
Frankrijk	7,9	78
Duitsland	6,8	78
Nederland	7,0	78
VK	8,2	73
Zweden	5,6	85
Noorwegen	5,3	83
België	6,1	85
Luxemburg	7,6	80

Bron : Mitchell, D. (1991), en Deleeck, H. en Van den Bosch K. (1992).

Deze mogelijke natuurlijke grens aan de armoedebestrijding neemt niet weg dat achter de absolute armoedecijfers gaandeweg een andere realiteit is gaan schuilen, een realiteit die ook in de komende decennia nog zal veranderen[3].
Het oorspronkelijke socialezekerheidsstelsel ging uit van een bepaalde sociaal-economische werkelijkheid die nu sterk veranderd is. Na de Tweede Wereldoorlog kon men immers stellen dat het modale gezin bestond uit een werkende vader, een aan de haard werkende moeder en een aantal kinderen. Het inkomen van de vader volstond om voor bestaanszekerheid te zorgen. Dit gezin vertoonde bovendien een stabiele samenstelling. De macro-economische realiteit was er verder een van een krappe arbeidsmarkt, waarin werkloosheid eerder een tijdelijk fenomeen was.
In dergelijke omstandigheden functioneerde de sociale zekerheid als buffer wanneer het inkomen door ziekte of werkloosheid verminderde of wegviel. Het risico op inkomensverlies en de verzekering daartegen waren dus de essentiële kenmerken van de armoede en de bestrijding ervan.

---

[3]   Zie KB-Weekberichten, (1997).

Gedurende het postbellum is de sociaal-economische realiteit evenwel veranderd. Het stabiele ééninkomensgezin is geleidelijk geëvolueerd naar een minder stabiel twee-inkomensgezin, met daarnaast voornamelijk niet-klassieke gezinsvormen (éénouderge-zinnen, alleenstaanden, enz.). Daarnaast is sinds de jaren zeventig geen sprake meer van volledige werkgelegenheid en is werkloosheid voor velen een structureel eerder dan een conjunctureel gegeven geworden.

Het hiermee gepaard gaande armoederisico is dan ook veranderd.

Voor de twee-inkomensgezinnen doet het wegvallen van één van de inkomens – en het daarmee samengaande vervangende inkomen – niet langer het gezin onder de armoedegrens zakken. Het vervangingsinkomen is voor die gezinnen slechts een neveninkomen, wat betekent dat de sociale zekerheid hier geen essentiële taak te vervullen heeft.

Het sociale risico doet zich nu meer voor bij de andere typen gezinnen zoals de éénoudergezinnen en de alleenstaanden. Het type eenoudergezin is dikwijls het gevolg van de destabilisering van het klassieke gezin (door echtscheidingen), terwijl het aantal alleenstaanden is toegenomen eveneens door het stijgend aantal echtscheidingen en door de toename in het aantal alleenstaande oudere vrouwen. Voor de actieven in deze categorieën geldt bovendien dat zij in toenemende mate laaggeschoold zijn, terwijl de vraag op de arbeidsmarkt steeds meer verschuift naar hooggeschoolde arbeidskrachten. De inkomenspositie van deze categorieën is precair te noemen, waardoor risico's zoals ziekte, invaliditeit en werkloosheid de bestaanszekerheid sterk bedreigen. Voor deze gezinnen is de sociale zekerheid niet doeltreffend : de vervangingsinkomens zijn voor hen onvoldoende.

Het ziet ernaar uit dat de zich nu reeds manifesterende tweedeling in de maatschappij tussen enerzijds de twee-inkomensgezinnen waarvoor de sociale zekerheid niet echt hoeft en anderzijds de laaggeschoolde éénoudergezinnen en alleenstaanden waarvoor de sociale zekerheid geen oplossing biedt, in de toekomst nog geaccentueerd zal worden.

Men kan dit het fundamentele probleem van de sociale zekerheid noemen. Oplossing ervan vergt waarschijnlijk een fundamentele herdenking van het socialezekerheidssysteem.

1.2. Demografische ontwikkelingen

Ook als men voor dit probleem de ogen sluit en ervan uit gaat dat het huidige systeem quasi onveranderd kan worden aangehouden in de toekomst, is men nog niet van alle problemen verlost.

De demografie ontwikkelt zich in die mate dat de betaalbaarheid van dit systeem in het gedrang komt. De hogere levensverwachting en de verminderende vruchtbaarheid leiden tot een vergrijzing van de bevolking. De verhouding tussen het aantal 60+ers en het aantal inwoners tussen de 20 en de 59 bedroeg in 1995 39 % en zou volgens het Planbureau tegen 2050 oplopen tot 67 %[4].

---

[4]   Fasquelle N. en Weemaes S.(1997).

Deze vergrijzing heeft zowel gevolgen voor de pensioenuitgaven als voor de gezondheidsuitgaven.

De sector van de wettelijke pensioenen is in België gebaseerd op het principe van de repartitie, waarbij de bijdragen van de actieven in dezelfde periode gebruikt worden om de uitkeringen aan de gepensioneerden te verrichten. Als het relatieve aandeel van de actieven afneemt, terwijl dat van de ouderen, waartoe de groep van de gepensioneerden behoort, toeneemt, komt de betaalbaarheid in het gedrang.

Men mag tevens verwachten dat de vergrijzing leidt tot hogere uitgaven in de gezondheidszorg.

Het Planbureau berekent de toename van de pensioenuitgaven tussen 2000 en 2030 (het jaar waartegen de vergrijzing een hoogtepunt zou moeten bereiken) in percentage van het BBP in prijzen van 1991 op 1,8 % voor de pensioenen en op 1 % voor de gezondheidsuitgaven. Rekening houdend met de (geringe) daling van de andere sociale uitgaven en met de variatie in de bijdragen zou het negatief saldo in de sociale zekerheid zonder rentelast en inkomsten uit vermogen in 2030 1,4 % van het BBP (prijzen 1991) bedragen.

1.3. De efficiëntie

Met de *efficiëntie van de sociale zekerheid* is het slechter gesteld. De bereikte effectiviteit zou slechts tot stand komen dankzij een bovenmatige inzet van middelen. Die bovenmatige inzet van middelen materialiseert zich in een hoge fiscale druk, waarvan de parafiscale druk immers een onderdeel is. Deze hoge fiscale druk heeft allerlei negatieve effecten op de economie : de ondernemingszin en de creativiteit worden ondermijnd, het zwartwerk wordt erdoor aangemoedigd, er worden allerlei ontduikingsmechanismen ontplooid, de economische groei wordt onder druk gezet, er is sprake van moral hazard, enz. (zie hoofdstuk 3).

Voor zover de groei wordt vertraagd door een te hoge fiscale en parafiscale druk, leidt dit tot een toenemende werkloosheid en vandaar dus tot toenemende uitgaven voor de werkloosheidsuitkeringen. Daarmee ontstaat een vicieuze cirkel.

Bovendien volstaan de inkomsten van de sociale zekerheid niet altijd om de uitgaven te financieren. De tekorten in de sociale zekerheid zijn een niet onbelangrijke oorzaak van de algemene overheidstekorten die de westerse landen in de jaren zeventig, tachtig en negentig moesten confronteren. Het sneeuwbaleffect van de overheidsschuld die de Belgische overheidsfinanciën een tijdje geteisterd heeft, is derhalve voor een stuk ook terug te brengen op de tekorten in de sociale zekerheid.

De financiële toestand van de sociale zekerheid zal ook nog in de toekomst voor de nodige problemen zorgen, zeker in het licht van de bovengeschetste demografische ontwikkelingen. Het zoeken naar nieuwe middelen, het verminderen van de uitkeringen door ze te verlagen of door ze selectiever te maken, of een combinatie ervan, zijn dan het voorwerp van de discussie.

1.4. Het politieke draagvlak van de sociale zekerheid

Nauw verbonden met het gebrek aan efficiëntie in de sociale zekerheid is het probleem van het politieke draagvlak van de sociale zekerheid.

De oorzaak van de inefficiëntie is immers waarschijnlijk terug te vinden in de sociaal-politieke sfeer. Het is bewezen dat de sociale uitgaven in grote mate de middeninkomensklasse te goede komen. De uitgaven van sociale aard herverdelen niet zozeer van rijk naar arm, maar van rijk naar de middenklassen. Dit fenomeen staat in België bekend als het *Matteüseffect* (naar Matteüs, hoofdstuk 13, vers 12) : "Want aan wie heeft, zal gegeven worden, en hij zal overvloed hebben; maar van wie niet heeft, zal ook ontnomen worden wat hij bezit"[5].

Men kan een redenering ontwikkelen volgens dewelke de uitgaven aan de middeninkomens de prijs zijn voor hun politiek-electorale steun aan de uitgaven die naar de lagere inkomens gaan. Die middeninkomens maken immers een groot deel van het electoraat uit en hun politieke steun is nodig om de uitgavenprogramma's voor de armen te kunnen doorvoeren.

Als deze redenering klopt, en er zijn redenen om dat aan te nemen, is er natuurlijk een probleem : de sociale zekerheid – en bij uitbreiding de welvaartsstaat – kost te veel, maar ze goedkoper maken is moeilijk. Ofwel moeten immers de uitkeringen gemiddeld naar omlaag, waardoor nog meer mensen onder de armoedegrens worden geduwd, ofwel moet het systeem selectiever gemaakt worden, maar dan ten koste van de steun van de middenklassen.

Deze politieke moeilijkheid zal ongetwijfeld drukken op de hervormingen die in de sociale zekerheid moeten worden doorgevoerd[6].

1.5. Het internationale perspectief

De hervormingen in de sociale zekerheid vinden niet plaats in een internationaal vacuüm. In een steeds meer globaliserende economie kan een land zijn sociale zekerheid niet aanpassen zonder oog te hebben voor wat er in andere landen gebeurt. Zowel de uitgavenzijde als de ontvangstenzijde van de *sociale zekerheid kan een element zijn in de internationale concurrentie.*

De socialezekerheidsuitgaven bepalen mee het niveau van de sociale bescherming in een land. Dit beschermingsniveau is een integrerend element van het welvaartsniveau van dat land en kan als dusdanig een aantrekkingskracht hebben op arbeidskrachten uit andere landen. De economische migratie van arme naar rijke landen illustreert dit ten overvloede. Bemerk nochtans dat dit een secundair effect is van de sociale zekerheid. In de eerste plaats gaat het erom de bestaande bevolking sociaal te beschermen.

De ontvangstenzijde van de sociale zekerheid is een uitgavenpost voor diegenen die de bijdragen moeten betalen : de werknemers, de bedrijven en de belastingbetalers. Afwentelings- en vermijdingsstrategieën zullen hier derhalve toegepast worden. Een strategie die bedrijven kunnen overwegen is het delokaliseren van hun activiteiten naar regio's waar de sociale kosten minder hoog zijn. Daarmee zitten we in de problematiek van de sociale dumping en van het verlies aan arbeidsplaatsen dat daarvan het gevolg is voor de landen waaruit activiteiten vertrekken.

Er zijn twee grote antwoorden voor de overheden die met deze problematiek worden geconfronteerd. Ofwel probeert men in overleg te komen met andere overheden om een

---

5   Deleeck H., Huybrechs J. en Cantillon B.(1983).
6   Dat selectiviteit en politieke haalbaarheid samen kunnen gaan wordt geïllustreerd in Andries M. en De Lathouwer L.(1996).

zekere gelijkschakeling in beschermingsniveaus te betrachten, ofwel kiest men voor de weg van de concurrentie met andere overheden. In dit laatste geval probeert men activiteiten en dus jobs aan te trekken door de kosten van de sociale bescherming lager te stellen dan in het buitenland. Bemerk dat beide tendensen tegelijkertijd kunnen voorkomen. Zo bemerkt men binnen de Europese Unie zowel pogingen om tot een zekere harmonisatie van fiscale stelsels te komen, als gevallen van institutionele concurrentie.

1.6. Het regionale perspectief

Dit perspectief is sterk verwant met het voorgaande. Het afstaan van beleidsbevoegdheden naar lagere niveaus betekent immers dat die lagere niveaus die binnen een economische en monetaire unie werken, met dezelfde problematiek worden geconfronteerd als de lidstaten van de Europese Unie die toetreden tot de economische en monetaire unie. Zij zouden die bevoegdheden immers zo kunnen gebruiken dat die monetaire unie in gevaar komt, doordat regio's sterk verschillende socialebijdragenniveaus kunnen voorstaan. Het beperken van de bevoegdheden van de regio's moet dan dat gevaar keren.

Binnen de Belgische context wordt de discussie vooral gevoerd rond de al dan niet vermeende geldstromen die impliciet via de sociale zekerheid van het noorden van het land naar het zuiden zouden stromen. Volgens sommigen is deze *impliciete solidariteit* een normale zaak. Volgens anderen is ze niet lang meer houdbaar gezien het institutionele uiteendrijven van het land door de opeenvolgende staatshervormingen. Sommige bevoegdheden op het vlak van de gezondheidszorg en het welzijn worden al uitgeoefend door de gewestelijke niveaus, terwijl ook het economisch beleid voor een belangrijk gedeelte geregionaliseerd is. Het zou dan volgens sommigen logisch zijn dat ook de sociale zekerheid gedeeltelijk of volledig geregionaliseerd wordt.

2. WELK SOORT HERVORMING VOOR DE SOCIALE ZEKERHEID ?

Zoals boven geschetst bestaat het doeltreffendheidsprobleem van de sociale zekerheid erin dat deze sociale zekerheid de armoede in de categorieën van de laaggeschoolden, de alleenverdieners, de alleenstaanden, enz. niet afdoende kan bestrijden. Oplossingen voor dit probleem moeten evenwel buiten de sociale zekerheid worden gezocht. De sociale zekerheid botst immers tegen haar grenzen. Meer heil moet gezocht worden in het verhinderen van het beroep op de sociale zekerheid, dus in risicovermijding. Daarmee zitten we op het domein van het werkgelegenheidsbeleid en het scholingsbeleid. De creatie van jobs en van mensen die voldoende geschoold zijn om die jobs uit te oefenen is de enige fundamentele, maar moeilijk te verwezenlijken oplossing voor het probleem van de sociale zekerheid.

Ondertussen liggen er ook concretere voorstellen op tafel om de sociale zekerheid zelf aan te pakken. We kunnen ze onder drie noemers samenbrengen. In de eerste plaats kan men de financiële problemen van de sociale zekerheid aanpakken door de financieringsbasis te verbreden. Dit komt neer op het zoeken van bijkomende financiële middelen. In de tweede plaats kan men pogen de uitkeringen te verminderen door ze selectiever te maken of door de uitkeringen per gerechtigde te verminderen. In de derde plaats is er de optie om meer marktwerking te introduceren in de sociale zekerheid. Privatisering valt hieronder.

2.1. Het zoeken naar nieuwe inkomsten

Deze denkpiste duikt geregeld op. Als de inkomsten van de sociale zekerheid niet meer voldoende zijn om de uitgaven, zoals die voorvloeien uit het bestaande stelsel van sociale zekerheid te financieren, dan moeten er extra middelen worden gezocht. Die *extra middelen* kunnen op verschillende manieren gegenereerd worden. De *bijdragen kunnen verhoogd worden*, zowel die van de werknemers als die van de werkgevers. Deze oplossing heeft als belangrijk nadeel dat ze de reeds grote kloof tussen de brutokost van de arbeid en wat de werknemer netto wordt uitbetaald (de loonwig) nog groter maakt. De in het vorige hoofdstuk behandelde afwentelingseffecten worden daardoor eveneens versterkt.

Men kan de *bijdragebasis verbreden of veranderen*. Zo is er geregeld sprake van om de socialezekerheidsbijdragen niet enkel door de arbeid te laten dragen, maar ook door kapitaal. Er kan ook een groter beroep worden gedaan op de belastingbetalers. Een verschuiving van de belastingbasis naar kapitaal stuit op het bezwaar dat kapitaal een stuk mobieler is dan arbeid waardoor, als deze verschuiving geïsoleerd gebeurt, het gevaar op delokalisatie en desinvestering opduikt. Een verhoging van de bijdrage van de belastingbetaler heeft de gekende afwentelingseffecten (zie hoofdstuk 2 van deel 4).

2.2. Het besparen op de uitkeringen

In plaats van extra middelen te zoeken, kan men ook proberen de uitgaven in het systeem van de sociale zekerheid te verminderen. Dit kan grosso modo op twee manieren gebeuren : door het *verminderen van het aantal "gerechtigden"* en/of door het *verminderen van de uitkeringen per gerechtigde*.

Het verminderen van het aantal gerechtigden komt neer op het selectiever maken van de uitkeringen. Het criterium dat daarbij de facto wordt gebruikt is de hoogte van het inkomen. Door het op voorhand nagaan van de hoogte van het inkomen bij de eventuele begunstigde van een uitkering en door de uitkering enkel te verlenen als dat inkomen onder bepaalde grenzen valt, kan men het globale bedrag van de uitkeringen in de sociale zekerheid naar omlaag brengen. Deze oplossing is evenwel ook niet vrij van bezwaren. In de eerste plaats vergt een systeem van *inkomenstoets* belangrijke administratieve middelen op het vlak van controle. In de tweede plaats kan een in de privacy binnendringend inkomensonderzoek een stigmatiserend effect hebben. In de derde plaats wordt de hoger beschreven politieke basis van het socialezekerheidssysteem onder druk gezet, aangezien de middenklassen de inkomenstoets niet zouden doorstaan.

Het verminderen van de uitkeringen per gerechtigde vindt zijn uitdrukking in het basisstelsel. In dergelijk systeem wordt een minimaal inkomen gegarandeerd door de overheid. Dergelijke uitkering zou dan uiteraard geen verband houden met het vroeger verdiende loon. Bijkomende verzekeringen zijn mogelijk, maar op geprivatiseerde basis. De besparingen die zouden kunnen worden gerealiseerd zijn afhankelijk van de hoogte van de uitkering. Dit systeem heeft het voordeel dat er geen inkomensonderzoek moet gebeuren. Als nadeel is er het gevaar dat bij een te laag uitkeringsniveau de doeltreffendheid van de sociale zekerheid in gevaar komt.

2.3. Meer marktwerking

Een derde denkpiste met oplossingen voor de problemen van de sociale zekerheid is gelegen in de introductie van een grotere marktwerking in de sector. Men ziet in sommige hoeken een grotere rol weggelegd voor privé-verzekeringsinstellingen in de pensioensector, de gezondheidszorg en ook de werkloosheidsverzekering.

Literatuurlijst

ANDRIES M. en DE LATHOUWER L. (1996), *De politieke houdbaarheid van een selectief sociaal beleid : lessen uit de jaren tachtig*, Antwerpen : Centrum voor Sociaal Beleid – UFSIA.

CANTILLON B. (1992), "De verzadigde sociale zekerheid", CSB-Berichten, UFSIA.

CLOET M. en VERTRAETEN J. (1997) "De sociale zekerheid : structuur en beheer", MATTHIJS H. en NAERT F. (red.), *Sociaal-economisch beleid 3*, Brussel : STOHO.

DELEECK H., HUYBRECHS J. en CANTILLON B. (1983), *Het Matteüseffect. De ongelijke verdeling van de sociale overheidsuitgaven in België*, Antwerpen : Kluwer.

DELEECK H. en VANDENBOSCH K. (1992), *"Poverty and adequacy of social security in Europe : a comparative analysis"*, Journal of European Social faling, 2, blz. 107-120.

FASQUELLE N. en WEEMAES S. (1997), "Verkenning van de financiële evolutie van de sociale zekerheid tot 2050", *Planning Paper* 83, Planbureau.

KB-Weekberichten (1997), *De welvaartsstaat. De grote paradox*, Jaargang 52/nr. 16, 30 mei.

MITCHELL D. (1991), *Income transfers in ten welfare states*, Avebury : Aldershot

MUSGRAVE A. en MUSGRAVE P. (1989), *Public finance in theory and practice*, New York : McGraw-Hill, (vijfde uitgave).

DEEL 7 : ELEMENTEN VAN PUBLIEK MANAGEMENT

De laatste jaren heeft de managementwetenschap meer en meer aandacht besteed aan de openbare sector.

Op basis van de theorie aangaande het overheidsmanagement kunnen we stellen dat het overheidsapparaat optimaler werkt met behulp van de volgende drie benaderingen :
* *een goed beheer en het benutten van alle mogelijke managementprocessen door de bestuurders en de ambtenaren.*
* *de institutionele hervormingen zoals de installering van een federale staat, decentralisatie, deconcentratie, enz.*
* *de privatisering in de brede betekenis van het woord met het inschakelen van private middelen.*

Trefwoorden en -zinnen van hoofdstuk 1

De ontwikkeling van de theorie
Scientific Management
FAYOL
ENA-school
Human relations school
Contingancy approach
OUCHI

Hoofdstuk 1
DE ONTWIKKELING

1. INLEIDING

Inzichten over het wetenschappelijk beheer en de technieken over het management zijn niet uit de lucht gevallen. Reeds tijdens de oudheid en de middeleeuwen werd hieraangaande gewerkt[1].

Plato behandelde in zijn "dialogen over de ideale staat" reeds de begrippen arbeidsverdeling en specialisatie als factoren die de kwaliteit alsook de kwantiteit van de geleverde prestaties en producten kunnen bevorderen.

In de moderne tijden waren vooral Adam Smith en René Descartes belangrijke theoretici.

Smith (1723-1790), de vader van de economische theorie, was hoogleraar aan de universiteit van Glasgow en auteur van "An inquiry into the nature and causes of the wealth of nations" (1774). Hij beklemtoonde reeds de arbeidsverdeling en de specialisatie.

René Descartes (1596-1650) was een Frans wijsgeer en wiskundige (analytische meetkunde). Zijn denken uit "Discours de la méthode" (Leiden, 1637) kan tot vier regels worden herleid :
– Objectieve probleemformulering
– Problemen vereenvoudigen en deelproblemen formuleren alsook analyseren
– Causale relaties maken en dit op een logische wijze
– Oplossingen ontwerpen en synthetiseren

Descartes was in feite een voorloper van de hedendaagse systeembenadering.

2. HET SCIENTIFIC MANAGEMENT

De scientific-managementschool, die dateert van het einde van de vorige eeuw, ontstond voornamelijk door twee factoren : de opkomst van grote organisaties (massaproductiebedrijven) en de daarmee gepaard gaande pogingen tot rationalisatie van processen.

De "Father of Scientific Management", F.W. Taylor (1856-1915) – ingenieur van opleiding – streefde naar een vergaande integratie van het menselijk handelen in het mechanisch productieproces. De verspilling van energie en materiaal moet worden vermeden door langs de weg van een rationele en experimentele tijd- en methodenstudie onnodige fysieke bewegingen tot een miniumum te beperken. Het "Taylorisme" werd geïntroduceerd in de Ford-autofabrieken met het bandwerk.

---

[1]   VAN HOOLAND B. (1996).

In 1903 schreef hij "Shop management" en in 1911 een populair gesteld boek onder de titel "Principles of scientific management". Hij bestudeerde vooral de organisatie van de productiekosten, met name de studie van beweging en tijd. Hij bepaalde de vorm van het te hanteren werktuig om met een minimale inspanning een hoogst mogelijk rendement te bekomen. Daarbij mag de arbeider geen denkwerk doen, maar mag hij slechts uitvoeren. Zo richtte hij een "thinking department" op, waarin alle specialisten verenigd werden en die het tempo van de te verrichten arbeid uitrekenden.

Taylor voorzag vier diensten :
– Verdeling van de grondstoffen : alle grondstoffen moesten ter plaatse bij de arbeider gebracht worden. Ford verbeterde dit en voerde de productieketting in.
– Dienst van de fabricatie : op steekkaarten opzetten wat elke arbeider tot in detail moet doen.
– Dienst der lonen.
– Dienst aanvaarden van het personeel en discipline.

Hij streeft aldus een scherpe scheiding na tussen "denken" en "doen". Taylor maakt van de arbeider een automaat. Hij gaat ervan uit dat de mens (arbeider) niet wenst of niet hoeft mee te denken.
Om de arbeider continu dit hoge ritme te doen volhouden, voorziet Taylor als prikkel een loonpremie (gedifferentieerd stukloon). Deze stimulans moet zo individueel mogelijk gemaakt worden opdat de geïsoleerde arbeider in een concurrentiepositie komt te staan. Hij meende dat de groep een negatieve invloed heeft op de arbeider. De tijdstudies waren voor Taylor één der middelen om de werksfeer te verbeteren : de inefficiënte werknemers werden gedwongen om mee te doen.
De samenwerking tussen leiding en arbeiders, op basis van een gemeenschappelijk doel, was gericht op de verhoging van de individuele prestatie van de arbeider. Aldus ontstond de "scientific management"-beweging of de "wetenschappelijke organisatie van de arbeid".
Dit heeft geleid tot :
– Tijd- en bewegingsstudies gekoppeld aan werkmethodenonderzoek. Repeterend werk werd op een gedetailleerde kwantitatieve grondslag opgezet. Aldus ontstonden normen en tarieven die dienden voor verloning, planning en organisatie.
– Er ontstonden (verschillende) loonstelsels waarbij steeds naar een verband werd gezocht tussen loon en prestatie.
– Planning en werkvoorbereiding werden als een speciale functie opgezet.
– De functionele organisatievorm werd opgezet (voor het laagste niveau).
– Vermoeidheidsverschijnselen en routinewerkzaamheden werden zorgvuldig onderzocht.

De drie voornaamste voorschriften van Taylor waren :
– Gebruik tijd- en methodenstudie om de beste wijze te vinden om een taak te volbrengen.
– Een economische prikkel is nodig om de arbeider zijn taak op de beste wijze en in een snel tempo te doen uitvoeren.
– Deskundigen zijn nodig om de meest efficiënte werkomstandigheden vast te stellen.

3. FAYOL

De Franse school werd in deze periode geleid door mijningenieur Henri Fayol (1841-1925). Hij publiceerde in 1916 het werk "Administration industrielle et générale". Het werkstuk kreeg pas wereldfaam in 1949 met de engelse vertaling ervan.
Volgens Fayol kunnen alle handelingen tot zes groepen worden teruggebracht :
– Technische handelingen
– Commerciële handelingen
– Financiële handelingen (= aantrekken en beheren van vermogen)
– Veiligheidsmaatregelen
– Boekhoudkundige werkzaamheden
– Administratieve (= leidende) werkzaamheden

Deze laatste functie is zowat het zenuwstelsel van de onderneming.

Fayol definieert het leiden als volgt :

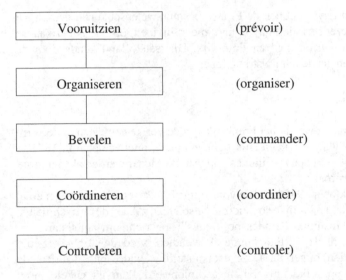

Vooruitzien	(prévoir)
Organiseren	(organiser)
Bevelen	(commander)
Coördineren	(coordiner)
Controleren	(controler)

Aldus stelt hij de vereiste bekwaamheden op in functie van de uit te oefenen functie.
Deze bekwaamheden hebben betrekking op :
– Fysische hoedanigheden
– Intellectuele capaciteiten
– Morele hoedanigheden
– Algemene ontwikkeling
– Specialistische kennis
– Persoonlijke ervaring

Fundamenteel zijn dan de volgende twee regels van Fayol :
– Naargelang de positie op de hiërarchische ladder toeneemt, stijgt de belangrijkheid van het leiding geven en daalt de behoefte aan technische kennis.
– Naargelang de onderneming in omvang toeneemt, stijgt de betekenis van de leidersbekwaamheid van de leiding.

389

Ten aanzien van leiding en organisatie formuleerde Fayol 19 principes. Deze hebben te maken met :
– Arbeidsverdeling
– Gezag
– Verantwoordelijkheid
– Discipline
– Ondergeschiktheid van het persoonlijk aan het algemeen belang
– Bezoldiging van het personeel
– Orde
– Billijkheid bij de behandeling van het personeel
– Initiatief
– Stabiliteit van het personeel
– Eenheid van bevelvoering (verschilt van Taylor)
– Eenheid van leiding
– Centralisatie ("decentralize if you can, centralize if you must")
– Hiërarchie

Ondanks de ideeën van Fayol hebben de Franse bestuurswetenschappen geen hoge vlucht genomen in deze periode. Fayol had meer invloed op de Amerikaanse bestuurswetenschappen dan op die van Frankrijk. Dit laatste land kende door de politieke chaos ook geen goede administratie meer.

4. DE SCHOLEN

De vorming van ambtenaren was in het Frankrijk van de vorige eeuw een onderwerp dat vele regeringen bezighield. Uiteindelijk hebben enkele intellectuelen in 1871 te Parijs de "Ecole libre des sciences politiques" opgestart. Aldaar werden al snel grote troepen ambtenaren gevormd.

Bij ordonnantie van 9 oktober 1945 heeft de voorlopige Franse regering o.l.v. generaal De Gaulle de moderne ambtelijke opleiding vastgelegd. Aan de verschillende universiteiten werden "Instituts d'études politiques" opgericht om ambtenaren en studenten op te leiden in de bestuurskunde. Bovendien werd de "ENA" (Ecole Nationale d'administration) opgericht. Deze staatsinstelling leidde (leidt) voortaan de Franse topambtenaren op. Elke universitair gediplomeerde kan na enkele jaren theoretisch en praktisch worden opgeleid met het oog op een functie bij de "inspection des finances", "Cour des comptes", "régies d'état", enz.

De gediplomeerden van de ENA krijgen topfuncties toegewezen in de Franse administratie en overheidsbedrijven. Door hun hoogstaande vorming en onafhankelijke benoeming werd en wordt de Franse overheid uitstekend beheerd.

Toch is er heel wat kritiek op deze ENA dat de school te elitair zou zijn. In werkelijkheid zijn de politici misnoegd omdat het nepotisme is weggevallen en de universiteiten omdat ze geen greep meer hebben op deze onafhankelijke school.

Hiernaast en in organisatorische samenhang hiermee staat het *Centre des Hautes Etudes Administratives*. Dit centrum beoogt in de eerste plaats de vorming voor hogere functies van reeds in dienst zijnde ambtenaren te verzorgen. Naast ambtenaren kunnen ook dienstdoende militairen en bij wijze van uitzondering zelfs vrije toehoorders worden toegelaten. Het onderricht wordt zo gegeven dat het tijdens de dienst kan worden gevolgd.

Charles De Gaulle (Rijsel 1890 – Parijs 1970) heeft tijdens en na de Tweede Wereldoorlog zijn stempel gezet op het moderne Frankrijk. De Gaulle heeft Frankrijk een erg nationalistische onderbouw gegeven en dit op alle beleidsvlakken. Als kenmerken van het Gaullisme zijn de volgende punten te citeren :
– Talrijke nationalisaties om een industriële politiek te kunnen voeren
– Een sterk gecentraliseerd land
– Een uitgebreid openbaar ambt
– Een zeer omvangrijk defensie-apparaat en desbetreffende industrie.

5. DE "HUMAN-RELATIONSSCHOOL"

Deze school is een typisch voorbeeld van de sociaal-psychologische benadering van het management. Deze school had ook vooral aandacht voor de bestudering van de informele groep. De belangrijkste vertegenwoordiger van deze school was de Amerikaanse psycholoog Elton Mayo (1880-1948).

Op de strikte toepassingen van Taylor's ideeën kwam reactie vanwege Mayo en Roethlisberger, verbonden aan de Harvard Business School. Zij begonnen omstreeks 1930 aan een systematisch sociaal-psychologisch onderzoek.

In 1939 publiceerden Roethlisberger en Dickson "Management and the worker" waarin een historisch overzicht wordt gegeven van een viertal onderzoekingen, verricht in "Hawthorne Works" van Western Electric in Chicago. Men kwam tot de bevinding dat :
– Er een grote samenhang bestaat tussen de onderlinge menselijke relaties, de manier van leiding geven en de prestaties.
– Repeterende arbeid op zichzelf niet eentonig hoeft te zijn, maar afhangt van verschillende variabelen.
– De onderlinge verschillen tussen de inkomens en niet de absolute hoogte van de inkomens meestal tot klachten en gevoelens van onrechtvaardige behandeling leiden.
– Door deelname van de ondergeschikten aan de besluitvormingsprocessen veel voordelen ontstonden. Dit gaf aanleiding tot de democratische leiderschapsstijl.

Later resumeerde Roethlisberger de resultaten van meer dan 30 jaar onderzoekingen in "Toward an unified theory of management" (1964), namelijk

– De productiviteit hangt af van de stijl van leidinggeven, de geldelijke prikkel en de waardering van de chef voor zijn mensen.
– De invloed van de werknemers op het bedrijfsgebeuren wordt onderschat (communicatie is uiterst belangrijk).
– Leiders die op lange termijn betere resultaten hebben, hebben een andere stijl van leiding geven dan leiders die hoge prestaties op korte termijn nastreven.

Bovendien treedt eveneens het verschijnsel van de langzame polarisatie op : de leiders kiezen mensen die het best passen bij hun stijl van leiding geven en de ondergeschikten passen zich in zekere zin aan aan de leiders en hun werkwijze. Zolang dit polarisatie-proces duurt, ontstaan er spanningen en resulteert dit in lagere prestaties.

6. DE "CONTINGENCY-APPROACH"

Deze school heeft vooral studie verricht naar het nut van specialisaties in een organisatie. Deze Amerikaanse benadering heeft het idee van "eenheid van bevel" verworpen en de toepassing van informatica in een administratie aangemoedigd.

De grondgedachte van de contingentietheorie houdt in dat een structuur moet passen bij de kenmerken van de omgeving, de technologie en de strategie van de organisatie. De contingentietheorie stelt dat de goede organisatiestructuur diegene is die aangepast is aan de specifieke kenmerken waarin ze zich bevindt.

Er bestaan diverse structuurparameters die gehanteerd worden bij het verklaren van de organisatiestructuren. Deze parameters worden ook wel designparameters genoemd omdat ze toelaten de gepaste structuur op te stellen voor de organisatie.

Voor Mintzberg (1983) bestaat elke organisatie uit vijf delen, namelijk

1. De strategische top
2. Het kader
3. De voorbereidende staf
4. De ondersteunende staf
5. De operationele kern

Mintzberg heeft verschillende configuraties uitgedacht, waar telkens één van de (hogervermelde vijf) delen een centrale rol speelt en er telkens een beroep wordt gedaan op een favoriete coördinatiestijl.

Simpele structuur	Strategische top	Directe supervisie
Machine bureaucratie	Voorbereidende staf	Standaardisering van werkprocessen
Professionele bureaucratie	Operationele kern	Standaardisering van vaardigheid
Divisiestructuur	Kader	Standaardisering van opbrengsten/resultaten
Adhocracy	Ondersteunende staf	Onderlinge afstemming

(= organische of flexibel-bureaucratische organisatie)

Deze verschillende configuraties bieden het voordeel van conceptuele helderheid.

In het voorliggend voorstel van nieuwe overheidsorganisatie zijn de vijf delen duidelijk herkenbaar.

De strategische top is de Secretaris-Generaal en de Directeur-Generaal; het kader zijn de verantwoordelijken van de besturen en diensten, de voorbereidende staf is de Staf Beleid en de ondersteunende staf is de Staf Algemene Zaken. De operationele kern zijn de overige medewerkers.

Vooral de machine (beleidsuitvoering) en de professionele (beleidsontwikkeling) bureaucratie en overgangen worden bij overheidsorganisaties teruggevonden.

In recenter werk stelt Mintzberg (1994) dat strategie niet te plannen is. Plannen is analyse en strategie is strategie, aldus de auteur.

7. OUCHI

Het management is zeker gebonden aan modeverschijnselen. Daarom was tot enige tijd geleden Japan het toonaangevende land op economisch vlak. Doch het economisch-management wonder van de jaren zeventig en tachtig beleeft een economische ondergang op het einde van dit millennium.

Vele landen en bedrijven spiegelden zich aan wat William Ouchi de Japanse stijl (type J) noemde (levenslange tewerkstelling, hoge productiviteit, betrokkenheid van de werknemer bij het bedrijf en vice versa, enz.).

Daartegenover staat de "Amerikaanse stijl" (type A) die zich kenmerkt in gespecialiseerde loopbanen, weinig betrokkenheid tussen het bedrijf en de werknemers, geen standvastige tewerkstelling, individuele besluitvorming en individuele verantwoordelijkheid.

Volgens Ouchi is dit "type J" niet integraal over te planten op de Amerikaanse en de Europese bedrijfswereld. Daarom pleit hij voor een mengvorm (type Z).

Volgens Ouchi houdt dit "type : Z" vier belangrijke punten in :
– Langetermijntewerkstelling,
– Matig diversifieerbare carrières,
– Individuele verantwoordelijkheid,
– Meer betrokkenheid tussen de familie van de werknemer en het bedrijf.

8. BESLUIT

Dit hoofdstuk laat zien dat het management gericht denken binnen de overheidssector reeds een lange weg heeft afgelegd. Opvallend is het feit dat de eerste studies zich voordeden in de private sector en dat de theoretische inzichten vooral van Amerikaanse afkomst zijn.

Naar de overheid toe is er de opvallende bijdrage van de Franse opleidingsscholen voor overheidsmanagers : ENA.

Literatuurlijst

MINTZBERG, H. (1983), *Structure in fives, designing effective organizations*, Englewood-Cliffs : Prentice-Hall.

MINTZBERG, H. (1994), *The rescand fall of strategic planning* New York, Prentice Hall

VAN HOOLAND B. (1996), *"De organisatie-theoretische en managementgerichte benadering van het openbaar bestuur"* in Maes R. (red.), bestuurskunde (I), STOHO, open universiteit.

Trefwoorden en -zinnen van hoofdstuk 2

Publieke- en private sector (verschillen)
Publieke- en private sector (gelijkenissen)

Hoofdstuk 2
DE PUBLIEKE VERSUS DE PRIVATE SECTOR

Dikwijls worden de openbare besturen en diensten vergeleken met de particuliere bedrijven om meestal tot de conclusie te komen dat de laatste veel beter bestuurd worden. Daarbij wordt helemaal de omstandigheid genegeerd dat de overheidsdiensten het algemeen belang, het belang van allen, als richtsnoer van hun werkzaamheid moeten nemen.

1. DE GELIJKENISSEN

Er bestaan zeker raakpunten tussen het particulier beheer en het beheer van openbare organisaties of instellingen :
– De meest formele organisatiebeginselen m.b.t. de specialisatie en de arbeidsverdeling, de hiërarchie, de spanwijdte van de leiding, de functiebewaking, de lijn- en stafcoördinatie gelden ook in openbare bestuursorganisatie.
– Zowel de ondernemingen als de overheid ondervinden een toenemende professionalisering van de organisatie.
– Het neutraal karakter van bepaalde beheers- en beleidsmethoden en -technieken leidt tot het gebruik ervan in beide sectoren, (bijv. kosten en baten-analyses, het "management bij objectives", projectorganisatie, systeemanalyse, bepaalde boekhoudmethoden, technieken van uitvoeringsplanning, enz.).

In de grote ondernemingen en in de openbare bestuursorganisaties kent men analoge probleemsituaties. Er wordt eerder van uitgegaan dat de privé-sector meer innoverend te werk gaat en dat de overheid slechts traag deze technieken overneemt.
De private sector heeft zeker een voorsprong opgebouwd aangaande het technologisch en financieel beleid.
Doch op het sociale vlak (arbeidsvoorwaarden, voordelen voor vrouwen, enz.) is de overheidssector leidinggevend. Bovendien stelt men in de praktijk vast dat bedrijven (vanaf 500 werknemers) dezelfde organisatieproblemen kennen als de overheidsadministraties.
Beide sectoren moeten werken in dezelfde omgeving (geografie, bevolking, taal, cultuur, politiek bestel). Deze factoren leiden ertoe dat, zowel de publieke als de private sector, min of meer dezelfde beleidstechnieken dienen toe te passen.

2. DE VERSCHILPUNTEN

Uiteraard bestaan er ook nogal wat verschilpunten tussen de publieke en de private sector. De hiernavolgende lijst geeft hiervan een overzicht.

De private sector :

– Zorgt voor voortbestaan en winststreven, concurrentie voor samenwerking.
– Is pragmatisch gericht op bedrijfsbelang in internationale markteconomie binnen een wettelijk kader.
– Is vooral slagvaardig op uitdagingen en bedreigingen winsten risico-georiënteerd reageren.
– Houdt rekening met maatschappelijke en politieke ontwikkelingen als bijkomende factoren.
– De doelstellingen zijn relatief duidelijk vast te stellen i.v.m. het beperkt aantal waarden; verder is resultaatmeting betrekkelijk direct mogelijk.
– Volgt vooral economisch gerichte criteria, waarbij doelmatigheid een hoge plaats in de rangorde van waarden heeft.
– Geeft bij het bepalen van de organisatiestructuur relatief veel vrijheid om met eigen interne regels rekening te houden.

De publieke sector :

– Is politiek verantwoordelijk voor dienstbaarheid aan de samenleving en samenwerking gaat voor concurrentie.
– Het meer idealistisch streven naar algemeen belang is primair op nationaal niveau, waarbij internationale aspecten vooral uit nationaal oogpunt worden beoordeeld.
– Primaire zorgvuldigheid is belangrijk lettend op rechtszekerheid en rechts-gelijkheid, het ligt minder in de lijn risico te nemen, te experimenteren of te improviseren.
– Deze ontwikkelingen staan centraal bij het functioneren.
– De doelstellingen zijn moeilijker te omschrijven daar men met een groot aantal, elkaar veelal concurrerende waarden heeft te maken die in het teken van het brede sociale welzijn slechts generalisaties toelaten; resultaatme-ting is meestal alleen indirect mogelijk.
– Primair zijn politiek-bestuurlijke criteria van bevredigend afwegen van diverse belangen via prioriteitenbepaling d.m.v. haalbaarheid en consensus.
– Vanwege de wettelijke grondslag van veel formerende factoren en veel andere extern gegeven regels is de verandering van de organisatiestructuur moeilijk.

Vervolgens gaan we verder in op enkele verschilpunten tussen deze beide sectoren.

2.1. De herverdelende functie

De overheid heeft via de begroting en de sociale zekerheid een herverdelende functie ten aanzien van de welvaart.
Dit illustreert zich door progressieve belastingschalen (lage officiële inkomens betalen minder belastingen) en een uitgebreid stelsel van sociale zekerheid.

396

Bovendien moet de overheid ook zorg dragen voor de talrijke niet-actieven (gepensioneerden, werklozen, enz.) in de samenleving.

2.2. De boekhouding

De boekhouding van de overheid gebeurt op basis van het stelsel der kasbegroting. Dit betekent dat alleen de in- en uitgavenstromen worden geboekt.

Bij de bedrijven is er een dubbele boekhouding van "debit" versus "credit". Daarnaast kent men ook de beginselen van een beginbalans, eindbalans, vermogensstaat, resultatenrekening, enz. Het beginsel van het vermogen kent men bij de overheid ook, doch op een heel andere manier. De gemeenten, vanaf 1 januari 1995, kennen dit stelsel ook.

Tenslotte moet er op gewezen worden dat vele eigendommen van de overheid wel een hoge historische kostprijs hebben, maar geen (of weinig) actuele marktwaarde bezitten.

2.3. Het personeel

De overheid heeft tegenover een groot deel van haar personeel een band van "vastbenoemdheid". Daardoor is deze groep van statutaire ambtenaren niet (of uiterst moeilijk) af te danken. Dit stelsel kan uiteraard nadelig werken voor de productiviteit, doch geeft de ambtenaren een onafhankelijkere positie tegenover de politiek.

In de private sector is het personeelsbeleid veel soepeler door de contractuele band tussen de werkgever en de werknemer.

Tenslotte moet er ook vermeld worden dat de hoeveelheid overheidspersoneel strikt geregeld is in zogenaamde "kaders", waardoor een soepele aanwerving en mobiliteit ten zeerste bemoeilijkt worden.

2.4. De verantwoordelijkheid

In de private sector wordt het beleid gevoerd door een gedelegeerd bestuurder met een raad van bestuur. Zij zijn verantwoording verschuldigd aan de vergadering der aandeelhouders. Indien deze laatsten er anders over denken zal de raad van bestuur moeten optreden.

Bij de overheid is het de uitvoerende macht (regering, raden van bestuur van parastatalen-overheidsbedrijven, college's van burgemeester en schepenen) die de beslissingen neemt, doch de verantwoordelijkheid is hier in de praktijk niet bestaande. Zelfs bij grote misstappen worden er zelden individuele conclusies uit getrokken.

Een klassieke overheidsdienst neemt doorgaans heel andere opdrachten waar dan een tradionele onderneming. Een "gewoon" openbaar bestuur houdt zich bezig met het voorbereiden en/of (doen) uitvoeren en controleren van wetten en reglementen, het afhandelen van aanvragen (vergunningen, subsidies), het verzamelen van gegevens ten behoeve van het beleid, het uitwerken van allerlei plannen, enz. Een particuliere onderneming houdt zich bezig met productie van goederen of diensten op commerciële basis.

De taken die de overheid op zich moet nemen verschillen meestal ook fundamenteel van aard met deze die de particuliere onderneming aanpakt. Het gebeurt dat de overheid taken uitvoert waarvoor een sterke vraag bestaat (in een bepaald gebied of bevolkingsdeel).

2.5. De besluitvorming

De private besluitvorming zal, in laatste instantie, gebeuren door de desbetreffende bevoegde organen. Toch zal men een beroep doen op de adviezen en de kennis van het personeel. Zij leveren dikwijls een grote bijdrage bij de totstandkoming van een beslissing. Bovendien zijn de aandeelhouders in de talrijke Vlaamse familiebedrijven direct betrokken bij het beleid.

Bij de overheid doet zich het feit voor dat de ambtenaren zowat altijd uit de besluitvorming worden weggehouden. In België is de politieke besluitvorming het voorwerp van dure en onverantwoorde beslissingen (compromissen bij coalities). Het productpakket van de overheid is samengesteld op basis van de situatie op de politieke markt.

De private besluitvorming verloopt vlotter dan bij de overheid waar formele procedures moeten gevolgd worden en talrijke adviezen moeten ingewonnen worden.

2.6. De beheersmethoden

In de private sector is de financiële maatstaf het enig geldende criteria. Het vrije marktmechanisme is gebaseerd op de winst.

De overheid kan dit principe en de daarbijhorende managementstijlen niet introduceren omdat ze een verantwoording heeft ten aanzien van de gehele samenleving. Zij dient dan ook talrijke (sociaal, cultureel, veiligheid, enz.) verlieslatende instellingen te laten bestaan weliswaar met een grote budgettaire kost.

2.7. Macro versus micro

Het private bedrijfsleven heeft een micro-economische rol ten aanzien van de samenleving. De bedrijven dienen te zorgen voor hun eigen welzijn. Het beleid is gericht op vraag en aanbod van de markt.

Daarentegen moet de overheid instaan voor openbare nutsfuncties (gas, elektriciteit, water, enz.), infrastructuur (wegen, spoorverbindingen, telecommunicatie enz.), veiligheidsdiensten (politie, brandweer, leger, enz.) en basisvoorzieningen (onderwijs). Deze taken zijn bij hun oprichting en werking meestal puur verlieslatend, doch essentieel in een moderne staat. Bovendien is de uitbouw van infrastructuur, nutsvoorzieningen en onderwijs een belangrijk gegeven voor private investeerders. Men mag ook niet vergeten dat de overheid door middel van deze diensten een grote tewerkstelling teweegbrengt. Ook de overheidsinvesteringen in deze sectoren komen de nationale economie ten goede.

De voor de private sector oninteressante gebieden om te investeren dienen door de overheid gestimuleerd te worden.

2.8. Beginselen

De overheidsbeslissingen dienen steeds een juridische basis te hebben, waardoor een overheidsoptreden minder soepel kan verlopen. Bovendien is de overheid bij het aanbod van haar diensten gebonden aan de administratieve beginselen van openbare dienst, wat inhoudt dat de overheid rekening moet houden met begrippen als : continuïteit en gelijkberechtiging.

3. BESLUIT

De verschilpunten en de gelijkenissen tussen de openbare- en de private sector zijn het voorwerp van talrijke theorieën en bedenkingen. Doch omwille van de specifieke rol van beide sectoren, in het bijzonder het algemeen belang bij de overheid, blijven ze van elkander gescheiden. De laatste jaren heeft de openbare sector echter talrijke technieken uit de private sector overgenomen om meer klant- en marktgericht te gaan werken.

Trefwoorden en -zinnen van hoofdstuk 3

Public management (science of administration)
Public management (politicologische school)
New public management

Hoofdstuk 3
DE "PUBLIC MANAGEMENT"-THEORIE

Een nieuwe richting binnen de bestuurswetenschappen (new public management – nieuw publiek management) stelt dat de volgende aspecten kenmerkend zijn voor de nieuwe aanpak van het overheidsmanagement :
– Meer eigen verantwoordelijkheid voor het topmanagement
– Meer nadruk op output controle
– Een omschakeling van grote bureaucratieën naar kleinere autonome eenheden
– Expliciete normen en metingen van prestaties
– Meer mededinging binnen de overheidssector
– Nadruk op bedrijfsmatig management
– Een efficiënter gebruik van de middelen

Hoewel deze aspecten niet altijd worden teruggevonden in bestuursniveaus of overheids-organisaties, vormen zij toch een constante in de nieuwe aanpak van het overheidsmanagement.

Osborne D. en Gaebler T. (1992) stellen de volgende tien principes voor om de problemen van de overheid op te lossen :
1. De overheid moet sturen in plaats van roeien.
2. Overheidsorganisaties moeten zich minder laten leiden door regelgeving.
3. De overheid moet niet zozeer zelf diensten leveren, maar de gemeenschap bij machte stellen dit te doen.
4. De overheid moet zich op resultaten oriënteren.
5. Er moet mededinging ingevoerd worden in de dienstverlening.
6. Klantgerichtheid moet centraal staan.
7. De overheid moet innoverend zoeken naar inkomsten.
8. De overheid moet meer doen aan strategische langetermijnbeleidsplanning.
9. Decentralisatie, teamwerk en participatief management moeten worden bevorderd.
10.   De markt moet de leidraad worden voor het overheidshandelen.

Tenslotte moeten we nog enige typische kenmerken belichten aangaande het nieuwe overheidsmanagement :
– De nieuwe overheidsmanager dient een ander profiel te hebben dan de traditionele topambtenaar : vorming en kwaliteit komen in de plaats van politiek.
– Er worden methoden en technieken uit de private sector geïntroduceerd binnen de openbare sector.
– De relatie tussen de overheid en de samenleving wordt in vraag gesteld in het kader een meer liberale economie.
– In het traditionele model was de politicus verantwoording verschuldigd aan de burger. De ambtenaar stond in de greep van de politici. In het nieuwe overheidsmanagement wordt meer en meer een rechtstreekse relatie gelegd tussen ambtenaar en burger/klant. Dit veronderstelt dat er nieuwe systemen van verantwoordelijkheid en verantwoording worden uitgebouwd.

401

– Het overheidsmanagement en de overheidsmanager vergen een specifieke benadering. Het introduceren van "economische" waarden in de overheid betekent dat begrippen als efficiëntie, effectiviteit, enz. het levenslicht zagen in de publieke sector.

1. DE "SCIENCE OF ADMINISTRATION"

In de Verenigde Staten werd onder president Andrew Jackson[2] (1828-1836) het "spoil system" ingevoerd. Dit hield in dat de posities in het overheidsapparaat bezet worden door partijgenoten en/of aanhangers van het gekozen staatshoofd. Dit stelsel leidde zeker niet tot een deskundige en neutrale administratie.

In 1881 werd President Garfield vermoord, door iemand die gefrustreerd geraakt was omdat hij niet kon profiteren van het systeem. Daaropvolgend werd in 1883 de "Pendleton Act" ingevoerd om een objectievere bemanning van de openbare dienst te garanderen.
Er dient opgemerkt te worden dat het "spoil-system" nog steeds bestaat voor de zowat 8000 topfuncties.
De grondlegger van de Amerikaanse bestuurswetenschappen (Science of administration) is Wilson W. (1856-1924). Hij werd zelfs president van zijn land (1912-1920). Wilson W. (1887) wordt algemeen beschouwd als de grondlegger van de bestuurswetenschappen in de V.S. Hij pleitte voor een strikte scheiding tussen politiek en bestuur. Een gepolitiseerde administratie, aldus Wilson, leidt tot corruptie en een slechte werking. Een waarheid als een koe, die ook vandaag nog geldt!
Wilson beschouwde de bestuurswetenschap als een nieuw domein van de politieke wetenschappen. Wilson had zware kritiek op het Amerikaanse "spoil system" (supra), waarbij de belangrijkste functies in de administratie wisselden met de politieke machthebbers.
Wilson was afkomstig uit het zuiden en promoveerde in 1885 op een proefschrift "congressional government", waarin hij zijn bewondering uitte voor het Britse parlementaire stelsel. Hij werd hoogleraar en later rechter te Princeton. In 1910 werd hij de democratische gouverneur van de deelstaat "New-Jersey".
In 1886 introduceert Wilson de denkbeelden van de Science of Administration. In een beroemde redevoering voor de "Historical and Political Science Association" bepleit hij de bestudering van het openbare bestuursapparaat. Hij betreurt dat tot dan toe alleen het politieke bestel geanalyseerd is. De studie van de administratieve kanten van het openbaar bestuur was verwaarloosd.

Wilson noemt als wetenschappelijke en praktische oplossing het onderscheiden van politiek en administratie. In de overheidsadministratie moeten de beginselen van zuinigheid, efficiëntie en doelmatigheid voorop staan. De administratie is een organisatie met uitvoerende functies. De politici stellen algemene plannen op. Zij geven de koers aan. Dit gebeurt door middel van besluitvorming. Het gekozen alternatief

---

[2]   Hij was president tussen 1829 en 1837 en was de eerste kandidaat voor het presidentschap van de democratische partij.

krijgt de hoogste prioriteit en de administratie dient de volgorde van prioriteiten te accepteren.

De Science of Administration gaat ook in op de voorwaarden voor een wetenschappelijk gerunde openbare bestuursorganisatie. Voor de gezagsdragers en voor beleidsmedewerkers is een staforganisatie onontbeerlijk. In de openbare bestuursdienst moet meer gebruik worden gemaakt van operationele plannen, rapporten en organisatieschema's. De politieke bewindvoerders dienen ervaring te hebben en ambtenaren moeten een technocratische ingesteldheid hebben.

Deze wetenschap stelt ook dat conflicten tussen politici en ambtenaren dienen vermeden te worden omdat ze alleen maar getuigen van slecht bestuurlijk management. Deze richting heeft enige richtlijnen voorgesteld aan de administratie, namelijk :
– Hiërarchie
– Eenheid van leiding
– Staf- en lijncoördinatie
– Functiebewaking
– Organisatorische eenheid

Gulick L. en Urwick L. (1937) ontwikkelden hieruit het beroemde acronym "POSD-CORB" wat staat voor "planning" (methode, vormgeving), "organizing" (formele gezagsstructuur), "staffing" (recrutering personeel, werkcondities), "directing" (leiderschap), "coordinating" (bundeling van situationele factoren), "reporting" (rapportering door welbepaalde kanalen) en "budgetting" (financiering). De organisatieleiding moet volgens deze auteurs waken over de vervulling van deze zeven activiteiten.

2. DE POLITICOLOGISCHE SCHOOL

De politicologie heeft in de jaren vijftig van deze eeuw de bestuurskunde een andere dimensie gegeven door :
– Een reactie op de bestuurskunde die op zoek was naar middelen om mensen en materieel optimaal in te zetten binnen de overheidsorganisatie.
– Geen scheiding meer tussen politiek en bestuur voorop te stellen.
– De externe dimensie van het openbaar bestuur onderlijnen.

De systeempolitieke theorie zou ertoe leiden dat de bestuurskunde werd ingekapseld in de politicologie. Het bestuurlijk systeem was namelijk een onderdeel van het politieke systeem. Tegen dit imperialisme van de politicologie kwam een tegenreactie van diegenen die bestuurskunde beschouwden als een zelfstandige wetenschap. Deze bestuurskunde zou zich exclusief gaan toeleggen op de ontwikkeling van bestuurs- en managementtechnieken. Zij plaatste de interne dimensie van het openbaar bestuur opnieuw centraal.

3. NEW PUBLIC MANAGEMENT

Tegen het einde van de jaren zestig zou de interne gerichtheid van de bestuurskunde echter opnieuw onder druk komen te staan. De "New Public Administration" en de "Public Choice School" zouden weerom de externe dimensie van het openbaar bestuur gaan benadrukken. Deze dimensie was ook aanwezig bij de policy-sciences, een discipline die zowel door politicologen als bestuurskundigen werd beoefend.

De belangrijkste vertegenwoordigers van de "New public administration school" worden hierna besproken.

In feite brengen zij vier grote thema's naar voren, namelijk
1. de studie van het fenomeen "macht"
2. de de grens tussen politiek en bestuur
3. de systeempolitieke benadering
4. de ontwikkeling van de beleidswetenschap

De belangrijkste vertegenwoordiger is Dwight Waldo. Hij lag in 1968 mee aan de grondslag van de "New Public Administration". Hij verdedigt het idee dat overheids-ambtenaren niet alleen uitvoerende taken op zich nemen, doch dat ze ook begaan zijn met de maatschappelijke ontwikkelingen. In feite bepleit Waldo de politisering van het bestuur en zet hij zich af tegen "de neutrale administratie".
De tweedeling tussen politiek en bestuur heeft hij reeds in de eerste editie (1984) van zijn bekend werk onderuit gehaald. Voor Waldo is het begrip "rationele ambtenaar" een mythe.
De "New Public Administration" heeft, onder invloed van Waldo, de klantgerichte dimensie van het openbaar bestuur gepropageerd. Ook zijn er modellen opgezet aangaande personeelsquota's om binnen de administratie een gebalanceerde vertegenwoordiging te krijgen van de verschillende groepen uit de samenleving.

Literatuurlijst

FARNHAM D. en HORTON S. (1993), *Managing the new public services*, London : MacMillan Press

GULICK L. en URWICK L. (1937), *Papers on the science of administration*, New York : Institute of Public Administration

MAES R. (1994), *De Overheidsmanager*,Leuven : Acco

OSBORNE D. en GAEBLER T. (1992), *Reinventing gouvernment*, New York : Plum

WALDO D. (1984), *The administrative state*, New York : Holmes and Merk

WILSON W. (1887), *The study of public administration*, Political Science Quarterly blz. 197-222

Trefwoorden en -zinnen van hoofdstuk 4

Management (diverse gebieden)

Hoofdstuk 4
DE SOORTEN MANAGEMENT

In onze moderne samenleving speelt de overheid een rol, waarvan het belang nauwelijks te onderschatten is. De Belgische overheid neemt een belangrijk deel van het BBP voor haar rekening en stelt ruim 900.000 mensen tewerk. Daarnaast draagt ze zorg voor miljoenen minderjarigen, ouderen, gepensioneerden, werklozen, enz.
Bovendien is ze een belangrijke investeerder en beheert ze de infrastructuur van het land.
De laatste jaren zijn al die overheidstaken ter discussie gekomen. Inderdaad, het euvel dat de overheid niet verholpen krijgt, noemt men wel eens het managementprobleem. Dit hoofdstuk zal een overzicht geven van die diverse facetten van dit overheidsmanagement.

1. DE PROBLEMEN ROND HET TRADITIONELE MANAGEMENT

Algemeen wordt er gesteld dat er vier redenen zijn aangaande de problemen omtrent het traditioneel management. Het laatste decennium is zowat elke menselijke activiteit (getting things done) onder de noemer "management" geplaatst. Ten eerste is er een ware inflatie ontstaan van het begrip management en daardoor dreigen we om te komen in de managementproblemen.
Ten tweede zijn de organisationele vormen uitgebreider aanwezig dan in het verleden en daardoor is er meer vraag naar allerhande managementstechnieken. Wat in de ene organisatie goed werkt, is voor de andere volkomen ongeschikt en heeft voor anderen desastreuze gevolgen.
Ten derde is de maatschappelijke omgeving sterk veranderd. Ze is erg gedifferentieerd, dynamisch en complex geworden. Daardoor kunnen managementproblemen in vergelijkbare organisaties die in een verschillende omgeving moeten functioneren, niet op een overeenkomstige wijze aangepakt worden.
Tenslotte is er nog een vierde reden, namelijk het falen en/of de aversie tegen de leidraad uit het verleden namelijk : hiërarchie.
Het management t.a.v. de overheid kunnen we uitdrukken als een ring :

In de binnenste ring situeert zich de overheid. Dit is dan de aanbodszijde met nutsfuncties en sociale functies. De kern wordt dan bezet door het ambtelijk management. Dit laatste heeft een band met het politiek bestuur en de ambtelijke organisaties.

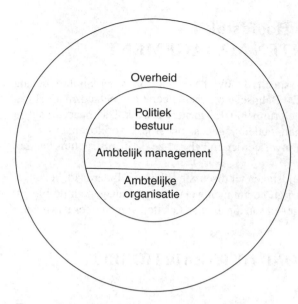

Figuur 7.1. : De omgeving van het management

Een centraal gegeven is "strategisch" management. Onder deze noemer wordt het volgende verstaan : "de rol van de organisatie om constant te blijven beantwoorden aan haar doelstellingen. Dit betekent dat men steeds rekening moet houden met de politiek en de maatschappij. Permanente aanpassingen zijn een must en zin voor flexibiliteit en vernieuwingen is nodig".

In de literatuur wordt er ook nog eens het onderscheid gemaakt tussen de volgende twee begrippen :
– Strategische beleidsontwikkeling : dit is het denken vanuit het streven naar politieke overeenstemming. Het legt de nadruk op hetgeen de omgeving van de overheid eist.
– Strategische beleidsvoering : dit is het denken vanuit datgene wat moet worden uitgevoerd en beheerst. Deze tak heeft oog voor wat een organisatie aankan.

Bovendien wordt er ook een onderscheid gemaakt tussen het strategisch, operationeel en tactisch management. De wetenschappelijke literatuur maakt het volgende verschil tussen deze drie managementtechnieken :
– *Strategisch management* : het ontwikkelen van passende doelen voor de organisatie. In de praktijk is dit de taak van de top van een organisatie.
– *Operationeel management* : is het uitvoeren van beslissingen door de lagere ambtenarij.
– *Tactisch management* : schept en onderhoudt de kaders waarbinnen ervoor gezorgd moet worden dat de abstracte doelstelling van de organisatie vertaald kan worden in concrete handelingen die met die doelstelling sporen. Dit is de taak van het "middle" management.

2. DE DIVERSE MANAGEMENTGEBIEDEN

Het domein van het publiek management is ondertussen zo uitgebreid geworden, dat er onderverdelingen nodig zijn om een globaal overzicht te geven.

2.1. Het personeelsmanagement

Onder het *personeelsmanagement* verstaat men :
- De aanwerving van personeel
- De motivatie van personeel
- De vorming van personeel

De overheid beschikt doorgaans over vijf categorieën van personeelsinstrumenten, namelijk :
1. Het stroombeleid : werving, doorstroming en uitstroming
2. De loopbaanontwikkeling : scholing en beoordeling
3. De beloning : salaris en premies
4. De personeelsbegeleiding : medisch en (psycho)sociaal
5. De administratieve instrumenten

2.2. Het organisatiemanagement

Volgens het *organisatiemanagement* moet de organisatie worden geleid en gestructureerd. Daarbij komt het erop aan de organisatie concrete vorm te geven en ervoor te zorgen dat door arbeidsverdeling, functie-omschrijvingen, project- en teamwerking, leiding, controle en coördinatie de gestelde doelen kunnen worden bereikt.

2.3. Het cultuurmanagement

Onder cultuurmanagement verstaat men organisatiecultuur en dit laatste wordt omschreven als de door de leden van een organisatie gedeelde waarden, normen en opvattingen.
De cultuur van overheidsorganisaties wordt gekenmerkt door het bestaan van subculturen. Dit houdt in dat de diverse diensten elk hun eigen gewoonten hebben. Omwille van al die subculturen dienen er duidelijke procedures te worden vastgelegd voor het communicatie-proces tussen de diensten. Omdat de opstelling van procedureregels veel tijd vergt, is de productiegerichtheid naar de achtergrond gedrongen.
Algemeen gaat de wetenschappelijke literatuur ervan uit dat er een zestal interne factoren bestaan die de cultuur van een organisatie beïnvloeden, namelijk :
- Duidelijkheid
- Besluitvormingsproces
- Integratie en coördinatie
- Stijl van leidinggeven
- Klantgerichtheid
- Inzet

Onder duidelijkheid verstaat men het doel waarvoor de mensen werken. Dit dient herkenbaar te zijn. Het besluitvormingsproces is de wijze waarop beslissingen tot stand komen. Normaliter kan de besluitvorming worden ingedeeld op basis van bevel, overleg of eenstemmigheid. De mate waarin integratie en coördinatie tussen diensten plaatsvindt, bepaalt de werking van een instelling.

Uiteraard beïnvloedt de stijl van leidinggeven in belangrijke mate de werking en de ontwikkeling van een organisatie. Een manier van leiding geven kan sterk verschillend zijn (bijv. strikt hiërarchisch) en dat geldt ook voor de afstand van de leiding tegenover het personeel. Van belang is ook het feit hoe de leiding omgaat met risico's. In een bureaucratische organisatie worden risicodragende zaken zoveel mogelijk beperkt.

De klantgerichtheid houdt natuurlijk verband met beleid ten aanzien van de consument. Een overheidsorganisatie heeft traditioneel een niet erg klantgericht beleid en bevindt zich vooral in het spanningsveld met de politieke wereld.

De inzet van het personeel voor het doel is doorgaans minder in overheidsorganisaties en dit is te wijten aan het gebrek aan betrokkenheid, de afwezigheid van flexibiliteit, de gebrekkige loopbaanbegeleiding, enz.

2.4. Het financieel management

Uiteraard staat de begroting centraal in het financieel overheidsmanagement. Het budget is reeds besproken in zijn economische en bestuurlijke betekenis.

2.5. Het informatiemanagement

Informatiemanagement is het verzorgen van degelijke interne informatie (personeel) en externe informatie (media, maatschappij). Om het vertrouwen van het personeel te behouden, is een goed informatiemanagement strikt noodzakelijk. Men moet vaststellen dat nogal wat organisaties meestal uitgebreid de nadruk leggen op een positief imago binnen de media en daardoor de interne informatie benadelen.

2.6. Het beleidsmanagement

Onder beleid verstaat men het streven naar voorafbepaalde doelen en dit in een bepaalde tijdsvolgorde.

Dit beleidsproces bestaat uit de voorbereiding, de goedkeuring, de uitvoering en de evaluatie van het beleid.

2.7. Het veranderingsmanagement

Ongetwijfeld zijn een "organisatie" en een "verandering" met elkander verbonden. Allerlei redenen (maatschappelijke, politieke, technologische) liggen aan de basis van veranderingen.

Algemeen gaat men ervan uit dat overheidsorganisaties eerder een beperkt vermogen hebben om te veranderen en dit om diverse redenen :
− De rechtszekerheid
− Het gelijkheidsbeginsel
− De rechtmatigheid

- De statutaire band
- De niet-commerciële activiteiten

De eerste drie redenen zijn van juridische aard en de statutaire band (i.c. vastbenoemd-heid) is ook wel eens een rem op veranderingen. Het laatste argument is van economische aard. Als de diensten van de overheid in monopolie worden uitgevoerd, dan is er geen mededinging en geen druk om te veranderen.

2.8. Het crisismanagement

Het crisismanagement doet zich voor bij onvoorziene en/of ernstige omstandigheden met betrekking tot het functioneren van organisaties.
De voorwaarden van crisis zijn de volgende elementen :
- *Ernstig* : als de crisis niet wordt opgelost, wordt het voortbestaan van de organisatie bedreigd.
- *Min of meer duurzaam* : de crisis is niet incidenteel.
- *Verstoring van het functioneren* : de crisis weegt op de werking van een organisatie.

Ten aanzien van de overheidsinstellingen doet het crisismanagement zich meestal voor bij bedrijven die van een monopoliepositie in een marktsituatie met mededingers terechtkomen.

2.9. Het decline-management

Onder "decline" (teruggang) van een organisatie verstaan we een situatie waarin de organisatie geconfronteerd wordt met een dreigende ondergang als gevolg van een verslechterende positie.
De redenen voor een teloorgang kunnen van economische (concurrentie, verouderde producten) aard zijn of een financiële basis hebben (verlies). Bovendien kan ook de leiding of de haperende besluitvorming in een organisatie de oorzaak zijn.
Het verschil tussen crisis- en decline-management is het feit dat bij het crisismanage-ment de zittende leiding opzij wordt gezet en vervangen wordt door een crisismanager.

Literatuurlijst

LEMSTRA W. (1988), *Handboek overheidsmanagement*, Alphen a/d Rijn : Tjeenk Willink

---

Trefwoorden en -zinnen van hoofstuk 5

Verzelfstandiging
Privatisering
Agencies
Beheerscontracten
Verankering

Hoofdstuk 5
DE VERZELFSTANDIGING/PRIVATISERING

De laatste jaren heeft er zich een hele evolutie afgespeeld in het kader van de overheidsbedrijven. Inderdaad, van traditionele staatsbedrijven werd er een weg afgelegd naar verzelfstandiging en naar privatisering. Vooral onder invloed van de technologische ontwikkeling en de interne EU-markt (met de mededinging) zijn de staatsbedrijven (bijv. post, telecommunicatie, spoorwegen, luchtvaart) geconfronteerd geworden met concurrenten, nieuwe alternatieve producten en mondigere consumenten.

1. DE VERZELFSTANDIGING

De verzelfstandigingsdiscussie vindt in belangrijke mate zijn oorsprong in het streven naar een verbetering van het beheer in de overheidssector en de vaststelling dat het overheidsapparaat omwille van zijn omvang en bureaucratische bedrijfscultuur niet steeds in staat is om op een adequate en soepele manier in te spelen op maatschappelijke behoeften of opportuniteiten.

In de literatuur bestaat er geen éénduidige definitie van verzelfstandiging.

Mogelijke begripsomschrijvingen zijn de volgende :

– Verzelfstandiging is het "op afstand" plaatsen van een aantal taken die door overheidsorganisaties worden uitgeoefend.

– Verzelfstandiging betekent dat delen van een organisatie tot op zekere hoogte worden gedecentraliseerd. Decentralisatie houdt in dat de leidinggevenden van die onderdelen bepaalde bevoegdheden en verantwoordelijkheden krijgen.

– Verzelfstandiging kan worden gezien als een organisatiemodel waarin een scheiding wordt doorgevoerd tussen de beleidsvorming en de beleidsuitvoering met onder meer als doel het bekomen van een duidelijker beeld van de na te streven doelstellingen, de daartoe vereiste en ingezette middelen en het behaalde resultaat.

Het **verzelfstandigen binnen de overheid** van bepaalde uitvoeringsorganisaties gebeurt door hen institutioneel juridisch af te splitsen (eigen statuut) en hun met een bepaalde taakopdracht te belasten (parastatalen, agentschappen).

Deze verzelfstandiging kan gecombineerd worden met de inbreng van een private partner omwille van de noodzaak een specifieke knowhow te verwerven, de financiële draagkracht te versterken, synergetische verbanden stroomopwaarts of stroomafwaarts van de eigen toegevoegde waarde te maken, enz.

Deze verzelfstandiging kan een veelvoud van vormen aannemen, juridisch vertaald in even zovele statuten. In se kunnen deze toch teruggebracht worden tot twee hoofdvormen. We zullen echter ook andere vormen bespreken :

1.1. De interne verzelfstandiging

Het beheer is toevertrouwd aan een organisatie-onderdeel dat niet over eigen rechtspersoonlijkheid beschikt, maar binnen aangegeven specifieke beheersregels handelingsvrijheid geniet en hiervoor eigen verantwoordelijkheid draagt (de Engelse "agencies", Nederlandse "agentschappen", de diensten met afzonderlijk beheer).

413

1.2. De externe verzelfstandiging

De indirecte politieke zeggenschap wordt afgebakend (voogdij-regeling) in een instellingen-wet waarin de bevoegdheden van het organisatieonderdeel zijn omschreven. De instellingenwet bevat bepalingen over de taken van de extern verzelfstandigde dienst, de regels waarbinnen de taken moeten uitgeoefend worden, de bevoegdheden van het politieke niveau tot sturing en beïnvloeding en de afspraken m.b.t. controle, verantwoording en evaluatie. Het organisatie-onderdeel beschikt over eigen rechtspersoonlijkheid. De organisatievorm is van publiek- of privaatrechtelijke aard (vb. : de functionele decentralisatie, intercommunals, parastatalen, overheids-VZW's etc.).

1.3. De Publiek-private partnerships

Publiek-private partnerships (P.P.S.) via een specifieke juridisch-organisatorische constructie met het oog op de versnelling van bepaalde **grootschalige investeringsprojecten** is een specifieke vorm van verzelfstandiging/privatisering te noemen (bijv. grote waterbeheersings-infrastructuren, elektrificatieprojecten, autosnelwegenbouw, tunnels, luchthavens, zeehaven, enz.).

Meestal neemt de constructie de vorm aan van een BOT (Build, Operate, Transfer)-organisatie of een special-purpose-company. De projectfinanciering, de waarborgstellingen (van overheidswege omwille van de hoge risico-graad) vaak onder de vorm van take-or-pay-contracten met overheidsbedrijven, de kapitaalinbreng en de bouw en de exploitatie vormen meestal een netwerk van afzonderlijke, specifieke contracten.

1.4. De uitbesteding

Het **aanbod van** bepaalde (publieke) **diensten** laten organiseren **door daartoe erkende derden** die vervolgens hiervoor geheel of gedeeltelijk door de overheid financieel bekostigd worden is een volgend specifiek speelveld voor verzelfstandiging/privatisering. Vooral in de verzorgingssector, een groeiend onderdeel van de sociale welvaartsstaat, is deze vorm het meest aangewezen.

Het betreft de "uitbesteding" van de inrichting of organisatie van onderwijs, vorming, medische diensten, bejaardenzorg, kinderopvang, gehandicaptenzorg, aan derden. De overheid beperkt haar rol tot regulerend en vaak ook financierend (als "derde" betaler) optreden.

De regeling bevat in elk geval :
– Een erkenningsregeling teneinde de criteria en de kwaliteit van de verstrekte diensten te standaardiseren en te waarborgen.
– Een planning/programmatieregeling van het aanbod in functie van de ingeschatte behoeften (vraag) en de beschikbare middelen.
– Een specifieke subsidieregeling van de dienstverlenende organisaties.

De hiernavolgende tabel geeft een overzicht van de rol van de overheid bij de opties : intern verzelfstandigen, extern verzelfstandigen en privatiseren.
De overheid kan bovendien optreden als toezichthouder of als uitvoerder. In haar rol als toezichthouder kan de overheid de uitvoering van de activiteiten uitbesteden aan een

organisatie waarop de overheid al dan niet afstandelijk toezicht kan uitoefenen op de wijze waarop het bedrijf of de dienst wordt gevoerd.

Indien de overheid zelf optreedt als uitvoerder van bepaalde activiteiten, doet ze dit om een zo groot mogelijke invloed daarop te behouden.

Tabel 7.2. : Rol van de overheid

Optie	Consequenties voor huidige organisatie-onderdeel	Invloed overheid als			
		Regelgever	Opdrachtgever	Toezicht-houder	Uitvoer-der
Intern verzelfstandigen	Organisatie over-gedragen aan verbijzonderd organisa-tieonderdeel met eigen budget	Niet van toepassing	Overgedragen uitvoering taak	Ja	Ja
Extern verzelf-standigen	Organisatie overgedragen aan rechtspersoon waarin overheid overwegende zeggenschap heeft	Ja	Overeenkomen uitvoering taak	Ja (evenredig naar bevoegdheid)	Neen
Privatiseren	Organisatie overgedragen aan rechtspersoon waarin overheid geen overwegende zeggenschap heeft	Ja	Overeenkomen uitvoering taak	Neen	neen

Bron : Nederlands ministerie van Verkeer en Waterstaat.

2. DE THEORIE VAN DE AGENTSCHAPPEN (AGENCIES)

Sedert enige tijd waait er een nieuwe wind in de literatuur rond overheidsmanagement. Sommige auteurs gebruiken hiervoor zelfs al de term "Nieuw Overheidsmanagement" (New Public Management). Deze nieuwe aanpak van het overheidsmanagement wordt gekenmerkt door volgende aspecten :

– Explicitering van de eigen specifieke verantwoordelijkheid van het ambtelijk topmanagement, en dit via gestandaardiseerde normering van de van hen verwachte prestaties.

– Desaggregatie van centraal bestuurde eenheden naar decentrale autonome eenheden (de zogenaamde agentschappen).

– Beklemtoning van controle via resultatenevaluatie en/of output-opvolging.

– Introductie van competitie, marktelementen en bedrijfscultuur in de overheidssector via deregulering, uitbesteding, klantentoezicht en kwaliteitsbewaking.

De theorie van dit "new managerialism" van de jaren negentig dient gezocht te worden in de nieuw-institutionalistische stroming in de economische literatuur : de public-choice-theorema's, de transactiekostentheorie en de principal-agent-theorie. In deze literatuur gaat veel aandacht naar de wijze waarop de belangen en het gedrag van de agenten in een organisatie optimaal afgestemd kunnen worden op de realisatie van de doelstellingen van de organisatie.

Ten aanzien van de begrotingstechnieken voor het management van de overheid kunnen een aantal concrete voorstellen en toepassingen afgeleid worden, namelijk
- De institutionele scheiding tussen de centrale (sturende) administraties en de (uitvoerende) organisatie-afdelingen in het begrotingsproces, waarbij zij elk duidelijk afgebakende taken krijgen (het zogenaamde agentschappen-model).
- De toekenning van de grootste mogelijke autonomie inzake interne allocatie van de werkingsmiddelen (input-begroting) gekoppeld aan een sturingscontrole inzake de outputs (prestatiebegroting).
- De introductie van ruilelementen in de relatie tussen de beleidsvormers en de autonome beleidsuitvoeringsorganisaties. In de plaats van de huidige hiërarchische relatie tussen beleidsvormers en beleidsuitvoerders komt er een transactierelatie. De beleidsvormers wijzen een door hen geconcipieerd programma voor uitvoering toe aan een uitvoeringsagent(schap) in ruil voor een budgettaire enveloppe.

De volgende definitie voor een agentschap kan worden gehanteerd

"een agentschap is elk bestuur of elke instelling van openbaar nut met een manier van werken, die, op het niveau van zijn leidend ambtenaar, beheerst wordt door de onderling sterk verweven principes van autonomie, verantwoordelijkheid, verplichting rekenschap af te leggen en controle op de resultaten"

De band tussen de overheid en het agentschap is vastgelegd in een agentschapscontract. Dit contract omvat de opdrachten, de doelen, de prestatienormen en de budgettering van het agentschap.
Bij het contract zelf zijn vier soorten *acteurs* betrokken :
- Het agentschap zelf, vertegenwoordigd door zijn leidend ambtenaar
- De interne interventieorganen (kabinet, secretariaat-generaal, beheerscomité, algemene diensten)
- De externe controleorganen (Begroting) en beheersorganen (Regie der Gebouwen, andere leveranciers)
- De representatieve vakorganisaties voor de zaken die hen bij wet aanbelangen

De *opstelling* van het contract verloopt in vijf *fasen* :
- Het opstellen van een voorontwerp door een agentschap in samenwerking met de inspecteur van Financiën en een vertegenwoordiger van de *audit-cel* of het beheerscomité. Hier gebeurt het vaststellen van de prestatiedoelstellingen nog eerder voorzichtig.
- Een onderhandelingsfase met de interne interventieorganen.
- Een voorlegging aan de bevoegde minister op basis van een dialoog met de leidend ambtenaar en de secretaris-generaal van het "moeder"-departement.
- Een voorlegging, eveneens op basis van een dialoog, aan de externe controle- en beheersorganen.
- Het ontwerp wordt dan voorgelegd aan het bevoegd ministercomité die het agentschapscontract finaliseert.

Het instellen van agentschappen als nieuwe manier om de overheidsdiensten doelmatiger en doeltreffender te maken, kan niet los gezien worden van andere instrumenten die ervoor moeten zorgen dat de aangepaste organisatiestructuur kan gekoppeld worden aan een veranderde of veranderende cultuur, zowel binnen als buiten de betrokken diensten.

In Groot-Brittannië heeft men dit als eerste begrepen en heeft de centrale administratie een aantal initiatieven ter zake genomen die een invloed hadden op de werking van die agencies. Onder deze initiatieven vinden we :

- **Verloning volgens rendement** die erin voorziet dat een belangrijk deel van het loon verbonden wordt aan het rendement dat iemand heeft gedurende het jaar. Dit zou tot doel moeten hebben de dienstverlening drastisch te verbeteren.
- Het handvest van de burger dat erop gericht is het rendement van het geheel van de openbare sector te verbeteren. Dit handvest bepaalt een aantal dienstverleningsnormen waarop het publiek recht heeft en voorziet zelfs in bepaalde gevallen in schadevergoedingen ingeval de normen niet gehaald worden. Er wordt ervan uitgegaan dat de agentschappen de principes van het Handvest volledig onderschrijven.
- **De markttest of marktvergelijking**, een kwaliteitstest waarbij van de overheidsinstellingen geëist wordt dat ze aan marktonderzoek doen om op die manier te controleren of een deel of zelfs het totale pakket aan diensten niet op een doelmatiger manier kunnen worden verzekerd door de privé-sector.

Afgezien van deze eindvraag, die trouwens voor ieder land dat agentschappen wil instellen opgaat, kunnen als belangrijkste lessen worden aangehaald :

- Liever een eigen overkoepelende stuurgroep om de implementering te begeleiden dan te werken met lokale stuurgroepen (dus een **centraal begeleid veranderingsproces**).
- Vanaf de eerste etappes van het veranderingsproces moet over maximale autonomie beschikt worden om tot het (ontwerp van) agentschapscontract te komen.
- Bijkomende menselijke en financiële middelen *vanaf de eerste etappes* zijn een noodzakelijke voorwaarde bij het opstarten van het agentschap.
- De leidend ambtenaar dient vanaf de eerste etappen gekozen te worden.
- Een nog nauwere betrokkenheid van het personeel en betere interne communicatie is absoluut noodzakelijk.
- Preciezere en gedetailleerde richtlijnen komende van de centrale administratie zijn eveneens noodzakelijk, en er moet tevens een uniform ondubbelzinnig wettelijk kader komen voor alle agentschappen. Daaronder verstaat men de onderrichtingen en richtlijnen voor de input, de output, de resultaten, de doelstellingen en de rendabiliteit.

Tenslotte nog de bedenking over de invoering van een bedrijfsboekhouding bij deze agentschappen. Nogal wat begrippen uit dit boekhoudstelsel zijn niet bruikbaar omdat de overheidsinstellingen niet commercieel werken en vele overheidsgoederen alsook diensten geen marktwaarde hebben. Ondanks de dikwijls hoge historische aankoopprijs (bijv. de investering in wegen) is de marktwaarde nihil.

De opdeling van de mammoet-ministeries in kleine eenheden (bijv. agentschappen) kan ook duidelijke financiële stromen vastleggen en kosten berekenen.

Achteraf gezien blijkt de invoering en de uitwerking op een nogal ongestructureerde, chaotische en improvisatorische manier verlopen te zijn. Er bestonden bijvoorbeeld geen richtlijnen voor het opstellen van de "framework documents" (documenten met

417

de taken van het agentschap en van de CEO (= Chief Executive Office), het vaststellen van de doelstellingen of het maken van de meerjarenplannen en "business-plans". Men oordeelde dat het te veel richting geven aan de "agencies" contradictorisch was met de noodzaak aan meer vrijheid.

De kritieken zijn :
- De keuzecriteria van "agentschappen"
- De keuze van CEO's
- De kostprijs van "agencies" (de grote klacht van de Britse vakbonden is dat het oprichten en functioneren van de "agencies" meer geld kost aan consultingbedrijven dan dat zij besparen)
- De bestaansonzekerheid van de werknemers van de "agencies"
- De toenemende fraude vanwege CEO's en "agencies" vanwege het verminderen van de controle
- Het gebrek aan coördinatie en samenwerking tussen de "agencies" onderling, met het "moederdepartement" en tussen de verschillende bestuursniveaus

3. DE BEHEERSCONTRACTEN

3.1. Inleiding

De federale overheidsbedrijven zijn, sinds het begin van de jaren negentig, het voorwerp van grootschalige herstructureringen. Officieel heet het dat, de overheidsbedrijven zich dienen aan te passen aan de open mededinging binnen de Europese interne markt. Deze open markt geldt voor de lidstaten van de Europese Unie en ook voor de EVA-leden[3] van de EER (Europese Economische Ruimte[4]).
Ook het Verdrag betreffende de Europese Unie (VEU) spreekt in artikel 90 over de overheidsbedrijven, namelijk
"De lidstaten nemen of handhaven met betrekking tot de openbare bedrijven en de ondernemingen waaraan zij bijzondere of uitsluitende rechten verlenen, geen enkele maatregel welke in strijd is met de regels van het verdrag"
"De ondernemingen belast met het beheer van diensten van algemeen economisch belang (...) vallen onder de regels van dit verdrag, met name onder de mededingingsregels"

Traditioneel hebben de overheidsbedrijven tot taak een openbare dienst te behartigen.

---

[3]   European Free Trade Association is een vrijhandelszone (Europese Vrijhandels Associatie, EVA) tussen Noorwegen, Liechtenstein, IJsland en Zwitserland.
Daartegenover staat de Europese Unie, die een douane-unie vormt. Het essentiële verschil tussen beide is dat een douane-unie een gemeenschappelijk buitentarief kent en een vrijhandelsassociatie niet.

[4]   De EER is een associatie-overeenkomst tussen de Europese Unie en twee EVA-landen, namelijk : Noorwegen en IJsland. Het akkoord werd ondertekend te Porto op 2 mei 1992, doch Zwitserland stemde – op 6 december 1992 – in een referendum tegen de EER. Daarop besloot ook Liechtenstein, dat wel een douane-verdrag heeft met Zwitserland, om niet mee te doen. Het verdrag betreffende de EER is in werking getreden op 1 januari 1994. In België werd het EER-verdrag aangenomen door de wet van 18 maart 1993 (BS van 7 februari 1994).

Ten aanzien van de term "overheidsbedrijven" bestaat er geen echte definitie. Men kan stellen dat de overheid, weze dit de staat – de gemeenschap – het gewest e.a., een belangrijke impact hebben op het bestuur van deze bedrijven. Naar de letter van de wet komt de naam "overheidsbedrijven" alleen voor in de wet van 21 maart 1991 op de autonome economische overheidsbedrijven[5]. Deze wet heeft betrekking op Belgacom, de Post, de Spoorwegen, Brussels International Airport Company (BIAC) en Belgocontrol.

Op economisch vlak dient men ervan uit te gaan dat een overheidsbedrijf een onderneming is waarvan meer dan de helft van de aandelen in overheidshanden is.

De goederen en diensten die een overheidsbedrijf aanbiedt, hebben de volgende kenmerken :

– De goederen en diensten staan ter beschikking van het publiek op een (meestal) niet marktgerichte wijze.
– De prijsvorming is door de overheid gereglementeerd.
– Er is dikwijls een monopoliepositie.
– Men dient te betalen bij gebruik (retributie).
– De winst is meestal voor de overheid.
– De tekorten worden gedekt door de overheid.

In ieder geval is het zo dat een overheidsbedrijf onderhevig is aan een dubbele invloed. Enerzijds, is er de invloed van het marktproces (kosten, prijzen e.a.) en anderzijds is er de invloed vanwege de overheid (opdrachten, benoemingen e.a.).

3.2. De definitie

De bijzondere regels en voorwaarden waaronder een autonoom overheidsbedrijf de opdrachten van openbare dienst vervult die het door de wet zijn toevertrouwd, worden vastgelegd in een beheerscontract tussen de staat en het betrokken overheidsbedrijf. Het beheerscontract regelt de volgende aangelegenheden :

– De taken die het overheidsbedrijf op zich neemt ter vervulling van zijn opdrachten van openbare dienst.
– De grondregels inzake de tarieven voor de prestaties geleverd in het kader van de taken van openbare dienst.
– Gedragsregels ten aanzien van de gebruikers van de prestaties van openbare dienst.
– De vaststelling, de berekening en de betalingsmodaliteiten van eventuele toelagen ten laste van de algemene uitgavenbegroting van het Rijk, waarvan de staat de toekenning aanvaardt tot dekking van de lasten die voor het overheidsbedrijf voortvloeien uit zijn taken van openbare dienst, rekening houdend met de kosten en ontvangsten eigen aan deze taken, en met de exploitatievoorwaarden die bij of krachtens de wet, of door het beheerscontract, worden opgelegd en, wat de personeelskosten betreft, met de evolutie van vergelijkbare lonen in de rijksbesturen.

---

[5]   BS van 27 maart 1991 en reeds diverse malen aangevuld en/of gewijzigd.

- De vaststelling, de berekening en de betalingsmodaliteiten van gebeurlijke vergoedingen door het overheidsbedrijf te betalen aan de staat, inzonderheid wat betreft de voordelen verbonden aan de gebeurlijke alleenrechten van het overheidsbedrijf en, in voorkomend geval, de door de staat aan het overheidsbedrijf verleende gebruiksrechten op goederen.
- In voorkomend geval, de aangelegenheden van strategisch economisch belang waarvoor de gunning van opdrachten, naargelang het bedrag, onderworpen is aan de goedkeuring van de minister onder wie het overheidsbedrijf ressorteert of van het bevoegde ministerieel comité, alsmede de vaststelling van bedoeld bedrag.
- In voorkomend geval, doelstellingen betreffende de financiële structuur van het overheidsbedrijf.
- In voorkomend geval, regelen betreffende de bestemming van de nettowinst.
- De verplichte bestanddelen van het ondernemingsplan en de termijnen voor de mededeling en de termijn na overschrijding waarvan de goedkeuring geacht wordt gegeven te zijn.
- In voorkomend geval, de vaststelling van een bedrag, wat de onroerende verrichtingen betreft die onderworpen zijn aan de voorafgaande machtiging van de minister onder wie het overheidsbedrijf ressorteert en, in voorkomend geval, de bepaling van een termijn waarna de toestemming geacht wordt gegeven te zijn.
- De sancties bij niet-naleving door een partij van haar verbintenissen uit hoofde van het beheerscontract.

3.3. De hoofdlijnen van de beheerscontracten

a. De taken van openbare dienst

De taken van openbare dienst worden bepaald in het beheerscontract en bestaan uit de verplichtingen die het overheidsbedrijf op zich neemt om een uitrusting of een dienst ter beschikking te stellen, een welbepaalde actie te ondernemen op het vlak van de technologische ontwikkeling of om elke andere prestatie uit te voeren.

De basiswet op de overheidsbedrijven bepaalt de opdrachten van openbare dienst voor : Belgacom, de Post, de NMBS, Belgocontrol en BIAC.

Deze openbare diensten zijn gereserveerde monopoliediensten. De diensten in concurrentie zijn niet-gereserveerd. Het onderscheid tussen gereserveerde en niet-gereserveerde diensten is een gevolg van de inwerkingtreding van de interne markt, waardoor de EU een onderscheid heeft ingesteld tussen taken exclusief door de overheid te verzorgen en zaken in mededinging. Voorbeelden van opdrachten van openbare dienst zijn :

- Belgacom : de universele dienstverlening inzake telefoon
- Belgocontrol : de veiligheid in het Belgisch luchtruim verzekeren
- De Post : de universele dienstverlening met betrekking tot de bankrekening
- De NMBS : de infrastructuur te verwerven, te onderhouden, te beheren en te exploiteren
- BIAC : de waarborg voor een minimale dienstverlening

b. De beginselen die de tarieven regelen

Een groot aantal van de taken van openbare dienst bestaat uit diensten, die niet aan de staat, maar wel aan de gebruikers worden geleverd : natuurlijke of rechtspersonen die klant zijn van deze onderneming.

In dit geval kan het beheerscontract tarificatiebeginselen bevatten, die min of meer gespecificeerd worden naargelang de omstandigheden en volgens de bedoeling van de partijen :

- Ofwel voorziet het beheerscontract enkel een tarievenstructuur of tariefverminderingen voor sommige categorieën van verbruikers. In dit geval moet het bedrijf aan de bevoegde minister de maximumtarieven of de formules die voor hun berekening gebruikt worden voorleggen.
- Ofwel bepaalt het contract de berekeningsformules. In dit geval zal het niet meer nodig zijn om geval per geval de goedkeuring te vragen.
- Ofwel bevat het contract gedetailleerde maximumtarieven. In dit geval moet de onderneming deze naleven totdat het beheerscontract wordt aangepast of hernieuwd.

c. De gebruikers

Het beheerscontract moet gedragsregels ten aanzien van de gebruikers bevatten, waartoe de onderneming zich verbindt om ze na te leven bij de uitoefening van haar prestaties van openbare dienst (bijvoorbeeld : bepaalde clausules die in de modelcontracten moeten opgenomen worden of, andersom, andere die er niet mogen in voorkomen).

Het "raadgevend comité van de gebruikers" opgericht bij elk autonoom overheidsbedrijf, beschikt over een adviserende bevoegdheid betreffende alle aangelegenheden die betrekking hebben op de door het overheidsbedrijf verleende diensten. Artikel 4 van de wet voorziet uitdrukkelijk een raadpleging van dit comité met betrekking tot de bepalingen in het beheerscontract die de gebruikers aanbelangen.

d. De toelagen

Het beheerscontract stelt de regels vast met betrekking tot de berekening en de betalingsmodaliteiten van de eventuele toelagen ten laste van de staat om de meerkosten te dekken die voortvloeien uit de uitoefening van de taken van openbare dienst door het overheidsbedrijf. Deze eventuele toelagen zullen worden berekend in functie van de kosten en baten van de taken van openbare dienst. Om deze te kunnen nagaan zullen de overheidsbedrijven verplicht zijn een bedrijfsboekhouding bij te houden. Dit punt is vooral van belang voor de NMBS.

e. De vergoedingen

Indien het overheidsbedrijf winst maakt (bijv. Belgacom) dan kan de staat de betaling van een vergoeding door het overheidsbedrijf eisen (monopolievergoeding). Deze moet op objectief berekenbare maatstaven berusten, de zogenaamde exploitatievoorwaarden.

f. De overheidsopdrachten

Ten aanzien van de overheidsopdrachten zijn de autonome overheidsbedrijven onderworpen aan de wet van 14 juli 1976, betreffende de aanneming van werken, leveringen en diensten, alsook aan de talrijke recente EU reglementeringen terzake.

g. De winst

Het beheerscontract regelt de toewijzing van de nettowinsten in het geval dat het bedrijf niet de vorm heeft van een naamloze vennootschap van publiek recht en het organiek statuut deze toewijzing niet regelt.
Doch alle overheidsbedrijven, behalve de Post en Belgocontrol, hebben dit statuut.

h. Het patrimonium

De wet wenste een ruime beheersautonomie voor te behouden wat het patrimonium betreft, en dan vooral het onroerend patrimonium.
Het beheerscontract zal, in voorkomend geval, de schijf bepalen waarboven de voogdijminister zijn goedkeuring moet verlenen voor de onroerende verrichtingen van het overheidsbedrijf.

i. De sanctie

In het beheerscontract kan een specifiek stelsel van sancties opgenomen worden. Zo kan het voorzien dat de niet-uitvoering door het bedrijf van een bepaalde prestatie een zekere vermindering van de toelage zou inhouden of een bepaalde verhoging van de vergoeding. Het zou eveneens de storting van verwijlintresten door de ene of de andere partij kunnen voorzien, onverminderd straffen van gemeen recht.
Niettemin kan men zich vragen stellen naar de afdwingbaarheid op juridisch vlak van deze sancties, vooral dan ten opzichte van de staat, die onschendbaarheid geniet.
Bovendien stelt zich de vraag of de politiek benoemde raad van bestuur de staat durft aanpakken. Er bestaat ook zoiets als hernieuwing van mandaten.

3.4. Besluit

De besproken overheidsbedrijven hebben een verschillende situatie op de markt ten aanzien van winst/verlies, omzet en tewerkstelling (situatie 1996/97).

Tabel 7.3. De overheidsbedrijven

	NMBS	POST	BELGO	BELGACOM	BIAC
OMZET (in mld. BEF)	49	65	n.b.	126	6
TEWERKSTELLING	41.000	45.000	1.800	25.000	80
W/V winst/verlies	V	V	W	W	W

Bron : Jaarboek Rekenhof

Ten aanzien van investeringen zijn BIAC (terminals etc.), Belgacom (netwerken) en de spoorwegen (materieel) van groot belang. In 1996 bedroegen de investeringen van Belgacom en de NMBS respectievelijk 31 en 38 miljard BEF. Een zeer belangrijk deel hiervan belandt bij Belgische binnenlandse bedrijven. Met andere woorden, deze investeringen garanderen binnenlandse tewerkstelling.

4. DE PRIVATISERING

Traditioneel waren de overheidsbedrijven en hun werkdomein (spoor, post, verkeer en telecommunicatie) actief in een, door de overheid, beschermd monopolielandschap. De conservatieve leidster Thatcher leidde de privatiseringsoperatie in. Het was toen 1979 en over de laatste 18 jaren heeft heel de wereld het Britse voorbeeld, ten dele, gevolgd. De Britse visie op de overheid was er een van "minder overheid en beter beheer".

De staat diende zich terug te trekken uit het economisch gebeuren en de overheidsbedrijven konden maar competitief worden als ze actief werden in een concurrentiële omgeving. De bedrijven die een band met de staat hielden (bijv. : taken van openbare dienst), hadden hiervoor tijdelijke overeenkomsten met de overheid. Dit alles wordt in de bestuurswetenschappen gegroepeerd onder de noemer "New public management". Waar in het Verenigd Koninkrijk de privatiseringsoperatie vooral ideologisch (minder staat) en kwalitatief (een betere dienstverlening) zijn onderbouwd, heeft men er in Nederland meer denkwerk over verricht. De algemene tendens in Nederland is dat de verzorgingsstaat heeft gefaald, dat er grenzen zijn aan de overheidsinterventie en dat de privatisering de kwaliteit tegenover de klant moeten verhogen.

Ten aanzien van de telecommunicatie werd het startschot voor de privatisering gegeven in het Verenigd Koninkrijk (1986). Pas in de jaren negentig zal het Europese vasteland deze evolutie volgen en dan vooral in de deelsector van het mobiele netwerk.

Ook was het Verenigd Koninkrijk de voortrekker bij de privatisering van de luchthavens, een voorbeeld dat niet werd gevolgd in de andere Europese landen.

Hiermede verband houdende was er de liberalisering in de luchtvaart. Ook de Britse overheid begon het eerst met de privatisering van de (staats)luchtvaartmaatschappijen. In de andere landen werd de greep van de staat op de "nationale" luchtvaartmaatschappijen behouden. Meestal ging men allianties aan met buitenlandse maatschappijen.

Ten aanzien van de spoorwegen wordt er onder invloed van de Europese Commissie ook meer en meer een onderscheid gemaakt tussen de infrastructuur en de exploitatie. Zweden begon daar reeds mee in 1989, later volgden Nederland, het Verenigd Koninkrijk en Duitsland.

De plannen van de Europese Commissie om de sector te liberaliseren stuiten op tegenkanting van diverse lidstaten, waaronder ook België.

4.1.Wat is privatiseren ?

Het woord "privatisering" is een verzameling van maatregelen gericht op het verminderen van de overheidsbemoeienis met publieke voorzieningen, variërend van het verzelfstandigen van binnen de overheid uitgevoerde activiteiten tot het afstoten of uitbesteden daarvan. Een privatisering impliceert niet als dusdanig meer concurrentie. De openbare monopolies kunnen geconverteerd worden tot private monopolies.

De term privatiseren moet niet verward worden met "dereguleren" of "monopoliebreken".

Een "deregulering" is een proces vanwege de wetgever om de regelgeving te vereenvoudigen en te beperken. Dit wordt ook wel "liberaliseren" genoemd.

Een "monopoliebreking" kan verband houden met de twee voorgaande begrippen, doch heeft in de eerste plaats tot doel om een overheids- of privaat monopolie open te breken voor concurrentie.

4.2. Waarom privatiseren ?

De voor- en tegenstanders van een privatisering hebben elk hun argumenten om dit idee te verdedigen. De belangrijkste argumenten vanwege de voorstanders zijn als volgt in te delen :

– De politieke : de waarde van de vrijheid
– De voordelen van de concurrentie voor de consumenten
– De privatisering bevordert het volkskapitalisme
– De privatisering bevordert de deelname van het personeel in het kapitaal van de onderneming
– De overheid behoudt meer middelen voor haar werking : de budgettaire voordelen
– Het personeel in de private sector is gemotiveerder door de loonprikkels
– De taakstelling van de overheid is te ruim
– Twijfels met betrekking tot de effectiviteit van de overheidsbedrijven, zoals de slechte verhouding tussen de prestaties versus de doelstellingen of opdrachten
– De efficiëntie : de invraagstelling van de overheidsbedrijven ter argumentatie van privatisering slaat niet enkel op de effectiviteit (het bereiken van de doelstellingen), maar nog meer op de efficiëntie (in het bereiken ervan). De overheidsbedrijven zouden inefficiënt werken of verspillend met de productiefactoren omgaan. Efficiëntie is de verhouding van resultaat tegenover de inzet
– Privatisering breekt monopolie
– De macht van de vakbonden is in de private ondernemingen "minder" groot dan in de overheidsbedrijven
– De overheidsbedrijven kunnen de concurrentie binnen de Europese interne markt niet aan
– De overheid verleent haar bedrijven te weinig kapitaal
– Een privaat bedrijf zal sneller en beter gesaneerd worden dan een overheidsbedrijf
– Een privatisering brengt (eenmalig) geld op voor de overheid
– De overheid moet geen subsidies meer verlenen aan haar verlieslatende bedrijven
– Overheidsbedrijven dateren uit de "oude" tijd

De tegenstanders van privatisering kunnen uiteraard ook heel wat argumenten aanhalen, namelijk

– Wat is het nut om sommige publieke monopolies om te ruilen voor private monopolies. Dit principe is zeker toegepast bij "British Gas" en de waterdistributie aldaar.
– Nogal wat overheidsbedrijven worden te "goedkoop" verkocht (een terechte kritiek bij de verkoop van British Telecom).
– Aangezien de geprivatiseerde bedrijven aandeelhouders hebben, moet de winst omhoog, daardoor stijgen dikwijls de prijzen voor de consument.

- Veel overheidsinstellingen bieden hun diensten aan onder de marktprijs.
- De overheid dient dikwijls, voor de verkoop, de minder lucratieve delen over te nemen (bijv. pensioenkassen, schulden e.a.).
- In het buitenland werd er meer genationaliseerd en kan er dus meer worden geprivatiseerd.
  Marktgerichte bedrijven hebben geen sociaal beleid en geen oog voor het algemeen belang.
- Er zijn overheidsbedrijven (luchthaven, Belgacom, Lotto e.a.) die de staat geld opbrengen.
- Privatisering leidt niet tot volkskapitalisme, omdat de aandelen in handen van kapitaalkrachtige groepen komen.
- Bij een privatisering kunnen de leveranciers zich inkopen, zodat belangenvermenging ontstaat en nieuwe monopolies ontstaan.
- De greep van een privaatmonopolie op 's lands infrastructuur.
  de vrees dat overheidsbedrijven in buitenlandse handen komen.
- De discussie aangaande overheidsbedrijven en de privatisering ervan is te ideologisch getint.

4.3. De diverse vormen van privatisering

Ten aanzien van privatiseringen bestaan er diverse mogelijkheden.

a. De denationalisatie

Bij de techniek van de denationalisatie worden de staatsaandelen volledig overgedragen aan de private sector. Dit houdt in dat de overheid nog enkel controle en zeggingsschap kan uitoefenen via regulering.

b. De concessie-overeenkomsten

Een concessie houdt in dat de private sector gebruikt maakt van overheidsinfrastructuur. Naar Belgisch administratief recht is een concessie een administratief contract waarbij de overheid, een privaat of publiek orgaan – tijdelijk – ermee belast een openbare dienst op eigen risico te beheren tegen een vergoeding die in beginsel op de gebruikers wordt verhaald en dit onder haar gezag en met nakoming van de door haar bepaalde voorwaarden. De geconcessioneerde dienst blijft een openbare dienst. Dit heeft belangrijke rechtsgevolgen :
- Omdat de overheid voor de goede werking van de openbare diensten instaat, heeft zij op de werking van de dienst in de functionele zin van het woord een toezichtsrecht. Zij mag eenzijdige beslissingen nemen met het oog op de vrijwaring van het algemeen belang en mits zij de concessiehouder schadeloos stelt, mag zij de exploitatievoorwaarden van de geconcessioneerde dienst wijzigen.
- De administratie mag aan de door haar gesloten concessieovereenkomst een einde maken in andere dan in het Burgerlijk Wetboek bepaalde gevallen wanneer het algemeen nut dit vereist. Hieruit kan evenwel voor de medecontractant een recht op schadevergoeding ontstaan dat de vergoeding omvat voor het verlies van de winst welke de concessiehouder van de voltooiing van het werk verwachtte.

– De concessiehouder is bij het beheer van de dienst door het beginsel van de benuttingsgelijkheid gebonden.

– Ingeval de concessionerende overheid haar contractuele verplichtingen niet nakomt, zal de concessiehouder de "exceptie van de niet nagekomen afspraak" niet kunnen opwerpen, omdat de openbare dienst moet blijven functioneren.

– De wetgeving op het gebruik van de talen in bestuurszaken is op de concessiehouder van een openbare dienst toepasselijk.

In de praktijk zijn er nog weinig concessies. Het bekendste geval was vroeger de Brusselse intercommunale voor vervoer. Ook ging het meestal om nutsfuncties, waarbij de overheid toch steeds het tekort diende te betalen. In de praktijk is de concessie het verlenen van een (tijdelijk) monopolie.

c. Het beheerscontract

Bij de opstarting van de economische autonome overheidsbedrijven werd een moderne versie van de concessie ingevoerd, namelijk het "beheerscontract". Het beheerscontract vormt de hoeksteen en de belangrijkste vernieuwing binnen de autonome economische overheidsbedrijven.

d. De bestuursprivatisering

Deze techniek houdt in dat men managers uit de private industrie of kabinetsmedewerkers aanstelt als gedelegeerd bestuurder of lid van de raad van bestuur om de leiding waar te nemen.

Nogal wat voorbeelden van deze vorm van privatisering zijn terug te vinden bij de "Kempische Steenkoolmijnen", de "Waalse staalindustrie", de "openbare kredietinstellingen" (O.K.I.'s) en de "autonome economische overheidsbedrijven". Deze "bestuursprivatisering" heeft zeker tot geen positieve gevolgen geleid. Vele van deze "benoemden" hebben geen ervaring met de betrokken instelling en de interne bekwamen (i.c. de ambtenaren) worden opzij gezet, wat tot de nodige spanningen leidde.

Een andere vorm van "bestuursprivatisering" is de inschakeling van "consultants" om het beleid te onderzoeken en de toekomst vast te leggen. Deze studies worden uitgevoerd door "externe specialisten", die geen directe kennis hebben van de betrokken instelling.

e. De betalingsbon

Bij deze vorm van privatisering geeft de overheid "betaalbons" uit, die gescheiden worden van de productiefunctie. Hierdoor zou de overheid "bons" (bijv. onderwijs, cultuur, huisvesting, enz.) uitgeven aan zijn inwoners, die deze vrij aan een producent kunnen besteden. Daardoor zou de markt – althans theoretisch – vrij kunnen spelen. Dit stelsel kan werkzaam zijn bij de aankoop of bouw van huizen, waardoor de consument vrij kan beslissen over het geld. Daardoor zouden de huisvestingsmaatschappijen overbodig worden.

In de culturele sector zou een dergelijk stelsel inhouden dat de Vlaamse Gemeenschap cultuurbons geeft aan de inwoners en dat er geen culturele centra meer worden gesubsidieerd.

f. De uitbesteding

Bij deze vorm van privatisering worden sommige diensten (bijv. restaurants, onderhoud, enz.) uitbesteed aan de private sector. De overheid doet dit meestal via de technieken van de wet op de overheidsopdrachten.

g. De participaties

Door participaties kan de overheid zelf aandelen bekomen in de private sector (bijv. textiel, steenkool, staal, enz.). Dit stelsel werkt ook omgekeerd. In heel wat gevallen beslist de private sector mede over nutsvoorzieningen. Het bekendste voorbeeld hierin zijn de intercommunales voor elektriciteit, gas, radio en TV-distributie.
Ook de wetgeving op de OKI's en de autonome economische overheidsbedrijven laten toe dat de private sector participaties neemt in deze publieke instellingen.

4.4. De privatisering in België

Sinds enige jaren heeft de federale regering het initiatief genomen om staatseigendom geheel of gedeeltelijk te verkopen (bijv. Belgacom, ASLK, enz.). Deze verkoop heeft officieel te maken met de vrije mededinging van de Europese interne markt. Doch in de werkelijkheid diende de verkoop van staatseigendom enkel om de budgettaire parameters van "Maastricht" te behalen.
Veel denkwerk aangaande de privatiseringen werd in België niet verricht. De enige officiële grotere voorbeelden hierover waren :
– De werkgroep (Moesen-Vuchelen) belast met de studie van de rationalisering en de privatisering van overheidsbedrijven en gemengde ondernemingen[6].
– De werkgroep (Farber, Moesen, Tulkens en Vuchelen) over de waardebepaling van twaalf Belgische publieke ondernemingen vanuit een privatiseringsoptiek[7].

De privatiseringen van de federale overheid worden begeleid door de "Commissie voor evaluatie van de activa van het rijk"[8]. Deze commissie adviseert de minister van Financiën bij de privatisering van openbare instellingen of bij het zoeken van privé-partners. In het bijzonder verstrekt zij advies in verband met de evaluatie van het bedrijf en de geboden prijs.
De prijscontrole is een belangrijke opdracht voor de evaluatiecommissie. Niettemin wordt gelet op de intenties van de overnemer met het oog op de voortzetting van de onderneming na privatisering. De commissie is ondergebracht bij de dienst Openbaar Krediet van de Administratie van de Thesaurie van het Ministerievan Financiën.

---

6   Verslag aan de ministers, 1986.
7   Staatsondernemingen : waardebepaling, Hill Samuel-Petercam, 1992.
8   K.B. van 8 oktober 1992, B.S. van 24 oktober 1992.

5. DE VERANKERING

Terwijl het bij delocalisatie dikwijls gaat over de overname door Belgische bedrijven van ondernemingen in het buitenland, wordt als men het heeft over verankering, het probleem gesteld van de overname door buitenlandse bedrijven van Belgische ondernemingen.

Met een Belgische verankering bedoelt men dan het streven naar het behoud van een controlerende deelneming van Belgische aandeelhouders in de voornaamste bedrijven, om zo de beslissingsmacht in ons land te bewaren.

De voordelen die doorgaans voor zo'n verankering worden aangevoerd, zijn van velerlei aard :

- Het behoud van kwalitatieve activiteiten en niet louter assembleren of toeleveren.
- Het behoud van de beslissingsautonomie in strategische sectoren voor de economische ontwikkeling, de bevoorrading (bijv. energie, infrastructuur, enz.), het wetenschappelijk onderzoek en het innoveren.
- Het groter beroep op nationale bedrijven voor toelevering.
- De financiële inkomsten voor de nationale economie uit onderzoeks- en marketingactiviteiten (dankzij licenties, royalties, enz.).
- De verankering als middel voor het voeren van een sociaal economisch beleid.

Om de beslissingsmacht over onze bedrijven zoveel mogelijk in eigen land te houden, kunnen niet enkel maatregelen worden opgenomen om de Belgische aandeelhouderskring zoveel mogelijk te vrijwaren. Maar er dienen ook maatregelen te worden genomen om het beleggen in risico-kapitaal aantrekkelijk te maken voor ingezetenen. Historisch is het een feit dat de buitenlandse invloed op de Belgische economie al erg lang aanwezig is. Doch de privatisering van nutsvoorzieningen en infrastructuur (in monopolie) stelt wel problemen voor de nationale beleidsvoerders.

Daems en Van De Weyer argumenteren dat een economie baat heeft bij beslissingscentra die de macht hebben om een strategie uit te zetten. Strategische macht wordt niet alleen bepaald door financiële, maar ook door beslissingsstructuren.

BESLUIT

Dit hoofdstuk geeft een overzicht van de evolutie van strikte staatsbedrijven naar diverse vormen van verzelfstandiging en privatiseren. In België heeft men vooral gewerkt met beheerscontracten in de sector van de autonome overheidsbedrijven. Deze bedrijven zijn erg belangrijk naar tewerkstelling, investeringen en beheer toe. De rol van de beheerscontracten is er om de taken van openbare dienst van deze bedrijven te bepalen. Het hoofdstuk besluit met diverse theoretische concepten over privatiseringstechniën.

Literatuurlijst

DE RUYTER K., MICHIELSEN S. en MORTELMANS J. (1994), *België verkoop: de stille privatisering van de Belgische overheidsbedrijven*, Groot-Bijgaarden: Scoop

DUJARDIN J. (1996), *Administratief recht*, Antwerpen: Kluwer

DAEMS H. en VAN DE WEYER P. (1993), *Buitenlandse invloeden in België: de gevolgen van de strategische beslissingsmarkt,* Brussel: Lannoo – Koning Boudewijn-stichting

JACKSON P. en LAVENDER M. (1996), *Public services Yearbook: 1996-1997,* London: Public Finance Foundation

MAES R. (1997), *De bestuurlijke organisatie, Bestuurskunde III,* Brussel STOHO

MATTHIJS H. (1998) Een Vlaamse fiscale administratie in de 21e eeuw, *"Een Vlaamse fiscaliteit binnen een economische en monetaire Unie"* (VANDERVEEREN C. en VUCHELEN J. red.), Antwerpen: Intersentia

MATTHIJS H. (1996) De overheidsbegrotingen, Brugge: Die Keure

VAN HOOLAND B. (1996), "De organisatie-theoretische en managementsgerichte benadering van het openbaar bestuur. Grondleggers en recente theorieën", *Bestuurskunde (deel I),* STOHO: Brussel

VERMEULEN P. (1994), Overheidsmanagement en bestuursvernieuwing: autonomie à la carte de agencies, *Tijdschrift voor bestuurswetenschappen en publiekrecht nr. 7,* blz. 443 e.v.

VUCHELEN J., " Nationaliseren en privatiseren" in *Sociaal Economisch Beleid (deel II),* Brussel: STOHO

VUCHELEN J. en VAN IMPE W. (1987), *Privatisering: van macht naar markt,* Antwerpen: Standaard.

Trefwoorden en -zinnen van hoofdstuk 6

Efficiëntie
Effectiviteit
Prestatiemating
Doelstellingen- en instrumentenanalyse
Kosten-batenanalyse
Kosten- en effectiviteitsanalyse

Hoofdstuk 6
DE EVALUATIE VAN HET BELEID

De leer van het publiek management heeft ook diverse technieken ontwikkeld om het beleid te evalueren. De eerste doelstelling van een evaluatieonderzoek is dan ook het zoeken naar de effecten van het beleid.
Hierna gaan we de voornaamste technieken overlopen.

1. ECONOMIE OF ZUINIGHEID

- Dit begrip heeft betrekking op de mate waarin productiemiddelen voor het transformatie-proces tegen relatief lage prijzen kunnen worden aangekocht.
- Economie betreft dus het zuiver omspringen met de middelen en dit zonder te kijken naar de verhouding input-output.

2. EFFICIËNTIE OF DOELMATIGHEID

- Doelmatigheid heeft betrekking op de vraag of met een gegeven inzet van middelen een zo groot mogelijke output (= prestaties) wordt gerealiseerd, dan wel of een gegeven output met een zo gering mogelijke inzet van middelen wordt bereikt.
- Een andere mogelijke omschrijving is dat het efficiëntiecriterium gericht is op het best mogelijk gebruik van tijd, geld en hulpbronnen.

Bij doelmatigheid gaat het dus om een vergelijking tussen input en output, waarbij één – gegeven de omvang van een ander – geminimaliseerd dan wel gemaximaliseerd dient te worden.

3. EFFECTIVITEIT OF DOELTREFFENDHEID

- Doeltreffendheid gaat volgens sommigen over de vraag of bepaalde effecten met een zo gering mogelijke inzet van middelen tot stand zijn gekomen, dan wel of met een gegeven inzet van middelen een maximaal resultaat in termen van effecten is bereikt (kosteneffectiviteit).
- Andere auteurs leggen niet het verband tussen effecten en middelen, maar wel tussen effecten en prestaties. Voor hen is er sprake van doeltreffendheid als bepaalde effecten met zo gering mogelijke prestaties tot stand zijn gebracht, ofwel als gegeven de prestaties een maximaal resultaat in termen van effecten wordt bereikt (allocatieve effectiviteit).
- Het effectiviteitscriterium heeft te maken met : het op systematische wijze nagaan of de geëigende subdoelstellingen worden gehaald.

Efficiëntie en effectiviteit zijn twee kernbegrippen als men het heeft over prestatiemeting. Schematisch is de relatie tussen economie, efficiëntie en effectiviteit als volgt
weer te geven :

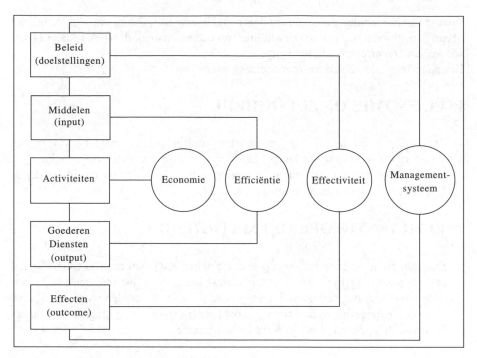

Figuur 7.4. : De relatie tussen economie, efficiëntie en effectiviteit

Uit dit schema is af te leiden dat het bij doelmatigheid gaat over een verhouding tussen
input en output. Deze verhouding is echter enkel zinvol indien er een grootheid bestaat
waarmee ze vergeleken kan worden. Zonder een dergelijke vergelijkingsbasis (= een
norm) kan immers nooit worden beoordeeld of daadwerkelijk een maximale output dan
wel een minimale input is gerealiseerd. Ook voor wat de effectiviteit betreft is het
noodzakelijk dat de werkelijke gegevens geconfronteerd worden met een norm.

4. KENGETALLEN EN PRESTATIEMETING

Hierboven werd duidelijk welke informatie over input, prestaties en effecten nodig is
voor de berekening van zogenaamde kengetallen voor efficiëntie en effectiviteit. Door
prestatie-indicatoren/kengetallen tegenover gegeven normen te plaatsen wordt
sturingsinformatie met betrekking tot prestaties verschaft. Dit is voor overheidsorganisaties belangrijk. Want een goede prestatiemeting is een conditio sine qua non voor
resultaatgericht management.
Vermits kengetallensystemen (een specifieke vorm van prestatiemeting) in het kader
van de verzelfstandigingsoperaties bij de overheid (vooral bij agentschappen) veel
belangstelling genieten wordt hier verder op ingegaan.

Onder **kengetal** verstaat men een getal dat kerninformatie over een situatie en/of een ontwikkeling bevat dat aansluit op de informatiebehoefte van de manager of politicus. Kengetallen die in het kader van prestatiemeting van belang zijn, hebben betrekking op drie processen : het beleidsproces, het productieproces en het begrotingsproces.

In het beleidsproces worden de doelen of de beoogde effecten van het beleid bepaald en wordt een keuze gemaakt over de inzet van het instrumentarium, waarna de uitvoering plaatsvindt en op basis van evaluatie het beleid wordt bijgesteld.

Het gekozen en ingezette beleidsinstrumentarium geeft richting aan de wijze waarop het productieproces wordt ingericht.

In samenhang met het beleidsprogramma en het productieplan worden de budgetten bepaald. Deze worden vastgelegd in de begroting. Het begrotingsproces wordt afgerond met een jaarrekening, waarin de verantwoording over de realisatie van de budgetten teruggevonden wordt. Ook hier volgt een eventuele bijstelling van de budgetten.

In dit kader kan een onderscheid worden gemaakt tussen drie soorten kengetallen :

– **Ramingskengetallen** : deze kengetallen ontleden het begrotingsbedrag in een volume- en een prijscomponent. Deze ramingsgetallen spelen een rol bij de allocatie.

– **Doelmatigheidskengetallen** : deze kengetallen geven de relatie aan tussen de geleverde producten en de inzet van productiemiddelen (deze laatste worden in geld uitgedrukt). Doelmatigheidskengetallen geven een inzicht in de efficiëntie van de uitvoering van het beleid (= productieproces).

– **Doeltreffendheidskengetallen** : dit zijn kengetallen die een inzicht bieden in de effecten en eventueel neveneffecten die het beleid in de samenleving heeft.

Elk van de categorieën van kengetallen zijn belangrijk maar dienen elk een verschillend doel. Bij de beoordeling van de prestatiemeting moet per categorie een beoordeling plaatsvinden.

5. DE METHODEN

De vier voorgaande punten behandelden het evaluatie-onderzoek. De volgende drie punten hebben betrekking op de evaluatiemethoden.

5.1. Doelstellingen- en instrumentenanalyse

Om de effecten van een beleid te evalueren is een analyse van de doelstellingen nodig. Ten aanzien van de doelstellingen moet er wel vermeld worden dat die dikwijls erg vaag zijn gesteld. Daardoor wordt een analyse al erg bemoeilijkt.

Indien er officiële doelstellingen werden vastgelegd dan kan de onderzoeker, met behulp van een deductieve benadering vanuit de abstract geformuleerde hoofddoelstelling, de operationele doelstelling afleiden en toetsen aan de behaalde resultaten.

Als de vermelde officiële doelstellingen niet beschikbaar zijn, dan zal de onderzoeker deze op een inductieve wijze moeten zoeken.

Vooral de inductieve wijze van onderzoek kan tot problemen leiden omdat de endogene doelstellingen worden geformuleerd. Onder deze endogene doelstellingen verstaat men de beleidsopties van de organisatie zelf. Uiteraard kunnen deze endogene opties in strijd zijn met de exogene beleidsdoelstellingen. Deze laatsten zijn de politieke doelstellingen van buiten de organisatie en zij zijn op de maatschappij gericht.

Een inconsistentie tussen beide soorten van doelstellingen kan op een ineffectief beleid wijzen.

Aansluitend op de doelstellingenanalyse zijn er de instrumenten om de doelstellingen te bereiken. Uiteraard is de keuze van de instrumenten van prioritair belang voor de politieke en de ambtelijke wereld. Van belang is dat de instrumenten geen doel op zich mogen zijn en dat ze moeten bijdragen tot de realisatie van de kwantitatieve en kwalitatieve normen aangaande de doelstellingen.

Tenslotte is er ook nog een onderscheid tussen externe en interne instrumenten. De externe instrumenten worden gebruikt ter realisering van de op de maatschappij gerichte doelstellingen. De interne instrumenten worden ingezet voor het bereiken van de op de organisatie gerichte doelstellingen.

5.2. De kosten-batenanalyse (zie hoofstuk 3 van deel 5)

De kosten-batenanalyse (cost-benefit analysis) is het geheel van methoden om een zo volledig mogelijk overzicht te geven van alle voor- en nadelen van een maatregel uit het beleid.

Een luchthaven heeft bijvoorbeeld voordelen (baten : i.c. de tewerkstelling, de technologische know how), doch ook nadelen (kosten, i.c. milieubelasting, onteigening).

Het voordeel van deze methode bestaat erin dat zowel van de voordelen als de nadelen, een zo volledig mogelijke lijst wordt opgemaakt. Het nadeel is de dikwijls moeilijke of zelfs onmogelijke geldelijke uitdrukking van nogal wat kosten en baten. Vooral bij overheidsgoederen stelt zich dit probleem. Zo is de kost van een autosnelweg berekenbaar, doch de baat (snelheid, enz.) is niet te berekenen.

5.3. De kosten-effectiviteitsanalyse

De Braekeleer (1998) verstaat onder de kosten-effectiviteitsanalyse die methode waarbij wordt nagegaan met welk alternatief een doelstelling met zo min mogelijk kosten kan worden verwezenlijkt.

In feite beperkt deze analyse zich tot het onderzoek naar de "kostenminimalisering" (het doel bereiken met zo weinig mogelijk kosten) en de "effectmaximalisering" (zoveel mogelijk van het doel verwezenlijken).

6. BESLUIT

In dit deel hebben we een overzicht gegeven van het wetenschappelijk denken aangaande publiek management. De ontwikkeling van dit denken vond vooral plaats in de private sector. Vrij recent zien we hiervan echter toepassingen in de publieke sector (bijv. Mintzberg).

In hoofdstuk 2 werd de publieke sector vergeleken met de private tegenhanger. Naast gelijkenissen (organisatorisch, professionalisering) kennen de beide sectoren ook tal van verschilpunten, zoals concurrentie versus samenwerking, de herverdelende functie van de overheid via de begroting en de sociale zekerheid, het nog overwegende kameraal boekhoudkundig stelsel van de overheid versus de boekhouding in de private sector, het ambtelijk statuut uit de publieke sector versus de contractuele band tussen werkgever en werknemer in de private sector.

Op basis van dit hoofdstuk kan men besluiten dat er wel degelijk verschillen zijn tussen de beide sectoren.

Vervolgens zijn we nader ingegaan op de theorie van het publiek management (new public management), meer bepaald op het denken van Osborne en Traebler. Zij stelden een aantal (i.c. tien) principes voor om de problemen van de overheid op te lossen. Bovendien werden er nog enkele typische kenmerken die betrekking hebben op het nieuwe overheidsmanagement belicht. Een andere belangrijke theorie waarop we verder zijn ingegaan is de "Science of administration", met als grondlegger Woodrow Wilson. Hij pleitte voor een strikte scheiding van politiek en bestuur. Volgens Wilson moeten politieke bewindvoerders over ervaring beschikken en moeten ambtenaren veeleer technocratisch zijn ingesteld.

Tenslotte worden ook de politicologische school en het new public management behandeld met als thema's : de macht, de sloping van de grens tussen politiek en bestuur, de systeem-politieke benadering en de ontwikkeling van de beleidswetenschap. In het vierde hoofdstuk werd een overzicht gegeven van de diverse soorten management in de literatuur, zoals personeelsmanagement, organisatiemanagement en cultuurmanagement.

In dit deel werden ook de diverse aspecten van privatiseringen en verzelfstandigingen besproken, alsmede de theorie van de agentschappen. Er werd vooral de nadruk gelegd op de techniek van de beheerscontracten. Die bepalen de taken van de openbare dienst voor de autonome overheidsbedrijven. Ten aanzien van privatiseringen zijn er tal van argumenten, zowel pro als contra. Naast verzelfstandiging werd ook de verankering van bedrijven besproken.

We sluiten het deel af met een wetenschappelijk overzicht van de evaluatietechnieken voor een beleid : zuinigheid, effectiviteit, efficiëntie, kengetallen en prestatiemeting.

Literatuurlijst

DE BRAEKELEER F. (1998), Sociaal economisch management, Antwerpen: Intersentia

INDEX